BIBLIOTHÈQUE DU VOYAGEUR

INDE

INDE

À PROPOS DE CE GUIDE

ÉDITION FRANÇAISE

Traduction
**Bruno Krebs, Sophie Paris,
Pascaline Truc**

Bibliothèque du voyageur
Gallimard Loisirs
5, rue Sébastien-Bottin, 75007 Paris
tél. 01 49 54 42 00, fax 01 45 44 39 45
biblio-voyage@guides.gallimard.tm.fr

Aucun guide de voyage n'est parfait. Des erreurs, des coquilles se sont certainement glissées dans celui-ci, malgré toutes nos vérifications. Les informations pratiques, adresses, heures d'ouverture, peuvent avoir été modifiées ; certains établissements cités peuvent avoir disparu. Nous vous serions très reconnaissants de nous faire part de vos commentaires, de nous suggérer des corrections ou des compléments qui pourront être intégrés dans la prochaine édition.

Dépôt légal : juillet 2011
Numéro d'édition : 175991
ISBN 978-2-74-242814-4
Mise en pages et adaptation :
Rialto/Federica Mariat
Photogravure couverture :
Mirascan, Paris
Imprimé et relié à Singapour par
Insight Print Services (Pte) Ltd.

www.guides.gallimard.fr
biblio-voyage@guides.gallimard.tm.fr

Cette nouvelle édition du guide *Inde* est une traduction-adaptation de l'Insight Guide : *India*, paru dans sa huitième édition et mis à jour en 2010.

Comment utiliser ce guide

Ce guide de voyage est conçu pour répondre à trois principaux objectifs : informer, guider et illustrer. Dans cette optique, il est divisé en trois grandes sections, identifiables grâce à leurs bandeaux de couleur placés en haut de page. Chacune d'elles vous permettra d'appréhender le pays, son histoire et sa population, et vous guidera dans le choix de vos visites, de votre hébergement et de vos activités culturelles et sportives :

◆ La section **Histoire** et **Société**, repérable par son bandeau jaune, relate sous forme d'articles fouillés l'histoire et la culture du pays.

◆ La section **Itinéraires**, signalée par un bandeau bleu, présente sous forme de circuits une sélection de sites et de lieux incontournables. Chaque site est localisé sur une carte à l'aide d'une pastille.

◆ La section **Carnet pratique**, située en fin d'ouvrage et soulignée par un bandeau orange, fournit toutes les informations nécessaires pour connaître les différents aspects du pays (climat, économie, situation géopolitique…), pour préparer le voyage (formalités, comment s'y rendre, précautions sanitaires, à mettre dans sa valise, etc.), se déplacer dans le pays, se loger et se restaurer, et bien plus encore.

Les contributeurs

La nouvelle édition du présent ouvrage a été préparée par **Maria Lord**, auteur et membre de l'équipe éditoriale des Insight Guides. Elle signe les Zoom sur… *Les Adivasi, La safranisation*, introduit les nouveaux chapitres concernant la *Danse et*

Le Taj Mahal vu de la Yamuna.

musique, *Le Chattisgarh*, *Le Ladakh*, *L'Inde contemporaine*, *Les Lakshad-weep*, *L'Uttaranchal* et *Le Jharkhand*, actualise et enrichit les chapitres Histoire et Société ainsi que ceux des Itinéraires, et, finalement, remet fraîchement à jour le Carnet pratique.

Cette édition s'appuie sur le travail mené auparavant par une équipe d'auteurs conduite par **Jane Hutchings**, journaliste londonienne possédant une grande expérience des Insight Guides, et **Jan McGirk**, qui avait collaboré aux chapitres consacrés à *L'Inde contemporaine*, à la *Faune et flore*, et les Zoom sur... *L'Architecture de temples* et *L'environnement*.

Parmi les auteurs de la section Histoire et Société : **Farah Singha**, est l'auteur de *Delhi*, sa ville de résidence, de *L'Andhra Pradesh*, et a contribué à plusieurs autres chapitres ; **Savitri Choudhury**, correspondante pour l'Australian Broadcasting Corporation, a actualisé l'*Assam*, sa terre natale ; **Lea Terhune**, habitante de Delhi, a rédigé *Le Jammu-et-Cachemire* ; **Juliet Reynolds**, critique d'art vivant en Inde depuis sa majorité, s'est vu confier la rédaction de *Peinture et sculpture* ; le géographe, **Dr Kamala Seshan**, a pris en charge le chapitre sur *Le Pays et son climat* ; le **Professor Harbans Mukhia**, **Prem Shankar Jha** et **Ajay Singh** se sont partagé les chapitres sur l'Histoire ; **Radhika Chopra**, assistée de **Jan McGirk**, s'est penchée sur *Les Indiens* ; le professeur **V. S. Navarané** a expliqué de façon claire *Les religions* ; **Royina Grewal** a produit le chapitre sur *L'Inde savoureuse*, ainsi que le Zoom sur... *Les Fêtes religieuses* ; **Anil Dharker** et **Jan McGirk** cosignent le *Cinéma* ; **Dharker** a commis *Le Maharashtra* ; **Laila Tyabji** a forgé le chapitre *Artisanat* ; et **Bill Aitken**, *Les chemins de fer indiens*.

Quant aux Itinéraires, ils ont été conçus par : **Gillian Wright** pour *L'Uttar Pradesh* ; **Samuel Israel** et **Bikram Grewal** pour *Mumbai* ; **Grewal** pour *Chennai* ; **Meenakshi Ganguly** pour *Kolkata* et *Le Bengale-Occidental* ; **Sardar Khushwant Singh** pour *Le Penjab* et *l'Haryana* ; **Aman Nath** et **Francis Wacziarg** pour *Le Rajasthan* ; **Michel Vatin** pour *Les États du Nord-Est* et le Zoom sur... *Le thé* ; **M. M. Buch** pour *Le Madhya Pradesh* ; **Usha Albuquerque** pour *Goa* ; **Jaya Jaitly** pour *Le Gujarat* ; **Pepita Noble** pour *Le Kerala* ; et enfin **Vikram Sundarji** pour *Le Tamil Nadu*.

Légendes des cartes

▬ ▬ ▪ ▪	Frontière internationale
▬ ▬ ▬ ▬	Limite régionale
▬ ▪ ▬ ▪ ▬	Parc national, réserve
✈ ✈	Aéroport international, aéroport national
●	Station de métro
🚌	Gare routière
■	Parking
🅖	Office de tourisme
✉	Bureau de poste
✝ ✝	Église, ruines
✝	Monastère
☾	Mosquée
✡	Synagogue
🏰 🏯	Château, ruines
∴	Site archéologique
∩	Grotte
⚊	Statue, monument
★	Curiosité

Les sites des itinéraires sont signalés dans les cartes par des puces noires (ex ❶ ou ❹). Un rappel en haut de chaque page de droite ou de gauche indique l'emplacement de la carte correspondant au chapitre.

INDE

SOMMAIRE

La bibliothèque de l'Asiatic Society, mairie de Mumbai.

Carnet pratique

◆ **Index détaillé du Carnet pratique, p. 345**

Zoom sur...

Itinéraires

LES MUSTS DE L'INDE

Que vous préfériez les eaux paisibles des *backwaters* du Kerala ou les promenades sereines dans les jardins de thé du Darjeeling à l'effervescence frénétique de Mumbai ou au spectacle parfois déconcertant qu'offrent les *ghat* de Vaanasi, chacune de ces destinations est incontournable.

△ **Jaisalmer** Fondée en 1156, la plus ancienne capitale rajpoute – base idéale pour les excursions dans le désert de Thar – dévoile ses magnifiques *haveli* (hautes maisons de ville), ses somptueux temples jaïns et son imposante forteresse en grès doré. *Voir p. 215*

△ **Les *backwaters* du Kerala**
Bordés de cocotiers, ces canaux intérieurs aux teintes émeraude et turquoise résument à merveille l'Inde tropicale comme nul autre paysage. *Voir p. 326*

▷ **Taj Mahal** Éblouissant symbole de l'Inde romanesque tout de blanc revêtu, il fascine par la perfection de ses proportions et le raffinement de ses détails. *Voir p. 175*

△ **Hampi** Au cœur de l'Inde, la capitale abandonnée de Vijayanagar conserve les ruines les plus émouvantes du pays. Le temple de Vittala et ses remarquables détails sculptés sont classés au Patrimoine mondial par l'Unesco. *Voir p. 337*

△ **Udaipur** La succession de temples, de palais, de cénotaphes et de lacs fait de cette ville du Rajasthan sans aucun doute l'une des plus séduisantes du pays. *Voir p. 211*

△ **Kullu Valley** Dans les contreforts de l'Himalaya, cette ravissante vallée verdoyante offre de superbes paysages et terrains de jeux pour les adeptes de la randonnée. *Voir p. 192*

△ **Varanasi** Sur les *ghat* et dans les *gali* de Bénarès, saint des saints sur les rives du Gange, on assiste à tout instant à des scènes quotidiennes, moments tant de la vie profane que de la vie sacrée. *Voir p. 180*

△ **Darjeeling** Refuge estival à l'époque du British Raj, cette station climatique nichée au cœur de jardins de thé verdoyants offre une vue extraordinaire sur l'Himalaya. Le "Toy Train" qui y monte est classé au Patrimoine mondial. *Voir p. 234*

▷ **Ajanta** Lovés dans une belle vallée boisée, les temples d'Ajanta (IIe siècle av. J.-C.), taillés dans la roche, arborent des fresques figurant parmi les plus belles œuvres de l'art bouddhique. *Voir p. 279*

◁ **Mumbai** Icône de l'Inde moderne, la dynamique et tapageuse métropole exaspère parfois mais fascine toujours. *Voir p. 269*

Rêvez l'Inde

Imaginez-vous arpentant les Sunderbans à la recherche du redoutable tigre du Bengale, voguant sur les paisibles *backwaters* du Kerala, savourant un délicieux *bhelpuri* sur la plage de Marine Drive à Mumbai... vous ne rêvez plus, vous êtes bien en Inde.

Ses expériences mémorables

● **Observation des tigres**
Les passionnés de gros félins mettront toutes les chances de leur côté en se rendant dans l'un des parcs nationaux de Corbett, Ranthambore ou Kanha. *Voir p. 182, 293, 210*

● **Voyage en train**
Rien de plus pittoresque qu'un voyage de nuit à bord d'un train indien sur lequel vous ferez des rencontres fascinantes, curieuses et amusantes. Le réseau ferroviaire est très étendu et les trains, en général, se révèlent fiables et confortables. *Voir p. 359*

● **Mumbai *by night***
À la nuit tombée, la dynamique mégapole dévoile son surprenant glamour bollywoodien. Commencez la soirée en vous promenant sur le front de mer pour admirer le coucher du soleil. *Voir p. 272, 396*

● **Khajuraho à l'aube**
Visitez les temples à la fraîcheur du petit jour, avant l'arrivée des hordes de cars de touristes. *Voir p. 290*

● **Un fort du Rajasthan**
Il se dégage de ces opulents palais – Amber, Jodhpur, Bikaner, Udaipur ou Jaisalmer –, tout le charme de l'Inde. *Voir p. 203*

● **Fêtes indiennes**
Il vous sera très difficile de ne pas assister au moins une fois pendant votre séjour à l'une de ces fêtes hautement colorées où se mêlent paganisme pittoresque et culte rituel. *Voir p. 105*

● **À dos de chameau**
Cette aventure restera l'un de vos meilleurs souvenirs. *Voir p. 215*

● **Nuit royale** Osez descendre une nuit dans l'un des nombreux palais reconvertis en palace hôtelier. *Voir p. 362*

● **Plaisirs gourmands**
Tout comme sa culture, la cuisine indienne se révèle très variée, du tandoor du Nord au curry épicé du Sud. *Voir p. 137*

Ci-dessus : safari à dos de chameau, au départ de Jaisalmer.
Ci-dessous : *rickshaw* motorisé.

Ses trésors urbains

● **Mumbai (Bombay)**
Tentaculaire, Mumbai hypnotise ! *Voir p. 269*

● **Delhi** Mêlant à merveille l'antique et le moderne, la capitale de l'Inde regorge de trésors inattendus. *Voir p. 167*

● **Jaipur** Non loin d'Agra et Delhi, la cité rose est un excellent préambule au Rajasthan. *Voir p. 203*

● **Kolkata (Calcutta)**
N'hésitez pas à résider quelque temps dans cette ville dynamique, ancien centre du pouvoir britannique. *Voir p. 221*

● **Bengaluru (Bangalore)**
Fer de lance de l'industrie technologique mondiale. *Voir p. 333*

● **Chennai (Madras)**
L'étouffante capitale du Tamil Nadu vous offre sa culture, sa gastronomie et ses coutumes tamoules. *Voir p. 167*

● **Varanasi (Bénarès)**
Sans conteste, le site le plus évocateur de l'Inde spirituelle. *Voir p. 180*

● **Hyderabad** Si elle possède la plus grande statue de Bouddha du monde, la capitale de l'Andhra Pradesh est le bastion de l'islam en Inde. *Voir p. 340*

● **Mysore** Elle demeure l'une des villes les plus agréables à visiter. Ne manquez pas son palais. *Voir p. 335*

● **Madurai** À voir, le célèbre temple et ses 4 *gopuram* ornés de sculptures chamarrées. *Voir p. 318*

● **Kochi (Cochin)** Son élégance fanée évoque un fastueux passé colonial. *Voir p. 327*

SES SITES ET TEMPLES ENVOÛTANTS

● *Voir aussi Hampi, Ajanta p. 6, 7*
● **Ellora** Remarquable, tant pour son site que ses grottes rupestres et sa cathédrale troglodyte. *Voir p. 280*
● **Mamallapuram** Admirez ce fameux site archéologique, classé au Patrimoine mondial, splendide vitrine de l'art religieux dravidien. *Voir p. 316*
● **Bhubaneshwar** Cette région de l'Orissa concentre un nombre incroyable de temples finement ouvragés et ciselés. *Voir p. 257*
● **Amritsar** Au centre d'un bassin de cette ville du Penjab, miroite l'éblouissant Golden Temple, saint des saints sikh. *Voir p. 188*
● **Bodhgaya** Mahabodhi Temple, sanctuaire marquant le lieu où Bouddha atteint l'Éveil, reste fascinant malgré des abords dédiés au commerce, loin d'être avenants. *Voir p. 253*
● **Orcha** Jouant sur les styles hindou, indo-sarrasin et moghol, ce bijou architectural du xvie siècle mérite votre visite. *Voir p. 290*
● **Fatehpur Sikri** Au sud-est d'Agra, rendez-vous de bonne heure sur le site impérial d'Akbar dont les vestiges bien préservés laissent percevoir l'ensemble majestueux de la cité moghole. *Voir p. 175*
● **Ladakh** De Leh Ascend aux plaines arides de cet ancien royaume bouddhiste, vous rencontrerez des *gompa* édifiés dans des décors himalayens d'une beauté à couper le souffle. *Voir p. 198*

Ci-dessus : femmes rajasthanis en saris chatoyants.

SES STATIONS CLIMATIQUES

● *Voir aussi Darjeeling, p. 7*
● **Simla** Sur les versants de l'Himalaya, la résidence officielle d'été du British Raj a su conserver son atmosphère coloniale. *Voir p. 191*
● **Kodaikanal** Les monts Palani abrite la plus agréable des retraites d'été du Tamil Nadu. *Voir p. 321*
● **Matheran** Perchée à 800 m au-dessus de Mumbai sur les pentes arborées des Gaths occidentaux, cette station climatique ravira les adeptes des balades équestres. *Voir p. 278*
● **Ooty** À l'époque du British Raj, cette villégiature était le rendez-vous du gotha britannique. Aujourd'hui, la région, pourvue de somptueux paysages, est prisée des amoureux de la montagne. *Voir p. 320*
● **Dharamsala** C'est dans la très belle vallée de l'Himalaya que se trouve la résidence du dalaï-lama et du gouvernement en exil. *Voir p. 194*
● **Abu** L'unique station climatique du Rajasthan se révèle être un haut lieu de pèlerinage jaïn. *Voir p. 213*

Ci-dessus : ruines de Fatehpur Sikri, superbement conservées.
À droite : dôme luisant du Golden Temple, Amritsar.

SES PLAGES DE RÊVE

● **Goa** Frangées de cocotiers, les étendues de sable ambré baignées par la mer d'Oman se succèdent sur une centaine de kilomètres et comptent parmi les plus belles plages du pays. Essayez celles de Vagator, d'Anjuna, d'Angonda ou de Palolem. *Voir p. 300*

● **Lakshadweep** Rarement visité, cet archipel corallien au sud-ouest de l'Inde comblera vos rêves de tranquillité, de sable blanc, de mer cristalline et de fonds marins, idéals pour la plongée. *Voir p. 328*

● **Puri** Haut lieu de pèlerinage dédié à Jagannath, la belle plage de Puri peut se révéler perfide en raison des courants forts et imprévisibles. *Voir p. 259*

● **Kovalam** La plus connue des plages du Kerala se dote de nouvelles infrastructures. Après un bain tonifiant, pourquoi ne pas vous offrir un massage ayurvédique. *Voir p. 326*

CI-DESSUS : tigre royal du Bengale, Ranthambore.
CI-DESSOUS : une des fameuses plages de Goa.

SES PAYSAGES ENCHANTEURS

● **Kanha** Les collines de Mahadeo, situées au cœur du Madhya Pradesh, ont servi de décor au *Livre de la jungle* de Rudyard Kipling. Cette magnifique région de forêts et de prairies, où le temps semble avoir suspendu son vol, abrite une faune incroyablement riche et variée. *Voir p. 293*

● **Sunderbans** Dans cette "forêt magique" – en réalité de vastes marais de mangrove –, vous observerez à loisir le crocodile d'estuaire, le varan aquatique, le chat pêcheur et, avec beaucoup de chance, le redoutable tigre royal du Bengale. *Voir p. 234*

● **Corbett** Le chasseur converti au naturaliste a donné son nom à ce parc qui abrite tigres, éléphants, cerfs ainsi que des oiseaux tels le loriot pourpré, l'irène vierge et la pirolle verte. *Voir p. 183*

● **Thekkadi (Periyar)** Le magnifique paysage qu'offrent les Ghats occidentaux sert de décor aux vastes troupeaux d'éléphants sauvages. *Voir p. 327*

● **De Leh à Kullu Valley** Ce périple entre le Ladakh et l'Himashal Pradesh vous dévoilera des paysages d'une beauté insolite. *Voir p. 192, 199*

● **Sikkim** Vous serez époustouflé par les panoramas qu'offre ce splendide pays de fleurs et de forêts. *Voir p. 238*

● **Ranthambore** Dans la Tiger Reserve, les amateurs auront toutes les chances d'apercevoir ces majestueux félins. *Voir p. 210*

SES TERRITOIRES OUBLIÉS

● **Gujarat** Souvent traversé mais rarement visité, le pays natal du Mahatma Gandhi recèle autant de trésors naturels qu'architecturaux que vous découvrirez avec plaisir lors de votre séjour. *Voir p. 282*

● **Le Nord-Est** Blottie entre le Bangladesh et le Myanmar, cette région peu connue n'en est pas moins fascinante. *Voir p. 241*

● **Îles Andaman** Au cœur du golfe du Bengale, découvrez ce chapelet d'îles tropicales où vivent des tribus autochtones n'ayant pas ou peu de contact avec le monde. *Voir p. 262*

● **Madhya Pradesh** Outre l'incontournable visite des temples de Khajuraho ou du Kanha National Park, osez pénétrer dans ces contrées boisées et partez à la découverte des innombrables joyaux que conserve cette "terre du Centre", tels que ces villes fortifiées, sa gastronomie et sa nature. *Voir p. 289*

● **Andhra Pradesh** Une région qu'il vous faudra explorer pour bien saisir sa culture unique, admirer ses magnifiques paysages rocheux et visiter ses imposantes forteresses. *Voir p. 339*

CI-DESSUS : *mehndi* ou tatouage au henné.

SES FÊTES ET FOIRES BIGARRÉES

● **Kumbha Mela** Cette *mela* hindoue se déroule tous les trois ans mais atteint son apogée tous les 12 ans lors du Maha Kumbha Mela à Prayag, le plus grand rassemblement religieux au monde. *Voir p. 107*

● **Holi** Au lendemain de la pleine lune de mars, la région Nord tout entière célèbre avec force couleurs vives la fête de la fertilité, Holi. Si vous êtes de passage à ce moment-là, mêlez-vous à la fête. *Voir p. 106*

● **Divali** Féerique, cette fête des lumières commémore le retour en héros du roi Rama. *Voir p. 105*

● **Kartik Purnima** En novembre, Pushkar accueille cette majeure foire au bétail et aux chameaux du Rajasthan, véritable feu d'artifice de parures, couleurs et turbans. *Voir p. 208*

● **Navaratri** Ce festival rend hommage pendant 9 nuits et 10 jours aux 9 formes de la Shakti, l'énergie féminine divine. *Voir p. 105*

CI-DESSUS : motifs religieux sur une maison de l'Orissa.

PETITS CONSEILS ENTRE AMIS

L'Inde peut être un pays déconcertant pour les non initiés, mais en suivant quelques règles de base vous limiterez les chances de vous faire arnaquer ou voler.

● **Taxi** À l'aéroport, optez pour un taxi prépayé ; en ville, par contre, même en choisissant un taxi noir avec compteur, demandez une estimation de la course avant de monter.

● **Rickshaw** À chaque fois que vous empruntez ce mode de transport, mettez-vous bien d'accord sur le montant de la cour-

se afin d'éviter toute réclamation.

● **Hôtel** Ne laissez jamais un chauffeur de taxi ou de rickshaw vous conduire à un hôtel que vous n'avez pas vous-même choisi. Faites-lui bien comprendre que vous avez déjà une réservation.

● **Carte bancaire** Pour éviter toute fraude, ne la quittez jamais des yeux lorsque vous effectuez un paiement par carte.

● **Biens personnels** Conservez sur vous à tout moment si possible vos biens ou laissez-les au coffre à votre hôtel plutôt que

dans votre chambre non sécurisée. À bord d'un train, ne tentez pas les chapardeurs et protégez vos bagages en les cadenassant.

● **Assurance** Vérifiez que votre contrat vous assure une bonne couverture pour vos voyages à l'étranger ainsi que pour toute activité sportive ou à risque, telle que le rafting, le trekking ou encore l'escalade.

LES CHARMES DE L'INDE

*Depuis toujours, son étonnant mélange de populations,
de cultures et de paysages ne cesse de séduire le voyageur.*

Forte d'une longue tradition d'accueil, d'implantation et d'intégration de différentes populations, l'Inde a su, au fil du temps, s'adapter et évoluer pour mieux refléter les idées et les coutumes de ces nouveaux arrivants. Cette même ouverture et cette même hospitalité s'offrent au visiteur, dans une fascinante mosaïque de cultures et de croyances. Patrie d'hindous, musulmans, chrétiens, sikhs, jaïns, bouddhistes et juifs, d'idéologies politiques variées – des paysans communistes favorables à l'indépendance aux hindous nationalistes –, l'Inde accueille un nombre presque incalculable de peuples. Ses paysages, allant de la chaîne montagneuse la plus élevée du monde aux rivages tropicaux, sont aussi extrêmement diversifiés.

Depuis des temps anciens, de grands mouvements migratoires sont attestés à travers l'Asie du Sud. Les tribus d'Asie occidentale et centrale, arrivées en masse par les cols élevés du Nord-Ouest, ont apporté avec elles les rudiments de la foi hindoue qui, sur le sol indien, devaient engendrer une religion très complexe, empreinte d'une philosophie subtile.

Si le regain d'influence de l'hindouisme hors du sous-continent indien ne remonte qu'à ces dernières années, le bouddhisme – qui en découle – constitue une religion planétaire de première importance. L'Inde a également intégré islam, christianisme, zoroastrisme et, à une très petite échelle mais de manière perceptible, judaïsme.

Le pays est ainsi une véritable "éponge", et ce, pas seulement dans le domaine religieux. Avec ces peuples sont arrivées des ethnies diverses, qui ont apporté leurs art, architecture, culture, langue, traditions, littérature, styles de musique et de danse, structures administratives, systèmes de pensée, sciences, technologies et médecines. Rares sont celles qui ont entièrement perdu leur identité, toutes ont exercé une certaine influence, et beaucoup se sont fondues définitivement dans le puzzle intriqué de l'Inde.

Cette variété et cette complexité confèrent au pays sa véritable identité, mais le voyageur – à l'instar des politiciens indiens – a parfois bien du mal à affronter une telle hétérogénéité. L'Inde ne dévoilera ses charmes intacts qu'à ceux qui prendront le temps de la comprendre, sans juger au premier abord. L'un des plus grands chantres du pays, le journaliste anglais James Cameron, en résume ainsi les attraits : "J'aime l'Inde le soir, ce moment magique où le soleil oscille sur le rebord du monde tandis que le calme se fait, et que quelque 10 000 fonctionnaires se laissent glisser sur le flot de bicyclettes qui les mènera chez eux, plongés dans leurs pensées sur Krishna ou sur le coût de la vie." ❑

PAGES PRÉCÉDENTES : la foire aux chameaux de Pushkar (Rajasthan) ; les *ghat* de Varanasi ; le temple de Dilwara (mont Abu) ; le règlement d'un restaurant à Bombay. **À GAUCHE :** le sourire accueillant d'un Rajpoute.

LE PAYS ET SON CLIMAT

Peu de pays au monde couvrent une aussi grande variété de paysages que l'Inde,

tour à tour arrosée par la mousson et brûlée par le soleil.

Rappelant une tête d'éléphant, le territoire de l'Inde se rétrécit au sud en une sorte de trompe plongeant, comme pour épancher sa soif, dans l'océan Indien, le golfe du Bengale et la mer d'Oman. Une soif bien compréhensible, car le pays se situe à la même latitude que 3 des plus grands déserts du monde – ceux du Mexique, du Sahara et d'Arabie. Toutefois, l'Inde s'étend bien au-delà de son propre désert, le Thar, déployant, à mesure que l'altitude augmente, forêts humides, prairies alpines et glaciers.

Caractéristiques climatiques

De la fin juin à la fin septembre, la mousson du sud-ouest domine la majeure partie du pays, avec son cortège d'averses et son hygrométrie élevée. Lorsque les vents s'apaisent, en octobre, la terre se dessèche et le taux d'humidité chute. Néanmoins, pluies et rafales cycloniques touchent le littoral sud-est jusqu'en janvier.

En novembre, le feu du soleil s'apaise et la saison fraîche débute dans la plaine du Nord. Jusqu'en février, les températures restent froides (inférieures à 5 °C) dans l'Himalaya et sur ses contreforts – où l'on pratique le ski –, agréables dans les plaines (entre 15 et 20 °C) et chaudes (supérieures à 20 °C) dans le sud, à l'exception des hautes terres, plus fraîches.

Le printemps, ou été indien, de mars à mai, se révèle chaud et sec, ponctué de rafales recouvrant la plaine septentrionale d'un voile de poussière ; les températures diurnes maximales avoisinent les 40 °C. Si le sud de l'Inde connaît un climat suffocant, les températures y restent généralement supportables (de 27 à 29 °C).

Sur les traces de la mousson

En juin, la chaleur étouffante de la plaine septentrionale provoque le déplacement des courants aériens supérieurs au nord de l'Himalaya, attirant la mousson d'été sur l'ensemble du pays. Commençant par la côte sud-ouest, celle-ci bifurque vers l'est et le nord, avant d'atteindre le delta du Gange et de suivre les larges vallées fluviales bordées par les contreforts densément boisés de l'Himalaya.

De luxuriantes forêts humides tapissent les collines longeant la côte sud-ouest, au Kerala, où les lagons des plaines sont jonchés de cocotiers.

Le rivage s'étire au nord jusqu'à la plaine de Goa, avec ses vastes plages ensoleillées léchées par la mer d'Oman. Le reste de la côte, essentiellement rocheuse, s'élève doucement vers les bas plateaux de latérite, puis de manière plus abrupte jusqu'aux pentes sombres couvertes de verdure des Ghats occidentaux. Plus au nord, les basses plaines salines et marécageuses de la presqu'île de Kathiawar regorgent de flamants.

À l'intérieur des terres, les champs de coton et de tournesol finissent par se perdre dans le désert. Depuis le Rann de Kutch, marais salants à l'ouest du fleuve Luni, s'étend le grand désert et, plus au nord, entre Jaisalmer et Jodhpur, le petit désert.

À GAUCHE : paysage de moisson dans l'Uttar Pradesh.
À DROITE : bassin de retenue dans le Kerala (Sud-Ouest).

Les plateaux déchiquetés du Malwa, du Bundelkhand et du Rewa séparent le désert de la plaine gangétique et du Deccan, drainé par les fleuves Chambal, Ken et Betwa. Les ravines de ces cours d'eau forment des *badlands* où champs de moutardiers et de blé composent un patchwork vert et or.

À l'ouest, les monts Vindhya s'élèvent de la plaine jusqu'au plateau du Deccan. La chaîne des Satpura forme une barrière entre la gorge étroite du Narmada et la large vallée du Tapi. Au sud de cette dernière se dressent les collines abritant les sculptures et peintures rupestres des grottes d'Ajanta et d'Ellora.

À Jamshedpur se trouvent des aciéries, ainsi que des mines de charbon et de fer, qui contribuent à l'aggravation de la pollution et de la déforestation en Inde. À l'est, le plateau est flanqué des collines de Rajmahal qui descendent à pic vers la plaine du Gange, où le fleuve opère un brusque virage en direction de la mer.

Le Deccan

Sur les sommets basaltiques du plateau du Deccan, les Marathes ont édifié tout un réseau de forteresses imprenables. Traversé par les fleuves Krishna, Godavari et Kaveri s'écoulant vers l'est, le plateau humide du Karnataka

C'est à Surat, ancienne ville portuaire renommée pour ses brocarts d'or et d'argent (*zari*), à l'embouchure du Tapi, que la British East India Company (Compagnie britannique des Indes orientales) a installé son premier comptoir commercial en 1608.

Vers la mi-juin, la mousson, se déplaçant vers l'est, atteint le Chota Nagpur, dans le Jharkhand, un vaste plateau drainé par le Damodar, caractérisé par des collines coniques ou arrondies.

Durant les 3 longs mois de mousson, ses forêts plantées de sals, bambous et teks passent du brun au vert; les Adivasi y récoltent une sorte de gomme (secrétée par un insecte) et cueillent des fleurs de *Bassia latifolia*.

arbore de denses forêts de santals, teks et dalbergias peuplées d'éléphants sauvages. À l'est, une mince couche de latérite entrecoupée de buttes rocheuses, avec broussailles épineuses et palmiers dattiers sauvages, recouvre le plateau du Telengana. Des réservoirs aménagés dans les canaux asséchés permettent le stockage de l'eau lors de la brève période de crue. Au milieu des vignobles s'étend l'ancien État princier d'Hyderabad, la ville des perles.

Au sud-ouest du plateau du Deccan, séparé du Kerala par la chaîne des Nilgiri ("montagnes bleues") – avec ses plantations de thé et de café – et par les collines de Palani, le plateau de Coimbatore s'étire vers l'est jusqu'à la côte, près de Chennai (Madras). C'est là que le Kaveri prend sa source, avant de s'écouler vers l'est dans les plaines du Tamil Nadu. Son delta fertile contribue à la prospérité de la région, qui s'exprime dans l'architecture exubérante de ses temples, comme à Thanjavur.

Coup d'œil à l'est

À l'est, la côte rocheuse – rives alluviales marécageuses et vastes plaines émaillées d'aloès et de palmiers – se fond dans le delta du Krishna, du Godavari et du Mahanadi au nord. Dans les régions touchées par la mousson d'été, la forêt remplace les champs de canne à sucre et de tabac.

Renforcée par son passage au-dessus du golfe du Bengale, la mousson du sud-ouest longe la vaste plaine du Gange à l'ouest et se faufile dans la gorge du Brahmapoutre à l'est.

Toujours vers l'est, la vaste vallée du Brahmapoutre, serpentant dans un immense couloir rocheux, coupe le plateau de Shillong, près des monts Garo, Khasi et Jaintia, à travers la chaîne séparant l'Assam du Myanmar. De minuscules hameaux parsèment les rizières et champs de thé. Sur les pentes, les vers produisant la soie "tussar" prospèrent sur les mûriers, et les plantations d'ananas prolifèrent.

Delta et mangroves

Le Brahmapoutre rejoint l'embouchure du Gange, dominée par le port de Kolkata (Calcutta). Sillonnées par les défluents d'un delta sans cesse croissant, les mangroves servent de refuge au tigre du Bengale.

Les vents de mousson poursuivent leur parcours vers l'ouest dans la plaine centrale du Gange, où les précipitations annuelles passent de 140 cm à 80 cm aux abords de Delhi. Au nord, les tributaires du Gange sillonnent les contreforts de l'Himalaya parmi les forêts de sals, dans leurs lits abrupts où poussent des roseaux. Là, à l'instar des Duars du Bengale, les jungles de dalbergias et de tamaris du Terai offrent d'excellentes cachettes aux tigres.

Lorsque les vents de mousson, alors relativement secs, atteignent le cours supérieur du Gange, les champs sont prêts pour les semailles. Les plaines de blé du Penjab, irriguées par des canaux, se perdent dans les terres asséchées de l'Haryana. C'est là que se situe Delhi, voie d'accès à la plaine du Gange. Au nord, les crêtes de la chaîne des Shivalik et ses vallons recouverts de graviers s'élèvent jusqu'aux pics enneigés de l'Himalaya. L'altitude passe de 300 ou 600 m au-dessus des plaines à 4 800 m dans le centre de l'Himalaya, où les sommets du Nanda Devi atteignent 7 000 m.

La vallée de la Tista, dans l'est de l'Himalaya, s'étire à l'opposé du delta du Gange avec, à son extrémité, le Sikkim. Porte-musc et rhinocéros peuplent les denses forêts de la région, ponctuée d'orchidées et de rhododendrons sauvages. ❑

À **GAUCHE :** moisson, près de Tiruchirappalli (Tamil Nadu).
À **DROITE :** les luxuriantes montagnes des Nilgiri, dans l'ouest du Tamil Nadu.

CHRONOLOGIE

Préhistoire

Env. 2500-1600 av. J.-C.
Fondation des villes de Harappa et Mohenjodaro dans la vallée de l'Indus.

Env. 1500 av. J.-C.
Des peuples d'Asie centrale envahissent le nord de l'Inde. Rédaction des *Vedas*, les textes sacrés hindous.

521-486 av. J.-C.
Darius occupe le Sind et le Penjab. Douddhisme et jaïnisme se développent.

321-184 av. J.-C.
Les empereurs Maurya règnent sur le nord de l'Inde. Le plus mémorable fut le troisième de la dynastie, Ashoka (269-232 av. J.-C.).

319-606
L'empire des Gupta s'établit dans le nord. Épanouissement des sciences, de la littérature et des arts.

550-1190
Les dynasties Chalukya et Rashtraka règnent sur le centre de l'Inde depuis le Karnataka. Pallava et Chola gouvernent au sud ; ils tissent des liens commerciaux avec l'Indonésie.

Les Rajpoutes : 900-1200

Env. 850
Anangpal érige Lal Kot, la première Delhi.

1000-1300
La dynastie des Hoysala domine le Sud.

1192
Mahmud de Ghor envahit le Nord et nomme Qutb-ud-Din Aibak premier dirigeant de Delhi.

Le sultanat de Delhi

1206
Qutb-ud-Din devient sultan de Delhi. En 1296, le Turc Feroz Shah renverse sa dynastie et édifie la deuxième ville de Delhi, à l'est de Lal Kot.

1321
Ghias-ud-Din Tughlaq, proclamé sultan, érige Tughlaqabad, la troisième ville de Delhi.

1325
Le sultan Muhammad bin Tughlaq, bâtit Jahanpanah, la quatrième ville. En 1351, Feroz Shah

Tughlaq construit Ferozabad, la cinquième.

1414
Le pouvoir passe aux mains des Sayyid.

1451
Buhlbal Lodi, un noble afghan, s'empare du trône et fonde la dynastie des Lodi.

XIVᵉ-XVIᵉ siècle
L'islam s'implante dans le Nord. Le Sud reste indépendant, sous les Vijayanagar.

1498
Vasco de Gama établit des comptoirs portugais, suivi par les Hollandais, Français et Anglais.

La dynastie des Moghols : 1526-1857

1526
Babur défait le sultan de Delhi (bataille de Panipa) et s'auto-proclame premier empereur moghol.

1540
Humayan succède à son père, Babur, et construit Purana Qila, la sixième ville de Delhi.

1556

Akbar, petit-fils de Babur, monte sur le trône à l'âge de 13 ans. Il repousse les frontières de l'empire moghol jusqu'à couvrir les 3 quarts de l'Asie du Sud.

1565

Akbar bâtit le fort rouge d'Agra. Dans le Sud, les troupes musulmanes renversent l'empire de Vijayanagar, qui sera conquis par les Moghols.

1569-1574

Akbar déplace sa cour à Fatehpur Sikri, près d'Agra. Dix ans plus tard, elle revient à Agra.

1600

La reine Élisabeth Ire accorde une charte de commerce à l'East India Company. En 1608, des marchands anglais fondent un comptoir à Surat (Gujarat).

PAGE DE GAUCHE, EN HAUT À GAUCHE : le pilier en fer de Qutb Minar, à Delhi ; AU CENTRE : statue, Indian Museum à Kolkata : À DROITE : Hampi (dynastie Vijayanagar). PAGE DE DROITE, EN HAUT À GAUCHE : Purana Qila, Delhi ; AU CENTRE : Bahadur Shah ; EN BAS À DROITE : Shah Jahan.

1605

Jahangir succède à son père Akbar.

1627

Shah Jahan, petit-fils d'Akbar, devient empereur. En 1632, il commence le Taj Mahal. En 1638, il transfère la capitale d'Agra à Delhi et pose les bases de Shahjahanabad, la septième ville. Début des travaux de Lal Qila (le Fort Rouge) en 1639.

1659-1707

Aurangzeb emprisonne son père Shah Jahan dans le fort d'Agra, assassine ses frères et monte sur le trône. À sa mort, l'empire

moghol décline. Calcutta, comptoir de l'East India Company, prend de l'essor.

1739

Le roi perse Nadir Shah envahit Delhi.

1756-1763

Guerre de Sept Ans. L'East India Company chasse les Français du Bengale.

1857

Soulèvement contre le pouvoir britannique à Meerut. Les troubles se propagent à travers l'Inde dans un bain de sang. Exil

de Bahaudur Shah, dernier empereur moghol, en Birmanie. La domination de l'East India Company touche à sa fin.

Le British Raj : 1858-1947
1858

La Couronne administre le pays et nomme un vice-roi, représentant de la souveraineté.

1877

La reine Victoria devient impératrice d'Inde.

1885

Fondation du premier parti politique, le Congrès national indien.

1911

George V, roi et empereur, annonce le transfert de la capitale de Calcutta à Delhi.

1908

Création de la Ligue musulmane.

1915

Le Mahatma Gandhi lance une campagne contre la domination anglaise.

1919

Le général Dyer ordonne d'ouvrir le feu sur une manifestation antibritannique pacifique à Amritsar.

Bilan : 379 morts et 1 200 blessés.

1930
Le mouvement de non-coopération de Gandhi gagne de la vitesse, avec sa marche d'Ahmadabad à Dandi pour protester contre les impôts sur le sel.

1931
New Delhi est inaugurée capitale.

1935
Muhammad Ali Jinnah, à la tête de la Ligue musulmane, réclame la création du Pakistan.

L'Indépendance : de 1947 à nos jours
1947
Le 15 août à minuit, l'Inde obtient son indépendance. Jawaharlal Nehru devient Premier ministre. Le territoire est partagé en 2 : l'Inde à majorité hindouiste et le Pakistan musulman. À la partition, plus de 10 millions d'habitants migrent à travers le Penjab divisé. Les violences communautaires feront entre 200 000 et 1 million de victimes.

1948
Le 30 janvier, un nationaliste hindou assassine le Mahatma Gandhi.

1950
La constitution de l'Inde entre en vigueur.

1964
Nehru meurt. En 1965, son successeur, Lal Bahadur Shastri, défait le Pakistan lors d'un conflit à propos du Cachemire.

1966
Indira Gandhi, la fille de Nehru (sans lien de parenté avec le Mahatma), devient Premier ministre.

1971
La guerre avec le Pakistan oriental conduit à la création d'un pays indépendant, le Bangladesh.

1975-1977
Indira Gandhi impose l'état d'urgence, suspend les libertés civiles et emprisonne ses opposants. Elle est vaincue aux élections de 1977.

1977-1979
Le Bharatiya Janata Party (BJP, parti du peuple indien) accède au pouvoir.

1980
Indira Gandhi est à nouveau élue Premier ministre.

1984
Les sikhs réclament l'indépendance du Penjab ; un millier de personnes trouvent la mort lorsque l'armée attaque le temple d'Or d'Amritsar. Indira Gandhi est assassinée le 31 octobre. Son fils, Rajiv Gandhi, devient Premier ministre.

1990
Importants affrontements dans 3 régions : au Jammu, au Cachemire et dans l'Assam. Violences religieuses au Penjab.

1991
Assassinat de Rajiv Gandhi. Le Congrès forme un gouvernement minoritaire.

1992-1993
La destruction de la mosquée de Babri (Ayodhya) par des fondamentalistes hindous provoque des émeutes dans le pays.

1996
Une coalition de gauche accède au pouvoir.

1998
Victoire électorale de la coalition conduite par le BJP (Parti indien du peuple) ; son dirigeant, Atal Bihari Vajpayee, devient Premier ministre. Essais nucléaires dans le désert de Thar.

PAGE DE GAUCHE, EN HAUT À GAUCHE : le prince de Galles et Maharajah, 1922 ; EN BAS À GAUCHE : Muhammad Ali Jinnah ; AU CENTRE : Jawaharlal Nehru ; À DROITE : Rajiv Gandhi. PAGE DE DROITE, À GAUCHE : Sonia Gandhi et Manmohan Singh ; EN HAUT : constat des dégâts du tsunami, dans les îles d'Andaman et de Nicobar ; À DROITE : les Chandigarh Lions contre les Chennai Superstars lors de la Indian Cricket League.

1999
La coalition conduite par le BJP (NDA) remporte les élections générales. Combats entre l'Inde et le Pakistan dans la vallée de Kargil.

2000
La population de l'Inde dépasse le milliard.

2002
Les violences communautaires font de nombreuses victimes au Gujarat.

2004
L'Inde et le Pakistan entament des pourparlers. L'alliance conduite par le Congrès remporte les élections : Manmohan Singh devient Premier ministre. Fin 2004, un tsunami dévaste les îles Andaman et Nicobar, et une portion de côte du Tamil Nadu.

2005
Ouverture du premier service de bus entre le Cachemire indien et le Cashemire pakistanais.

2006
Attentat à la bombe dans 6 gares et le métro de Mumbai. Bilan : 200 morts et 500 blessés.

2007
L'Inde élit sa première femme présidente, Pratibba Patil, âgée de 72 ans.

2008
Les Indiens créent la Champion League Twenty20, une compétition de cricket dotée d'un prix de 2,5 millions de livres. L'attentat à la bombe en Assam fait plus de 80 victimes. La police soupçonne une action des séparatistes. À Mumbai, entre le 26 et le 29 novembre, une série de 10 attaques terroristes islamistes tue 173 personnes et en blesse plus de 300.

2009
En mars, Tata lance la voiture la moins chère au monde, la Nano. En avril, le premier jour des élections législatives se déroule avec succès malgré des attaques de rebelles maoïstes de bureaux de vote en Orissa, au Bihar et au Jharkhand. Le parti du Congrès remporte très largement les élections. ❏

LES ORIGINES

Comme en témoignent les découvertes archéologiques,
vers 2500 av. J.-C. l'Inde compte déjà plusieurs cités prospères.

Jusqu'en 1947, le mélange social particulièrement complexe que forment Inde, Pakistan et Bangladesh se résume à une unique entité politique, l'Inde. L'histoire de ce gigantesque territoire embrasse plusieurs millénaires et nombreux sont les facteurs humains qui ont contribué aux évolutions qu'il a connues dans tous les domaines : environnement, techniques de production, organisation sociale, culture et religion.

L'extrême fertilité du pays a exercé une influence considérable sur le développement de l'Asie du Sud. Tous les ans, la mousson estivale renouvelait la couche arable des bassins fluviaux, entraînant le dépôt de limons charriés depuis les montagnes (chaque jour, l'Indus et le Gange déplaceraient à eux seuls un million de tonnes de matières en suspension). Les cultures ont fini par se concentrer dans les vallées de ces fleuves immenses, et la majorité des terres produisaient en moyenne 2 récoltes par an.

En raison de ce rendement élevé et du faible niveau de consommation de la population, le pays dégageait d'énormes surplus, garantissant ainsi un confort matériel impressionnant dans de nombreuses villes.

La civilisation de Harappa

Vers 2500 av. J.-C., les premières villes d'Inde – qui marquent le point de départ de son histoire – sont déjà prospères. Lors de leur découverte dans les années 1920, les archéologues pensent qu'elles se cantonnent à la vallée de l'Indus, d'où leur identification en tant que civilisation de la vallée de l'Indus. Mohenjodaro et Harappa notamment, toutes 2 au Pakistan, acquièrent alors une grande renommée.

Plus tard, des fouilles archéologiques révéleront la propagation de ces populations dans le nord-ouest et l'ouest de l'Inde, bien au-delà de la vallée de l'Indus ; depuis, le terme de "civilisation de Harappa" caractérise ces découvertes. Parmi les sites indiens figurent ceux de Ropar (Penjab), Lothal (Gujarat) et Kalibangan (Rajasthan).

Les villes de Mohenjodaro et Harappa, soigneusement agencées, présentent un tracé quadrillé à angles droits, un système d'égouts, ainsi qu'une division assez nette de la localisation et

du type des maisons selon le rang social de leurs habitants. Il existe également des édifices publics – le plus connu étant les bains de Mohenjodaro – et des entrepôts de grains.

Ces sociétés produisent des métaux – cuivre, bronze, plomb et étain –, comme l'attestent des vestiges de fourneaux. Deux fours à briques servent de manière intensive, pour les bâtiments privés aussi bien que publics. La civilisation de Harappa possède sa propre écriture pictographique, malheureusement non encore déchiffrée à ce jour.

Parmi les découvertes faites sur les sites de Harappa figurent 2 jeux d'un millier de sceaux quadrangulaires, portant chacun une sculpture

À **GAUCHE :** lions coiffant un chapiteau de l'époque d'Ashoka, emblème du gouvernement indien.
À **DROITE :** personnage dansant (Mohenjodaro).

de forme humaine ou animale. Ces sceaux servaient probablement de signature aux marchands, car la civilisation de Harappa entretenait d'importants rapports commerciaux avec les régions voisines, les lointains pays du golfe Persique et les Sumériens d'Iraq.

Cette société se divisait entre riches et pauvres, commerçants, artisans et paysans. Sans doute possédait-elle un gouvernement organisé, mais nous savons peu de chose quant à sa forme et son fonctionnement. L'existence d'un culte vénérant dieux et déesses aux formes masculines et féminines est attestée, même si la vie religieuse reste encore mystérieuse.

vient compléter les cultures sédentaires. Toutefois, la notion de propriété terrienne individuelle semble lente à se développer ; le bétail et les femmes réduites en esclavage sont les seuls biens meubles mentionnés dans les anciens textes védiques.

La population locale, déplacée et asservie par les peuples d'Asie centrale, travaille probablement dans les champs. La nature a judicieusement doté le bœuf indien d'une bosse, facilitant ainsi son attelage à la charrue, qui constitue le principal outil agricole. Les paysans cultivent orge, sésame, concombre, melon amer et canne à sucre. Outre le sésame

Vers 1700 av. J.-C., la civilisation de Harappa périclite en raison des inondations répétées des villes fluviales, mais aussi de l'avancée du désert. Lorsque les premiers peuples, sans doute issus du nord-est de l'Iran et des environs de la mer Caspienne, migrent en Inde aux environs de 1500 av. J.-C., cette culture a pratiquement disparu.

La période védique

La période védique – qui tire son nom des 4 *Veda*, les premières écritures hindoues – couvre plusieurs siècles. Les nouveaux venus, des peuples de bergers, se familiarisent peu à peu avec l'agriculture, tandis que l'élevage

et les pois, la civilisation de Harappa, qui utilisait également la charrue, faisait pousser riz, blé et coton, même si les anciens textes védiques ne font pas référence à ces 3 dernières plantes. Le bétail est un bien fort précieux, et la consommation de bœuf réservée aux hôtes de marque.

Les nouveaux envahisseurs s'organisent en tribus. La succession devient héréditaire, mais le chef opère sur l'avis d'un comité ou de la tribu tout entière. Au fil du temps, le fait de demander et prodiguer des conseils finit par être institutionnalisé.

Avec la spécialisation du travail, la division interne de la société se développe selon un système de castes. Le premier clivage concerne les nouveaux venus à la peau claire et la population autochtone de carnation plus foncée ; ceci explique peut-être le choix du terme *varna* (caste), qui signifie également "couleur". Les dirigeants sont choisis parmi les castes des brahmanes (prêtres), *kshatriya* (guerriers), *vaishya* (marchands et négociants) et *shudra* (paysans). Dans un premier temps, il s'agit d'une division ouverte et souple, déterminée avant tout par l'activité.

PASSE-TEMPS

D'après la littérature, les envahisseurs s'adonnaient à l'alcool, au jeu et aux courses de chars tirés par des chevaux, autant qu'au culte des dieux de la nature.

La relation entre la vie humaine et l'univers est l'objet de nombreuses réflexions. Tout juste suggérée, l'idée d'un cycle de vies sous des formes diverses, marquées par la migration de l'âme, ne s'exprime pas encore clairement. Cette notion engendrera la doctrine du *karma* (actions personnelles), selon laquelle le statut, voire la forme, de notre prochaine vie dépend de nos actes durant notre existence en cours. Un principe qui permet d'éluder efficacement les protestations contre l'oppression : la souffrance d'une per-

Plus tard, la naissance finit par conditionner le statut et l'activité, et le passage d'une caste à une autre devient plus difficile.

La prospérité engendrée par l'agriculture et l'élevage, de même que le recours à une main-d'œuvre asservie, laisse aux hommes libres du temps pour méditer et chercher des réponses aux questions fondamentales portant sur les origines du monde. La langue – le sanscrit –, indo-européenne, reste longtemps dépourvue d'écriture, car le savoir se transmet oralement et l'apprentissage se fait par cœur.

sonne a vite fait d'être attribuée à ses méfaits passés, méfaits pour lesquels elle doit subir la punition appropriée, s'assurant ainsi d'une meilleure existence à venir.

L'âge du fer

Le fer, découvert en Inde, vers 1000 av. J.-C., conduit à plusieurs changements sociaux. Les haches facilitant le défrichement des forêts, de vastes pans de terres jadis boisées s'effacent désormais devant la charrue ; soc, faucille et houe favorisent également l'expansion agricole.

L'extension de la surface cultivée aurait entraîné l'augmentation de la population, une plus grande spécialisation des fonctions et l'in-

À **GAUCHE** : scène de chasse préhistorique.
CI-DESSUS : le temple de Kailasa (Ellora).

tensification du commerce, à l'origine d'une seconde urbanisation. La terre gagnant de l'importance en tant que propriété individuelle et la demande excédant les possibilités offertes par le défrichement, le clivage entre riches et pauvres apparaît plus nettement encore au sein de la société.

Les enseignements du Bouddha

Au VIᵉ siècle av. J.-C., le contraste marqué entre richesse et pauvreté extrêmes conduit Mahavira et le Bouddha, tous 2 de la caste des *kshatriya*, à rechercher les causes de la souffrance humaine. Ils parviendront aux mêmes conclu-sions : une vie faite de modération et d'équilibre, basée sur la non-violence, l'abstinence, la franchise et la méditation, libère de l'avidité et, par là même, de l'affliction. En raison de leurs caractères immédiats et pratiques, ces enseignements reçoivent un accueil favorable de la part de la population, d'autant que Mahavira et le Bouddha prêchent dans les langues parlées par le peuple. Leurs mouvements, le jaïnisme et le bouddhisme, essentiellement athées – du moins au début –, constituent un défi pour l'ortho-doxie brahmanique.

En raison de la répartition des terres en propriétés et de la division de la société, conflits et troubles sont inévitables. L'émergence d'un pouvoir organisé destiné à résoudre ces dis-cordes donne naissance à de véritables sys-tèmes étatiques, dont de vastes empires. Le plus connu, l'empire de Magadha, dirigé par la dynastie des Maurya, installe sa capitale près de l'actuelle Patna (Bihar). L'empereur Ashoka, son dirigeant le plus célèbre, régnera de 269 av. J.-C. à 232 av. J.-C.

L'Inde des Maurya

L'économie des Maurya repose essentiellement sur l'agriculture. Une main-d'œuvre diverse cultive les immenses domaines d'État et les fermes privées. Le gouvernement mobilise esclaves, ouvriers et prisonniers pour travailler ses terres, tandis que des fermiers asservis ou entièrement dépendants de leur salaire, et peut-être des métayers, travaillent dans les champs de propriétaires privés. Si maisons de jeu et de prostitution figurent parmi les sources de reve-nus de ce puissant empire, ses recettes provien-nent en majorité des impôts prélevés sur la terre, le commerce et la production artisanale.

Aux VIᵉ et Vᵉ siècles av. J.-C., les Grecs entrent en contact avec l'Inde lors d'un conflit avec l'empire perse, limitrophe de l'Inde au nord-ouest. En 327 av. J.-C., Alexandre le Grand traverse le nord-ouest du pays. Arrivées sur les rives de la Beas, le cinquième cours d'eau du Penjab, ses troupes découragées le contraignent à rentrer en Grèce. Alexandre laisse derrière lui des gouverneurs régnant sur les territoires conquis qui, avec le temps, deviendront des États indiens.

Toutefois, l'art restera durablement marqué par le contact entre ces 2 cultures. La sculp-ture, notamment dans cette région, trahit une influence hellénique prononcée.

L'EMPEREUR ASHOKA

L'empereur Ashoka, chef des Maurya au IIIᵉ siècle av. J.-C., hérita d'un empire couvrant la majeure partie de l'Inde du Nord, à l'exception du Kalinga (actuel Orissa). Il conquit ce dernier territoire, mais la vue du champ de bataille jonché de corps le bouleversa tant qu'il en vint à remettre en question toute ambition matérielle. Il trouva une réponse satisfaisante dans les enseignements du Bouddha et se convertit au bouddhisme. Ashoka est connu pour ses édits gravés sur des piliers à travers son empire, exhortant à un gouvernement avisé et à un mode de vie moral en accord avec les enseignements bouddhistes. Nombre d'entre eux sont encore visibles aujourd'hui.

À la mort d'Ashoka, l'empire se désagrège, laissant la voie libre aux envahisseurs, d'Asie centrale essentiellement, venus chercher fortune en Inde : Grecs bactriens – descendants des troupes d'Alexandre implantées en Iran et en Afghanistan –, Parthes, Shaka ou encore Kushana. Dans les régions nord et nord-ouest, ils fondent des royaumes qui, à l'instar d'autres envahisseurs, finiront par se fondre dans le courant principal.

L'héritage littéraire

Les États formant le sud de l'Inde laisseront une empreinte durable dans le domaine cultu-

Le contrôle des côtes orientales et occidentales de l'Asie du Sud facilite également les relations commerciales avec le royaume des Chola (Tamil Nadu), l'empire romain, ainsi que Java, Sumatra et Bali. Les Romains importent de l'Inde épices, textiles, pierres précieuses et oiseaux qu'ils paient en or. C'est à Malabar (actuel Kerala) que se fait le premier contact entre l'Inde et le christianisme, puis l'islam.

La dynastie des Gupta

Le deuxième grand empire de l'histoire de l'Inde, celui des Gupta, apparaît au IVe siècle. À son tour, il s'étend sur un vaste territoire en

rel, alors en pleine évolution, avec en particulier l'apparition d'une littérature collective sous la forme de poèmes composés – selon la légende – lors de rassemblements entre poètes et chanteurs itinérants. Trois d'entre eux se seraient tenus à Madurai, capitale du Tamil Nadu à l'époque. La troisième rencontre engendrera plus de 2 000 poèmes collectifs, la "littérature de Sangam", source d'informations inestimable sur la société, la culture et la politique tamoules.

À gauche : portail abondamment décoré du stupa bouddhiste de Sanchi.
Ci-dessus : sculptures jaïnes au fort de Gwalior.

Asie du Sud – néanmoins plus modeste que l'empire des Maurya. Il durera plus de 2 siècles, avec des limites fluctuant au rythme de ses souverains successifs.

Durant cette période, l'hindouisme orthodoxe s'affermit à nouveau face aux sectes hérétiques qui surgissent, grâce au soutien actif des dirigeants aux traditions hindouistes. Cependant, il ne semble pas que ceux-ci recourent à la violence pour rétablir la suprématie de l'hindouisme ; ainsi, d'après le voyageur chinois Fa Hsien, arrivé en Inde au début du Ve siècle, bouddhistes et brahmanistes coexistent en paix. Le monastère bouddhiste d'Ajanta, taillé dans les collines et décoré de fresques saisissantes, date de cette époque. Le système des castes, en revanche, se rigidifie.

Néanmoins, cette période enregistre des réussites remarquables en littérature et en sciences, notamment en astronomie et en mathématiques. L'écrivain Kalidasa, dont la rhétorique porte la prose sanscrite à des sommets, constitue la personnalité littéraire la plus remarquable de la période des Gupta. Quant à l'astronome Aryabhatta, qui avance que la Terre tourne autour du Soleil, il sera parfaitement

SOMMETS SCIENTIFIQUES

Le Pilier de fer, érigé à Delhi au IVe siècle, ne présente pas la moindre trace de rouille, preuve des connaissances avancées des Gupta en matière de métallurgie.

ignoré mais, contrairement à Galilée, ne sera pas persécuté.

À cette époque, également, l'hindouisme rompt avec les rigoureuses pratiques védiques pour se tourner vers une religion de dévotion, fondée sur la relation personnelle avec les divinités, ou *bhakti*.

Après la dynastie des Gupta, l'Inde connaît des transformations d'envergure : les échanges périclitent de manière spectaculaire, entraînant un plus grand ruralisme. La masse d'argent en circulation diminue et la terre devient la ressource principale de l'État et des revenus privés.

Quantité d'innovations, en particulier dans la production agricole, marquent les siècles qui suivent la désintégration de l'empire des Gupta. Du VIIIe au XIIe siècle ont lieu d'impressionnants travaux d'irrigation. Pour puiser l'eau des mares et des puits dans le nord-ouest et le nord de l'Inde, les habitants utilisent diverses sortes de rouages, dans un premier temps actionnés à la main. Vers le XIIIe siècle apparaît la roue persane – une roue à engrenages actionnée par un couple de bœufs –, encore en usage aujourd'hui.

Dans le Sud, les réservoirs d'eau – de petite taille pour les fermiers individuels, plus importants pour les villages ou l'État – fournissent les principales ressources nécessaires à l'irrigation. Canaux et voies d'eau caractérisent également le paysage rural, permettant de cultiver plus de terres et d'expérimenter de nouvelles cultures.

Une société nouvelle

La croissance accentue les disparités sociales et économiques. Si la roue persane garantit l'approvisionnement en eau, son installation se révèle onéreuse. Seule la classe paysanne supérieure, qui peut se permettre un tel investissement, en tire bénéfice.

La législation interdit aux castes les plus basses de posséder leurs propres terres, et leur travail est exploité par l'ensemble des paysans, quel que soit le rang de ces derniers dans la hiérarchie sociale. Il en résulte une situation paradoxale : une classe d'ouvriers agricoles sans terres, alors que ces dernières abondent. Telle est la solution de l'Inde à la pénurie de main-d'œuvre (l'Europe médiévale résoudra la question par le servage).

L'augmentation de la production agricole entraîne un accroissement des richesses pour les dirigeants, qui commencent à s'approprier une partie notable des revenus sous la forme de tributs fonciers. Ceci nécessite un renforcement du contrôle centralisé exercé sur la collecte des recettes. À une moindre échelle, les royaumes régionaux d'Asie du Sud connaissaient une telle situation aux XIe et XIIe siècles. ❑

À **gauche** : le pilier en fer du Qutb Minar (Delhi, IVe s.).
À **droite** : Yakshi, l'esprit des arbres, sculpture provenant de Barhut (Madhya Pradesh, IIe siècle av. J.-C.).

LES SULTANS ET LEURS SUCCESSEURS

Du XIIIᵉ au XVIIIᵉ siècle, l'Inde prospère sous l'influence des sultans et des empereurs, tandis que fleurissent sciences et culture.

Au début du XIIIᵉ siècle, une nouvelle vague d'envahisseurs venus d'Asie centrale progressent dans le nord de l'Inde avec, cette fois, l'intention de s'implanter. Ils professent une religion différente, l'islam, et fondent un État en 1206, qui deviendra le sultanat de Delhi. Dès le premier quart du

XIIIᵉ siècle, le sultanat contrôle – directement ou indirectement – la majorité du nord de l'Inde ; durant ses 320 ans d'existence, 6 dynasties se partageront le trône.

Sous les sultans de Delhi, la centralisation du contrôle administratif exercé sur la perception du tribut foncier atteint son apogée.

La loi fixe le niveau de ce tribut agricole à la moitié des récoltes. Soldats et officiers se voient assigner des territoires sur lesquels ils collectent un impôt équivalant à leur salaire annuel. Les officiers supérieurs sont responsables de vastes domaines où ils prélèvent l'impôt, pourvoient aux besoins de leur armée – et à leurs propres besoins – et veillent au res-

pect des lois et de l'ordre. L'État fait don d'environ 6 % de ses recettes à des institutions religieuses et des individus pieux.

Si ce tableau présente de grandes ressemblances avec l'Europe féodale, il existe néanmoins quelques différences notables. Les officiers n'ont aucun droit sur la terre, propriété des paysans, et se contentent de recouvrer le tribut dû à l'État. Par ailleurs, ils sont mutés sur une nouvelle circonscription tous les 3 ou 4 ans. Cette mesure permet de prévenir la corruption et les empêche de trop s'implanter localement, au risque d'acquérir un pouvoir personnel sur l'appareil administratif.

Ainsi, jusqu'au XIXᵉ siècle, l'Inde évitera le développement d'une aristocratie terrienne permanente tirant son pouvoir du contrôle des terres. Ce n'est que sous l'égide du régime colonial qu'une telle classe prendra racine.

Le système des tributs fonciers

Si les officiers administratifs du sultanat sont majoritairement musulmans, les hindous continuent de contrôler l'essentiel de la collecte des revenus. Les conflits d'intérêts entre les 2 parties engendrent des tensions, souvent décrites comme étant de nature religieuse.

Le volume des récoltes en pleine augmentation finit par trouver des débouchés sur un réseau de marchés en expansion. Ce processus s'accélère lorsque le sultanat montre sa préférence pour le prélèvement des revenus en numéraire plutôt qu'en nature, entraînant un regain de croissance des centres urbains et des marchés.

Outre l'introduction de nouvelles formes d'artisanat, le sultanat soutient ou modifie les plus anciennes. Ainsi, le rouet – dont l'origine demeure incertaine – apparaît pour la première fois en Inde au XIVᵉ siècle. Sa productivité, 5 à 6 fois supérieure à celle de la quenouille, permet la confection en nombre de textiles en coton grossier, portés par les plus pauvres. Le papier et la poudre à canon, peut-être originaires de Chine, font également leur apparition en Inde à cette époque.

La dissolution du sultanat de Delhi débute au deuxième quart du XIVᵉ siècle, sous le règne du souverain controversé Muhammad bin Tughlaq. Intellectuel par excellence, épris de la force de la raison, doué d'une imagination débordante, et impatient avec ceux qui ne parviennent pas à suivre ses idées, Tughlaq laissera toutefois peu de réalisations. Durant les 26 ans de son règne, il affronte à quinze reprises la révolte de la noblesse. Parmi les territoires qui se détacheront du sultanat figurent deux régions méridionales pourvues d'une dynastie indépendante, l'une hindoue, l'autre musulmane : l'empire de Vijayanagar et le royaume des Bahmani, qui légueront en héritage des monuments à l'architecture magnifique, aujourd'hui en ruine.

Fort diminué, le sultanat de Delhi subsiste, tandis que plusieurs de ses régions fondent des royaumes indépendants. Le reste de l'"empire", considérablement affaibli, suscite irrésistiblement la convoitise du moindre aventurier venu d'Asie centrale avec une puissante armée prête au pillage. C'est Timur qui mènera le raid le plus dévastateur, en 1398, rapportant chez lui un précieux butin de guerre, parmi lequel figurent plusieurs artisans indiens.

L'empire moghol

Un prince ouzbek, impuissant à protéger son royaume des intrigues et combats de ses cousins, emprunte la route des anciens envahisseurs, à travers les cols montagneux du nord-ouest, et pénètre en Inde en 1526. Il s'agit de Zahiruddin Muhammad Babur, descendant de Timur et de Gengis Khan, et futur fondateur de l'empire moghol en Inde. Durant le règne de son petit-fils Akbar, qui dirige le nord de l'Inde et une partie du sud de 1556 à 1605, se formeront les institutions et orientations politiques fondamentales de l'empire.

Accédant au trône à 13 ans, Akbar prend véritablement les rênes de l'empire à 17 ans et ne cessera de le faire progresser. Il comprend que, pour asseoir son pouvoir, son empire doit s'implanter localement et rechercher le soutien des groupes dirigeants autochtones. Il

ARCHITECTURE DES SULTANS

De nouveaux styles apparaissent : les minarets, comme dans le Qutb Minar, le dôme d'un arrondi parfait sur une base carrée ou rectangulaire, ou encore l'arche de la Vérité.

remanie la composition de la noblesse, essentiellement étrangère, recrutant des communautés de dirigeants locaux issues de régions diverses.

Les Rajpoutes du Rajasthan sont les plus puissants. Akbar épouse donc les filles de plusieurs maisons rajpoutes, respecte leurs coutumes, leur accorde de hautes fonctions impériales, mais se montre impitoyable envers les rebelles. Progressivement, il réduit chaque groupe de la haute noblesse à une minorité, y compris sa fratrie.

moghole, obligeant ainsi chacun à la tolérance et à la coopération.

Les institutions administratives du sultanat de Delhi se modifient et un nouveau cadre bureaucratique voit le jour. Ce dernier prévoit que le service impérial de l'armée recrute et rémunère chaque officier, tous rangs confondus, ce qui renforce considérablement le contrôle central. Un système rigoureux de transfert des officiers se met en place. Le paiement des salaires se fait d'abord en numéraire ; peu à peu, l'ancien système d'attribution des revenus en nature revient en vigueur. Toutefois, il arrive que le revenu d'une personne postée au Gujarat, par exemple, soit

À **GAUCHE** : l'empereur moghol Jahangir à Fatehpur Sikri, la ville construite par son père, Akbar, près d'Agra.
À **DROITE** : Sher Singh, un chef sikh.

versé au Bengale. Dans ce cas, le recouvrement en espèces finit par s'imposer.

La terre se classe en 4 catégories, selon sa productivité, et les paysans paient un impôt foncier progressif, suivant la période durant laquelle leur terre est restée en friche. L'idéal est d'obtenir deux récoltes annuelles régulières pour chaque champ. Les paysans reçoivent des documents spécifiant leurs dettes.

Bien qu'illettré, Akbar s'intéresse particulièrement aux discussions intellectuelles portant sur la religion et la métaphysique. Il convoque des assemblées de théologiens de confessions diverses, notamment chrétienne,

et la Jama Masjid de Delhi, figurent parmi les monuments laissés par Shah Jahan.

L'empire moghol manifeste le plus vif intérêt pour le monde des arts. Son fondateur et son dernier descendant seront d'éminents poètes ; plusieurs princes et empereurs se préoccupent des questions métaphysiques et certains rédigent de remarquables mémoires. Jahangir, l'auteur d'un de ces ouvrages, encouragera le mécénat en faveur des peintres ; quant à la renommée de Shah Jahan, elle repose sur l'érection du Taj Mahal en mémoire de son épouse, morte en donnant naissance à son quatorzième enfant.

AKBAR

Akbar passe pour le plus grand souverain moghol. Héritant du trône en 1556, alors à peine âgé de 13 ans, il régnera pendant 49 ans et bâtira un empire qui lui survivra pendant deux siècles. Fin politique, il est également un génie militaire redoutable. Neuf jours lui suffisent pour parcourir les quelque 1 000 km séparant Fatehpur Sikri d'Ahmadabad au Gujarat, où ses agiles guerriers montés vaincront les troupes ennemies. Akbar contrôle pratiquement le nord et le centre de l'Inde, ainsi que la majeure partie de l'Afghanistan. Cet illettré encourage les arts. Mystique à ses heures, enclin à collectionner les émeraudes, il entretient 300 épouses et 5 000 concubines, laissant ses femmes hindoues pratiquer leurs rites au sein du Fort Rouge. Les Rajpoutes, autorisés à conserver leurs royaumes, ne perdent rien de leur dignité et fournissent de bon cœur des soldats à ce suzerain moghol qui diminue les impôts excessifs. Akbar reçoit ambassadeurs envoyés par l'Angleterre et prêtres jésuites du Portugal. Il crée une nouvelle religion – dont il est le dieu roi –, et se plaira à chasser le guépard jusqu'à un âge avancé.

et se lance dans un échange d'idées avec eux, refusant la primauté absolue de l'islam. Il encourage également l'histoire écrite ; c'est de son règne que date la compilation *Akbar Nama* (le livre d'Akbar), un ouvrage historique monumental.

Les nombreux bâtiments massifs de Fatehpur Sikri et d'Agra, où il établit sa capitale, présentent une subtile assimilation des architectures musulmane et hindoue.

Le fils et le petit-fils d'Akbar, Jahangir et Shah Jahan, qui poursuivent l'expansion et la consolidation de l'empire, sont connus pour l'importance de leur soutien aux arts et à l'architecture. Le Taj Mahal, ainsi que le Fort Rouge

Aurangzeb, le troisième des 4 fils survivants de Shah Jahan, monte sur le trône après avoir emprisonné son géniteur (qui aurait passé ses dernières années à contempler le Taj Mahal des remparts du fort d'Agra) et assassiné ses frères. Ce qui lui attirera les foudres de plusieurs générations d'historiens. Pourtant, la violence dont il use pour accéder au pouvoir n'excède pas celle de son père, et sa réputation d'intolérance religieuse semble exagérée.

Les 49 ans de son règne se caractérisent par sa fermeté dans le domaine de l'administration, ainsi que ses tentatives de déposer les Marathes dirigés par Shivaji et d'étendre son empire en Inde du Sud. Se tournant vers l'ascétisme religieux à la fin de sa vie, il passe alors son temps à prier et recopier le Coran. Finalement, la dissolution de l'empire résultera davantage de problèmes d'administration interne que d'un mauvais gouvernement.

Quand l'Europe vient à l'Inde

Au XVIIe siècle, l'Inde accueille quantité de visiteurs d'Europe occidentale : Italiens, Anglais, Français ou Hollandais. Certains, comme le médecin François Bernier, gagnent la confiance des princes ; d'autres, flânant en solitaire, jettent leurs impressions sur le papier en vue de les publier.

XVe siècle – Vasco de Gama a accosté à Calicut en 1498, après avoir contourné le cap de Bonne-Espérance. Au début du XVIe siècle, les Portugais établissent leur colonie à Goa, mais n'exercent sur l'Inde qu'une emprise territoriale et commerciale limitée. Si, à la fin du XVIe et du XVIIe siècle, ils restent les pirates incontestés en haute mer, à l'intérieur des terres les autres compagnies européennes font sentir leur présence, même si ce n'est qu'en termes commerciaux.

Celles-ci échangent leurs produits – lainages, couteaux et horloges – sur un marché favorable aux vendeurs, rivalisant pour acheter des pro-

À côté de ces voyageurs individuels, les échanges commerciaux avec l'Inde prennent forme au XVIIe siècle : plusieurs pays européens – Angleterre, France, Pays-Bas et Danemark – lancent les East India Companies (Compagnies des Indes orientales). Ces sociétés de commerce affrétées par leurs gouvernements respectifs recherchent principalement textiles (soie et coton) et indigo. Les épices de Malabar (Kerala) attirent déjà les Portugais depuis le

duits finis indiens. Le paiement s'effectue essentiellement en or et en argent.

Mais, si précieux que soit le commerce européen, il ne représente qu'une infime partie des échanges, sans parler de l'agriculture. Le négoce des Indiens rapporte des recettes bien supérieures. Ainsi, un grand négociant indien du XVIIe siècle à Surat, Abdul Ghaffoor, dispose de bien plus d'actifs que les avoirs indiens de toutes les Compagnies des Indes orientales réunies. Moins aisés que ce dernier, nombre de marchands indiens sont néanmoins influents et, pour honorer leurs propres transactions, les compagnies dépendent souvent d'emprunts qu'elles contractent auprès d'eux.

À GAUCHE : Akbar, empereur moghol au XVIe siècle.
CI-DESSUS : chef-d'œuvre moghol du XVIIe siècle, le Taj Mahal est un hommage de Shah Jahan à son épouse.

Pour la classe dirigeante, l'Inde du XVIIᵉ siècle offre le visage plaisant d'un pays dynamique et prospère. Les terres extrêmement fertiles des vallées fluviales ne sont pas toutes cultivées. L'économie se fonde toujours sur l'agriculture, mais commerce et argent ont fait leur apparition dans le moindre village, ou presque. Les transactions monétaires ont engendré une classe de courtiers et prêteurs professionnels hautement qualifiés et localement puissants.

ARGENT FACILE

Au XVIIᵉ siècle, l'Inde frappait des monnaies d'or, d'argent et de bronze. Quiconque possédait de tels métaux pouvait donc les faire transformer en pièces par la Monnaie.

Si l'économie reste essentiellement agraire, les villes marquent également le pays d'une profonde empreinte. Ainsi, un écrivain de la fin du XVIᵉ siècle répertoriait 3 200 villes et cités à travers l'empire moghol.

La centralisation du contrôle exercé sur l'administration de ce vaste empire, mais aussi sur ses ressources, reste sans équivalent dans le monde contemporain. Les chercheurs estiment que 73 personnes (0,9 % des nobles) – sans compter l'empereur – gèrent 37,6 % des revenus de l'empire au milieu du XVIIᵉ siècle. Une concentration des richesses qui explique peut-être pourquoi le terme "moghol" est souvent associé à la notion de splendeur. Cependant, l'effondrement d'une telle autorité ne peut se produire que dans le fracas – et tel sera effectivement le cas.

Religion et littérature

Sous l'égide de l'empereur, la musique, la peinture et, surtout, l'architecture connaissent un essor formidable ; la littérature, en revanche, se développe hors de la sphère impériale. Si des poèmes extrêmement élaborés en sanskrit et en tamoul – les langues "classiques" – précèdent de plusieurs siècles les empires moghols, nombre de langues régionales, telles que l'hindi, l'ourdou, le gujarati, le marathe et l e bengali, prennent forme vers le XVᵉ siècle – et un peu plus tôt au sud, avec le kannada, le telugu et le malayalam. Au XVIIᵉ siècle, chacune possède déjà une véritable identité, ainsi qu'une littérature évoluée.

À cette même époque, l'Inde doit apprendre à vivre avec plusieurs communautés religieuses. Les hindous continuent de rester majoritaires. Au sein des musulmans, les sunnites sont prépondérants, mais il existe de grandes poches de population chiite. Au Kerala, les Indiens chrétiens sont fort répandus. Parmi les religions plus anciennes, les jaïns dominent toujours le commerce en Inde occidentale. Quant au bouddhisme, il a pratiquement cessé d'exister en tant que religion de quelque importance.

Durant la période médiévale, plus particulièrement de la fin du XVᵉ au XVIIᵉ siècle, une nouvelle communauté se développe au Penjab : il s'agit des sikhs. Cette secte, soutenue par de courageux paysans cultivant les plaines les plus fertiles de l'Inde, dénonce le système des castes et privilégie l'égalité sociale, la dévotion à son dieu et les paroles de son gourou (professeur). Fondée par le gourou Nanak, un homme doux et compatissant, elle entre violemment en conflit avec les Moghols, qui exécutent deux de ses 10 gourous. En situation de légitime défense, le sikhisme se transforme alors en une religion véritablement partisane. Accueillants et généreux à l'excès, les sikhs adhèrent depuis à une tradition de militantisme à chaque fois que leurs institutions religieuses sont en jeu.

Toutefois, même lorsque des conflits opposent l'État moghol aux divers groupes – tels qu'hindous du Maharashtra, sikhs du Penjab et musulmans de plusieurs contrées – qui formeront des royaumes régionaux aux XVIIᵉ et XVIIIᵉ siècles, les tensions religieuses communautaires restent pratiquement absentes de la société indienne médiévale.

Effondrement d'un empire

Au XVIIIᵉ siècle se produit un renversement de situation sur l'échiquier indien. À partir de 1707, le puissant empire moghol s'effrite pour laisser la place à de

TOLÉRANCE RELIGIEUSE

Les voyageurs visitant l'Inde au XVIIᵉ siècle signalent que les différents groupes religieux vivent en harmonie, à une époque où les hostilités déchirent les chrétiens d'Europe.

pour saigner les paysans, qui résisteront par les armes.

Les États régionaux résultant de l'empire moghol sont de nature variée. Certains ont été créés par d'éminents aristocrates moghols détachés de l'empire, comme le Bengale, l'Avadh et le nouvel État d'Hyderabad. D'autres – comme le royaume des Marathes dans le Maharashtra et l'État d'un peuple afghan appelé Rohilla, dans l'Uttar Pradesh – sont issus de révoltes populaires contre l'autorité impériale.

petits royaumes régionaux. Conflits et intrigues divers déchirent alors ce qu'il reste de l'empire. La classe sans cesse croissante des officiers commence à trouver les moyens à leur disposition totalement inadaptés à leur demande. Cette situation provoque des luttes acharnées entre officiers de tous rangs, qui s'arrachent les moindres ressources et tentent désespérément de conserver leurs biens. S'ensuit une perte de contrôle sur l'administration, laissant toute latitude aux officiers

À GAUCHE : la mousson, peinture du XVIIIᵉ siècle.
CI-DESSUS : le gouvernement local au début du règne britannique, vu par un artiste indien.

Inévitablement, le modèle moghol continue d'exercer une influence considérable sur l'évolution de leurs politiques régionales.

L'empire des Marathes

Les Marathes font preuve de prétentions qui frisent l'ambition impériale. Parties de rien, ces castes non brahmaniques de la région de Maharashtra finissent par constituer une véritable force de combat sous l'impulsion de leur chef légendaire, Shivaji. Celui-ci mène une vie absolument hors du commun – encore célébrée dans les chansons et les légendes –, et semble toujours avoir une longueur d'avance sur ses adversaires ; il se rend même à la cour des Moghols à Delhi pour négocier une trêve, qui échouera en raison d'une méfiance réciproque. Lors d'une scène illustre, Shivaji tue le représentant de Bijapur, le général Afzal Khan, en l'étreignant avec des griffes en fer habilement dissimulées. À leur heure de gloire, au XVIIIᵉ siècle, les Marathes, réputés rapides comme l'éclair, surgissent là où ils sont le moins attendus et repartent invariablement les poches remplies des fruits de leurs pillages. Pour éviter d'avoir à subir leurs razzias, les différents États leur

ÉCONOMIE COLONIALE

La réussite des Hollandais à s'emparer de l'Indonésie conduit les Britanniques à concentrer leurs efforts sur l'Inde pour acquérir des territoires rentables en Asie.

versent des sommes conséquentes en guise de "protection".

À partir de la seconde moitié du XVIIIᵉ siècle, ils administrent directement un tel nombre de territoires indiens qu'il semble approprié de parler d'"empire marathe", même si ses dimensions ne se rapprocheront jamais de celles de l'empire moghol. Par ailleurs, les Marathes ne cherchent pas à se substituer officiellement aux Moghols : bien que dictant souvent sa conduite à l'empereur, ils continuent de le respecter dans la forme. La férocité dont ils feront preuve à l'issue des combats contre les armées d'Aurangzeb, notamment envers les populations musulmanes, les privera de la confiance dont

bénéficie le gouvernement moghol, les empêchant de former un vaste empire.

La désintégration de l'empire moghol constitue une véritable invitation aux envahisseurs étrangers, un scénario désormais habituel dans l'histoire de l'Inde. En 1739, l'Iranien Nadir Shah lance une attaque sur Delhi, massacrant quelque 30 000 soldats et civils et pillant la capitale, avant d'emporter le trône du Paon situé dans le Fort Rouge, ainsi que le diamant "Koh-i-noor".

La deuxième invasion du XVIIIᵉ siècle, dirigée par le souverain afghan, aura des effets plus durables. En 1761, les armées afghanes affrontent les Marathes près de Delhi. La défaite définitive de ces derniers met un terme à leurs ambitions impérialistes. Désormais, les Britanniques ont la voie libre pour s'installer et coloniser l'Inde.

Dans plusieurs villes, les compagnies européennes ont organisé leur commerce autour de comptoirs, se résumant en fait à de simples entrepôts pour stocker les marchandises. Face à la diminution du pouvoir protecteur de l'empire moghol, elles commencent à recruter leurs propres troupes et à utiliser des armes européennes – une tentation irrésistible pour les communautés locales, occupées çà et là à se déloger mutuellement des positions de force. Les Européens, qui ne demandent qu'à vendre leurs services au plus offrant, prennent progressivement pied dans l'organisation politique et administrative de plusieurs États. Les différents groupes européens en viennent alors à s'affronter dans des camps indiens opposés ; leurs propres rivalités, opérant par le biais de leurs protecteurs indiens, ne feront qu'envenimer les conflits.

Plusieurs compagnies européennes des Indes orientales commercent avec le pays ; toutefois, les Hollandais mettent le cap sur l'Indonésie, les Portugais – bien que s'accrochant à Goa – ne visent pas l'empire, et les Danois jouent un rôle négligeable. La véritable compétition oppose donc l'Angleterre à la France. Finalement, les Anglais sortiront vainqueurs et dirigeront l'Inde pendant près de deux siècles. ❑

À **gauche** : le maharaja Pratap Singh d'Alwar, Rajasthan.
À **droite** : Jantar Mantar, l'observatoire de Jaipur, bâti en 1716 par le maharaja Jai Singh II.

LES ANNÉES DU RAJ

Si les Britanniques considèrent l'Inde comme le "joyau de la Couronne",
le peuple indien, quant à lui, pense avant tout à l'indépendance.

C'est au Bengale que les Britanniques voient pour la première fois leurs tentatives de contrôle sur l'Inde couronnées de succès. En 1757, puis en 1765, ils l'emportent sur le souverain bengali et, dans l'intervalle, se lancent dans des intrigues peu scrupuleuses à sa cour. Après la bataille de 1765 s'ensuit un funeste partage de l'autorité : le dirigeant local s'occupe de l'administration, et les Britanniques des revenus. Le chaos qui en résulte débouchera, selon les termes d'un poète bengali, sur "une nuit de ténèbres éternelles pour l'Inde".

La Compagnie britannique des Indes orientales poursuit, bien sûr, ses activités commerciales, mais il lui est désormais inutile d'importer or et argent au Bengale pour acheter des textiles et les exporter en Angleterre, puis en Europe : les fabuleuses recettes dégagées au Bengale permettent de couvrir ces achats. Citoyens anglais et employés de la Compagnie se lancent eux aussi dans le commerce à titre privé, tandis que la corruption fait rage parmi les officiers britanniques, gouverneurs compris.

Une nouvelle aristocratie

Vers la fin du XVIIIe siècle, la Compagnie des Indes orientales commence à envisager une implantation à long terme, ce qui nécessite un soutien local. Elle l'obtiendra en créant une classe de nobles propriétaires terriens, apparentée à l'aristocratie féodale européenne.

Dans l'Inde moghole, si les officiers percevaient tout ou partie du revenu dû à l'État, la terre appartenait aux paysans. Les Britanniques modifient la situation en inventant le "Permanent Settlement" ("installation permanente"), créant ainsi une classe habilitée à détenir les vastes domaines de l'État de manière ininterrompue, aussi longtemps qu'elle continue à lui

À GAUCHE : Bahadur Shah Zafar, le dernier empereur moghol, exilé en Birmanie par les Britanniques en 1857.
À DROITE : festivités pour l'Indépendance à Calcutta (Kolkata), en 1947.

verser son tribut. Les paysans se retrouvent à la merci de l'aristocratie. Celle-ci, reconnaissante des droits sans entrave dont elle bénéficie, restera fidèle à la cause britannique jusqu'à l'Indépendance. Quant à l'obligation de verser un tribut aux Anglais, elle incombe désormais aux plus démunis : les paysans.

Au début du XIXe siècle, les Britanniques étendent leur emprise. Une vaste partie de l'Asie du Sud passe sous administration directe. En 1857, "l'empire britannique en Inde est devenu l'empire britannique d'Inde". Bien que le Parlement anglais surveille les activités de la Compagnie, il ne peut guère poser de restrictions à son fonctionnement : les recettes dégagées en Inde confèrent une véritable prospérité à l'Angleterre, qui puise de cette colonisation des intérêts matériels non négligeables.

Par ailleurs, nombre de parlementaires tirent de leur implication dans la Compagnie un bénéfice personnel ; ainsi, il n'est pas rare que celle-ci, ou ses employés à la retraite, investissent dans l'achat de sièges pour ses agents à la chambre des Communes. Le souverain lui-même compte parmi les mécènes de la Compagnie.

L'emprise britannique sur l'économie et la société indiennes connaît un changement d'envergure dans la première moitié du XIXᵉ siècle. Les paysans supportent un fardeau financier toujours plus pesant pour pourvoir aux besoins du gouvernement et de l'aristocratie terrienne autochtone, mais les artisans continuent de vendre à la Compagnie leurs marchandises, dont la

> **IMPÔT SUR LE TEXTILE**
>
> L'industrie britannique se sent menacée par les produits indiens : en 1760 une Anglaise paiera une amende de 200 £ pour avoir utilisé un mouchoir de confection indienne.

demande n'a pas diminué. Si le marché de l'indigo se rétracte, concurrencé par l'indigo des Indes occidentales, l'excellente qualité des textiles indiens constitue, tout au long du XVIIIᵉ siècle, une véritable menace pour l'industrie britannique, si bien que le gouvernement impose lourdes taxes et amendes.

La réorientation décisive se produit avec l'industrialisation de la fabrication des étoffes en Angleterre, dont le volume de production et les prix bas supplantent les textiles confectionnés au métier à tisser.

En 1794, la valeur des marchandises en coton manufacturées en Angleterre et vendues en Inde se monte à 156 livres sterling ; en 1813,

elle atteint 110 000 livres sterling. En 1833, sous la pression des fabricants, le Parlement abolit le monopole de la Compagnie sur le commerce indien, laissant la voie libre aux produits anglais frappés de droits de douane symboliques. En 1856, les importations britanniques en Inde équivalent à 6,3 millions de livres sterling. Inévitablement, l'industrie textile indienne est ruinée. Le coton brut indien est exporté en Angleterre pour y être transformé en produit fini, avant d'être écoulé sur le marché indien.

Pour conquérir ce dernier, il devient nécessaire de développer transports et moyens de communication. Des bateaux à vapeur se mettent à sillonner le réseau de cours d'eau. Les routes sont réparées et améliorées. En 1853 – année de l'introduction du télégraphe –, le rail fait son apparition.

Parallèlement, une nouvelle organisation sociale voit le jour. La séparation des fonctions entre administration civile d'une part, et armée et police de l'autre, ainsi que la notion de primauté du droit et d'égalité devant la loi représentent des innovations majeures. Il en va de même pour la tentative d'abolir certaines coutumes, comme l'immolation des veuves sur le bûcher funéraire de leur mari (*sati*) ou l'infanticide des nouveau-nés de sexe féminin. L'enseignement en anglais des sciences occidentales et de la philosophie apparaît au Bengale en 1835.

Nombre d'intellectuels et de réformateurs indiens soutiennent résolument ces mesures. Celles-ci ne constituent toutefois que les balbutiements de la transformation de la société indienne, majoritairement ancrée dans les traditions – dont certaines peu glorieuses.

Les avancées du gouvernement britannique en Inde génèrent, bien entendu, des ressentiments au sein de milieux divers. Les maisons princières, privées de domaines et de pouvoir, ont du mal à approuver cette évolution. Dans la Compagnie, les officiers militaires et civils de haut rang adhèrent rarement à leurs propres principes déclarés : difficile de sacrifier la perspective de l'expansion territoriale au nom de la morale. La pauvreté des maisons dirigeantes entraîne la misère pour un grand nombre de personnes dépendant, directement ou indirectement, de leur soutien pour subsister : courtisans, soldats, employés, marchands et artistes.

Les artisans, notamment les tisserands, sont particulièrement touchés lorsque la Compagnie tente de baisser salaires et prix des marchandises, avant d'inonder le marché indien de produits britanniques. Plusieurs villes, centrées sur la production textile, sont ruinées. Dans la campagne, les paysans sont soumis à un tribut toujours plus pesant.

La révolte des cipayes

Dans certaines régions, des soulèvements sporadiques secouent le pouvoir britannique en Inde.

LA FIN DES *SATI*

L'interdiction faite aux veuves indiennes de s'immoler sur le bûcher funéraire de leur mari sera perçue comme une ingérence dans une coutume séculaire.

dont l'"empire" ne dépasse pas les murailles du Fort Rouge de Delhi – qui abrite son palais – et dont les "revenus" se résument à une pension versée par la Compagnie. Pourtant, ce vieil homme deviendra le pivot et le symbole de cette rébellion de masse.

L'ordre fait par les commandants de l'armée aux cipayes indiens de mordre leurs cartouches avant de les glisser dans leurs fusils constitue la première cause du soulèvement. Le bruit court que le lubrifiant

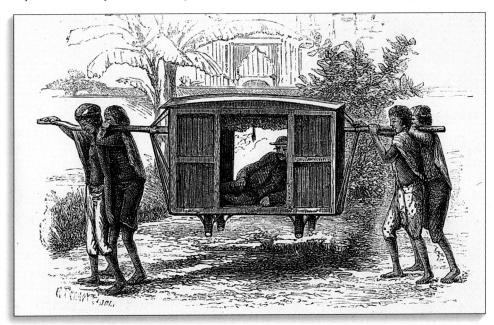

Toutefois, ce qui se produit en 1857 est une tentative concertée et à grande échelle – dans de vastes pans du pays – de se débarrasser de l'autorité étrangère. Une tentative au cours de laquelle l'empereur moghol, plusieurs États princiers régionaux, artisans, paysans et cipayes de l'armée de la Compagnie s'unissent contre l'ennemi commun.

"Moghol" est un terme auréolé de gloire ; or, l'empereur n'est plus qu'un homme âgé,

À GAUCHE : les États de certains rajas, devenus vassaux de la Couronne, resteront intacts jusqu'au lendemain de l'indépendance.
CI-DESSUS : un sahib du XVIIIe siècle dans un palanquin.

utilisé pour ces cartouches serait à base de graisse de vache et de porc. Les vaches étant sacrées pour les hindous – manger du bœuf fait partie des péchés les plus graves –, cette consigne est une véritable offense. Quant aux musulmans, ils la considèrent également comme un outrage à l'égard de leur religion : toucher du porc leur est interdit. La rumeur – vraie ou fausse – provoque donc l'aliénation simultanée des cipayes hindous et musulmans ; et le fait que la population en admette aussi facilement l'authenticité révèle l'ampleur de sa désaffection pour le gouvernement. Cette rumeur sera l'étincelle qui mettra le feu aux poudres.

Le 10 mai 1857, les cipayes stationnés à Meerut, près de Delhi, se mutinent. C'est le début de la rébellion. De Meerut, ils marchent sur Delhi, rejoints par l'infanterie locale qui a assassiné ses officiers britanniques, puis emmènent avec eux l'"empereur" pour les "guider". De Delhi, la révolte gagne le Nord et le Centre, se propageant dans les milieux citadins et paysans. Cependant, l'aristocratie terrienne créée par les Britanniques par le biais du Permanent Settlement reste fidèle à ses maîtres. S'ensuit une

POSTES À POURVOIR

Jusqu'en 1910, les Indiens ne peuvent pas occuper les postes d'officiers dans l'armée et sont rarement retenus pour les postes élevés dans la fonction publique.

lutte sans merci, accompagnée d'effusion de sang, de violence et de haine, dont l'issue sera défavorable à l'Inde. Si quantité d'Indiens se soulèvent, de nombreuses communautés et régions restent silencieuses, tandis que certaines se joignent aux Anglais. Ces derniers possèdent des armes et des moyens de communication plus efficaces, notamment la voie ferrée et le télégraphe. Quant à l'"empereur", il se révèle incapable de prendre le commandement, dans une situation où une telle aptitude revêt justement une importance primordiale.

Le soulèvement dure un an et demi ; à la fin de l'année 1859, l'"empereur" est déporté en Birmanie où il mourra, solitaire, mettant offi-

ciellement fin à la grande période du régime moghol en Inde.

Malgré son échec, la mutinerie suscite un sentiment d'unité entre hindous et musulmans. Dès 1857, le gouvernement en tire une leçon majeure : "diviser pour régner" devient sa devise. Immédiatement après la mutinerie, les Britanniques appliquent des mesures discriminatoires à l'encontre des musulmans, leur interdisant tout poste au sein du gouvernement et de l'enseignement moderne ; il s'assure ainsi qu'ils resteront désavantagés par rapport aux hindous, et donc en conflit permanent avec eux.

Le soulèvement marque la fin du règne de la Compagnie en Inde. En 1858, une loi du Parlement britannique transfère le pouvoir à la Couronne. Le vice-roi de la Couronne en Inde devient le chef du gouvernement. L'armée, réorganisée, comporte désormais un nombre d'officiers britanniques sans précédent. Les sujets britanniques de la Couronne se voient réserver les plus hautes fonctions dans la plupart des services administratifs.

Le nouveau gouvernement tente de satisfaire certains États princiers restés fidèles à l'Angleterre en 1857 ; ceux-ci formeront le rempart de l'empire indien des Britanniques. Bien évidemment, un tel compromis n'est accordé que dans le cadre d'une totale subordination à l'autorité impériale.

Tout zèle en matière de réforme sociale a disparu, et le gouvernement se retient prudemment de s'immiscer dans les coutumes indiennes. Son enthousiasme pour transmettre une instruction occidentale à un large éventail de la société indienne commence également à faiblir ; longtemps, l'enseignement supérieur restera confiné aux 3 villes dotées d'une université en 1857 : Calcutta, Bombay et Madras.

Les débuts de l'industrialisation

Si, dans un premier temps, l'industrialisation britannique croissante mine le marché des produits d'artisanat indien, peu à peu elle permet également l'introduction d'une industrie moderne en Inde. La première usine textile entre en fonctionnement à Bombay en 1853, et la première manufacture de jute au Bengale 2 ans plus tard. En 1905, plus de 200 filatures de coton et 36 manufactures de jute sont opérationnelles. Une vaste usine sidérurgique – encore en service – s'établit dans le Jharkhand. Certaines filatures et usines appartiennent à des Indiens, mais la plupart fonctionnent grace aux capitaux des Britanniques. L'industrie moderne entraine dans son sillage l'émergence d'un conflit entre entrepreneurs britanniques et indiens. Le gouvernement étend son mécénat aux industries et plantations (thé, indigo, café) controlées par les Britanniques, une mesure qui défavorise le capital indien.

USAGE DE LA FORCE

Le budget de l'armée, utilisée pour juguler les manifestations antibritanniques et lors de la campagne de Birmanie, s'élève, en 1904, à 52 % des revenus de l'Inde.

lent soulèvement de 1857 s'est soldé par un fiasco ; pour parvenir au succès, il convient donc d'adopter d'autres modes de contestation contre l'autorité étrangère. La nouvelle méthode, décisive, se fonde sur une force organisée provoquant le gouvernement britannique sur son propre terrain, dans le cadre de ses lois et politiques. Cette manœuvre requiert évidemment une classe d'Indiens hautement instruits, notamment des avocats. Ces derniers, formés par les Britanniques, auront un impact déterminant sur le

L'activité politique

La seconde moitié du XIXᵉ siècle est marquée par un réveil social d'une ampleur remarquable ; les idées modernes gagnent du terrain, parfois sous le couvert de la religion. Ainsi, certains mouvements confessionnels servent de prétextes pour protester contre différents problèmes, tels que la pratique du mariage des enfants ou le discrédit frappant le remariage des veuves.

Mais, par-dessus tout, se développe une importante prise de conscience politique. Le vio-

À **GAUCHE :** un portrait de la reine Victoria, impératrice de l'Inde, au musée du Fort St George de Chennai.
CI-DESSUS : le Western India Turf Club (Pune, vers 1900).

mouvement de libération de l'Inde, l'Indian National Movement.

En 1885, une organisation nationale vouée à jouer un rôle décisif dans l'histoire du pays voit le jour : le Congrès national indien. L'idée de départ vient d'un fonctionnaire anglais à la retraite, Allan Octavian Hume. Il engage d'éminents Indiens instruits à Bombay, puis tient la première session de l'organisation. Hume considère cette mesure comme un moyen d'endiguer la diffusion du mécontentement populaire ; comme une "soupape de sécurité", selon ses propres termes, "plus que nécessaire pour laisser s'échapper l'immense force croissante engendrée par nos propres actions".

Peu à peu, diverses tendances se font jour au sein de l'organisation, et 2 courants apparaissent au début du XXe siècle : les "modérés" aspirent à une réforme progressive des structures juridiques et gouvernementales, s'exprimant par des discours et pétitions, tandis que les "extrémistes" se montrent hostiles à la notion de gouvernement étranger et sont prêts à user de violence pour atteindre leurs objectifs.

Les dangers de la partition

L'essor du nationalisme opère un tournant majeur en 1905, lors de la publication d'un ordre commandant la partition du Bengale en 2 enti-

tés, officiellement pour faciliter la viabilité administrative de ces 2 provinces. Officieusement, en vue d'enrayer la vague de nationalisme déferlant alors sur les Bengali, en séparant l'Est et l'Ouest et en les isolant des autres entités linguistiques (de l'Assam, du Bihar, du Jharkhand et de l'Orissa), qui ne forment qu'une seule et unique province. Parfaitement conscient des enjeux de cette mesure, le Mouvement national est prêt à s'y opposer bec et ongles.

Le pays se lance dans des grèves de la faim, débrayages, marches, manifestations et rassemblements publics réunissant un grand nombre de participants. Mais surtout, il recourt à une nouvelle arme, susceptible de

frapper les Britanniques là où ils sont le plus sensibles : le boycott des produits anglais, remplacés par les marchandises de fabrication indienne. Une décision qui donne un coup de fouet décisif à divers secteurs industriels du pays. Le mouvement, dont le centre névralgique se situe à Calcutta, s'étend à travers l'Inde sous des formes diverses, depuis les grèves pacifiques aux actes terroristes, en passant par les marches de protestation.

Le gouvernement réplique par une répression sans précédent. Manœuvrant politiquement pour s'assurer une influence à long terme sur l'avenir de l'Inde, il prend des mesures calculées, créant des dissensions – faciles à provoquer – entre le Bengale-Occidental (l'actuel Bangladesh) à prédominance musulmane et le Bengale-Oriental hindou. Ce problème, devenu un thème fondamental du Mouvement national, sera lourd de conséquences.

La politique britannique visant à affaiblir le Mouvement national par de telles discordes porte ses premiers fruits en 1906, avec la fondation de la Ligue musulmane (All India Muslim League). Se déclarant en faveur de la partition du Bengale, elle revendique des concessions spécifiques pour les musulmans, telles qu'un quota de postes au gouvernement. De nombreux dirigeants musulmans ayant promis leur soutien au Congrès remettent en question la prétention de la Ligue à représenter tous les musulmans d'Inde. Quoi qu'il en soit, 2 entités politiques – l'une agissant exclusivement au nom des musulmans, l'autre essentiellement au nom des hindous – deviennent actives. Tour à tour passant des accords ou adoptant des positions adverses, elles conservent à chaque fois leur identité propre.

Si le gouvernement réagit par la répression et la tactique de la discorde, il tente aussi d'apaiser l'opinion publique en modifiant sa propre structure juridique. Il envisage l'existence d'assemblées composées de membres élus et nommés, exerçant un certain pouvoir sur quelques secteurs de l'administration. Le droit de vote est néanmoins sévèrement contrôlé. Cependant, de telles mesures restent très éloignées des revendications du Mouvement national.

La plupart des dirigeants du Mouvement sont des avocats formés en Angleterre, n'ignorant rien du fonctionnement du système parlementaire britannique. Bien que participant aux assemblées, ils se montrent invariablement mécontents des discriminations dont ils font l'objet, et sont donc disposés à démissionner collectivement, paralysant ainsi la bonne marche des assemblées. En 1917, une nouvelle phase débute dans la lutte pour l'indépendance de l'Inde.

L'ère Gandhi

En 1915, Mohandas Karamchand Gandhi revient d'Afrique du Sud, où il a expérimenté des formes inédites de résistance face au racisme. Arrivé dans ce pays pour y exercer le métier d'avocat, après une formation en Angleterre, il a été le spectateur et la victime d'humi-

les victimes, afin de déchaîner le pouvoir des foules sans recourir aux armes.

Le récit de ces expériences se propage en Inde. Et, lorsque, en 1915, Gandhi retourne dans sa patrie, il est déjà une personnalité connue. Avant de commencer la bataille, il souhaite se familiariser avec la situation en Inde. Il entreprend la visite de diverses régions, découvrant par lui-même l'immense pauvreté et l'humiliation subies par les foules aux mains de leurs maîtres indiens et étrangers. Souffrances infligées aux castes inférieures par les castes supérieures, traitement inhumain des ouvriers agricoles asservis, privations endurées partout

M. K. GANDHI

Avocat formé en Angleterre, Mohandas Karamchand Gandhi (1869-1948) est un partisan acharné de la non-violence. Il quitte Bombay en 1893 pour exercer sa profession en Afrique du Sud, où il s'implique dans un combat pour les droits des travailleurs. De retour dans son pays, il prend part au mouvement pour l'autonomie indienne. Gandhi relance la grève de la faim comme un moyen potentiel de contestation politique, et sa stratégie de résistance passive inspire les mouvements pro-indépendance à travers le monde. Ses partisans l'appellent "Mahatma" (grande âme), mais beaucoup optent pour "Bapu" (petit père). Ascète, Gandhi préfère les villages à la vie urbaine ; il adopte la tenue rurale du *dhoti* et du châle.

En 1930, il dirige la Marche du sel pour défier les exigences des Britanniques en matière d'impôt. En 1947, il négocie la fin du régime colonial, qui aura duré 190 ans. L'année suivante, à l'âge de 78 ans, il sera assassiné par un nationaliste hindou opposé à son invariable tolérance religieuse, après les massacres communautaires qui accompagnent la partition.

liations fondées sur la couleur de sa peau. En guise de contestation, il se lance dans l'organisation de manifestations entièrement non violentes avec les victimes indiennes de la ségrégation, qu'il appelle à violer publiquement les lois abusives en vigueur et à en accepter les sanctions de plein gré. Cette stratégie vise à réveiller la conscience des oppresseurs et le sentiment moral de protestation latent chez

À GAUCHE : Bhagat Singh, membre dirigeant d'un groupe révolutionnaire des années 1930, pendu par les Britanniques.
À DROITE : le Mahatma Gandhi, fervent avocat de l'*ahimsa*, la "non-violence active".

par les femmes : tous ces aspects de l'existence quotidienne lui apparaissent clairement tandis qu'il voyage dans les trains bondés, les chars à bœufs ou à pied.

Gandhi prend également conscience que la majorité des Indiens vit encore dans des villages, et que c'est là que réside la véritable force du pays. Une ressource exploitable si les paysans sont affranchis de la tyrannie des propriétaires terriens indiens, du gouvernement et des planteurs britanniques.

Gandhi parvient à une conclusion analogue à propos des ouvriers de l'industrie. Convaincu que l'amélioration de leurs conditions de vie est nécessaire, il pense que les propriétaires d'usines indiens doivent sacrifier une partie de leurs bénéfices à cette fin. Dès le départ, il mène une contestation morale contre l'oppression, bravant les lois abusives et acceptant les sanctions. Il entreprend des jeûnes jusqu'à ce que ses revendications soient satisfaites.

Défier ainsi les lois le conduit régulièrement en prison. D'autres meneurs condamnés pour le même délit lui emboîtent le pas, suivis par des foules entières inspirées par ses initiatives. Toutefois, Gandhi impose une condition inviolable : le mépris de la loi – la "désobéissance civile", tel sera le nom du mouvement – doit toujours se faire de manière pacifique. Le gou-

LA NON-COOPÉRATION

En 1920, le Congrès et les musulmans lancent conjointement un "mouvement de non-coopération". Ils protestent contre les tueries du Penjab et contre une décision des Britanniques, revenus sur la promesse faite à la Turquie, pendant la Première Guerre mondiale, qu'après le conflit "les riches terres d'Asie Mineure et de Thrace, essentiellement peuplées de personnes de race turque", lui reviendraient. Or, dès l'armistice, la Thrace est détachée de la Turquie. Le traitement infligé au calife turc bouleverse les musulmans d'Inde, qui le considèrent comme le dirigeant du monde. Le Congrès espère que son mouvement ralliera tous les musulmans dans le combat contre les Britanniques.

vernement a l'habitude des manifestations, rassemblements publics et activités terroristes. En revanche, il ne sait comment gérer cette forme de contestation totalement inédite. Il réagit donc avec maladresse. Lorsqu'il emprisonne les meneurs – ce qui sera fréquent –, quantité d'Indiens se mettent à faire la queue pour être enfermés à leur tour ; finalement, ils sont invariablement relâchés en raison du manque de place. S'il ouvre le feu sur des manifestants pacifiques non armés, comme il le fait au Penjab en 1919, ses propres prétentions à un comportement civilisé sont dénoncées et sa légitimité remise en cause. Et s'il se montre prêt à quelques concessions, elles ne correspondent jamais aux revendications.

En 1921 et en 1922, le pays tout entier assiste à une participation massive, sans précédent, à ce "mouvement de non-coopération". Des Indiens de tous âges, communautés et régions confondus répondent à l'appel général en abandonnant études et travail. Les femmes se joignent au mouvement. Le mot d'ordre général devient le boycott des textiles européens, brûlés lors de feux de joie. Hindous et musulmans en oublient leurs différences.

Le gouvernement réagit, comme à son habitude, par des arrestations et par le recours aux armes. Toutefois, alors que l'action atteint son apogée, il sera sauvé par Gandhi lui-même, qui se retire soudainement de la lutte. Dans un village de l'Uttar Pradesh, des policiers ont ouvert le feu sur un défilé de 3 000 paysans qui ont répliqué par l'incendie du poste de police, entraînant la mort de 22 officiers. La clause de non-violence vient d'être bafouée, et Gandhi refuse de s'impliquer dans des protestations porteuses de brutalités. Il suspend le mouvement de non-coopération, mettant fin à la rébellion.

Cette fin décevante ne plaît guère à la plupart des dirigeants du Mouvement national, dont le jeune Jawaharlal Nehru. Le Mouvement dérive sans but précis, mais cette situation ne dure pas. Quelques années plus tard, une nouvelle tendance émerge au sein du Congrès et à l'extérieur, réunissant des hommes et des femmes inspirés par les idées socialistes de Marx et de Lénine.

En 1925, le Parti communiste d'Inde est formé. Si ses effectifs restent restreints, son influence – notamment parmi les ouvriers, les paysans et l'intelligentsia – est toutefois considérable.

Au Congrès, les rênes passent aux mains d'hommes plus jeunes affichant des sympathies pour le socialisme, tels que Subhash Chandra Bose et Jawaharlal Nehru. À leurs côtés se forme un courant terroriste révolutionnaire d'hommes et de femmes mus par la volonté de remodeler la société autant que par un sentiment anti-impérialiste. Le plus connu d'entre eux, Bhagat Singh, est condamné à mort pour avoir lancé une bombe lors d'une session de l'assemblée législative. C'est plongé dans les écrits de penseurs socialistes qu'il montera sur la potence.

L'influence des idées socialistes place les questions économiques au cœur de la réflexion le jour de son adoption – le 26 janvier 1930, baptisé plus tard "Jour de la République" – en déployant un nouveau drapeau tricolore ; leur serment de l'Indépendance déclare que la soumission au pouvoir britannique constitue "un crime contre l'Humanité et contre Dieu".

Un deuxième mouvement de désobéissance civile à l'encontre des lois abusives commence au début de l'année 1930. Gandhi choisit de dramatiser sa rébellion en s'intéressant à un produit, le sel, concernant les foyers les plus pauvres. Le gouvernement détient le monopole de la fabrication du sel, dont il dégage un important bénéfice. Gandhi décide symboli-

du Mouvement. Dans l'esprit des meneurs émerge une vision de l'avenir après le régime britannique qui rallie des foules de pauvres, sans cesse plus nombreux, venus se joindre à la bataille.

Les revendications d'indépendance

C'est ce contexte que reflète la résolution du Congrès proposée en 1929, qui réclame l'indépendance totale de l'Inde. Jawaharlal Nehru préside alors la session. Les Indiens célèbrent

À GAUCHE : reportage de l'*Illustrated London News*, 1946.
CI-DESSUS : le Mahatma Gandhi (centre) et Jawaharlal Nehru (à gauche) lors d'une réunion du Congrès.

quement de "produire" du sel sur la côte du Gujarat sans payer le moindre impôt. Après avoir déclaré son intention, il entreprend une marche d'environ 250 km jusqu'au littoral, accompagné de quelques partisans. Il a alors 60 ans. À mesure qu'il avance, les Indiens – notamment un grand nombre de femmes – le rejoignent par milliers. Une fois encore, les foules participant au mouvement oublient différences de communauté, de région, de langue et de sexe.

Comme il fallait s'y attendre, le gouvernement réagit par des arrestations, ouvrant le feu sur la population non armée. Il convoque également une table ronde à Londres pour que les représentants des différents groupes confèrent sur l'avenir de l'Inde. Le Congrès réclame des mesures préparatoires en vue d'une indépendance totale, une décision impensable pour les Britanniques. Les négociations échouent et le mouvement de désobéissance civile reprend. Il finira par céder face à la terreur et à la répression exercées par le gouvernement.

En 1935, le Parlement britannique adopte le Government of India Act ("loi du gouvernement indien"), qui propose une assemblée

SOUTIEN PLANÉTAIRE

Les superpuissances d'après-guerre – États-Unis et URSS – sont favorables à l'indépendance de l'Inde, ce qui encouragera considérablement le mouvement.

Les nuages de la guerre s'amoncellent

Entre l'application de la loi en 1935 et la Seconde Guerre mondiale, le monde est en effervescence. Et la montée du nazisme ainsi que du fascisme contraste avec la détermination des peuples colonisés à lutter pour l'indépendance.

L'Inde se range à leurs côtés à travers le monde, même si elle est prête à prendre le parti de son propre maître impérialiste et de ses alliés pour combattre le nazisme.

bicamérale centrale pour laquelle les princes nomment leurs représentants, tandis qu'environ 14 % de la population indienne – ayant obtenu le droit de vote – se charge d'élire les autres membres.

Malgré cet équilibre entre représentants du peuple et alliés du gouvernement, l'assemblée ne possède que des pouvoirs limités. Dans les provinces, les assemblées élues exercent un contrôle bien plus important – mais pas total – sur les services administratifs. Le Congrès s'oppose à la loi et décide de contester les élections et de former des gouvernements. Il l'emportera largement, sauf au Bengale et au Penjab.

Durant la guerre, son soutien à l'Angleterre ne sera pas inconditionnel. Si l'Inde l'aide à conserver sa liberté face aux risques d'asservissement par Hitler, elle ne saurait le faire en restant elle-même asservie. Bien plus qu'une Inde soumise, une Inde indépendante serait à même de prêter assistance à l'Angleterre pour qu'elle résiste à l'assaut des nazis. Toutefois, le gouvernement ne l'entend pas de cette oreille. Les événements se précipitent en 1942. Le Congrès exhorte les Indiens à s'assurer que les Britanniques "quittent l'Inde", leur demandant pour ce faire d'"agir ou de mourir". Une fois encore, un mouvement général pour l'indépendance se met en place ; et une fois encore, il est massivement réprimé. Subhash Chandra Bose, qui a quitté le Congrès un peu plus tôt, organise une puissante force défensive, l'Armée nationale indienne, en Asie du Sud-Est. Il recherche l'aide du Japon pour mener cette armée en Inde et la libérer de l'emprise britannique. La défaite du Japon dans la guerre mettra un terme à son rêve.

Les Alliés sortent vainqueurs du conflit, mais l'ère de la grande puissance britannique est révolue. En Angleterre, le soutien en faveur de l'indépendance de l'Inde s'accroît. Le gouvernement conservateur de Winston Churchill s'est toujours montré inflexible à cet égard

étranger s'étend et ce dernier ne peut plus espérer qu'il restera confiné aux limites de la non-violence. Par ailleurs, l'emprise du gouvernement sur les piliers de son autorité – l'armée et la bureaucratie – commence à s'affaiblir.

Les troupes indiennes montrent fréquemment des sympathies pour l'Armée nationale indienne de Bose. En 1946, matelots et gradés de la marine indienne se mutinent à Bombay et mènent une bataille rangée contre les forces britanniques. Les grèves se généralisent dans l'armée de l'air, le corps des transmissions et la police, tandis qu'un peu partout les ouvriers se lancent dans des débrayages généralisés.

– l'Inde passait jadis pour "le joyau de la Couronne" –; quant au Premier Ministre, il déclare qu'il n'a pas été élu à de telles fonctions "pour présider à la liquidation de l'empire". Néanmoins, le nouveau gouvernement travailliste dirigé par Clement Attlee est moins préoccupé par ces considérations sur la gloire impériale d'antan que par l'imminence d'une catastrophe. L'esprit de révolte contre le gouvernement

À GAUCHE : Lord Mountbatten (au centre), avec Nehru à sa droite et Jinnah à sa gauche, lors des négociations pour l'indépendance.
CI-DESSUS : la famille Mountbatten faisant ses adieux à l'Inde.

Le gouvernement d'Attlee n'est pas insensible à ces événements, ni à l'affaiblissement de la position britannique. Pour la première fois, l'indépendance de l'Inde semble négociable.

La Ligue musulmane

Néanmoins, pour des millions d'Indiens, l'indépendance prend brusquement un goût amer en raison d'un événement majeur. La Ligue musulmane, qui bénéficie invariablement du soutien du gouvernement, cherche à s'assurer auprès de lui et du Congrès que les droits de la minorité musulmane (environ 10 % de la population) seront préservés. Si le Congrès se montre prêt à lui donner une telle garantie verbale, la présence de meneurs hindous communautaires en son sein entraîne un certain scepticisme.

En effet, d'aucuns avancent que le Congrès, qui bénéficie du soutien du groupe majoritaire – les hindous –, peut parfaitement camoufler son communautarisme sous couvert de nationalisme et de démocratie. Certes, nul ne met en doute l'intégrité de meneurs tels que Gandhi et Nehru, qui assimilent les musulmans à leurs propres frères, mais l'enjeu dépasse largement la parole

LA FIN D'UN RÊVE

La veille de l'indépendance, Gandhi pleurera sur tout ce qui lui était cher : non-violence, humanité et compassion, quelles que soient la couleur, la religion et les croyances.

illustres étaient musulmans, et tous les musulmans ne fraternisent pas avec la Ligue. Le Congrès conteste alors les élections sur la base d'électorats séparés et n'abandonnera jamais ses réserves à cet égard.

Les chemins du Congrès et de la Ligue commencent à diverger plus que jamais. En 1940, la Ligue revendique un État indépendant pour les musulmans, requête qu'elle réitérera fréquemment, et qui donnera naissance au Pakistan.

Le nouvel État du Pakistan

La tension ainsi générée débouche sur des émeutes communautaires généralisées, tandis que la perspective de l'indépendance prend forme. En 1946, hindous et musulmans se lancent dans un massacre collectif, s'accusant mutuellement d'avoir entamé les hostilités. De part et d'autre, des personnages héroïques sacrifient leur vie pour défendre la fraternité mais leurs efforts ne pourront combler l'écart qui se creuse entre les communautés. Le gouvernement britannique décide d'agir sans tarder.

Au début de l'année 1947, il se résout à accorder à l'Inde son indépendance. Une indépendance qui s'accompagnera de la partition du pays et de la création de l'État du Pakistan puisque, malgré leurs efforts mutuels, les dirigeants du Congrès et de la Ligue musulmane n'ont pu résoudre la question communautaire. Le Pakistan doit consister en deux régions séparées sur près de 2 000 km par le territoire indien : le Pakistan occidental (devenu depuis le Pakistan) et le Pakistan oriental (correspondant au Bengale-Oriental, l'actuel Bangladesh). Des millions d'hommes – hindous issus de ces régions et musulmans d'Inde – émigrent peu à peu dans des directions opposées. De nombreux sikhs, dont la patrie du Penjab a été coupée en deux, s'installent en Inde. Au passage des frontières, quantité de migrants sont assassinés par des extrémistes religieux. Finalement, au prix d'une terrible tragédie humaine, l'Inde obtient son indépendance le 15 août 1947 à minuit. ❏

de quelques personnalités intègres. Par ailleurs, comment les musulmans peuvent-ils être sûrs que l'avenir verra émerger des dirigeants d'un tel calibre et d'une telle intégrité ?

En guise de solution, le gouvernement britannique a déjà envisagé d'établir des corps électoraux séparés pour hindous et musulmans, chacun élisant ses propres représentants. Cette mesure équivaut à valider la théorie avancée par la Ligue, à savoir qu'hindous et musulmans constituent 2 nations distinctes, et à mettre en équation religion et nation. Or, le Congrès n'a jamais accepté cette théorie impliquant qu'il ne peut ni recruter, ni représenter, de musulmans ; certains de ses dirigeants

À **GAUCHE** : Nehru s'adresse à la foule réunie devant le Fort Rouge de Delhi le 15 août 1947.
À **DROITE** : gardes du palais de l'État princier de Mysore.

L'INDE INDÉPENDANTE

Dans un pays aux ethnies, aux religions et aux intérêts si hétérogènes,
la démocratie représente une véritable victoire.

En tant que plus vaste démocratie du monde, l'Inde fait souvent l'objet de nombreux éloges. Pourtant, la plupart de ses institutions auraient bien besoin d'une réforme. Le système judiciaire notamment, basé sur celui des Britanniques, est dans l'impasse. Quoi qu'il en soit, le pays a réussi à maintenir son système électoral depuis 1947, avec une unique interruption de 19 mois (au milieu des années 1970) durant laquelle le Premier ministre Indira Gandhi a déclaré l'état d'urgence. Une réussite non négligeable puisque, d'après certains analystes, ce sont justement les élections qui auraient contribué à empêcher l'effondrement de cette nation pauvre et hétérogène depuis l'indépendance de 1947.

La nouvelle république

Premier Indien à être nommé Premier ministre, Jawaharlal Nehru, persuadé que le pouvoir économique est du ressort de l'État, dote le pays d'une économie planifiée. Le gouvernement possède les industries de base – telles que sidérurgie et électricité – et contrôle la production du secteur privé. Les fabricants, pourvus de licences les autorisant à produire leurs marchandises dans des quantités et à des prix prédéfinis, reçoivent les matériaux bruts. Ces mesures, conjuguées à la politique d'autosuffisance ("India First"), entraînent une amélioration considérable de la situation. Enfin, grâce à la "révolution verte", l'Inde, ancien importateur de produits alimentaires, devient un pays exportateur de premier plan.

Certains jugent prématuré d'accorder, dès 1947, le droit de vote à des foules illettrées, et peu judicieux d'adopter le système politique britannique, conçu dans et pour un contexte fort différent. Pourtant, l'avenir donnera raison à Nehru, qui soutient que c'est ce dont l'Inde a besoin. Selon lui, ces décisions permettront de juguler les différences culturelles, ethniques et religieuses susceptibles de déchirer le pays. Au nom de l'unité, plus de 500 princes indiens seront persuadés d'abandonner leurs titres. C'est le fondé de pouvoir de Nehru, Sardar Vallabhai Patel – partisan de la droite communautaire et apprécié des Indiens vivant de leur patrimoine –, qui se chargera de cette tâche délicate en 1950.

Délimiter les frontières du nouvel État en fonction des langues régionales n'est pas sans poser de problèmes : cette décision suppose d'ignorer une multitude de dialectes. La question des divisions ethniques et linguistiques ne sera d'ailleurs jamais réglée et, aujourd'hui encore, il arrive qu'éclatent de violents différends.

La partition (séparation du pays entre le Pakistan, à prédominance musulmane, et l'Inde, essentiellement hindoue) donne lieu à de farouches affrontements entre hindous et musulmans. Les victimes se comptent par milliers et de très nombreux habitants sont obligés de fuir leurs maisons. Nehru tente de dissocier politique et vie publique, en confinant la religion à

À **GAUCHE :** Jawaharlal Nehru, déployant le nouveau drapeau national.
À **DROITE :** Indira Gandhi.

la sphère privée, mais la population n'acceptera jamais totalement cette distinction.

Nehru souhaite également passer d'une société de type féodal à une société garantissant l'égalité des chances. Il croit en un socialisme démocratique, compromis entre un État providence capitaliste et une économie centralisée de style soviétique. Encourager l'indépendance, espère-t-il, stimulera la libre entreprise sans entraîner de polarisation sur la richesse. Il restreint les importations, tandis que l'État conserve le contrôle des industries stratégiques.

Sur le front de la politique extérieure, l'Inde se range dans le mouvement des Non-Alignés

Son attitude autoritaire, couplée à la victoire de l'Inde sur le Pakistan oriental (l'actuel Bangladesh) en 1971, lui permet de s'imposer comme le chef incontesté du parti du Congrès, alors divisé. Sa "révolution verte" transforme les fermiers en propriétaires terriens, ce qui lui assurera une assise politique dans les milieux ruraux jusque dans les années 1980.

L'Inde entre dans une période de troubles. Lorsque la Cour suprême d'Allahabad reconnaît Indira Gandhi coupable de corruption en juin 1975, celle-ci réagit en imposant un état d'urgence qui durera 2 ans. Elle censure la

et, dans les années 1950, plaide pour que la Chine acquière un statut international. Mais les ambitions territoriales de celle-ci débouchent, en 1962, sur un conflit portant sur le territoire éloigné de l'Aksai Chin. L'Inde subira une défaite désastreuse. Nehru, déterminé à développer la capacité militaire nationale, se heurte à l'opposition des États-Unis et de la Grande-Bretagne. Il se tourne alors vers l'Union soviétique.

La dynastie Nehru

Le décès de Jawaharlal Nehru, qui marque l'année 1964, annonce la naissance d'une dynastie de dirigeants : 2 ans plus tard, sa fille Indira Gandhi prend les rênes du pouvoir.

presse, emprisonne 100 000 opposants politiques et met en place un programme de stérilisation forcée. Ces mesures ont un effet boomerang. Le parti du Congrès d'Indira subit une écrasante défaite aux élections de 1977, permettant au parti Janata Dal, dirigé par l'octogénaire Moraji Desai, de se hisser au pouvoir. Indira se retrouve même derrière les barreaux puis, contre toute attente, revient à la tête du gouvernement en 1980.

Mais sa joie est de courte durée. La même année, son fils Sanjay décède dans un accident d'avion. Elle persuade alors son deuxième fils, Rajiv, pilote chez Indian Airlines, de faire son entrée sur la scène politique.

Remous au Penjab

Chef charismatique basé dans le temple d'Or à Amritsar – le saint des saints sikh –, Sant Jarnail Singh Bhindranwale fait lui aussi la une en 1980. Soutenu par de jeunes fondamentalistes érudits, il revendique de nouveaux droits pour la communauté sikh, ainsi que la sécession du Penjab. La stratégie d'Indira, consistant à monter les groupes sikhs les uns contre les autres, ne fait qu'aggraver la crise, laissant les partisans de Sant terroriser, voler et assassiner les hindous en toute impunité.

En 1984, Indira envoie l'armée à Amritsar. Le temple d'Or subit d'importants dégâts et Sant Jarnail est tué dans un bain de sang. La revanche ne se fait pas attendre : Indira Gandhi sera assassinée le 31 octobre par ses propres gardes du corps sikhs.

Bouleversé, le parti du Congrès élit Rajiv Gandhi au poste de Premier ministre. Si certains jugent qu'il n'est pas assez expérimenté, le peuple propulse Rajiv au pouvoir lors des élections suivantes. Son programme est ambitieux : il promet de relancer l'industrie grâce à des technologies et techniques de gestion nouvelles. Un engagement attrayant, alors que la même année une fuite de gaz provenant d'une usine de pesticides de la multinationale américaine Union Carbide a dévasté la ville de Bhopal, dans le Madhya Pradesh, tuant 2 000 habitants.

Cinq ans plus tard, au milieu des allégations de corruption, le Congrès d'Indira est balayé aux élections, notamment en raison du scandale Bofors : un fabricant suédois aurait versé des commissions au gouvernement pour pouvoir approvisionner en armes les troupes indiennes. Alléguant l'implication du Congrès dans cette affaire, le ministre de la Défense de Rajiv, V. P. Singh, démissionne en 1987 et forme un nouveau parti, le Front national. Aux élections de 1989, il remporte suffisamment de voix pour constituer un gouvernement minoritaire, dont les problèmes de castes et de religions auront raison en 1990.

Persuadé que son manque d'implication lui a valu la défaite aux élections de 1989, Rajiv entame une campagne populiste, traversant les foules au volant d'une jeep découverte. Au Tamil Nadu, une femme kamikaze déclenche une bombe qu'elle porte à sa ceinture, tuant Rajiv Gandhi et vingt de ses proches. La dynastie Nehru exerçait une telle emprise sur le parti du Congrès qu'il n'existe aucun autre héritier désigné. La veuve de Rajiv, Sonia, de naissance italienne, refuse de lui succéder. Finalement, en 1998, après avoir lancé une campagne pour sauver la réputation du parti, elle est choisie pour le diriger.

La déconfiture du Congrès

Entre-temps, le pouvoir revient à P. V. Narasimha Rao, un pilier du Congrès originaire du

À **GAUCHE** : graffiti illustrant l'assassinat d'Indira Gandhi par ses gardes du corps sikhs, en 1984.
À **DROITE** : Narasimha Rao, Premier ministre au début des années 1990.

sud de l'Inde. Ce compromis semble sans surprise. Pourtant, la résistance de Rao a été mésestimée. Il rend la roupie convertible, autorise les étrangers à détenir 51 % des coentreprises, supprime les droits de douane à l'importation, et permet aux étrangers d'acheter ou vendre des actions sur les bourses indiennes. Toutefois, les vieux démons ne disparaissent pas si facilement. Au Cachemire, la lutte pour l'indépendance fait rage. En 1992, des dizaines de milliers d'hindous fondamentalistes détruisent à mains nues une mosquée à Ayodhya (*voir p. 101*).

En mars 1993, Bombay est secouée par l'explosion d'une douzaine de bombes le

même jour. Les musulmans, terrifiés, fuient la ville, tandis que des individus crapuleux s'approprient les parcelles fort recherchées du centre. Le BJP (parti Bharatiya Janata) triomphe aux élections suivantes. Bal Thackeray, le chef peu recommandable de Shiv Sena ("armée de Shiva") – parti hindou nationaliste –, exhorte au verrouillage des frontières pour les non-résidents.

Sous Rao, le Congrès perd du terrain. Les journaux révèlent l'existence d'une valise remplie d'argent – donnée manifestement en pot-de-vin – et de gains exorbitants réalisés à la faveur d'importations frauduleuses. Selon les critiques, les mesures de libération économiques remplissent les poches des plus riches tout en négligeant les plus pauvres.

L'ascension du Sangh Parivar

Le Congrès subissant une baisse de soutien, le BJP a alors l'occasion d'accéder au pouvoir. Créé en 1980, ce mouvement issu du Jana Sangh (allié au parti Janata ayant évincé Indira après l'état d'urgence) forme l'aile politique du Sangh Parivar, un groupe d'organisations hindoues de droite incluant le RSS (Rashtrya Swayamsevak Sangh), le VHP (Vishva Hindu Parishad) et les organisations de jeunesse Bajrang Dal et Durga Vahini. Aux élections de 1989, il s'intègre à un gouvernement de coalition de courte durée, remplacé par des alliances entre partis de gauche sous les Premiers ministres Deve Gowda et I. K. Gujral. Toutefois, la destruction de la Babri Masjid, en 1992, donne au BJP une impulsion qui ne faiblira pas. En 1998, il se retrouve à la tête d'un gouvernement de coalition.

Outre un programme économique résolument néolibéral (après avoir abandonné sa promesse électorale de promouvoir les *svadesi*, ou produits indiens), le BJP veille au communautarisme de l'éducation et attise l'intolérance envers les minorités. L'Inde, jadis acclamée pour sa non-violence, continue ses démonstrations de force. Outre entretenir la plus grande armée de métier du monde, le Premier ministre Atal Bihari Vajpayee autorise 5 essais nucléaires souterrains inopinés à Pokhran dans le désert du Rajasthan en 1998, soit 24 ans après les premiers essais d'Indira. En 1999, il forme un gouvernement de coalition plus durable, la NDA (Alliance démocratique nationale), avec l'appui de partis régionaux, dont le TDP (parti Telugu Desam) et Akali Dal.

Bouleversements électoraux

En 1999, dans la vallée de Kargil au Cachemire, Inde et Pakistan se lancent dans une guerre de 50 jours qui menace de s'étendre. Après la mort d'un millier de soldats, les agents pakistanais sont finalement repoussés, mais la ferveur patriotique suscitée par les politiciens a créé un état d'esprit peu glorieux. La tension s'accroît pour culminer en 2002 : les 2 puissances nucléaires voisines sont alors à 2 doigts d'une guerre totale.

Toutefois, la géopolitique intéresse peu la majorité des Indiens, qui vivent sans électricité, avec un système sanitaire médiocre et une eau insalubre. Lorsque ces 380 millions d'habitants s'expriment enfin aux élections générales de 2004, leur vote provoque une onde de choc au sein de la classe politique : ils rejettent l'alliance du BJP au profit de celle du Congrès.

Le choc est d'autant plus fort que Sonia Gandhi se trouve à la tête du Congrès. Pour beaucoup, l'idée que cette Italienne de 59 ans devienne Premier ministre est une hérésie. La Bourse tremble, redoutant que le nouveau gouvernement ne soit mal disposé envers le monde des affaires. Se fiant à sa "voix intérieure", Sonia Gandhi décline ce poste et nomme à sa

cesseurs, tout en allouant des fonds aux programmes d'aide sociale. Le pays connaît par ailleurs des changements notables : la révision des livres scolaires, avec la suppression de tout parti pris communautaire, et l'adoption d'un programme minimal commun avec le Front de gauche – comprenant parti communiste marxiste d'Inde, parti communiste d'Inde, All India Forward Bloc (Bloc de l'avancée pan-indien) et parti socialiste révolutionnaire – qui soutient le gouvernement de l'extérieur.

Ce processus de réformes, qui inclut notamment la libéralisation des investissements

place Manmohan Singh, ancien ministre des Finances du Congrès, qui sera le premier sikh à occuper de telles fonctions. Sa nomination favorisera grandement les pourparlers de paix avec le Pakistan, entamés en 2003.

Au lendemain du choc

Les inquiétudes de la Bourse se révèlent tout à fait infondées. Le Premier ministre et le ministre des Finances, P. Chidambaram, poursuivent l'économie néolibérale de leurs prédé-

étrangers, la réduction des tarifs douaniers et la modernisation du secteur financier, a des effets bénéfiques sur l'économie : taux de croissance plus élevés, baisse de l'inflation, augmentation des investissements… Cette politique économique dynamique permettra – et ce malgré les différents scandales de corruption –, à l'Alliance progressiste unifiée (UPA), menée par le Congrès, de largement remporter les élections en 2009.

Comme les autres États BRIC (Brésil, Russie, Inde Chine), l'Inde s'affirme aujourd'hui comme un des nouveaux grands pays industriels et peut se targuer de compter parmi les protagonistes de l'économie mondiale. ❑

À GAUCHE : mise à jour du résultat des votes.
CI-DESSOUS : le Premier ministre, Manmohan Singh, s'entretenant avec Sonia Gandhi en 2004.

L'INDE CONTEMPORAINE

La société indienne doit aujourd'hui faire face à une nouvelle orthodoxie économique,

une aggravation de l'intolérance religieuse et un niveau de pauvreté accablant.

On parle souvent de l'Inde comme d'un pays "immuable", où le temps n'a plus la moindre signification. Ce genre de clichés repose sur des idées reçues. Mais aucune société, aucune culture n'est immuable, et l'Inde ne fait pas exception. Autre image fréquemment véhiculée, celle d'une "nouvelle classe moyenne indienne", dont l'appétit pour le changement et le développement serait le fruit d'une vague récente de néolibéralisme – confondant ainsi une doctrine économique avec la notion de progrès. La réalité est infiniment plus complexe.

Vieille et nouvelle garde

Les dirigeants indiens, en adoptant l'orthodoxie libérale à l'occidentale, se sont offerts en modèles de vertu économique. Le "désinvestissement", gigantesque chantier de privatisations, a donné un coup de fouet aux investissements privés, profitant très largement à cette fameuse classe moyenne tant glorifiée. Mais les mêmes dirigeants ont adopté une ligne beaucoup plus dure en matière de protection sociale, allégeant les charges des classes aisées, tandis que les pauvres se retrouvaient de plus en plus en marge de la vie économique et politique du pays. Depuis les années 1990, aucun effort n'aura été épargné pour démanteler les structures mises en place par les gouvernements de l'après-indépendance, qui avaient pour slogans "Inde d'abord" – industrialisation, compagnies d'État, laïcisation et "unité par la diversité", production et consommation intérieures combinées avec une politique d'importation protectionniste. Ce concept de construction d'une nation apportait une réponse radicale aux difficultés économiques et à la fragmentation sociale léguées par la colonisation. Car les Britanniques avaient laissé l'Inde dans un état pitoyable, tant au niveau humain qu'économique. Le taux d'alphabétisation était extrêmement faible, et l'industrie pratiquement inexistante. Certains économistes dénigrent aujourd'hui l'héritage de Nehru – grand initiateur de la politique industrielle de l'après-indépendance –, mais rien n'existerait sans lui, ni cette base industrielle actuellement en cours de pri-

vatisation, ni cette main-d'œuvre alphabétisée embauchée dans les centres d'appels occidentaux.

Religion et identité

Au tournant du millénaire, le discours politique obéit à deux tendances fortes, la libéralisation économique et l'hindouisme de droite incarné par le BJP. Ce mariage de la carpe et du lapin perturbe profondément la vie quotidienne des Indiens, mais les étendards de la religion et du nationalisme le plus agressif détournent leur attention, permettant aux gouvernements de faire passer des mesures autrement inacceptables.

PAGES PRÉCÉDENTES : chars à bœufs ; à l'école en rickshaw, Tamil Nadu.

À GAUCHE : femmes à la fête du Pongol, à Tiruvanathapuram.

À DROITE : composants électroniques, à Bangalore.

Inde contemporaine

La société indienne doit faire face à un nouveau conformisme économique, à une intolérance religieuse croissante et à un niveau de pauvreté insupportable. L'identité hindoue s'est considérablement renforcée, tandis qu'une tentative d'intégration tous azimuts vise des groupes de croyances et de pratiques résolument disparates. L'hindouisme moderne, celui prôné par le Sangh Parivar, commence à ressembler au protestantisme des évangélistes américains. Plus que l'engagement en faveur du bien commun, c'est dans la relation personnelle au divin que repose la clé du salut. Ainsi, la modération et la discrétion devant la misère d'autrui revêtent-elles moins d'importance que, par exemple, le fait de participer à la construction d'un nouveau temple de Ram à Ayodhya. Cette prise de distance par rapport aux idéaux de Gandhi s'accompagne, paradoxalement, d'une approche plus "intégriste" des textes religieux. Les Vedas, le Bhagavad Gita ou le Ramayana ne sont plus seulement des guides spirituels offrant accès à des concepts universels, sujets à interprétation : ils ont acquis le statut de documents historiques relatant des faits avérés.

L'hindouisme moderne de droite préfère distribuer bons et mauvais points plutôt que de se

SEUIL DE PAUVRETÉ

Les grands organismes internationaux comme l'UNICEF ou la Banque Mondiale fixent à 1 $US par jour ou moins le seuil de pauvreté pour des pays en développement tels que l'Inde ou la Chine. Mais le gouvernement indien place la barre infiniment plus bas – définissant ce seuil à partir de 75 Rps par jour, soit quelque 80 € par an, à peine de quoi rester en vie. Les statistiques indiennes évaluent à 300 millions de personnes la population vivant sous le seuil de pauvreté – curieusement, le même effectif que pour toute la classe moyenne. Mais en se basant sur les chiffres internationaux, ce sont bien 70 % d'Indiens qui vivent ou survivent sous ce seuil fatidique.

risquer dans les subtilités d'un débat qui jadis rendait cette religion ouverte et tolérante.

Les points de vue minoritaires ont évidemment pâti de cette pression hégémoniste, à commencer par les quelques 100 millions – et plus – de Musulmans qui peuplent l'Inde. Car la mystique nationaliste entretenue par le BJP est farouchement anti-islamique. Les 2 pays ont eu beau renouer leurs relations, le bouc émissaire demeure d'abord et surtout le Pakistan, et, par voie de conséquence l'Indien musulman, volontiers considéré comme un agent ennemi infiltré. Le conflit ne date certes pas d'hier, mais les politiciens hindouistes ont soufflé sur les braises : en 2002, plus de 1 000 musulmans ont été tués au cours des émeutes qui enflammèrent le Gujarat. Impliqué dans ce carnage, le Premier ministre BJP Narendra Modi bénéficie encore de la protection de son parti.

Opulence et indigence

Lors des élections de 2004, l'Alliance Nationale-Démocrate (NDA) menée par le BJP subit un revers sans précédent. Déçue par le miroir aux alouettes de "l'Inde Étincelante", une majorité d'électeurs a voté pour le changement de cap promis par la toute nouvelle Alliance Progressiste Unie, menée par le parti du Congrès et appuyée par la gauche. "India Shining" visait

politique néolibérale a littéralement dopé les 300 millions d'heureux élus répertoriés dans la classe moyenne, la situation d'une très grande majorité ne s'est guère améliorée, quand elle n'a pas, dans certains cas, franchement empiré. La réforme économique a démarré du pied gauche. Supposée générer de l'emploi, elle a fait grimper le taux de chômage de 9,2 % en 2001 à 10,1 % en 2004. Cette faillite a également affecté le secteur non agricole, y compris les services et les hautes technologies tant vantées par les apôtres d'un Inde moderne. Un secteur tertiaire qui concerne environ 51 % des emplois, mais demeure en grande partie extrêmement

pourtant les classes moyennes et supérieures, pour qui la gigantesque hausse de la dette à la consommation a alimenté une orgie tout aussi énorme de dépenses, du téléphone mobile à la voiture allemande dernier modèle. Mais cet afflux de richesses, manifeste dans les grandes villes (Delhi, Mumbai, Kolkata ou Chennai), n'était accordé qu'à la classe moyenne urbaine, soit 10 % de la population. Et les autres 90 % ? Leur quotidien était vraisemblablement beaucoup moins rose. Depuis 1991, le pays a subi une véritable révolution économique, et si la

mal rémunéré. Car si l'Inde attire une importante délocalisation de traitements de données (BPO) occidentales, lesquelles ont profité aux classes moyennes, ces postes emploient des opérateurs très largement surqualifiés. L'Inde exporte encore 25 milliards de dollars de ces services, mais certaines compagnies occidentales re-délocalisent aujourd'hui vers des pays comme le Ghana où la main-d'œuvre coûte encore moins cher. Dans tous les cas, certains estiment que ce genre d'emplois ne fait qu'asservir les plus éduqués aux banques et aux services américains et européens, au détriment d'emplois plus productifs – ce qui revient à un nouveau genre de fuite "intérieure" de cerveaux.

À gauche : *basti* de Bandra.
Ci-dessus : luxueux immeubles, Mumbai.

Les chiffres officiels masquent d'ailleurs un problème de plus vaste envergure. Seuls 61 % de la population adulte (entre 15 et 65 ans) cherchent un emploi, et parmi ceux qui en trouvent, la plupart sont sous-employés. Pour satisfaire ne serait-ce que la seule classe moyenne, il faudrait au moins créer chaque année 10 millions d'emplois correctement rémunérés.

Santé et éducation

Les régions agricoles – dont dépendent encore 72 % de la population environ, tout en ne contribuant au PIB qu'à hauteur de 21 % – subissent une crise sévère, en partie provoquée par la plantation d'OGM inadaptés, et le taux de suicide atteint des niveaux sans précédent chez les paysans. D'autres indicateurs plongent dans le rouge. Les dépenses publiques baissent, notamment sur la santé, au profit des allégements fiscaux. Selon l'ONU, moins de 50 % de la population ont accès aux médicaments de première nécessité, et le pays connaît une carence chronique en services de santé : seulement 44 lits d'hopitaux pour 100 000 personnes dans les campagnes, soit 10 fois moins qu'en Europe.

Dans un pays où le budget des dépenses de santé est l'un des plus faibles au monde, seuls 30 % d'Indiens ont accès à des soins appropriés

LA CLASSE MOYENNE

Elle ne se comptabilise pas aisément, mais la plupart des analystes estiment aux alentours de 300 millions de personnes cette "classe moyenne" systématiquement placée sous les feux des médias et tant vantée par les décideurs étrangers qui voient une mine d'opportunités économiques dans son irrésistible montée en puissance. Les jeunes, en particulier, affichent leur style de vie sans complexe dans les rues de Delhi ou de Mumbai. Ils gardent collé à l'oreille l'un des 19 millions de mobiles indiens, ou claquent la portière de leur voiture étrangère flambant neuve, ou, s'ils n'en sont encore qu'au début de leur ascension, chevauchent le *two wheeler* (scooter),

qu'ils espèrent changer bientôt pour un nouveau modèle. Dans leur solide maison en parpaings, ils ont télévision, réfrigérateur, gazinière et peut-être une machine à laver.

Cette cible privilégiée ouvre un marché gigantesque aux produits de consommation des multinationales. Des paradis commerciaux s'implantent ici ou là, comme à Gurgaon, ville satellite de New Delhi. Flambant annuellement 10 milliards d'euros par an, le marché des jeunes adultes offre une proie facile. Ces dépenses outrepassent largement la croissance économique, et elles augmentent d'environ 12 % par an, financées par la vertigineuse montée du crédit et la "vente de l'argenterie familiale".

et environ 66 % des enfants de moins de 3 ans souffrent de malnutrition. L'éducation doit également rattraper un retard considérable. Dans le monde, 1 personne illettrée sur 3 vit en Inde – chiffre d'autant plus effarant que cette tendance ne semble pas près de s'inverser. Seulement 50 % des filles sont inscrites à l'école primaire, et parmi elles, 10 % n'iront pas jusqu'au secondaire.

> **ILLETTRISME**
>
> Il frappe 61 % de la population adulte : le record de 90 % allant au Kerala, tandis que le Bihar mène en tête avec 47 %. Si 54 % des femmes sont alphabétisées, elles ne sont que 20 % au Rajahstan.

Quant au travail des enfants, il n'a pas été éradiqué, loin de là. En s'appuyant sur les seuls chiffres fournis par le gouvernement indien

millions de personnes au prix de compensations nulles ou dérisoires. Ces zones franches sont supposées générer de l'emploi et de la prospérité. À long terme peut-être, car le gouvernement annonce une perte sèche de 36,5 milliards de dollars pour 2010.

Partout dans le pays, l'abîme qui sépare riches et pauvres s'affiche de façon criante. Pour acheter une maison dans l'enclave de Gurgaon, les ménages les plus aisés déboursent 10 milliards de Rps au minimum, soit environ 270 fois le revenu moyen annuel.

–considérés comme follement optimistes par la grande majorité des ONG et des analystes indépendants– l'Unicef estime qu'au moins 35 millions d'enfants travaillent (14 % de ceux en âge scolaire), pour l'essentiel dans les campagnes. Une énorme proportion d'entre eux est "liée" par contrat, forme d'esclavage à peine déguisée. Cerise sur le gateau, le gouvernement s'est lancé dans la création de "zones économiques spéciales" (SEZ), véritables paradis fiscaux pour multinationales. Une gigantesque vague spéculative immobilière a suivi, déplaçant des

Non loin de là, à Delhi, 32 % de la population vit dans des *jhuggis* (bidonvilles) –ce qui n'empeche pas la ville d'avoir son concessionnaire Bentley. Et au Tamil Nadu, les rescapés du tsunami de 2004 en sont réduits à vendre leurs reins pour survivre.

Retour de flamme électoral

Soi-disant immuable aux yeux de l'Occident, l'Inde a toujours su se réinventer. Les élections de 2004 ont démontré le dynamisme de sa vie politique, en particulier à la base. Intoxiqué par sa propre propagande, le NDA a choisi d'axer son discours vers les classes moyennes, imaginant que les rêves d'une minorité nantie sau-

---

À GAUCHE : inégalités patentes dans une rue de Delhi.
CI-DESSUS : jeunes de la classe moyenne de Bangalore.

raient suffisamment éblouir la majorité pauvre pour leur permettre de rafler la mise. Mais le BJP a vu son électorat plonger, perdant 44 sièges, alors que le Congrès (le plus grand parti) passait de 114 à 145 sièges ; plus significatifs encore, la progression de la gauche, les 2 partis communistes (CPI et CPI(M)) remportant 53 sièges, tandis que dans l'Andra Pradesh, le Parti Telugu Desam (TDP) de l'archi-libéral Chandrababu Naidu, basculait de 29 à 5 sièges.

Comportements sociaux

Comme en bien d'autres domaines, les Indiens adoptent des comportements aussi divers que

doivent assurer un travail physique éprouvant et mal rémunéré. L'infanticide féminin demeure largement répandu, et le taux ahurissant de viols et d'abus sexuels est sans doute très sous-évalué. Les femmes des classes moyennes, ayant accès à l'éducation et aux soins médicaux, ont vu s'élargir perspectives et libertés, tandis que les plus pauvres se contentent de lutter pour survivre. En s'éloignant de leurs rôles traditionnels pour devenir une cible commerciale, elles doivent faire face à de nouveaux défis. L'image du corps est devenue primordiale. Des nymphettes à la peau dorée vantent crèmes, shampoings et soins de beauté. La crème éclaircissante "Fair

complexes, qu'il s'agisse de religion, de vêtements ou de sexualité. Pour prendre un exemple, il est indéniable que la condition de la femme a considérablement progressé depuis 50 ans. L'Inde s'est dotée d'une femme Premier ministre bien avant la Grande-Bretagne et, en 2007, d'une femme chef d'État, et les femmes sont largement présentes sur le marché du travail. Dans le centre de New Delhi, vous croiserez même des filles en mini-jupes, spectacle impensable il y a seulement 10 ans — une exception quand même, le jean et tee-shirt ou le *salwar kamiz* demeurant la norme. Et dans bien des régions, les femmes restent cantonnées à leur sphère domestique, ou, si elles sont pauvres,

and Lovely" parade en tête des ventes, véhiculant une image idéale implicitement raciste. Phénomène inimaginable en Inde, l'anorexie pointe son nez depuis que stars et mannequins affichent leurs corps dégraissés sur les écrans.

Les Indiens se retrouvent déchirés entre 2 discours conflictuels : libéralisation ou héritage Nehru-Gandhi ; frugalité ou consommation à tout va ; orthodoxie religieuse ou libertés sociales nouvelles. Mais ce peuple s'est toujours montré inventif, et avant tout humain, ce qui laisse de l'espoir pour l'avenir.

CI-DESSUS : traditions religieuses et sociétés multinationales – l'Inde du XXIᵉ siècle ?

L'environnement

Selon un rapport diffusé par le ministère indien de l'Environnement et des Forêts, le pays "se distingue tristement par la dégradation de son environnement résultant de la pauvreté, ainsi que par une pollution liée à la prospérité et à la rapide expansion du secteur industriel".

New Delhi compte plus de 4 millions de véhicules, dont 200 000 supplémentaires par an. La circulation a triplé depuis 1990, et l'air est si chargé de particules polluantes que l'on a fait construire un nouveau métro et obligé tous les moyens de transport à utiliser du gaz naturel.

La croissance régulière de la population entraîne une diminution alarmante du niveau des nappes phréatiques. Les fleuves sacrés pullulent de bactéries.

Bois d'œuvre, papier et industries minières ont appauvri le couvert forestier. Les militantes de Chipko – ces Adivasi se mettant en travers des scies et des haches pour arrêter la déforestation dans le Garwal (Himalaya) en 1973 – ont inspiré plusieurs mouvements écologistes à travers la planète. Les mesures de protection qui en ont découlé semblent aujourd'hui porter leurs fruits : entre 1999 et 2003, la forêt indienne est passée de 19,39 à 20,55 % du territoire total.

L'endiguement des fleuves et l'inondation des vallées restent une préoccupation majeure pour les verts, qui contestent les projets de barrage sur le Narmada, celui de Tehri dans l'Uttaranchal, de même que celui de Sardar Sarovar au Maharashtra. Le tourisme fait aussi des ravages. Dans l'Himalaya, les ordures, notamment de bouteilles en plastique, jonchent de nombreux circuits de trekking. Dans le Ladakh, des initiatives locales ont permis de fournir aux voyageurs de l'eau bouillie potable. Des monuments centenaires, comme le Taj Mahal, souffrent de l'érosion provoquée par les émissions chimiques.

La non-application des réglementations dans l'industrie, de conserve avec le cynisme de dirigeants et gestionnaires, a entraîné de véritables catastrophes. En 1984 dans le Madhya Pradesh, une fuite de gaz toxique provenant de l'usine Union Carbide de Bhopal a tué plus de 3 500 personnes. Dans les bassins houillers de Jharia (Bihar), le premier feu a débuté en 1916. Les flammes n'ont jamais été éteintes depuis, et aujourd'hui quelque

À DROITE : la déforestation, un problème crucial.

70 feux provoquent asthme, bronchites chroniques, maladies cutanées et infections pulmonaires.

L'empoisonnement au mercure reste un sujet préoccupant. La partie nord de la rivière Koel (Bihar) affiche un taux de ce métal 700 fois supérieur au niveau autorisé. Les substances toxiques rejetées par des multinationales comme Unilever sont responsables de malformations, tumeurs et atteintes du système nerveux central, des poumons et des reins.

L'usine Coca-Cola de Plachimada (Kerala) utilisait 1,5 million de litres d'eau souterraine par jour, jusqu'à ce que le gouvernement de l'État le lui interdise. Par ailleurs, elle déverse des

déchets toxiques chargés de métaux lourds sur des terres arables. En 2003, les bouteilles de Coca-Cola et PepsiCo ont été accusées de présenter des niveaux "choquants" de pesticides.

Néanmoins, on ne reste pas les bras croisés : le Narmada Bachao Andolan se montre fort actif et Mumbai a accueilli le Forum social mondial, de même que les rencontres de la Mumbai Resistance en 2004. Sur un plan concret, l'Inde pratique le recyclage à de nombreux niveaux – les chiffonniers trient les déchets et revendent au poids sacs plastiques, papiers et fils métalliques –, créant ainsi des institutions sociales qui permettront à des systèmes viables de se développer. ❑

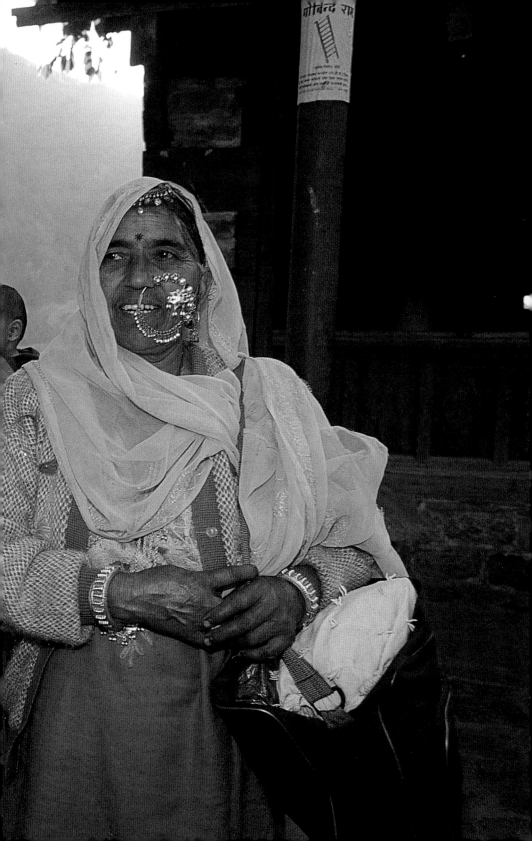

LES INDIENS

Si sa population nombreuse et variée constitue la plus grande ressource du pays, lignage et castes créent un ordre social complexe.

Il serait vain de vouloir dresser le portrait de l'Indien type. Entre les Adivasi du Nord-Est et les locuteurs tamouls du Sud, les habitants du pays – plus d'un milliard – présentent une diversité époustouflante. Toute description de cette immense variété sociale et culturelle ne saurait qu'être extrêmement réductrice et contradictoire.

Un véritable creuset

Après plusieurs millénaires qui ont vu se succéder marchands, conquérants, colons, mercenaires et missionnaires étrangers en Asie du Sud, au moins 6 groupes se retrouvent aujourd'hui sur le sol indien.

Les premiers immigrants seraient les ancêtres des Adivasi qui peuplent aujourd'hui les zones montagneuses et les jungles, sur une ceinture se déroulant des hautes forêts de l'Arunachal Pradesh à Kanniyakumari, la pointe méridionale de l'Inde (*voir p. 83*).

Les populations dravidiennes, qui ont relégué les Adivasi en périphérie, loin des plaines, vivent aujourd'hui essentiellement dans le sud du Deccan. Sans doute apparentées aux Égéens et aux Crétois préhelléniques, elles ont porté la civilisation de Harappa à son apogée dans les villes de Harappa et de Mohenjodaro (les vestiges archéologiques les plus saisissants se trouvent dans l'actuel Pakistan). Plus tard, des peuples d'Asie centrale, après avoir repoussé les Dravidiens, domineront la plaine indo-gangétique à partir de 1500 av. J.-C. environ.

Les cités de la vallée de l'Indus sont fort éloignées du mode de vie traditionnel de ces peuples de guerriers et bergers nomades. Néanmoins, tandis qu'ils progressent dans les plaines du Nord, ils se mettent à fonder des communautés villageoises agricoles. Le sanscrit – langue de leurs premiers écrits (*Rig Veda*,

1000 av. J.-C. environ) – et le latin présentent une grammaire de base et de nombreuses racines similaires, ce qui indique une ascendance commune avec les populations d'Europe du Sud. C'est de Bharata, groupe indo-européen majeur, que dérive Bharat, le nom officiel de l'Inde, qui se retrouve dans le parti Bhara-

tiya Janata, ou BJP – Bharatiya Janata Party –, au pouvoir à la fin des années 1990.

À cette vague d'invasions succède l'implantation d'un nombre considérable d'Arabes sémites venus d'une région qui couvre aujourd'hui l'Afghanistan, l'Iran et l'Asie centrale. Vers 600 av. J.-C., des juifs fuyant Nabuchodonosor accostent sur la côte de Malabar ; ils deviendront marchands d'épices. Au Xe siècle, des zoroastriens fuyant la Perse finissent leur course à Bombay. L'arrivée des bahaïs, persécutés dans l'actuel Iran, est plus récente. En termes culturels et historiques, les tribus de l'Himalaya et de la frontière nord-est avec le Myanmar (Birmanie) montrent davantage de ressem-

---

PAGES PRÉCÉDENTES : femmes revêtues de leurs plus beaux *salwar kamiz*, pour un mariage dans l'Himachal Pradesh.
À GAUCHE : portrait d'un Rajpoute.
À DROITE : une Adivasi du Nord-Est, parée de bijoux.

blances avec leurs voisins du Nord et de l'Est qu'avec les habitants parlant hindi des plaines centrales. S'ajoutent à eux plusieurs millions de Tibétains en exil, réfugiés en Inde depuis 1959 ; rassemblés en communautés montagnardes, ils comptent également quelques monastères au sud, jusque dans le Karnataka.

Les premiers Européens – Portugais, Danois, Britanniques et Français –, débarqués pour explorer le pays, seront bientôt suivis de colons s'installant à long terme. Aujourd'hui encore, les Eurasiens (ou Anglo-Indiens) – fruits des nombreux mariages mixtes de l'époque de l'empire britannique – restent pleinement

Signes religieux et *bindi*

Les bandes aux couleurs vives – argile, blanche, jaune ou safran – tracées sur le front ne sont pas des décorations : elles indiquent un lien avec une divinité spécifique ou sont l'expression de dévotions religieuses. Elles vont du simple *tilak*, appliqué avec le pouce trempé dans du rouge vermillon, aux motifs plus élaborés. À ne pas confondre avec le *bindi* (*bhindhya, kum-kum* ou *tikka*), dessiné par les femmes sur leur "troisième œil". Un point rouge signifie traditionnellement qu'une femme est mariée. Toutefois, les *bindi* autocollants brillants, vendus dans les bazars, se portent juste en guise d'ornement. Grands-mères, adolescentes et même nourrissons en arborent.

lucides quant aux différences de carnations. Décolorer un hâle avec un produit chimique est une pratique courante dans les salons de beauté, et lorsqu'il est question de différenciation raciale, la bonne société ne s'embarrasse guère d'euphémismes.

Castes : règles du jeu

En Inde, le système des castes postule le double concept de *dharma* et *karma* : devoirs à accomplir durant sa vie et effets de ses actes sur ses existences futures. Ce concept, associé à l'idée d'un travail spécifique selon l'hérédité et à la notion bien établie de "souillure", a produit une société stratifiée qui, de par sa souplesse, pouvait jadis absorber de nouveaux membres sans difficulté.

Le code de Manu (en l'an 150 environ) énonce des règles de vie dans une société multiraciale. Chaque individu naît dans une *jati* (communauté) qui détermine profession et statut, indépendamment de la fortune des parents. Ces castes se répartiraient dans les 4 divisions de base, ou *varna*. Les brahmanes – intellectuels et prêtres – font le lien entre les mortels et les millions de divinités hindoues. Les *kshatriya*, dirigeants et guerriers, se chargent de la justice et de l'administration. Brahmanes et *kshatriya*, "2 fois nés", affichent leur statut par un fil sacré porté sur l'épaule. En dessous d'eux se situent *vaishya* (marchands ou commerçants) et *shudra* (fermiers). Les travaux les plus vils incombent aux personnes hors caste, dominées par les castes supérieures et considérées comme indignes de faire partie du système. Ce sont elles qui nettoient les latrines, balaient les rues, récupèrent les déchets, se chargent des crémations et ramassent les animaux morts. Par extension, elles travaillent également le cuir, fabriquent les chaussures et jouent du tambour aux funérailles et aux mariages.

Le mariage – réunion familiale par excellence – fait ressortir les différences latentes entre castes, même chez les cadres qui, grâce à leurs diplômes, accèdent à des emplois que leur naissance leur interdisait. Chaque dimanche, les petites annonces des journaux publient, par caste, la liste de futurs époux à la recherche de candidats à une union arrangée. Exceptionnellement – si la femme a dépassé la trentaine ou si le marié est séropositif, par exemple –, ces annonces précisent : "pas de restriction de caste". Dans les cas contraires, les demandes se montrent ouvertement racistes, réclamant "teint clair", "traits bien dessinés" ou taille minimale ("doit mesurer plus de 135 cm"). Enfin, revenus et signes astrologiques sont souvent mentionnés.

Les 4 grandes castes comportent des milliers de subdivisions, ou *jati*, qui conditionnent le niveau de chacun dans la pyramide sociale. Difficile de tricher, la caste étant parfois encodée dans un patronyme. L'enfant héritant de la caste de son père, les parents

MARIEUR EN LIGNE

L'Internet est devenu un outil pour trouver le candidat idéal au mariage. Il est utilisé aussi bien par les Indiens que par les non-résidents en quête d'un conjoint sud-asiatique.

dans l'Inde moderne. Autrefois, les nécessiteux pouvaient solliciter les membres compatissants de leur *jati*, qui leur fournissaient repas, travail ou abri. K. R. Narayanan, né *dalit* (*voir page suivante*), a lutté contre les conventions pour bénéficier d'un enseignement ; avocat en vue et diplomate durant plusieurs années, il est devenu président de la République de 1997 à 2002.

Dans les grandes villes, les habitants côtoient souvent des castes différentes dans leur voisinage, les bus ou au cinéma. À l'inverse des vil-

de la mariée tolèrent les unions entre castes lorsque celle de l'époux est supérieure. Quant à la famille du mari, elle y consent si la dot est plus importante.

Les écritures hindoues prédisent une période de chaos et de privation lorsque le code de Manu tombera dans l'oubli et que la structure des castes s'effondrera. Pour certains, cette apocalypse (*kaliyuga*) est déjà là. Le chômage a contraint de nombreux hindous à abandonner leurs villages pour gagner péniblement leur vie

---

À GAUCHE : brahmane portant la marque religieuse de la dévotion à Vishnu.
CI-DESSUS : une fillette, durant un mariage à Mumbai.

lages – où les castes se regroupent dans des quartiers distincts, chacun prenant ses repas avec ses congénères –, il existe une liberté de mélange en zone urbaine. Cette proximité déclenche parfois des affrontements entre castes, en particulier lorsque certains postes sont en jeu. Prouver son statut se révèle aussi déterminant pour l'avancement professionnel que pour les alliances familiales. Les opportunités, par le biais des quotas ou des relations, dépendent de la caste et de la communauté.

Bien qu'interdites par la constitution indienne depuis 50 ans, les atrocités contre les castes les plus basses se produisent au quotidien. Au début du XXe siècle, le Mahatma

Gandhi baptise les personnes hors castes – alors appelées "intouchables" – du nom de *harijan*, ou "enfants de Dieu". Aujourd'hui, beaucoup préfèrent le terme moins condescendant de *dalit* ("oppressé"), plus explicite que l'acronyme bureaucratique SC & ST (Scheduled Castes, ou castes répertoriées, et Scheduled Tribes, ou tribus répertoriées). Cette terminologie provient de la constitution indienne rédigée par B. K. Ambedkar. Militant *dalit* de la première heure et avocat brillant, il s'est converti au bouddhisme pour protester contre la vénération des castes, facteur de division chez les hindous.

Lorsque New Delhi a tenté d'introduire un plan d'action réservant la moitié des emplois fédéraux aux personnes défavorisées – soit 85 % de la population indienne –, des étudiants de la classe moyenne se sont immolés par dizaines pour dénoncer cette perte de privilèges. Ces "martyrs des castes", ainsi nommés, ont contribué à la destitution du Premier ministre V. P. Singh, et les restrictions restent controversées dans de nombreuses régions.

Dans certaines zones rurales, comme au Bihar, des armées privées font respecter le statu quo pour les propriétaires terriens féodaux employant des travailleurs asservis dans des

TROISIÈME SEXE ?

L'Inde compterait 750 000 transsexuels, ou *hijra*, rassemblés en petites communautés sous la direction et la protection d'un gourou. Parmi eux, 2 % seraient hermaphrodites et beaucoup seraient castrés. Par tradition, ils sont autorisés à s'occuper de bébés hermaphrodites, mais les récits d'enlèvement et d'émasculation forcée prolifèrent.

Les *hijra* vivent généralement dans les villes et gagnent leurs vies comme artistes. Foires rurales et cérémonies d'inauguration propices attirent toujours un groupe de *hijra* exerçant leur pouvoir de persuasion sur les foules superstitieuses. Tous auraient le pouvoir d'accorder la fécondité ou de jeter un mauvais sort. Traditionnellement, ils survi-

vent en chantant et dansant dans les mariages, mais beaucoup se prostituent. D'autres, en groupes, deviennent mendiants itinérants ; vous les verrez dans les trains, demandant quelque obole en échange d'une bénédiction ou de la conjuration d'un danger imminent.

En Inde, la tradition des eunuques est bien antérieure aux *zenana* (harems) moghols, protégés par de robustes gardiens castrés. L'épopée hindoue du *Mahabharata* mentionne un eunuque, et le *Kamasutra* indique des positions spéciales convenant uniquement aux *hijra*. Aujourd'hui, même dans les villes, rares sont ceux qui osent les contrarier : le mauvais sort d'un *hijra* passe pour être particulièrement efficace.

conditions déplorables. Les femmes sont également opprimées, comme le prouvent les cas extrêmes de fillettes étouffées à la naissance et de jeunes épouses brûlées vives, parce qu'impuissantes à honorer les exigences (illicites) en matière de dot.

Une discrimination qui fait l'objet aujourd'hui de diverses remises en cause. Au Bihar et dans l'Andhra Pradesh, des paysans activistes opposés aux brutalités des propriétaires terriens ont pris les armes sous le nom de "Naxalites" (d'après le village de Naxabari au Bengale-Oriental, point de départ de l'insurrection). Dans les logements populaires des villes et banlieues, les militantes féministes, soutenues par des femmes au foyer, employées de banque, blanchisseuses ou encore tisseuses, ont organisé des coopératives (notamment la SEWA, ou Self-Employed Women's Association, au Gujarat) pour faire pression sur les politiciens.

La place de l'"étranger"

Un nouvel arrivant a du mal à se faire accepter tant que la population locale ne l'a pas rangé dans une catégorie. En Inde, la question "Où êtes-vous né ?" n'est pas qu'une formule convenue pour relancer la conversation.

La catégorisation d'un nouveau venu dans la hiérarchie sociale permet d'apaiser les tensions entre étrangers. Les Indiens sont ouverts parce qu'ils savent précisément comment réagir à chaque situation. Si des hôtes manquent de respect à un invité, ce dernier le prendra comme un affront délibéré à l'égard de son groupe et devra en rechercher lui-même les causes. En raison de la division entre castes, l'adoption d'orphelins aux origines inconnues était rare jusqu'à la fin des années 1990. De nos jours, davantage de couples osent adopter un enfant abandonné, généralement une fille.

Les personnes converties à une nouvelle religion, notamment christianisme et bouddhisme, conservent souvent des liens avec leur caste, voire ne renoncent jamais complètement à leurs croyances hindoues. Aujourd'hui, les sikhs mazbhi du Penjab reconnaissent la primauté de leur caste d'origine (balayeurs) par des mariages mixtes avec des balayeurs convertis au christianisme. La mariée est en blanc, mais le point rouge sur son front symbolise son statut d'épouse selon la tradition hindoue.

L'ordre spirituel

Schismes et sectes, combinés aux castes, ont engendré un ordre spirituel complexe, et ce même au sein de religions affirmant avoir transcendé les catégories sociales, comme l'islam.

Bouddhisme et jaïnisme ont été les premiers mouvements religieux et sociaux à se révolter contre la structure des castes et les pesanteurs brahmaniques du sacrifice rituel védique. Le bouddhisme passait pour une revendication du pouvoir des *kshatriya* sur la suprématie

INTOUCHABLES

Un vers des *Upanishad* (à partir de 700 av. J.-C. environ) souligne avec intensité la discrimination religieuse dont les *dalit* font l'objet. Seule une vie rigoureusement vertueuse leur permettra d'améliorer leur sort lors de leur prochaine existence. Mais ils ne peuvent en aucun cas aspirer à corriger leur statut actuel par leurs actions : "Ceux dont la conduite sur Terre a procuré du plaisir peuvent espérer pénétrer dans une matrice plaisante, celle d'un brahmane ou d'une femme issue d'un milieu princier. Mais ceux dont la conduite sur Terre a été impure doivent s'attendre à pénétrer dans une matrice impure et fétide, celle d'une chienne, d'une truie ou d'une intouchable."

PAGE DE GAUCHE : femme du Kumaon (Uttaranchal) ; habitante du Gharwal.
À DROITE : Tzigane d'Inde occidentale.

brahmanique. Le pali, langue des anciens textes bouddhiques, est devenu un mode de protestation contre le sanscrit brahmanique, élitiste. Le jaïnisme était soutenu par la caste des commerçants. Aucun de ces mouvements n'a jamais rompu avec l'hindouisme, perdant un appui considérable avec la montée du *bhakti*, ou dévotion aux divinités hindoues.

Courants modernes, la philosophie rationaliste de Brahmo Samaj et la ferveur évangélique des *shuddi* (conversions) d'Arya Samaj semblent s'inspirer de l'Occident et du christianisme. Selon certains, ils puisent également leurs origines dans la philosophie hindoue –

une adaptation caractéristique des idées et influences nouvelles.

Aujourd'hui encore, la langue reste un moyen de pouvoir et d'accès au savoir. Des émeutes éclatent lorsque l'élite parlant anglais et hindi méprise les langues régionales. Au Tamil Nadu, la diffusion exclusive des informations télévisées en hindi a déchaîné les violences, marquant ainsi le refus du peuple d'accepter la langue du conquérant. En Inde du Sud, certains politiciens s'emploient activement pour que le tamoul soit utilisé dans les documents officiels, au même titre que l'hindi et l'anglais.

Les religions faisant du prosélytisme – islam et christianisme – ont d'abord rencontré des résistances. Néanmoins, toutes 2 croient au salut immédiat des plus démunis et – plus important encore – sont associées aux puissances dirigeantes de longue date. Les hindous voient parfois d'un mauvais œil le favoritisme des autorités à l'égard de ces communautés.

Panachage de cultures

Au Penjab, porte d'accès franchie par tant d'envahisseurs, l'islam a eu un impact vigoureux et durable. La tenue hindoue – le sari – a disparu au profit du *salwar kamiz* islamique, simple tunique portée sur un pantalon noué par un cordon. La rivalité quotidienne entre vêtements musulmans cousus et draperies hindoues sans couture manifestait alors des conceptions opposées en matière de bienséance et de civilisation. En raison de leurs nombreuses interférences, les 2 religions – l'une avec un dieu aux mille noms, l'autre avec 330 millions de divinités – ont fini par se mélanger. Une nouvelle identité indienne est apparue, incarnée par l'amalgame linguistique de l'hindi et de l'ourdou, parlé dans la majeure partie de l'Inde du Nord.

Bien que les musulmans soient minoritaires (1 pour 10 habitants), l'Inde compte l'une des plus importantes populations musulmanes du monde (110 millions), si bien que les aéroports du pays sont bondés durant le *hadj* (février à mars), période du pèlerinage à La Mecque.

Vocabulaire familial

En Inde, un nombre déconcertant de termes qualifient les relations familiales. La plupart des sociétés du pays étant patriarcales, la jeune fille quitte ses parents pour s'établir dans la famille de son conjoint. *Bahu*, la belle-fille, et *sas*, la belle-mère – adversaires notables dans la famille – sont au centre des conflits portant sur la répartition des tâches, l'obéissance et le respect.

Bhai, le frère, et *didi*, la sœur aînée, sont des termes affectueux et respectueux, même pour des personnes extérieures à la famille. *Aunty* ou *uncle* se révèlent encore plus courants pour nommer un visiteur ; une personne plus âgée vous appellera *beta* (fils) ou *beti* (fille). *Mata* et *pita* s'adressent à la mère et au père (souvent accompagnés du suffixe *ji* en signe de considération). ❏

À **GAUCHE :** vieil homme musulman de Old Delhi.

Les Adivasi

Également appelés "communautés tribales", les Adivasi ("autochtones", "aborigènes") d'Inde s'étendent des Nilgiri à l'Himalaya et du Rajasthan à l'Arunachal Pradesh. Ce terme général, qui désigne toute une diversité de sociétés et de cultures, constitue une sorte de catégorie plurivalente pour les peuples difficiles à classer en termes d'idéologie ou de groupes dominants en Inde.

Nombre d'entre eux – en particulier ceux vivant dans le couvert forestier du centre de l'Inde, de l'Orissa et du Bihar au Madhya Pradesh – descendraient des premiers habitants d'Asie du Sud. Sur les plans linguistique et culturel, ils se différencient des groupes majoritaires d'Inde. Leur présence sur le sous-continent serait antérieure aux 2 vagues d'immigration par lesquelles sont arrivées les populations aujourd'hui dominantes au nord et au sud qui, à mesure de leur progression sur les cols du Nord-Ouest, ont repoussé les habitants autochtones vers les collines et forêts. Au fil du temps, des interactions ont fini par se produire entre ces différentes sociétés. Toutefois, en raison de leur relatif isolement dans des régions peu peuplées, les Adivasi ont conservé des identités caractéristiques.

Les États du Nord-Est enregistrent la plus importante concentration d'autochtones après le Madhya Pradesh, le Chattisgarh et l'Orissa. Linguistiquement et culturellement parlant, les tribus de ces régions se rapprochent davantage des Birmans (Myanmar) à l'est que, par exemple, des Toda ou des Kota du Kerala et du Tamil Nadu. L'Arunachal Pradesh – l'une des rares zones où les Adivasi ont conservé un certain contrôle en Inde – compte plus de 60 communautés distinctes.

Quoi qu'il en soit, tous sont unis par la discrimination dont ils ont fait, et continuent de faire, l'objet. À chaque fois que les Adivasi ont été en contact étroit avec la population dominante (hindoue), ils occupaient une place extrêmement basse dans le système des castes, travaillant comme ouvriers agricoles ou se chargeant des tâches les plus viles.

Chez les Adivasi, la propriété foncière est traditionnellement collective, et non régie par des lois de possession individuelle, une situation qui permet aux politiciens et propriétaires terriens peu scrupuleux de s'arroger aisément leurs terres. Ce processus d'appropriation s'accélère à mesure que la pression générale pour la terre s'accentue, si bien que les zones sur lesquelles les Adivasi restent relativement épargnés par l'exploitation se raréfient.

À cet égard, l'État est responsable de quelques-uns des plus graves abus commis envers eux. Pour approvisionner les zones urbaines en énergie et en eau potable, nombre de grands barrages ont provoqué l'inondation de territoires peuplés d'Adivasi, contre – dans le meilleur des cas – de maigres compensations pour les communautés déplacées. Dans le Kerala,

les programmes de réforme foncière, bien que louables à plusieurs égards, ont entraîné la redistribution de terres où vivaient jadis des Adivasi pratiquant l'assolement à petite échelle, la chasse et la cueillette. Dans le Jharkhand, riche en ressources minérales, quantité d'habitants ont été déplacés, tandis que la pollution contaminait peu à peu leurs terres.

Le sud du Bihar, devenu l'État du Jharkhand, et l'est du Madhya Pradesh, actuel Chattisgarh, comptent une importante population d'Adivasi qui devrait, en théorie, pouvoir faire pression sur leurs gouvernements respectifs. Reste à voir jusqu'où iront ces nouveaux États pour protéger les intérêts des populations autochtones. ❑

À DROITE : un Maria Gond du Madhya Pradesh.

LES RELIGIONS

*Les multiples croyances qui coexistent en Inde ont modelé
la vie, la culture, les traditions et la mythologie du pays.*

Quatre des principales religions du monde se rencontrent sur le territoire indien : l'hindouisme, le bouddhisme, l'islam et le christianisme. Les 2 premières sont originaires d'Inde, tandis que conquérants, marchands et missionnaires ont introduit les 2 autres. Parmi les croyances se limitant essentiellement au pays proprement dit figurent notamment jaïnisme et sikhisme, aux côtés d'innombrables cultes secondaires et sectes régionales. Enfin, l'Inde a accueilli juifs et zoroastriens fuyant les persécutions.

Période préhistorique

À une certaine époque, les historiens considéraient les peuples arrivés au IIe millénaire avant notre ère comme les fondateurs de la tradition culturelle indienne. De récentes découvertes archéologiques permettent d'affirmer aujourd'hui que des populations antérieures ont joué un rôle important dans le façonnage des pratiques spirituelles : les Dravidiens – habitants autochtones – et la civilisation de Harappa (sans doute apparentée aux Dravidiens), qui vénérait une déesse mère et plusieurs divinités animales.

La foi du peuple de Harappa présentait déjà certaines caractéristiques de l'hindouisme, qui devait se développer plus tard. Ainsi, une statuette de cette période montre un homme méditant dans une posture yogique, et des ascètes dont les poses rigides reflètent une attitude de négation du monde. Le culte des idoles semble avoir été largement répandu. L'une d'elles, sur des sceaux en argile, figure un dieu portant une arme à 3 pointes, entouré d'un éléphant, d'un tigre et d'autres animaux : il s'agit d'un proto-Shiva, ainsi nommé car il anticipe nombre des traits de Pashupati (le dieu des animaux), une forme de Shiva qui sera encore vénérée des siècles plus tard dans plusieurs temples hindous. L'arrivée des groupes indo-européens, sans doute venus du sud de la Russie, marque le

début de la tradition religieuse connue sur le plan historique comme l'hindouisme.

Hindouisme

Un véritable musée des religions : telle est sans doute l'expression qui décrit le mieux l'hindouisme. Aucune autre tradition spirituelle

n'apparaît aussi éclectique, et il s'agit de la seule au monde dont il n'existe aucune trace de fondateur. Contrairement à l'islam et au christianisme, aucun livre saint ne fait véritablement autorité. Ainsi, l'un considérera le *Rig-Veda* comme son texte sacré de référence, un autre se tournera vers les *Upanishad* ou la *Bhagavad Gita*, et un autre encore n'invoquera pas de texte sacré, mais ne s'en proclamera pas moins hindou. L'un honorera Vishnu ou Shiva ; l'autre ne révérera aucune divinité, mais méditera sur l'esprit suprême demeurant dans son âme. Certains hindous se rendent au temple pour prier, vénérer leurs dieux et jouer des musiques de dévotion. D'autres privilégient rituels sacrifi-

À GAUCHE : la fête de Rath ("chars") à Puri, dans l'Orissa.
À DROITE : prière dans la Jama Masjid (Old Delhi).

ciels, bains dans les fleuves sacrés et pèlerinages. D'autres encore considèrent tout cérémonial comme superflu. La même souplesse caractérise les théories hindoues sur la création et l'essence de Dieu.

L'hindouisme s'épanouit dans les contrastes, avec, d'un côté, d'obscures spéculations métaphysiques sur la Réalité ultime et, de l'autre, des pratiques populaires pour apaiser esprits des arbres et divinités animales. Le monisme absolu coexiste avec le pluralisme extrême. L'hindouisme accepte la validité de plusieurs chemins menant au même but, de même qu'il reconnaît le caractère divin des prophètes

d'autres religions ; parallèlement à cette tolérance subsiste une adhésion inflexible aux distinctions entre castes et aux pratiques coutumières. Cette hétérogénéité, qui défie toute tentative de codification, est sans doute le trait le plus caractéristique de l'hindouisme.

Âge védique

Les envahisseurs qui déferlent sur les cités de Harappa apportent avec eux une nouvelle langue – le sanscrit –, ainsi que leur propre conception du cosmos. Ils consignent l'expression de leur respect pour le divin dans de magnifiques hymnes et prières rassemblés en 4 Veda (du sanscrit vid, ou "savoir"), notamment le Rig-Veda, le plus important. Les hymnes, transmis par oral des siècles durant, ne seront transcrits qu'au début du Ier millénaire de notre ère.

Œuvres de rishi (sages) inspirés par les puissances de l'au-delà, ces hymnes composés entre 1600 et 1000 av. J.-C. s'adressent aux dieux et déesses, personnifications des pouvoirs de la nature : Indra, le dieu de la pluie et du tonnerre, Prajapati, le dieu des créatures, Agni, le dieu du feu sacré, les Marut, dieux des vents et des tempêtes, Savitr, le dieu du soleil, Ushas, la déesse de l'aube, et Varuna, le dieu de la mer et défenseur de la loi morale.

Sources mêmes de l'hindouisme, les Veda renferment des idées et suggestions qui ont modelé la tradition hindoue et montrent un changement d'orientation, du pluralisme vers le monisme. Ainsi, si le peuple vénérait – et continue de vénérer – plusieurs divinités, celles-ci passent de plus en plus pour des manifestations d'un même principe divin. Le concept védique de rita (loi cosmique) suggère l'existence d'une force unique animant l'ensemble de l'Univers.

Alliant religion, philosophie et poésie, les Veda ont engendré un concept de perfection typiquement hindou, selon lequel l'homme éclairé doit mêler clarté intellectuelle du philosophe, foi du sage et esthétisme de l'artiste.

La religion védique consiste essentiellement en rituels sacrificiels : un immolateur présente l'oblation à une flamme sacrée allumée au centre d'une estrade surélevée, tandis qu'un prêtre chante des hymnes et des invocations. Au cours des siècles suivants, la signification mystique et symbolique du yajna (sacrifice) passe à l'arrière-plan et le rituel devient prépondérant. Chaque détail a son importance : embrasement du combustible, aspect du récipient contenant l'eau bénite ou encore intonation de la voix. Les brahmanes exécutant ce rituel forment la classe supérieure de la société.

Écrits en réaction au déclin des valeurs, les Upanishad (800-400 av. J.-C.) – continuation des Veda – contiennent des dialogues échangés entre maîtres et disciples.

La Bhagavad Gita (chant divin) constitue le texte le plus connu de la tradition védique. Partie intégrante du Mahabharata, un poème

À **gauche** : le dieu-singe Hanuman.
À **droite** : Radha et Krishna.

épique datant d'une période antérieure, elle a subi l'influence des *Upanishad*. Un couplet sanscrit compare celles-ci aux vaches et la *Gita* au doux lait nourricier qu'elles produisent. Gandhi décrira cette dernière comme son dictionnaire spirituel.

Le *Mahabharata*

Le *Mahabharata* porte sur le conflit opposant les 5 frères Pandava et leur femme commune, Draupadi, à leurs cousins, les Kaurava, usurpateurs du royaume. Krishna, incarnation du dieu Vishnu,

PAROLES DE KRISHNA

"Quel que soit ton chemin, tu m'atteindras. Offre-moi juste une fleur, un fruit... ou un peu d'eau. Je les accepterai si tu viens vers moi avec un cœur pur et aimant."

conduit le char d'Arjuna, commandant de l'armée des Pandava. La veille de la bataille, Arjuna, assailli de doutes, refuse de combattre contre ses parents et amis. Dans ce contexte dramatique, Krishna lui livre un discours sur l'immortalité de l'âme et son devoir de remplir son *dharma* (tâche sacrée).

Le discours de Krishna et les questions d'Arjuna couvrent pratiquement tous les aspects de l'existence. L'attrait considérable exercé par la *Gita* tient à son sérieux, son optimisme et sa tolérance.

LE *WHO'S WHO* DU PANTHÉON HINDOU

Vishnu (Narayana) est le plus grand des dieux. L'Univers, en état de dissolution lorsqu'il dort, se met à évoluer lorsqu'il se réveille. Vishnu descend régulièrement sur Terre pour protéger la vérité ainsi que la vertu, et détruire le mal. Ses premiers *avatara* (incarnations) revêtaient des formes animales. Dans ses septième, huitième et neuvième incarnations, Vishnu prend les apparences respectives de Krishna, Rama et du Bouddha. Sa femme, **Lakshmi**, est la déesse de la prospérité.

Shiva revêt plusieurs rôles. Il est le grand *yogi* méditant sur le mont Kailash, le *nataraja* (seigneur de la danse) créateur et destructeur. Il est source de vie, et son symbole phallique (*lingam*) est vénéré dans de nombreux temples. Son épouse, **Shakti** (puissance féminine), prend la forme de **Parvati**, la bienfaisante, ou de **Kali**, la terrifiante.

De tous les dieux hindous, **Krishna** est le plus humain. La mythologie le dépeint enfant, puni par sa mère pour avoir volé du beurre. Il devient ensuite un beau jeune homme dont toutes les *gopi* (vachères) tombent amoureuses, comme Radha, sa préférée. Les hindous interprètent symboliquement le pur amour de Radha et Krishna comme la relation entre l'âme humaine et l'esprit divin. À l'âge adulte, Krishna apparaît comme un sage philosophe dont l'enseignement est consigné dans la *Bhagavad Gita*.

Elle accepte la validité des 3 chemins menant à la réalisation de soi : *jnana* (connaissance), *bhakti* (dévotion et amour) et *karma* (actes), qui correspondent aux dimensions intellectuelle, émotionnelle et pratique de la nature humaine. Elle reconnaît également la voie spécifique du *yoga*. Son message central pourrait se résumer ainsi : travailler sans attachement et dédier le fruit de son travail au divin.

Le *Ramayana*

Le *Ramayana*, dont l'auteur, Valmiki, est une figure légendaire, a exercé une profonde influence sur la religion et la culture en Inde.

Mythologie et divinités locales

En Inde, la mythologie côtoie la vie quotidienne. Foires, fêtes, chants traditionnels, théâtre et danses maintiennent en vie les centaines de mythes portant sur dieux et déesses, héros, sages, démons et éléments naturels.

À mesure que le culte des divinités védiques (Brahma, Surya) a perdu de sa ferveur, d'autres comme Rama et Krishna – sans doute des dieux-héros absorbés par la mythologie hindoue – sont devenus populaires. Vishnu et Shiva, divinités secondaires des *Veda*, occupent une place prépondérante dans le panthéon hindou, plus récent.

Suite à un complot ourdi par sa belle-mère, Rama, l'aîné du roi Dasharatha d'Ayodhya, est banni du royaume durant 14 ans. Il se rend alors dans la forêt accompagné de son épouse Sita et de son jeune frère Lakshmana. Sur les ordres du roi des démons, Ravana, Sita est enlevée et emmenée au Sri Lanka. Rama, aidé d'une armée de singes dirigée par Hanuman, défait Ravana et sauve sa femme. Incarnation de Vishnu, Rama revêt la forme du Purushottama (homme parfait), tout à la fois roi, frère et fils idéal. Le poème inclut des épisodes relatant le dévouement de Rama pour ses parents et ses maîtres, son courage et sa compassion sous la forme de descriptions très vivantes des régions traversées.

Sur le plan mythologique, ces 2 grands poèmes épiques constituent un véritable trésor. Récits en découlant et mythes provenant de sources diverses finiront par être compilés dans la littérature dite *Purana* ; *Shiva Purana*, *Vishnu Purana* et *Bhagavata*, qui renferment respectivement les mythes liés à Shiva, Vishnu et Krishna, revêtent une importance toute particulière.

Toutefois, la majorité des Indiens, en particulier ceux vivant à la campagne, ne sont pas très proches de ces divinités canoniques : c'est avant tout l'ensemble complexe de dieux villageois, et surtout de déesses, qui retient leur attention. Ceux-ci jouent un rôle essentiel, car ils délimitent et protègent les villages. Les déesses, notamment, sont associées aux maladies – souvent la variole, comme c'est le cas de la puissante Yellama dans le Sud – et leurs propitiations donnent lieu à d'importants rituels annuels.

Les sanctuaires des divinités les plus puissantes – et donc les plus dangereuses – se trouvent généralement à l'extérieur du village ; situés à bonne distance, ils forment une enceinte protectrice autour des habitations et écartent les désastres, tels que famine ou maladie. Habituellement, les *pujari* (prêtres) de ces divinités ne sont pas des brahmanes apparte-

Hindouisme canonique

Les épopées hindoues datent sans doute du Ier siècle de notre ère, et les *Purana* ont été achevées vers l'an 500. Par la suite, les principes fondamentaux de l'hindouisme ont reçu le soutien de la philosophie du *Vedanta*, fondée sur les *Upanishad* et brillamment systématisée par Shankaracharya au VIIIe siècle. Cette orthodoxie sanscritisée a atteint le statut de véritable "canon hindou".

Selon le *Vedanta*, sur le plan transcendantal, Brahman est la vérité absolue et le reste n'est que simple apparence. Toutefois, du point de vue empirique, il convient d'accepter la réalité

nant au temple du village, mais sont issus de castes inférieures.

Cette division en castes souligne l'écart entre tradition pan-indienne sanscritique et religions locales, mais aussi les différences de rituels. Les déesses locales requièrent souvent des sacrifices de sang – buffle, chèvre ou poulet –, rituels considérés comme impurs par les castes supérieures, et qui s'effectuent au son de tambours joués par des membres des castes inférieures, car les peaux d'animaux portent également les stigmates de la "souillure".

du monde, ainsi que les valeurs et caractéristiques de la vie de l'homme. Les fondements de l'hindouisme canonique peuvent se résumer ainsi :

Objectif et chemins Le *moksa*, ou libération du cycle des renaissances, est le but ultime.

Karma et renaissance Avant d'atteindre le *moksa*, tout être humain est soumis à ces renaissances. À chaque fois, sa condition dépend des résultats cumulatifs du *karma* (actes) dans ses existences antérieures.

Quatre objectifs Outre le *moksa*, 3 buts imminents apparaissent comme légitimes : *kama* (plaisir, sexe notamment), *artha* (prospérité, renom) et *dharma* (vérité, droiture).

À GAUCHE : des interprètes de *terukuttu* (Tamil Nadu).
CI-DESSUS : un arbre sacré près de Kollam, au Kerala.

Quatre étapes dans la vie Apprentissage, nécessitant maîtrise de soi et abstinence ; étape du maître de maison, *kama* et *artha* étant alors des fins légitimes ; détachement ; renonciation, l'homme menant une vie spirituelle et se préparant au *moksa*.

Quatre castes Les différences d'aptitudes et de caractères se reflètent dans la division de la société en 4 castes : brahmanes (prêtres, maîtres), *kshatriya* (guerriers, dirigeants), *vaishya* (marchands, négociants) et *shudra* (agriculteurs).

Yoga Par le *yoga* (unification intérieure), l'homme passe du contrôle physique au contrôle mental, puis à la reconnaissance de sa propre réalité en tant qu'esprit pur.

Évolutions historiques

Au XIIᵉ siècle, l'arrivée de l'islam en Inde marque un tournant dans l'évolution de l'hindouisme. Fondée par le gourou Nanak au XVᵉ siècle, la religion sikh, syncrétisme d'islam et d'hindouisme, jouera également un rôle majeur. Avec la venue de missionnaires catholiques au XVIᵉ siècle, l'hindouisme commence à ressentir l'impact du christianisme, mais il continuera de se maintenir en tant que religion dominante.

C'est entre le XIVᵉ et le XVIᵉ siècle, époque où la poésie, plutôt que la philosophie, constitue le principal support d'expression religieuse, qu'émergent de grands saints-poètes, dont les chants sont encore interprétés aujourd'hui.

À la fin du XVIIIᵉ siècle, la consolidation du règne britannique en Inde expose le pays à des influences nouvelles venues d'Occident : libéralisme et humanisme, pensée scientifique et technologie. Une fois encore, l'hindouisme montre sa capacité à intégrer des éléments d'autres traditions tout en conservant son identité.

Face à l'Occident, les hindouistes réagissent de 2 manières différentes. Certains épousent le mouvement réformiste, dirigé par Raja Ram

Mohan Roy, et son approche positive de la culture occidentale. D'autres embrassent le courant revivaliste de Dayanand Sarasvati – fondateur de l'Arya Samaj. Tous insistent sur la nécessité d'un renouveau védique.

Au XXe siècle, M. K. Gandhi et le poète Rabindranath Tagore, tous 2 hindous, soulignent la tolérance et la créativité de l'hindouisme. Bien que se qualifiant d'orthodoxe, Gandhi croit fermement que toutes les religions transmettent le même message. Il possède d'ailleurs des ancêtres jaïns et certains de ses proches amis sont musulmans. Son interprétation de l'hindouisme privilégie la vérité et la non-violence. Gandhi représente une force morale pour l'hindouisme du XXe siècle ; Tagore, quant à lui, se concentrera sur la dimension artistique de la religion.

NOBLES VÉRITÉS

La souffrance est universelle. Elle est provoquée et entretenue par le désir. Il est possible de la prévenir et d'y mettre fin en empruntant une voie spécifique.

allumée la toute première étincelle. Le Bouddha est né, a vécu et est mort dans ce pays, et ses enseignements se sont transmis dans le contexte de cet héritage indien. Un millénaire après sa mort, il a été accepté comme une incarnation de Vishnu, l'une des 3 principales divinités du panthéon hindou. Des siècles durant, le bouddhisme est resté confiné à l'Inde, avant de se diffuser finalement à travers l'Asie.

Né à Lumbini sur les contreforts de l'Himalaya, Siddhartha, connu par la suite sous le nom

À GAUCHE : des brahmanes distribuant des offrandes dans le temple de Kapalesvara, à Chennai.
CI-DESSOUS : hommes veillant sur un bûcher funéraire.

Bouddhisme

Si la personnalité et les enseignements du Bouddha ont illuminé la vie et la pensée de millions de fidèles en Asie, c'est en Inde que s'est

du Bouddha, l'Éveillé, est le fils du roi Shuddhodana de Kapilavastu et de la reine Maya. Il porte le nom de famille de Gautama et appartient au clan Shakya, d'où son appellation de Shakyamuni (sage de Shakya) ou Shakyasimha (lion de Shakya). Parmi ses autres qualificatifs figurent Amitabha (lumière infinie) et Tathagata (celui qui a atteint la perfection).

La reine Maya s'éteint une semaine après avoir accouché. À la naissance du prince, l'astrologue royal avait prédit qu'un jour, désenchanté des plaisirs terrestres, Siddhartha se ferait mendiant et partirait en quête de la sagesse permettant de surmonter la souffrance. Le prince devient un beau jeune homme, doux

L'architecture des temples

En Inde, les édifices religieux présentent une architecture qui varie d'une région à l'autre, de formes et de tailles changeantes. Les *mandir* (temples hindous), en poutres, possèdent plafonds bas, portes étroites et colonnes par centaines, contrairement aux *masjid* (mosquées) indiennes, pourvues d'intérieurs spacieux reflétant l'introduction de l'arche de la Vérité dans l'architecture musulmane.

La conception d'un temple hindou reproduit une cosmologie miniature, supposée inciter l'une des 300 millions de divinités à visiter le sanctuaire. Le tracé respecte les *vastu-shastra*, des principes sacrés comparables au feng shui d'Extrême-Orient, qui permettent de corriger les imperfections du lieu.

À l'origine, la plupart de ces édifices se résumaient à de simples abris protégeant un site sacré sous un arbre ou près d'un cours d'eau. À mesure que les fidèles y ont ajouté des extensions élaborées, beaucoup sont devenus d'imposants monuments en pierre. L'eau – qui permet le passage des esprits jusqu'à la rive opposée de la sagesse (*tirth*) – fait partie intégrante du tracé. C'est là que se déroulent les ablutions rituelles.

Le sanctuaire, une pièce obscure abritant la statue de la divinité, fermée sur 3 côtés et presque toujours de forme carrée, s'oriente vers l'un des points cardinaux. L'Est, qui symbolise le soleil levant, est particulièrement favorable.

L'orientation de cette *garbha griha* (salle "matrice") varie selon la divinité. Ainsi, l'Ouest est le domaine sans cesse changeant de Varun, dieu des eaux. Le Nord, avec l'étoile Polaire, représente la permanence. Enfin le Sud, rattaché au dieu de la mort, Yama, indique décomposition et destruction.

Des déesses des rivières flanquent l'entrée principale. Les niches des murs extérieurs abritent diverses formes de la divinité tutélaire, dont le visage apparaît au centre du linteau principal. Des gardiens mythologiques protègent du Mal. La *vahana* – monture de la divinité – fait face au sanctuaire, près d'une lampe écartant symboliquement l'ignorance.

Le toit en forme de tour qui s'élance au-dessus du sanctuaire rend l'édifice visible de loin. Ces *shikhara* (tours coniques) varient selon les régions. Un ensemble complexe de paliers ciselés symbolise les monts de l'Himalaya, résidence des dieux hindous. Au sommet figure toujours un *kalash* (pot d'ambroisie) qui symbolise la fin ultime de la prière et la libération du cycle des renaissances.

L'enceinte du temple comporte souvent de petits sanctuaires dédiés aux divinités apparentées aux lieux. Dans le Sud et l'Orissa, les constructions hindoues s'enrichissent de pavillons pour la danse et la distribution de nourriture.

Les *gurdwara* (temples sikhs) ne répondent à aucune règle spécifique. Ainsi, le temple d'Or à Amritsar mêle influences musulmanes et hindoues.

Les premiers lieux saints bouddhistes tournent autour du *stupa*, qui renferme les reliques du Bouddha ou de sages. Les fidèles, en signe de respect, y effectuent la circumambulation dans le sens des aiguilles d'une montre. Représentation du Bouddha et sanctuaire intérieur, placés au bout d'un couloir ou d'un espace quadrangulaire, sont des ajouts ultérieurs. Les plus anciens édifices, taillés dans la roche, étaient sculptés de manière à rappeler ceux bâtis à l'origine en bois. La construction de temples isolés en briques est plus récente.

Les lieux saints jaïns se caractérisent par une forte concentration de bâtiments. Ainsi, Shatrunjaya, au Gujarat, compte plus de 900 sanctuaires sur une même colline. ❑

À GAUCHE : un exemple d'architecture de l'Orissa – le temple de Muktesvar (xe siècle), à Bhubaneshwar.

et compatissant, doué pour toutes les formes d'art. Se souvenant de la prophétie, le roi s'efforce de tenir Siddhartha à l'écart de toute vision déplaisante et l'entoure de luxe. Il le marie à Yashodhara, une charmante princesse d'un royaume voisin, qui lui donnera un fils. Pourtant, sans doute pris d'un sentiment prémonitoire, le prince nommera son fils Rahula ("obstacle").

> **QU'EST-CE QUE LE NIRVANA ?**
>
> À cette question, le Bouddha se contentait de sourire et, lorsque ses disciples le pressaient de répondre, il déclarait : *"Shantam Nirvanam"* (le *nirvana*, c'est la paix, le silence).

Conformément à la prophétie, Siddhartha découvre les 3 responsables de la souffrance : la maladie, la vieillesse et la mort. Une nuit de pleine lune, au mois de *vaisakha* (avril-mai), il se prépare finalement à la grande renonciation et, debout sur le pas de la porte, après avoir observé un instant sa femme et son fils endormis, il quitte le palais.

Siddhartha commence par écouter l'enseignement de maîtres renommés, mais aucun ne parvient à lui expliquer les causes de la douleur. Se joignant quelque temps à une communauté d'ascètes, il s'astreint à des traitements d'une rigoureuse austérité. Affaibli physiquement et mentalement, il comprend que la sagesse ne peut s'obtenir par l'automortification. Finalement, méditant sous un arbre près de Gaya, il atteint la *bodhi* (l'éveil). Le prince Siddhartha est désormais le Bouddha, "l'Éveillé", et l'arbre l'ayant protégé portera le nom d'"arbre de la *bodhi*".

Parvenu à un tel état, Gautama peut alors se libérer du cycle des renaissances et accéder au *nirvana*, la libération suprême. Mais sa nature compatissante le retient de savourer cette libération tant qu'une seule créature vivante continuera de souffrir. C'est alors qu'il fait son premier sermon, dans le parc aux Cerfs de Sarnath, près de l'antique ville sainte de Varanasi. Les ascètes dont il s'est séparé quelques mois plus tôt constitueront son premier auditoire. La légende prétend qu'un cerf l'aurait écouté avec attention, semblant comprendre que son message – porteur des 4 nobles vérités, fondements de la pensée bouddhiste – s'adressait à tous les êtres vivants sans exception.

Le nombre de ses adeptes augmentant, le Bouddha fonde le Bhikshusangha (ordre des moines) qui, pour commencer, n'admet que des

*À **DROITE** :* un prêtre sur les traces du Bouddha, dans le temple de Mahabodhi à Bodhgaya (Bihar).

hommes. Plus tard, à la demande de sa belle-mère Gotami, le Bouddha accepte les femmes et crée un ordre de religieuses.

Au bout de quelques mois, il se rend à Kapilavastu pour rencontrer son père, sa femme et son fils. Parti en prince, il revient en mendiant et reçoit un accueil de héros, lui qui a conquis l'univers spirituel.

Il passe les 40 dernières années de sa vie à voyager de village en village – sauf durant la saison des pluies –, prêchant le message de l'amour, la compas-

sion, la tolérance et la retenue. Après une vie d'humilité, il meurt en 483 av. J.-C., à l'âge de 80 ans, à Kusinara, non loin de son lieu de naissance et adresse ses dernières paroles à son disciple préféré, Ananda : "Un bouddha ne peut que montrer le chemin. Sois ta propre lampe. Prépare ton propre salut avec assiduité."

Les enseignements du Bouddha

Si la pensée hindoue s'intéresse à la nature de la réalité absolue, le Bouddha, quant à lui, évite les controverses métaphysiques. "La survenue de la douleur, la fin de la douleur, c'est tout ce que j'enseigne", déclare-t-il. Ses préceptes comportent 2 principes philosophiques implicites : la loi de l'impermanence (tout ce qui appartient au monde matériel est susceptible de changer) et la loi de la causalité (rien ne se produit par hasard). De même, tout homme est soumis à son *karma*. Ainsi, la notion populaire d'âme survivant au corps d'une manière ou d'une autre est illusoire. Le Bouddha appelle à l'abandon de cette illusion, mais ne rejette pas l'esprit universel du soi (*atman*) des *Upanishad*.

COULEURS NATIONALES

Les couleurs du drapeau indien ont une signification religieuse : le safran représente l'hindouisme, le vert l'islam et le blanc toutes les autres religions.

Peu après la mort du Bouddha, son plus ancien disciple, Kashyapa, convoque un conseil à Rajagriha. Les enseignements du maître sont classés en 3 sections, ou *Tripitaka* (3 paniers) qui, aux côtés d'exégèses ultérieures, formeront le Canon bouddhique.

Au IIIᵉ siècle av. J.-C., affligé par les carnages de la guerre, le grand empereur maurya Ashoka se convertit au bouddhisme, marquant ainsi le début d'une période d'expansion de la religion. Dans toute l'Asie du Sud, il laissera des ins-

Son premier sermon, dit de la Voie du Milieu, préconise une attitude située entre 2 séries d'extrêmes : sur le plan éthique, l'hédonisme et l'ascétisme ; sur le plan philosophique, l'acceptation naïve de tout comme étant réel et le rejet absolu de tout comme étant irréel. Cette Voie du Milieu, devenue l'Octuple Sentier de la vie juste, consiste en la justesse de la conduite, des mobiles, des résolutions, du discours, des moyens d'existence, de l'attention, des efforts et enfin de la méditation.

Par ce chemin de la mesure et de l'autoperfection, l'homme peut vaincre ses désirs et atteindre le *nirvana*, état transcendantal de libération absolue.

criptions exhortant ses sujets à suivre le message de la compassion et de la tolérance.

L'Inde contemporaine connaît un regain d'intérêt pour le bouddhisme, et en particulier les *dalit*, après la conversion publique du Dr Ambedkar (*voir p. 80*). Toutefois, les bouddhistes ne constituant qu'une part minime de la population indienne, d'aucuns prétendent que le pays aurait rejeté cette religion. Et si, au contraire, l'Inde l'avait assimilée au point d'en devenir véritablement indissociable ?

Compassion, amour et non-violence – des qualités soulignées par le Bouddha – font partie intégrante de l'héritage spirituel indien. Le bouddhisme a inspiré de magnifiques œuvres architecturales, sculptures et peintures. Stupas de Sanchi et Amaravati, fresques d'Ajanta, vestiges de l'université de Nalanda, monastères de Bodhgaya et Rajagriha et, par-dessus tout, bouddhas des écoles de Mathura et de Sarnath, sont autant de témoignages de son influence durable. Depuis les années 1960, communautés de bouddhistes tibétains réfugiés et *dalit* convertis ont considérablement augmenté le nombre des bouddhistes en Inde.

Jaïnisme

Alors que le Bouddha enseigne son *dharma*, une autre tradition religieuse prend forme dans la même région. Vardhamana, plus connu sous son titre de Mahavira (grand héros), est un contemporain du Bouddha, légèrement plus âgé que lui. Les 2 maîtres possèdent de nombreux points communs : *kshatriya* d'origines royales, ils ont renoncé à la vie matérielle, rejettent les castes et remettent en cause le caractère sacré des *Veda*. La renommée du Bouddha a éclipsé celle de Mahavira dans le monde entier ; le jaïnisme – la religion prêchée par ce dernier – compte aujourd'hui plus de 3 millions d'adeptes en Inde (le bouddhisme en dénombre presque le double, et bien davantage encore hors du pays).

Le thème de la conquête de soi revêt une importance absolue pour les jaïns. Le terme de jaïn dérive d'ailleurs de *jina* (conquérant). Portant cette idée à l'extrême, le jaïnisme est devenu la foi ascétique la plus rigoureuse au monde. Le concept divin n'a guère de place dans cette croyance, qui accepte certes les divinités populaires de l'hindouisme, mais les considère comme inférieures aux *jina*, sujets de toutes les dévotions.

Fondateur historique du jaïnisme, Mahavira serait le dernier d'une lignée de 24 *jina*. Tous auraient atteint la sagesse parfaite (*kaivalya*) par le biais de pénitences diverses, après avoir vaincu le désir et rompu leurs liens avec le monde matériel. Les *jina* sont également appelés *tirthankara* (passeurs), un nom qui fait référence au passage de l'univers matériel à l'univers spirituel et de l'asservissement à la liberté.

Le jaïnisme rejette l'idée d'un dieu personnel, mais aussi celle d'une unique réalité absolue impersonnelle. Il considère chaque être vivant comme une *jiva* (âme) indépendante. Dans son état prosaïque, l'âme est imprégnée de particules matérielles découlant du *karma*. L'homme parvient à la libération par un double processus : arrêter l'incursion de nouvelles particules du *karma* et chasser celles qui ont déjà souillé son âme. Seule la justesse de la foi, du savoir et de la conduite – les *tri-ratna* (3 joyaux) du jaïnisme – permet un tel processus.

Une conduite juste se fonde sur le rejet du mensonge, du vol, du désir, de l'avidité et de la violence. De ces 5 péchés, la violence est le plus abominable. L'abjuration absolue de toutes pensées ou actions susceptibles de blesser un

être humain est la vertu principale. Le Mahatma Gandhi adoptera la devise du jaïnisme : *Ahimsa paramo dharma* (la non-violence est la religion suprême). Parfois, les adeptes portent ce principe de non-violence à l'extrême. Ainsi, les moines recouvrent souvent leur nez et leur bouche d'un masque en tissu fin pour éviter de tuer involontairement des insectes en respirant, et utilisent un balai pour nettoyer devant eux.

Les jaïns ont largement contribué au développement de nombreux domaines de la culture indienne : philosophie, littérature, peinture, sculpture et architecture. À cet égard, les temples, en particulier ceux de Girnar, Palitana et du mont Abu, constituent le fleuron de leur art.

À **GAUCHE** : moines bouddhistes assoupis.
À **DROITE** : les religieuses jaïnes portent un masque en tissu pour éviter de tuer des insectes en respirant.

Quand les contraires s'assemblent

En termes d'orthodoxie, il n'existe pas 2 religions au monde qui semblent aussi différentes que l'hindouisme et l'islam. Les origines de la première remontent à un lointain passé mal identifié, tandis que la seconde a été fondée par un personnage historique et possède une écriture sainte, le Coran. L'hindouisme se révèle éclectique et pluraliste, l'islam homogène, avec une idée de Dieu bien définie. Le temple hindou, fermé sur 3 côtés, abrite un sanctuaire intérieur, obscur et mystérieux ; la mosquée, ouverte de toutes parts, laisse entrer air et lumière. Les hindous vénèrent des sculptures de divini-

tés ; les musulmans considèrent le culte des idoles comme un péché grave. L'hindouisme tend à fuir le prosélytisme ; l'islam accueille volontiers les convertis.

Pourtant, ces 2 religions se sont rencontrées en Inde, se sont influencées mutuellement et, après des conflits, se sont enrichies. Quelques décennies seulement après leur arrivée en Inde, les musulmans ont fini par considérer le pays comme leur véritable patrie. Entre les XIIIᵉ et XVIIIᵉ siècles, dans le nord de l'Inde, hindous et musulmans se sont côtoyés dans pratiquement tous les domaines de la vie. Ce syncrétisme indo-musulman – unique en son genre – a suscité un véritable épanouissement culturel.

Impossible d'imaginer l'Inde sans l'islam, dont l'influence semble omniprésente, de la gastronomie à la musique en passant par l'architecture.

Les origines de l'islam

L'islam découle des révélations d'un homme, le prophète Mahomet. Dans la lignée des textes des juifs et des chrétiens (dont Mahomet reconnaît les prophètes), ses enseignements constituent l'écriture sainte sur laquelle les musulmans fondent leur existence.

Orphelin de père, Mahomet naît à La Mecque en l'an 570. Sa mère meurt lorsqu'il a 4 ans et son enfance ne sera guère heureuse. Garçonnet, il gagne misérablement sa vie en effectuant de menus travaux pour les commerçants des caravanes. Il a 25 ans lorsqu'il épouse Khadijah, une riche veuve qui l'a employé. À cette époque, des tribus guerrières s'affrontent en Arabie. La religion, panthéiste, tourne autour du culte de statues en pierre représentant des divinités. Opposé à ce culte, Mahomet, introspectif et sensible, recherche souvent la solitude dans le désert. Il connaît sa première expérience mystique à l'âge de 40 ans. L'archange Gabriel lui apparaît en vision et, l'appelant *rasul* (messager de Dieu), l'exhorte à proclamer la gloire d'Allah, "seul dieu véritable". Gabriel apparaîtra à nouveau pour lui dévoiler un texte, plus tard intégré dans le Coran.

Tandis que le nombre de ses disciples augmente, Mahomet dénonce toujours plus ouvertement l'idolâtrie, suscitant harcèlement et menaces de la part des tribus. En 622, répondant à l'invitation de quelques marchands, Mahomet quitte La Mecque pour Médine, à plus de 300 km au nord. Cette migration (*hijrah*) marque le début du calendrier musulman. À Médine, il consolide sa nouvelle religion, l'islam ("soumission à Dieu"). Ses disciples, les musulmans ("ceux qui se sont soumis"), se comptent alors par milliers.

Huit ans plus tard, il retourne à La Mecque et défait ses opposants lors d'une bataille. Il meurt en l'an 632. En 20 ans, les musulmans conquièrent Irak, Syrie, Égypte et Turquie orientale. Vers l'an 670, les Arabes dominent l'Iran et toute l'Afrique du Nord. La foi qu'ils placent dans leur prophète et leur livre saint, leur sens marqué de la fraternité et de l'égalité entre musulmans, ainsi que la précision et la simplicité de leur credo, semblent les garants de leur succès. Un succès qui ne saurait être uniquement attribué à la force. Mahomet lui-même est un homme sage et généreux, et le dieu de l'islam apparaît compatissant et miséricordieux (*rahman* et *rahim*).

L'islam en Inde

Des marchands arabes arrivent en Inde dès le VIIe siècle. En 712, les premiers envahisseurs musulmans – arabes également – atteignent Daibul (près de l'actuelle ville de Karachi) et Multan, au Pakistan. Peu à peu, les activités missionnaires diffusent l'islam vers le nord. En 977, Mahmud de Ghazni, un souverain turc d'Asie centrale, envahit l'Inde jusqu'au Gange.

sa tolérance religieuse, Akbar (1556-1605), l'un des plus grands empereurs moghols, œuvre pour le rapprochement entre hindous et musulmans. Toutefois, le dernier des empereurs, Aurangzeb (1658-1707), se rend tristement célèbre en détruisant plusieurs temples, s'aliénant ainsi de nombreux hindous.

Dans un premier temps, les musulmans s'imposent de manière offensive. Néanmoins, l'immense majorité des conversions ne résulte pas du pouvoir militaire : les soufis (mystiques musulmans) jouent un rôle notable dans la diffusion du message de l'amour universel. Leurs saints, les *pir*, dispensent leur enseignement par

Ses descendants consolident leur emprise sur le Penjab et, lorsque Mahmud de Ghor succède à la dynastie Ghaznivad à la fin du XIIe siècle, les influences de l'islam ont atteint Delhi et Ajmer. Le sultanat de Delhi est créé au début du XIIIe siècle et l'autorité musulmane progresse vers l'est et le sud.

Le pouvoir du sultanat décline, remplacé par l'empire moghol fondé en 1506 par Babur, qui régnera sur le nord de l'Inde. Par sa politique et

À GAUCHE : un *sanyasi* dans la bibliothèque de l'Asiatic Society à Mumbai.
CI-DESSUS : un rassemblement dans la Jama Masjid de Fatehpur-Sikri.

LES 5 PILIERS DE L'ISLAM

Les musulmans doivent satisfaire à 5 obligations cultuelles, ou piliers (*arkan*) :
• La profession de foi : "Il n'y a de dieu qu'Allah, et Mahomet est son envoyé".
• La prière, c'est-à-dire les 5 prières quotidiennes et la prière publique du vendredi à la mosquée.
• L'aumône légale, ou impôt religieux sur les biens, à des fins de bienfaisance.
• Le jeûne absolu de l'aube au crépuscule pendant le mois du Ramadan.
• Le pèlerinage à La Mecque au moins une fois dans sa vie.

le biais du *zikr*, ou répétition de formules religieuses. Des poètes classiques persans, tels que Rumi, communiquent également leur message avec succès, exprimant l'esprit du soufisme par des symboles et des figures de style. Sous le règne des souverains musulmans, la cour parle le persan, et non l'arabe.

Des *pir* renommés s'installent en Inde, notamment Mu'inuddin Chishti d'Ajmer et Nizamuddin Aulia de Delhi, les plus influents. Amir Khusrau, poète, musicien et historien, est un disciple de Nizamuddin. Célèbre pour ses vers composés dans la tradition persane classique, il écrit également des poésies religieuses

en ourdou. Ses œuvres reflètent admirablement l'esprit dominant de l'assimilation hindou-musulmane. Les tombeaux de ces saints poètes restent des lieux de culte et de pèlerinage, tant pour les musulmans que pour les hindous, plus particulièrement à l'occasion des *ur* (anniversaires de leur mort).

Sikhisme

Kabir et Nanak poursuivent ce processus de rapprochement entre hindouisme et islam. Né dans la caste des brahmanes, Kabir grandit dans une famille d'adoption musulmane. Disciple de Ramananda, un célèbre saint hindou, et très influencé par le soufisme, il recourt à sa terminologie dans nombre de ses poèmes. Inspiré par Kabir, le gourou Nanak (1469-1539) fonde la religion sikh dans le but déclaré de synthétiser hindouisme et islam. L'esprit de fraternité musulman contribuera à l'assouplissement du système des castes.

Originaire du Penjab, région où le rapprochement entre hindous et musulmans est le plus marqué, et hindou par sa naissance et son éducation, Nanak est attiré dès son enfance par les saints et poètes hindous aussi bien que musulmans. Il visite les lieux sacrés de l'hindouisme et fait le pèlerinage à La Mecque. Selon lui, ces 2 religions sont fondamentalement proches et dispensent un même enseignement à l'origine. Prêchant un message d'unité, il devient bientôt connu sous le nom de gourou Nanak. Ses disciples se rassemblent, marquant ainsi la naissance d'une nouvelle tradition religieuse. Le terme "sikh" dérive du sanscrit *sisya* (disciple).

Succédant à Nanak, Angad entreprend de compiler les écrits de ce dernier. Il recourt à une écriture utilisée par certains Penjabi, appelée *gurmukhi*, qui deviendra l'écriture officielle des sikhs. Le gourou Arjun, cinquième dans la succession, construit le temple d'Amritsar – le sanctuaire sikh plus vénéré entre tous – et recueille systématiquement les poèmes et hymnes sacrés de Nanak, Kabir et d'autres saints. Rassemblés dans l'*Adi Granth* (Le Premier Livre) ou *Granth Sahib* (Livre de Dieu), ils constitueront les écritures saintes des sikhs.

La diffusion de cette foi inquiète les musulmans orthodoxes et entraîne la persécution des sikhs. En 1606, le gourou Arjun est mis à mort pour sédition. Son martyre persuade ses successeurs de la nécessité d'un entraînement militaire pour se défendre. Le dixième gourou,

L'IDENTITÉ SIKH

La communauté sikh forme environ 2% de la population indienne. Depuis sa création par le gourou Nanak au XVe siècle, cette religion a développé une identité propre facilement reconnaissable. Elle s'oppose au système des castes et, comme l'islam, rejette le culte des idoles, mais reconnaît les notions de *karma* et de renaissance. Dans leurs rituels, les sikhs sont très proches des hindous et les mariages entre les 2 communautés sont fréquents. Coiffés d'un turban, les sikhs – qui portent tous le nom final de Singh (lion) – se laissent pousser la barbe et ne se coupent jamais les cheveux. Tous considèrent comme une obligation le fait de porter un *kara* (bracelet métallique).

Govind Singh, transforme la secte pacifique des sikhs en une communauté guerrière, introduisant des rites d'initiation dans son armée parfaitement organisée, la *khalsa*. Il met également fin à la lignée des gourous. Le *Granth Sahib* devient alors le seul objet de vénération, et par là même le symbole de Dieu.

Christianisme

Selon une tradition répandue dans le Sud, le christianisme en Inde daterait de l'apôtre de Jésus, Thomas, qui aurait vécu quelques années près de Madras et y serait mort. D'autres légendes décrivent saint Barthélemy

Les historiens datent avec certitude du VIᵉ siècle la présence de chrétiens syriens orthodoxes.

Rassemblés dans le Kerala, ces premiers catholiques suivent le rite syrien (récemment encore, la liturgie se déroulait en syriaque ancien). Bien que chrétiens, leurs structures et pratiques sociales s'apparentent fort à celles des castes supérieures au Kerala ; sans doute s'agit-il de convertis appartenant autrefois à la caste brahmane Namburdiri.

L'activité missionnaire d'Europe occidentale débute avec l'arrivée de saint François Xavier (*voir p. 300*) en 1542. Des milliers de fidèles se

comme le premier missionnaire chrétien du pays. Plus tard, les historiens latins du Moyen Âge feront souvent référence à des peuplements chrétiens en Inde.

Les chrétiens indiens (près de 25 millions) recouvrent pratiquement toutes les confessions : catholique, méthodiste, baptiste, presbytérienne, maronite, ou encore adventiste du septième jour. Toutefois, la primauté historique revient aux catholiques syriens. Leurs origines remontent à saint Thomas (qui aurait voyagé dans le sud de l'Inde entre l'an 52 et l'an 72).

rendent encore chaque année sur sa tombe, à Goa, bastion du catholicisme en Inde. D'autres, d'origine portugaise, lui succèdent. Différents pays catholiques ne tardent pas à envoyer leurs missionnaires : au XVIIIᵉ siècle, des protestants – notamment danois, hollandais et allemands – se mettront à prêcher.

La conquête britannique donne naturellement à l'Église anglicane un avantage sur les autres. William Carey et Alexander Duff joueront un rôle décisif dans l'implantation du christianisme. Carey fonde le séminaire de Serampore et Duff, arrivé en 1830, poursuit son œuvre. Tout au long du XIXᵉ siècle, en sus de l'enseignement des doctrines chrétiennes, les missionnaires catholiques

À **GAUCHE :** prêtre sikh lisant le *Guru Granth Sahib*.
CI-DESSUS : l'église Sainte-Marie (Kerala), fondée en 427.

et protestants apportent leurs contributions à l'instruction et au savoir. Aujourd'hui, la plupart des protestants indiens sont membres de l'Église anglicane du nord ou du sud de l'Inde.

Les juifs d'Inde

L'Inde possède 2 anciennes communautés juives autochtones : les Cochini, de langue malayalam, à Kochi (Kerala) ; les Bene Israel (enfants d'Israël), parlant majoritairement le marathi, à Mumbai, Kolkata, Old Delhi et Ahmadabad. Aujourd'hui, l'émigration vers Israël, l'Angleterre, les États-Unis et le Canada a réduit cette population à 5 000 membres.

Les juifs de Kochi revendiquent leur filiation avec des réfugiés ayant fui la Palestine en l'an 70 après la destruction du temple de Jérusalem. Quant aux Bene Israel, ils prétendent être présents en Inde depuis le IIe siècle av. J.-C. ; le plus ancien récit d'un juif indien – un voyageur – date du début du XIe siècle. Ces groupes bien établis présentent de grandes ressemblances avec les communautés voisines, ce qui laisse supposer une implantation de longue date : peut-être ont-ils commencé par des activités marchandes sur la côte occidentale.

Les derniers migrants (XVIIe et XVIIIe siècle), venus des régions actuelles d'Iran et d'Asie centrale, donneront naissance à la principale communauté juive d'Inde, à Bombay.

La religion aujourd'hui

La religion conserve une emprise considérable dans l'Inde contemporaine. Le Mahatma Gandhi était profondément pieux. Les pires excès de l'histoire récente sont imputables à l'intolérance religieuse (*voir page suivante*). Au XXe siècle, l'Inde a captivé l'imagination des Occidentaux, et quantité de chefs spirituels ont fondé des centres attirant des milliers d'adeptes.

Aujourd'hui encore, l'Inde continue de vénérer des saints soufis. Meher Baba, le sage silencieux du Maharashtra, était parsi. Bien que catholique romaine, mère Teresa faisait la fierté du pays. Elle a d'ailleurs bénéficié d'obsèques nationales à Calcutta en 1997.

République laïque, dans laquelle l'État a pour obligation de protéger les minorités religieuses, la Constitution de l'Inde garantit le droit de liberté spirituelle à tous ses citoyens. Pourtant, depuis peu, l'idée de la sécularisation est au cœur d'une tempête politique, beaucoup prétendant que le BJP (Bharatiya Janata Party), ouvertement hindou, tente de se soustraire à cette obligation constitutionnelle.

Le magnifique hymne national, composé par Rabindranath Tagore, rend hommage aux différentes religions d'Inde. S'adressant à la puissance divine sous le nom de *Bharata-bhagya-vidhata* – le dispensateur du destin de l'Inde –, le poète déclare : "Ton appel va vers les hindous, bouddhistes, sikhs, jaïns, parsi, musulmans et chrétiens. Ils y répondent tous, se rassemblant autour de ton trône et tissant une guirlande d'amour pour te vénérer." ❑

LES PARSI

Les Parsi descendent des Persans, émigrés en Inde au VIIIe siècle, qui ont apporté avec eux l'ancienne religion persane fondée par Zoroastre au VIe siècle av. J.-C. Fondée sur le culte d'Ahura Mazda (le seigneur sage), en conflit perpétuel avec Ahriman, la force du Mal, leur texte sacré, l'*Avesta*, comporte les *gatha* (chants) composés par Zoroastre. Une flamme brûle en permanence dans leurs *agiaries* (temples du feu). Bien que conservateurs d'un point de vue religieux, les Parsi se sont identifiés à leurs compatriotes et ont largement contribué aux progrès dans l'enseignement, les sciences et l'industrie en Inde.

À **GAUCHE** : enfilage de guirlandes, à Mumbai.

La safranisation

L a montée de la droite nationaliste hindoue – un processus surnommé "safranisation", en référence à la couleur associée à l'hindouisme des castes supérieures – constitue le phénomène politique le plus préoccupant de ces dernières années. Il s'est illustré de manière particulièrement dramatique par la destruction de la Babri Masjid (mosquée) d'Ayodhya en 1992. Pourtant, les origines du communautarisme hindou remontent à la lutte pour l'indépendance et sont même perceptibles plus tôt encore, au sein du parti du Congrès.

Après la partition, les émeutes anti-musulmanes poussent le ministre de l'Intérieur Sardar Vallabhai Patel et le président Rajendra Prasad à appeler à suspendre la protection des citoyens musulmans. Néanmoins, la cause du nationalisme hindou subit un grave revers lorsque Gandhi est assassiné par Nathuram Ghose, un brahmane du Maharashtra lié au RSS (Rashtriya Swayamsevak Sangh, organisation nationaliste hindoue radicale). Ceci permet à Nehru d'interdire les groupements communautaires, enterrant ainsi les ambitions de la droite hindouiste pour les 20 ans à venir.

Ironie du sort, la fille de Nehru, Indira Gandhi, tout en adhérant aux idéaux séculiers de son père, recherche le soutien des hindous, s'entourant de saints hommes, notamment après sa défaite de 1977 face à un gouvernement de coalition incluant le BJP (Bharatiya Janata Party) naissant.

En flirtant avec les politiques communautaires, non seulement hindoues, mais aussi séparatistes sikhs au Penjab, le Congrès brise le tabou qui existait depuis l'assassinat de Gandhi. Les années 1980 enregistrent une montée du soutien pour les partis communautaires, accentuée par la désillusion à l'égard d'un Congrès en proie à la corruption.

Le principal provocateur en est le BJP, dirigé par L. K. Advani. Issu du parti Janata (de la fin des années 1970), il entretient des liens étroits avec le RSS et le Sangh Parivar (groupements hindous d'extrême droite). Sa campagne se fonde sur un programme destiné aux castes supérieures, épousant l'idéal d'une patrie hindoue, l'Hindutva.

Le BJP goûte pour la première fois au pouvoir en 1989, en tant que membre du gouvernement de coalition de V. P. Singh. Cette situation ne dure pas.

Advani entame une campagne pour la destruction de la Babri Masjid qui, selon les hindous, se dresse sur le lieu même de la naissance de Rama et d'un temple antérieur. Cherchant des appuis pour reconstruire un nouveau temple, il se lance dans un "pèlerinage" à travers le pays, avant de terminer par la visite du site d'Ayodhya. Advani est arrêté et le gouvernement s'effondre. Toutefois, la campagne continue d'attirer des partisans et, en 1992, des centaines de *kar sevak* (volontaires) détruisent la mosquée. Cette action déclenche les plus violentes émeutes communautaires du pays, faisant de nombreuses victimes des 2 côtés, notamment à Bombay. Plus récemment, au cours d'un véritable "net-

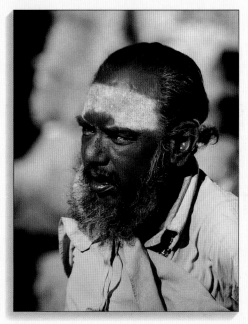

toyage ethnique", un soulèvement d'hindous extrémistes au Gujarat a entraîné la mort et le déplacement de quantité de musulmans. Qui plus est, les exacteurs ont démoli mosquées et sanctuaires avec la connivence supposée du gouvernement d'État, dirigé par le BJP.

Donnant à la safranisation une nouvelle impulsion, le gouvernement mené par le BJP – renversé depuis – a entamé la cohabitation harmonieuse des Indiens qui, pour la plupart, vivaient en paix. Les minorités religieuses ont été attaquées, et les livres d'école récrits pour glorifier le passé "aryen" de l'Inde, transformer les *kar sevak* en héros et remettre en question les contributions apportées par les musulmans au pays. ❑

À DROITE : un *sadhu* à Madurai (Tamil Nadu).

FESTIVITÉS SACRÉES ET PROFANES

Pas un seul jour ne passe sans que quelque fête mêlant paganisme
pittoresque et culte rituel n'ait lieu dans une région ou l'autre de l'Inde.

En Inde, les fêtes font partie de la vie quotidienne – un phénomène qui semble inévitable au vu des milliers de divinités, saints, prophètes et gourous cités par les 6 religions principales.

Quantité de ces réjouissances puisent leur source dans l'hindouisme et suscitent de nombreux rassemblements.

Dussera commémore la victoire de Durga (épouse de Shiva et déesse de la guerre) sur le démon-buffle Mahisasura, et celle du dieu-roi Rama (une incarnation de Vishnu) sur Ravana, roi aux 10 têtes originaire de Lanka, qui a enlevé Sita, la femme de Rama. Son culte revêt une importance notable, car il symbolise la suprématie de la divinité féminine sur les dieux, impuissants à vaincre le démon.

Durant la fête de Navratri (9 jours), en l'honneur de la déesse-mère, la population rend un hommage quotidien aux idoles installées dans leurs maisons et se raconte des *katha* (histoires). Au Gujarat, les femmes dansent le *garba*, tournant en cercle autour d'une lampe en terre et frappant en rythme dans leurs mains.

Au Bengale, Kali Puja et Durga Puja – les principales festivités rituelles – attirent des foules immenses dans les temples, comme celui de Mahakali à Kolkata. Durga Puja donne lieu à d'innombrables manifestations culturelles. Les fidèles chantent les louanges de Devi, lui offrent des buffles sacrifiés – qui représentent Mahisasura – le dixième jour et portent en procession des effigies de Durga pour les immerger dans l'eau.

Le culte de Durga revêt également un rôle social. Ainsi, la déesse de la guerre est particulièrement appréciée des *kshatriya* (caste des soldats) : jadis, ceux-ci entamaient les campagnes militaires de la saison après les sacrifices du dixième jour. Aujourd'hui, les magnifiques cortèges de Mysore et Jaipur perpétuent symboliquement cette coutume. Partant du centre-ville, le souverain d'antan, trônant sur un éléphant, franchit les portes au son des trompettes et tambours de guerre, accompagné de pachydermes harnachés, soldats en uniformes de cérémonie et nobles en costumes traditionnels.

Parallèlement, les fidèles achèvent les préparatifs du spectacle commémorant la victoire de Rama sur Ravana et le triomphe du Bien sur le Mal à l'issue d'un combat de 10 jours. Le récit de cette épopée (le *Ramlila*) dure 9 soirs. Le dixième, l'embrasement d'effigies chamarrées de Ravana, de son fils et de son frère marquent le coup d'envoi d'une explosion de pétards : le Bien est acquis pour une année supplémentaire.

Divali ou Dipavali (littéralement "rangée de lumières"), 20 jours après Dussera, s'inscrit dans la continuité de ce récit. La fête commémore le retour en héros du roi, exilé volontairement pour satisfaire un vœu imprudent de son père. Matérialisant la dissipation de l'obs-

---

PAGES PRÉCÉDENTES : Krishna jouant au *holi* (1780 env.).
À GAUCHE : paré pour le rôle de Rama, à l'occasion de Dussera.
À DROITE : chaque ville ou village possède ses propres festivités annuelles.

curité de l'âme, lampes à huile (*diva*), bougies ou ampoules électriques scintillantes illuminent la moindre habitation sous les crépitements des feux d'artifice. Ce rituel est dédié à Lakshmi (épouse de Vishnu), déesse de la richesse et de la prospérité, dont Sita est une incarnation. Point de départ du nouvel exercice financier, Divali est également un événement notable pour les commerçants et hommes d'affaires, qui clôturent alors leurs livres de comptes.

Les habitants astiquent leurs maisons de fond en comble pour s'assurer les faveurs de Lakshmi. Dans les villages, ils recouvrent les logis de bouse de vache, antiseptique et iso-

lante, et tracent des dessins décoratifs sur les sols et les murs. Les familles se rassemblent et distribuent des friandises.

Ramanaumi et Janmastami permettent d'invoquer Vishnu dans ses incarnations humaines de Rama et Krishna, à l'occasion de leur anniversaire respectif. Lors des festivités de Ramanaumi, des milliers de pèlerins convergent vers les temples d'Ayodhya et Ramesvaram. Des représentations de Rama, de Sita (symbole par excellence de l'abnégation de la femme indienne), de Lakshmana et du singe Hanuman, le général de Rama, sont portées au cours de processions pittoresques.

LA FÊTE DE HOLI

Début mars, le lendemain de la pleine lune, le nord de l'Inde se laisse aller à la célébration débridée de Holi. Les participants se pressent dans les rues, enduits d'une poudre de couleur vive (*gulal*) ou s'envoient des giclées d'eau teintée. *Bhang* ou *thandai* à base de marijuana aidant, les restrictions en matière de bienséance s'assouplissent (femmes seules, prudence !). Célébrant initialement la fertilité, la fête de Holi s'est vu attribuer des origines diverses par des légendes ultérieures. Ainsi, selon certains, un roi était si arrogant qu'il exigeait que tous le vénèrent. Seul son jeune fils Praladh osa s'opposer à lui. Après de vaines tentatives de tuer le prince, la sœur de son père, Holika, prétendument

invulnérable au feu, s'assit avec l'enfant dans un bûcher. Or, la dévotion de Praladh pour Vishnu était telle qu'il sortit indemne des flammes, tandis que Holika mourait brûlée vive. La veille de Holi, les participants allument d'immenses feux de joie commémoratifs. Le jeu de *holi* est étroitement lié à l'histoire de Radha et Krishna. À Vraj, patrie légendaire de ce dieu pastoral, la fête se déroule sur 16 jours. Les festivités incluent processions en musique, chants, danses et réjouissances tumultueuses dans les temples et leurs alentours. Les fidèles vénèrent aussi Kama, dieu de l'amour, et son épouse Rati, déesse de la passion, en souvenir de la mort de Kama et de sa résurrection par Shiva.

Janmastami se célèbre dans les temples des environs de Vrindavan (Uttar Pradesh). Des spectacles de *rasalila* recréent des épisodes de la vie de Krishna. Les participants baignent une effigie du dieu enfant, qu'ils placent ensuite dans un berceau en argent, et offrent des jouets en chantant des mélopées d'adoration.

Les foires

Parallèlement aux principales fêtes se tiennent également des *mela* (foires) profanes. Organisée 8 jours après Divali, celle de Pushkar (Rajasthan) – l'une des plus connues – est devenue une foire au bétail annuelle où courses de chameaux et chariots à bœufs ajoutent à l'excitation générale. À Sonepur (Bihar) on achète et vend des éléphants dans une ambiance fort animée.

La principale foire hindoue, la Kumbha Mela, se tient tous les 6 et 12 ans à Prayag (Allahabad). La légende à l'origine de cette manifestation souligne le caractère sacré de cette ville à la confluence (*sangam*) du Gange, du Yamuna et du mythique Sarasvati : tandis que les dieux livraient bataille aux *asura* (démons) pour s'approprier la jarre (*kumbha*) du nectar de l'immortalité, 4 gouttes du précieux liquide tombèrent sur la Terre, l'une à Prayag, les autres à Haridwar, Ujjain et Nasik.

Les fêtes de temples

En l'honneur de leur divinité tutélaire, les temples hindous organisent des célébrations annuelles.

La fête des Radeaux de Madurai (Tamil Nadu) commémore la naissance du roi Tirumala Nayak au XVIIe siècle. Les participants portent en procession des effigies richement parées jusqu'à un bassin, puis les installent dans un radeau illuminé par des milliers de lampions.

Puri (Orissa) rend hommage à Jagannath, incarnation vivante de Krishna dont la statue volontairement inachevée attire des foules considérables. Les pèlerins tirent des chariots géants (*rath*) transportant les divinités du temple à travers la ville jusqu'à Gundicha Mandir, leur résidence de campagne.

Onam, dans le Kerala, salue la mémoire du roi des démons, Mahabali. Vishnu l'avait chassé de son royaume, mais il était si attaché à ses sujets qu'il fut autorisé à revenir une fois par an.

Pour le divertir, des courses de *snake boats* (pirogues) manœuvrés par une centaine de rameurs, au rythme de cymbales et de tambours, se déroulent à Aranmula, Champakulam et Kottayam.

Certaines fêtes hindoues sont liées aux saisons. Ainsi, des réjouissances nationales marquent le début de la course du soleil vers le nord. Pongal, ou Sankranti, au sud, célèbre le repli de la mousson du sud-est et le début des moissons. Ranguli Bihu (Assam) veille au bien-être des troupeaux et à l'abondance des récoltes, et donne l'occasion aux jeunes hommes d'offrir des orchidées à leurs bien-aimées.

Les fêtes des Adivasi

La plupart honorent le dieu-soleil et les divinités locales. Moissons, expéditions de chasse, mariages et autres événements sociaux donnent lieu à des explosions de joie. La boisson locale coule à flots et la danse succède aux festivités. Point de mire de ces réjouissances, le chaman, possédé par les esprits, captive la foule par ses incantations.

Les fêtes non hindoues

À l'occasion des fêtes musulmanes qui jalonnent l'année, les fidèles prient dans les mosquées, se livrent à des divertissements variés, rendent visite à leurs parents et s'offrent de

---

À **GAUCHE :** bain lors de la Kumbha Mela (Allahabad).
À **DROITE :** immersion d'une effigie de Durga (Kolkata).

nouveaux vêtements. Elles se révèlent peu spectaculaires pour le visiteur, à l'exception du Muharram, qui commémore le martyre d'Imam Hussain, petit-fils du Prophète, à Karbala (il ne s'agit donc pas véritablement d'une fête). Bien qu'évoquant la douleur, les processions restent hautes en couleur, avec tambours et hautbois accompagnant chants de louanges et de lamentations.

Si Buddha Jayanti rappelle la naissance du Bouddha, à l'instar d'autres fêtes bouddhistes, elle est moins colorée que les cérémonies lamaïstes des États himalayens. Au gompa de Hemis (Ladakh) et à Towang (Arunachal Pradesh), des célébrations animées marquent la naissance de Padmasambhava. Des danseurs portent alors des masques symbolisant la puissance des divinités ou la malfaisance des démons.

En général, les fêtes jaïnes n'occasionnent pas de spectacles publics, sauf Dip Divali. Célébrée 10 jours après Divali, elle marque la réussite de son fondateur Mahavira à se libérer des cycles de renaissances. Les illuminations, particulièrement féeriques au mont Girnar, près de Junagadh, ont pour fonction d'atténuer l'obscurité provoquée par la disparition de la "lumière du monde". Les Parsi n'organisent pas

LE DIEU DE LA SAGESSE

Dieu de la sagesse enjoué et généreux, Ganesh, fils de Parvati et chef des gardes de Shiva, fait l'objet de nombreuses vénérations. Les festivités en l'honneur de cette divinité à tête d'éléphant culminent à Mumbai, où les quartiers rivalisent d'imagination pour confectionner l'effigie la plus impressionnante. Les fidèles préparent lumières, décorations, chants de dévotion et activités culturelles pour une période de 2 à 10 jours. Lors de Ganesh Chaturthi, des milliers de processions convergent vers la plage de Chowpatti, où des images du dieu seront immergées. Chantant et dansant au rythme des tambours, les participants exhortent Ganesh à revenir l'année suivante.

non plus de fêtes exubérantes. Lors de leur nouvel an (Pateti) et de Jamshedji Navroz – 2 fêtes majeures –, ils vont prier dans leurs temples, où brûle en permanence une flamme.

Les fêtes chrétiennes d'Inde suivent le même calendrier que dans le reste du monde. Goa la catholique s'éveille lors du carnaval qui précède le carême. À l'instar du mardi gras, cette manifestation suscite des débordements de joie, avec une parade haute en couleur présidée par Momo, roi des enfers, accompagnée de boissons, chants et danses. ❏

CI-DESSUS : parade lors de la fête de la République, le 26 janvier à New Delhi.

Les fêtes annuelles

C i-dessous, une sélection d'événements phares du calendrier festif indien. Par ailleurs, tout au long de l'année, chaque ville, village et temple célèbre divinités propres et conjonctures propices.

Dates variables
Id-ul-Fitr : dans toute l'Inde. Après le jeûne du Ramadan (un mois).
Muharram : Delhi, Hyderabad et Lucknow. Commémore le martyre du petit-fils de Mahomet.

Janvier
Nouvel an (1er janvier) : grandes villes.
Pongal (Sankranti) : Tamil Nadu, Karnataka et Andhra Pradesh. Fête des moissons (4 jours).
Fête de la République (26 janvier, jour férié) : dans tout le pays. Défilé spectaculaire à New Delhi.
Basant Panchami : Bengale-Occidental et Madhya Pradesh. Fête hindoue de la connaissance.

Février
Fête du Désert : Jaisalmer (Rajasthan).
Fêtes des Radeaux : Madurai.

Février-mars
Sivaratri : dans tout le pays. Commémore la danse de la création de Shiva et son mariage avec Parvati.
Holi : nord de l'Inde. Jet de poudre et d'eau colorées ; festivités débridées marquant le printemps.

Mars-avril
Gangaur : Rajasthan, Bengale et Orissa. Fête de Parvati.
Carnaval : Panaji (Goa). Mardi gras.
Fête du Printemps : Cachemire. Première floraison des amandiers.
Ugadi (nouvel an) : Andhra Pradesh, Karnataka et Tamil Nadu. Nouvel an solaire hindou.

Avril-mai
Vaisakhi : nord de l'Inde, Amritsar. Fondation de la fraternité sikh ; fête du nouvel an au Bengale-Occidental.
Puram : Trichur. Défilés d'éléphants et feux d'artifice.
Minakshi Kalyanam : Madurai. Procession de chars.
Buddha Purnima : Sarnath et Bodhgaya. Marque la naissance, l'Éveil et la mort du Bouddha.

Juin-juillet
Rath Yatra : Puri. Les chars du temple défilent en hommage au seigneur Jagannath.

Juillet-août
Tij : Rajasthan. Les femmes accueillent la mousson.
Amarnath Yatra : Amarnath.

À **DROITE** : divinité parée de ses plus beaux atours et enguirlandée de fleurs fraîches.

Nag Panchami : ouest de l'Inde. En l'honneur du dieu-cobra.

Août-septembre
Raksha Bandhan : nord de l'Inde. Les femmes nouent des bracelets aux poignets de leurs frères ou amis.
Fête de l'Indépendance (15 août, jour férié) : dans tout le pays. Défilés commémoratifs.
Janmastami : dans toute l'Inde. Anniversaire de Krishna ; théâtre dansé.
Ganesh Chaturthi : dans tout le pays, en particulier à Maharashtra. Fête de Ganesh ; foires et manifestations. À Mumbai, l'effigie du dieu est transportée en procession, puis immergée dans la mer.

Onam : Kerala. Fête des moissons.

Septembre-octobre
Dussera : Delhi, Kullu, Bengale-Occidental, Uttar Pradesh, Mysore et sud de l'Inde. Théâtre dansé et expositions.
Gandhi Jayanti (2 octobre, jour férié) : Raj Ghat de Delhi. Anniversaire du Mahatma Gandhi.

Octobre-novembre
Divali (Dipavali) : dans toute l'Inde. Souvent considérée comme le nouvel an.
Foire de Pushkar : Pushkar. Foire aux chameaux.
Guru Purab : Amritsar et Penjab. Anniversaire du gourou Nanak, fondateur du sikhisme.

Décembre
Noël (25 décembre) : Goa et Kerala. ❏

LE CINÉMA

*La production prolifique des studios de cinéma indiens attire
par millions les amateurs de mélodrames et "westerns masala".*

Dans une ville indienne, vous pourrez généralement indiquer votre destination à un *rickshaw-wallah* en nommant le cinéma le plus proche. Le grand écran occupe une place de choix : avec plus de 900 nouveautés par an, le pays produit à la chaîne davantage de films commerciaux qu'Hollywood, et vous entendrez leurs bandes sonores diffusées inlassablement dans les bus, bazars ou discothèques 5 étoiles.

De gigantesques affiches annoncent les sorties. Chaque jour, les passionnés s'entassent dans les 12 000 cinémas du pays, tandis que les magazines friands de potins – *Filmfare, Stardust* et *Cine-Blitz* – scrutent la vie amoureuse de leurs héros.

Depuis 1897, le cinéma, qui touche un public essentiellement analphabète, est devenu le loisir du plus grand nombre en Inde. Diffusant les mêmes images à différentes couches sociales, il a créé une formidable culture populaire. Au début des années 1930, les films muets sont tombés en désuétude et le cinéma régional s'est épanoui. En 1932, les Bombay Talkies (films parlants) ont utilisé le son pour la première fois, marquant la naissance des comédies musicales. Aujourd'hui, l'industrie propose d'interminables mélodrames de plus de 2 heures, "westerns masala" et plagiats manifestes de succès étrangers.

Une analyse du cinéma indien

Les films indiens se résument à des récits moralisateurs défendant les vertus traditionnelles : bonté intrinsèque des plus pauvres, prééminence de la loyauté familiale, importance de la chasteté et foi en Dieu. Des valeurs associées au temple, à l'église ou à la mosquée, qui parlent à un auditoire pieux, défavorisé et peu instruit, mais qui ne sauraient suffire au spectacle.

Du coup, le cinéma indien se concentre sur leurs antithèses, avec des protagonistes se vau-

trant dans une débauche de luxe ostentatoire, fréquentant des cabarets d'une vulgarité navrante et s'en prenant à la vertu féminine. Ces personnages de vauriens ne récolteront que ce qu'ils méritent face aux héros qui, grâce à leur extrême bonté, surmonteront leur condition misérable digne d'un roman de Zola.

Bien sûr, tout cela pousse les critiques à accuser le cinéma indien d'encourager l'ordre établi : voyant ses rêves exaucés dans les films, la population défavorisée – soit le gros des spectateurs – accepte les inégalités avec une plus grande placidité. Ses défenseurs, en revanche, y perçoivent une certaine vertu : ces images tirent un voile sur la réalité, empêchant ainsi l'explosion sociale.

L'intrigue

Toujours selon leurs adeptes, la plupart des réalisations indiennes martèlent le message de l'harmonie religieuse, d'une importance vitale dans une société multiconfession-

---

À **GAUCHE :** affiches de cinéma à Chennai.
À **DROITE :** décor "Bollywood" sur le tournage
de *Lahoo ke do rang* (*Duel sanglant*).

nelle souvent déchirée par les différends. Le film *Amar, Akbar, Anthony*, dirigé par le réalisateur à succès Manmohan Desai, relate l'histoire de 3 frères accidentellement séparés les uns des autres et de leurs parents durant l'enfance. Chacun est adopté par une famille issue des 3 groupes religieux dominants : hindou, musulman et chrétien. La coïncidence – qui, grâce aux scénaristes indiens, relève souvent de prouesses yogiques – les met tous 3 en présence à l'âge adulte. "Nous sommes comme des frères", fredonnent-ils à longueur de chansons, sans se douter un instant de la réalité…

LA CITÉ DU CINÉMA

Derrière les mâchoires d'un requin factice, dans la banlieue de Chennai, s'étend l'un des plus grands complexes cinématographiques d'Asie : la MGR Film City, financée par le gouvernement de l'État. Au milieu de ses 36 décors se tournent des films en tamoul doublés en malayalam, telugu, kannada et hindi. Les touristes sont parfois sollicités pour jouer les "extra". Parmi les grandes stars de Bollywood figurent Sri Devi et Rekha, toutes 2 remarquables par leur beauté sensuelle. Mais la personnalité la plus marquante reste Jayalalitha Jayaram : cette ancienne starlette devenue politicienne a construit le studio en mémoire de son amant MGR, ancien ministre et star gigantesque.

La fin du film les voit sortir victorieux, mais blessés, d'un combat interminable contre des vauriens. Ayant besoin d'une transfusion d'urgence, ils découvrent qu'ils présentent le même type sanguin – tels de véritables frères de sang ! –, un type par ailleurs fort rare. Ils trouvent un donneur, une femme âgée. Alors qu'elle est étendue sur un lit d'hôpital et que des perfusions diffusent son sang dans les veines des 3 hommes, le spectateur comprend qu'il s'agit de leur mère jadis perdue… Et le film de s'achever sur cette image métaphorique de la "Mother India".

La symbolique infiltre tout le cinéma indien, également imprégné du respect des formes théâtrales traditionnelles qui soulignent les *nava rasa* (9 émotions), avec intrigue principale et péripéties secondaires à grand renfort de chants et de danses. Selon la théorie des *nava rasa*, un seul film peut explorer la palette complète des sentiments, de la comédie burlesque à la tragédie déchirante. Les rebondissements multiples font de la durée apparemment excessive (150 minutes environ) une nécessité absolue : chaque film ne relate pas 1, mais 3, voire 4 histoires.

Starisation

Seuls 25 % des films rentrent dans leurs frais, mais les 5 % qui constituent les grands succès populaires – et créent l'image "glamour" du cinéma – agissent comme le chant des sirènes. Ils sortent dans plusieurs langues et dialectes d'Inde, mais surtout en hindi (généralement réalisés à Mumbai), telugu (Hyderabad), tamoul (Chennai) et malayalam (Trivandrum). C'est dans les vastes ensembles des Ramanaidu Studios et de la Ramoji Film City, à Hyderabad, que se concentre la principale industrie cinématographique du Sud. À une époque, la production en telugu battait même "Bollywood" (l'industrie cinématographique en hindi de Mumbai).

Le cachet des acteurs représente 40 % du budget et certaines stars sont tellement sollicitées qu'elles travaillent sur plusieurs films simultanément. À l'apogée de sa carrière, Shashi Kapoor, engagé dans 140 films en même temps, se surnommait avec bonhomie la "star taxi de l'Inde" : les producteurs pouvaient l'envoyer n'importe où à condition de payer la course ! Personne ne s'étonnera donc qu'un tournage dure de 2 à 4 ans.

Nouvelle vague

La désillusion provoquée par l'emballement du système a suscité la formation d'un groupe de réalisateurs dissidents, surnommé "nouvelle vague" par les critiques. Contrairement à la nouvelle vague française, il ne s'agissait pas d'un ensemble cohésif uni par une même idéologie. Par ailleurs, ses membres parlaient généralement des langues différentes. Néanmoins, tous partageaient un même langage, celui du cinéma, qu'ils étaient déterminés à utiliser pour dresser

PETIT ET GRAND ÉCRAN

À la fin des années 1980, piratage vidéo et télévision câblée menaçaient l'industrie cinématographique. Celle-ci s'est tournée vers le marché du téléfilm, en plein essor.

comme Ray, connaît lui aussi un grand succès commercial avec *Bhuvan Shome*, financé par la FFC. Un stimulant dont le mouvement avait besoin : bientôt, l'Inde tourne de remarquables productions en langues régionales. Au Bengale, mais aussi au Kerala (par P. N. Menon), au Karnataka (B. V. Karanth) et dans l'Assam (Jahnu Barua).

Cette nouvelle vague ébranle un mythe entretenu par l'industrie cinématographique indienne : l'hindi, langue nationale, franchit les frontières régionales linguistiques

un portrait réaliste de l'Inde. Presque tous souhaitaient également fuir le *star-system*.

Premier inspirateur de ce courant, le metteur en scène bengali Satyajit Ray propulse l'Inde sur la scène internationale avec *Pather Panchali* (*La Complainte du sentier*, 1955). Plus tard, d'autres lui emboîteront le pas, soutenus par la Film Finance Corporation (FFC, devenue la National Film Development Corporation), subventionnée par le gouvernement. Salué favorablement par la critique, Mrinal Sen, de Kolkata

et culturelles. Ainsi, pour attirer un public disparate, un film en hindi doit s'adresser au plus petit dénominateur commun. Aujourd'hui, d'aucuns continuent d'y croire, mais moins fermement qu'autrefois.

Pour commencer, la nouvelle vague se concentre presque uniquement sur l'Inde rurale, qui regroupe 70 % de la population ; progressivement, elle s'intéresse aux problèmes urbains actuels, qui touchent davantage les réalisateurs eux-mêmes.

Après l'épanouissement du cinéma réaliste hindi dans les années 1980 – avec notamment *Shatranj Ke Khilari* (*Les Joueurs d'échecs*) de Satyajit Ray –, la nouvelle vague s'égare dans

À gauche : dernières retouches au maquillage des stars, sur le set de la série télévisée *La Vie de Shiva*. **Ci-dessus :** Sri Devi et Sanjay Dutt.

les années 1990, perdant la majeure partie d'un public déjà restreint. Hormis quelques rares films de metteurs en scène autochtones, ce sont les réalisateurs expatriés qui feront la une, comme Deepa Mehta (*Fire*, 1998), ou Mira Nair (*Le Mariage des moussons*, 2001), plus populaire. Nouvelle vague et cinéma à succès cohabitent, l'un envieux de la popularité du second, lui-même amer de se voir refuser les éloges et les prix décernés au premier.

Success Story

La majorité du public se retrouve devant des films tels que *Sholay* (1975) de Ramesh Sippy,

l'un des plus grands succès de l'histoire du cinéma indien. On appellera ce genre le "western masala", en hommage au "western spaghetti" italien, sa source d'inspiration.

Sholay invente un monde de gentils desperados affrontant une bande de bandits débauchés. Si les critiques dénoncent en tir groupé son effroyable violence et son univers chimérique, elles reconnaissent toutefois qu'il s'agit d'un bon divertissement. Un genre qui répond parfaitement au souhait du public, désireux d'oublier tourments et affronts quotidiens.

Concurrence étrangère

Au cinéma, comme à la télévision, la concurrence vient d'Occident. Des années durant, Hollywood a inspiré les metteurs en scène indiens, avec plagiat des techniques américaines (telles que poursuites en voiture), voire de l'intrigue tout entière. Pourtant, la percée d'Hollywood est restée modeste, principalement à cause de la barrière linguistique.

Le doublage de succès grand public en plusieurs langues indiennes a élargi considérablement le marché. Première expérience en la matière, *Jurassic Park* a raflé un demi-million de dollars en 2 semaines dans le pays, contre seulement 160 000 dollars en un an pour *Proposition indécente*, en anglais.

Désormais, certaines grandes pointures du cinéma s'intéressent à des activités connexes (studios, lancement de stars). Ainsi, célébrités en vue, telles que Sri Devi ou Amitabh Bachchan (qui s'est réinventé en personnage bienveillant d'un certain âge, oubliant les films d'action de sa jeunesse), et réalisateurs, comme Subhash Ghai ou Mukul Anand, émettent des

QUAND TÉLÉVISION RIME AVEC RÉVOLUTION

Des décennies durant, le gouvernement a contrôlé la télévision – mélange malhabile d'instruction et de propagande –, qui ne touchait que 13 % du pays. Au début des années 1980, le petit écran a délaissé le progrès social pour s'orienter vers le récréatif. Les annonceurs ont été autorisés à subventionner les programmes de producteurs privés, tandis que le gouvernement libéralisait l'importation de téléviseurs et magnétoscopes. En 1991, le lancement de Star TV a permis la diffusion de Star Plus, Prime Sports, MTV et BBC World Service. En 1992, une chaîne en hindi est venue s'ajouter à ce bouquet : avec ses jeux, sitcoms et feuilletons à l'eau de rose, Zee a remporté un vif succès auprès de la jeune classe moyenne. Stimulé par la concurrence, Doordarshan, le réseau public, a lancé la chaîne de divertissement Metro. Des indépendants se sont également jetés dans la mêlée, louant des transpondeurs sur des satellites pour proposer des chaînes en différentes langues d'Inde. Si les films constituaient une part substantielle de cette nouvelle programmation, celle-ci s'attaquait aussi à des aspects sociaux controversés. L'une des chaînes diffuse même un film "pour adultes" le samedi soir. Aujourd'hui, le pays capte plus de 350 chaînes et les 4 mégapoles ont accès à 90 chaînes câblées dont la moitié est gratuite. Avec ses 19 millions de foyers, l'Inde se place au 3e rang mondial sur le marché.

appels publics à l'épargne pour lever des fonds destinés à leurs nouvelles sociétés.

Musiques de film

De son côté, la musique est venue en aide à cette industrie souffrante. Celle-ci a toujours fait partie intégrante du cinéma indien (*voir p. 121*) et la chanson de film, interprétée par divers personnages dans des situations et lieux multiples, semble annoncer les clips vidéo actuels. Néanmoins, malgré son importance indéniable, elle est longtemps restée un simple "accessoire". À la fin des années 1990, une avalanche d'émissions de style "top-50" basées sur les chansons de film, alliée à la prolifération des enregistreurs et cassettes audio bon marché, a déclenché un déluge de demandes en musiques de films.

Aujourd'hui, les ventes de mélodies populaires atteignent des millions d'exemplaires. Compositeurs et chorégraphes sont les plus affairés de l'industrie cinématographique. Selon le bimensuel en vue *India Today*, les sommes dépensées pour une seule chanson dans un film ont été multipliées par 10 en 5 ans.

L'attirance croissante pour ces chansons a atténué des barrières séculaires. L'un des musiciens les plus prisés de Bollywood, A. R. Rahman, s'était déjà fait un nom avec le cinéma du sud de l'Inde ; sa renommée a fait un bond lorsque Andrew Lloyd Webber a produit son film musical *Bollywood Dreams* dans le West End de Londres.

La division rigide entre les musiques de cinéma et les autres s'estompe rapidement. Autrefois, les seules chansons populaires indiennes provenaient du cinéma hindi. L'émergence de MTV Asia a révélé au grand public de nouveaux artistes, comme les groupes de rock Indus Creed et Apache Indian ou le rappeur Baba Sehgal. La chaîne musicale du réseau Star, Channel V, consacre désormais la moitié de son temps aux musiques indiennes, de film ou non.

Si des productions comme *Sholay* misaient sur la soif de violence, les années 1990 ont assisté à

BOX-OFFICE BABÉLIEN

Le doublage en hindi de films en anglais a débuté avec *King Kong*, fait son retour avec *Jurassic Park*, et brisé tous les records avec *Titanic* et son intrige hollywoodienne.

la renaissance du drame familial. *Hum Aapke Hain Koun, Raja Hindustani* et *Maine Pyar Kiya* ont remporté le difficile pari consistant à promouvoir les valeurs traditionnelles tandis que chastes actrices peu vêtues (Aishwarya Rai, Karisma Kapoor ou Preity Zinta) et héros tout en muscles (Salman, Shahrukh et Amir Khan, les favoris du moment) flirtent dans une débauche de luxe. Ici, le lien entre ces messages contradictoires et le climat politique prédominant n'est guère difficile à établir (*voir p. 67*).

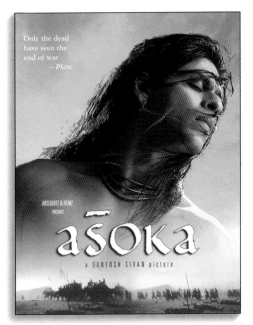

Influences réciproques

Aujourd'hui, comme le prouve la collaboration entre A. R. Rahman et Andrew Lloyd Webber, Bollywood est à la mode en dehors de l'Asie du Sud, notamment grâce à de nouveaux films un peu mièvres, géographiquement neutres, qui reflètent les préoccupations de la classe moyenne. Un nombre croissant de productions vise le marché lucratif des Indiens non résidents. Mais les échanges ne sont pas à sens unique. Ainsi l'émission *Kaun Banega Crorepati*, version indienne de *Qui veut gagner des millions ?*, connaît un succès retentissant et a offert à l'acteur Amitabh Bachchan, son présentateur, une nouvelle et brillante carrière. ❑

À GAUCHE : reconstitution d'une scène de rue à Goa, dans les studios de la Film City à Chennai.
CI-DESSUS : affiche d'un film récent à grand spectacle.

Danse et musique

Expressions de l'identité indienne, les danses et les musiques traditionnelles jouent un rôle essentiel dans la vie sociale.

L'Asie du Sud présente une aussi grande variété d'arts traditionnels du spectacle que de populations, allant des danses de style "classique" (*bharata-natyam* et *kathak*), aux musiques hindoustani (Inde du Nord) et carnatiques (Inde du Sud), en passant par les coutumes rurales liées aux rituels calendaires,

jusqu'aux musiques de films. Toutefois, à travers cette diversité se dessine l'influence unificatrice de la piété. Quantité de musiques et de danses font partie intégrante, ou proviennent, des rites religieux, mais un nombre plus important encore s'inspire de l'immense réservoir de croyances qui imprègnent les sociétés d'Asie du Sud par le biais de textes, pratiques sociales (mariages, funérailles, naissances, etc.) ou théories idéologiques sous-jacentes. Souvent considérés comme relevant respectivement des sphères "publique" et "privée", les univers masculin et féminin, distincts en Inde, constituent un autre facteur qui régit à la fois mode et espace de représentation.

Danse

À l'instar de la musique (*voir p. 118*), on distingue les danses indiennes aujourd'hui mises en scène lors de spectacles (même si tel n'était pas leur but initial) de celles encore exécutées à l'occasion de fêtes et rituels. Sept danses dites "classiques" ont fini par faire partie de la première catégorie, notamment dans le processus de construction de la nation : *bharata-natyam*, *manipuri* et *odissi* (rituelles ou de temple), *kathakali* et *kuchipudi* (théâtrales), *mohiniattam* (de dévotion) et *kathak* (de cour). Couvrant une vaste étendue géographique, toutes possèdent des origines diverses et s'accompagnent de musiques variées.

Ces styles sud-asiatiques partagent les mêmes concepts fondamentaux en matière de mouvements et expressions. D'une manière générale, la danse se divise en *nrtta* (mouvements abstraits au rythme de la musique) et *nrtya* (gestes et expressions du visage véhiculant les émotions). Le mouvement lui-même se décompose en *anga* (gestuelle du torse, de la tête, des bras et des jambes) et *upanga* (mimiques faciales). La relation étroite entre danse et sculpture se reflète dans leur système commun de postures, fondées sur le *sutra* (plans verticaux et horizontaux) et le *bhanga* (flexions du corps).

Le *bharata-natyam*

Cette danse, la plus populaire d'Asie du Sud, est enseignée et exécutée aujourd'hui dans tout le pays, ainsi qu'à l'étranger. Née dans les temples du Tamil Nadu, elle fait partie des styles "classiques" depuis le début du XXᵉ siècle.

Danseuses de temple de mères en filles, les *devadasi* participaient autrefois aux rituels en l'honneur de la divinité du sanctuaire, à laquelle elles étaient "mariées". Ces femmes de bon augure – car elles ne pouvaient jamais devenir veuves – étaient parfois les partenaires sexuelles des prêtres et du roi local (bienfaiteur du temple). Cet aspect de leurs attributions heurta les sensibilités victoriennes, déclenchant un mouvement "anti-nautch" (du sanscrit *naca*, "danse") parmi la classe moyenne indienne ayant adopté les mœurs sociales du pouvoir colonial. L'affaire déboucha sur la loi Madras Devadasi ("prévention du dévouement") de 1947, qui interdisait de fait les danses de temples.

Parallèlement à cette campagne, le nationalisme indien grandissant tentait de légitimer ses revendications d'indépendance en présentant certains éléments de la culture sud-asiatique comme l'illustration d'une véritable identité nationale, tels que les danses

> ### SOURCES ÉCRITES
>
> Certaines traditions indiennes tirent leur légitimité de textes tels que le *Natyasastra* de Bharata (IVe siècle environ), premier traité encore existant sur la musique et le théâtre.

lignant la structure rythmique de la musique. Dans l'idéal, une représentation de *bharata-natyam* comporte 7 volets : *alarippu*, prière liminaire à la divinité ; *jatisvaram*, morceau technique de danse pure au rythme de la musique ; *sabdam*, danse narrative ; *varnam*, chorégraphie complexe combinant danse pure, *nrtta*, et danse narrative, *nrtya* ; *padam*, intermède exprimant l'amour par le *nrtya* ; *tillana*, séquence rapide et virtuose ; et pour conclure, *sloka*, récitation cadencée d'un vers religieux.

Aujourd'hui encore majoritairement féminine, cette danse en solo est accompagnée d'un ensemble musical du Karnataka, le *cinna melam*, dirigé par le *nattuvanar* qui marque la cadence à l'aide de cymbales et détermine le déroulement de la *jati* (danse). Les danseuses portent aux chevilles des *ghungru* (petits grelots) sou-

des temples tamouls. La grande danseuse Rukmini Devi (1904-1986) s'efforça d'en créer une forme "pure" pour la scène, qui engendrera l'actuel *bharata-natyam*.

À GAUCHE : danseur de *kuchipudi* du Andhra Pradesh.
CI-DESSUS : danseur de *kathakali*, dans le Kerala, incarnant le dieu-singe Hanuman.

Autres styles de danse

L'*odissi* dérive des danses de temple traditionnelles de l'Orissa. L'interdiction de 1947 toucha de plein fouet les *devadasi* du temple de Jagannath (appelées *mahari* dans la région). Dans les années 1950, leurs danses étaient menacées de disparition. Réunis en conférence, des spécialistes venus de toute l'Inde réinventèrent alors un genre pour le spectacle s'inspirant largement des sculptures des temples de l'Orissa.

Le *manipuri* constitue le seul style "classique" du nord-est de l'Inde – même si le *chau* (danse théâtrale masquée), dans certaines parties du Bengale-Occidental, au Bihar et dans l'Orissa, est parfois qualifié de "classique".

Exécuté par des hindous vaishnava de la vallée du Manipur, le *manipuri* inclut solos, duos et danses de groupe, ou *rasalila*, en l'honneur de Krishna, racontant ses aventures avec les *gopi* (bergères).

Chorégraphies théâtrales respectivement originaires du Kerala et de l'Andhra Pradesh, *kathakali* et *kuchipudi* sont l'apanage des hommes, contrairement au *mohiniattam*, danse de dévotion féminine. La récitation de textes tirés du *Ramayana* et du *Mahabharata* accompagne les évolutions des artistes de *kathakali*,

NADA

En Asie du Sud, le son d'une musique, ou *nada*, est considéré comme de bon augure, d'où le recours fréquent à la musique dans les rituels et les fêtes religieuses.

aux maquillages et costumes spectaculaires. Le *kuchipudi*, issu du village éponyme dans le delta de Krishna-Godavari, aurait été inventé entre 1350 et 1450 par un brahmane telugu, Sidhyendra. Il s'inspire du *Parijatapaharana* – histoire de Krishna et son épouse Bhama –, ainsi que du *Golla Kalapam*, une discussion philosophique entre une trayeuse et un brahmane.

Les origines du *kathak* sont étroitement liées à la montée de la musique hindoustani – notamment *khayal*, *thumri* et *dadra* – dans les cours d'Inde du Nord. Traditionnellement réservé aux courtisans, il se caractérise par des pirouettes rapides et une structure rythmée, soulignée par les grelots portés aux chevilles.

Musique

Les traditions musicales d'Asie méridionale diffèrent entre Nord et Sud, villes et campagnes, ainsi qu'hommes et femmes. L'Occident associe généralement à l'Inde les musiques classiques originaires du Nord, qui puisent leurs racines dans les cours musulmanes et rajpoutes. Le Sud possède son propre folklore en matière de concerts, également issu des cours méridionales, avec en outre une tradition marquée pour les chants de dévotion.

La musique classique du Sud se base sur une octave à 7 tons (*svara*) – *sa, ri, ga, ma, pa, dha, ni (sa)* – correspondant grossièrement à l'octave occidentale, avec des variantes plus aiguës et plus graves ("dièses" et "bémols"). Néanmoins, leur valeur respective change, ce qui les différencie radicalement des tons occidentaux. Ainsi, le *sa* sera fixé à un niveau plus ou moins grave, convenant à chaque musicien et s'accordant avec un instrument ou une voix en particulier.

Par ailleurs, le double concept de *raga* et *tala* est essentiel aux musiques hindoustani et carnatiques. Le *raga* ("couleur" en sanscrit) détermine les tons autorisés pour un morceau et – puisque différents *raga* se partagent un même ensemble de tons – les mélodies caractéristiques, "ornementations", ainsi que les moments de la journée adaptés à un *raga* singulier (ce qui est moins courant aujourd'hui). Ceci est particulièrement vrai pour le Nord ; dans le Sud, le concept de *raga* tend à reposer davantage sur la classification de différents ensembles de tons. Souvent représenté à tort comme une simple "gamme" ou un "mode", le *raga* ne se résume pas à une combinaison linéaire de tons – même si telle est souvent la manière la plus pratique de les noter –, mais dépend également de l'approche du musicien vis-à-vis des *svara*.

Le *tala* (du sanscrit "frapper") correspond aux cycles rythmiques répétitifs étayant les mesures d'un morceau hindoustani ou carnatique. Chaque *tala* consiste en un nombre différent de temps (*matra*) ; le premier temps d'un cycle (appelé *sam* dans le Nord) constitue un point de référence pour les musiciens, tout comme pour l'auditoire. Lors des spectacles de musique carnatique, il est fréquent que le public scande en chœur le rythme, en frappant des mains sur les temps forts et en faisant un geste sur les temps faibles.

Tradition classique du Nord

Le *gharana* (littéralement "foyer", ce qui souligne le lignage patriarcal de l'enseignement musical, généralement héréditaire) des musiciens de cour fait remonter son ascendance à Tansen, artiste au service d'Akbar (1556-1605). Il est considéré comme l'un des meilleurs interprètes de *dhrupad*, un genre vocal qui passe pour la forme la plus "pure" de *raga*. À l'origine fort prisé par Muhammad Shah (1719-

le plus souvent 2 compositions, la première, ou *bara* ("grand") *khayal* dans un tempo lent, la seconde, ou *chota* ("petit") *khayal* dans un tempo plus rapide, qui s'accélère jusqu'à la fin du morceau. Il débute par une courte section non métrique introduisant le *raga* (mode mélodique ou ensemble de tons), suivi du *ciz* dans un *tala* spécifique (cycle rythmique), le plus courant étant le *tintal* à 16 temps. Les instruments d'accompagnement sont les *tabla*, timbales doubles, et, traditionnellement, le *sarangi*, vièle à archet, aujourd'hui remplacée par l'harmonium, un petit orgue à soufflerie manuelle introduit en Asie du Sud par les missionnaires fran-

1748), le *dhrupad* a été supplanté par le *khayal*. C'est à Niyamat Khan, artiste à la cour de Muhammad Shah, que reviendrait le mérite d'avoir popularisé cette forme de musique.

Inventé, selon la légende, par le sultan Husain Sharqi au XVe siècle, le *khayal* est aujourd'hui le genre vocal le plus fréquemment interprété dans les salles de concert. Une composition de *khayal* (*bandis* ou *ciz*) comprend 2 parties brèves, *sthayi* et *antara*, qui présentent des registres contrastés. Un concert comporte

çais. Parfois joué par un chanteur, le *tambura* est un luth qui fait fonction de bourdon ; il est accordé en *sa* et *pa* – équivalents approximatifs du *do* et du *sol* occidentaux. Les compositions consistent en une série d'ornementations et d'improvisations.

La musique purement instrumentale, en particulier pour le sitar et le *sarod* (luths à cordes pincées), suit un schéma légèrement différent, qui s'inspire à la fois des traditions *khayal* et *dhrupad*. Les morceaux, ou *gat* (analogues à ceux du *khayal*), sont précédés d'un long *alap*, présentation non métrique du *raga* introduisant chaque note tour à tour, un peu à la manière des chanteurs de *dhrupad*. Le soliste recourt à toute

À GAUCHE : le *bharata-natyam*, une danse du Tamil Nadu.
CI-DESSUS : Ravi Shankar, l'un des plus grands joueurs indiens de sitar.

une gamme de techniques d'improvisations pour explorer les mélodies du *gat*; il exécute habituellement 2 compositions, la dernière étant la plus rapide. Les musiciens se considèrent souvent comme faisant partie intégrante du *seniya gharana*, qui remonte à Tansen.

Tradition classique du Sud

Bien que partageant les mêmes concepts fondamentaux – *raga*, *tala* et *svara* – la musique carnatique classique diffère considérablement de celle du Nord. Dans la mesure où elle comporte des morceaux entièrement composés, elle repose moins sur l'improvisation et laisse une part importante au chant de dévotion. Par ailleurs, elle est le plus souvent de tradition brahmanique, à la différence de la musique du Nord, interprétée par des musiciens musulmans ou issus de basses castes.

Les premiers morceaux carnatiques (XVe et XVIe siècle) sont attribués aux compositeurs Tallapakam (Annamacharya, Peda Tirumalacharya et Chinnanna, respectivement père, fils et petit-fils). Ces derniers restent connus pour leurs *kirtana*, des chants de dévotion telugu en 3 parties – *pallavi*, *anupallavi* et *caranam* – qui forment la structure élémentaire de la musique contemporaine du Sud.

Aucune de leurs mélodies n'a survécu, mais de nombreux textes sur plaques de cuivre indiquant le *raga* à respecter ont été préservés.

Vers la même époque, Purandaradasa (1484-1564), le "père de la musique carnatique", écrivait son *kirtana* suivant l'ancienne forme à 2 parties de *pallavi* et *caranam*. Certains de ses morceaux sont encore joués. Toutefois, il est surtout célèbre pour avoir composé les exercices de base que tout étudiant en musique carnatique apprend encore aujourd'hui.

À ces premiers musiciens a succédé la "trinité" des compositeurs du Sud – Tyagaraja (1767-1847), Muttusvami Diksitar (1775-1835) et Syama Sastri (1762-1827) –, nés dans la ville de Tiruvarur, dans le delta du Kaveri. Ces 3 compositeurs sont à l'origine de la transformation du *kirtana* en *kriti*, par l'ajout de variations sur une composition mélodique, ou *sangati*.

La musique carnatique, essentiellement vocale, privilégie les textes de dévotion. Parmi les autres formes de chants interprétés en concert figurent *varnam* et *ragam-tanam-pallavi*. Ce dernier, issu de la tradition musicale carnatique de cour – à la différence du *kirtana* et du *kriti* –, nécessite de véritables prouesses techniques. Il comporte 3 parties improvisées : le *ragam* et le *tanam*, aux styles proches de l'*alap* et du *jor* de la musique hindoustani, et le *pallavi*, une brève composition explorant une gamme complexe de variations mélodiques et métriques.

Un ensemble carnatique comprend un soliste – le plus souvent un chanteur, parfois remplacé par un joueur de *vina* (luth à cordes pincées doté d'un long manche) –, accompagné d'un violon (introduit au XVIIIe siècle par le frère de Muttusvami Diksitar, Balusvami), un *mrdangam* (tambour à 2 faces) et un *tambura* (luth bourdon), auquel se substitue parfois aujourd'hui un bourdon électronique ou *sruti-box*. Un *ghatam* (pot en argile servant d'idiophone) et un *kanjira* (petit tambour sur cadre) complètent l'ensemble.

Cinéma et musiques populaires

Le public des musiques classiques tend à se limiter à une petite partie de la classe moyenne. En Inde, c'est la *filmi git* (chanson de film) qui jouit de la plus vaste audience. Le premier "talkie" (film musical) indien, *Alam Ara*, réalisé à Bombay en 1931, suit les conventions du théâtre traditionnel, entrecoupant l'action de chants et de danses pour faire avancer l'intrigue et symboliser l'écoulement du temps. Les premiers films de ce genre ont remporté un franc succès et, par conséquent, leurs chansons aussi.

À l'époque, actrices et acteurs interprétaient eux-mêmes les chants. À la fin des années 1930, la technique du doublage permit à des chanteurs spécialisés dans le play-back de prendre la relève et de devenir à leur tour des superstars.

MUSICIENS DE TEMPLE

Dans les temples du sud de l'Inde, les processions se déroulent au son du *periya melam*, un ensemble de *nagasvaram* (hautbois) et *tavil* (tambours en forme de fût).

Lata Mangeshkar, la plus appréciée – et la plus durable – de ces artistes, de même que sa sœur Asha Bhosle ou encore Geeta Dutt, ont adopté un style vocal très aigu – fort différent des timbres riches et graves des années 1930 –, qui prédomine encore aujourd'hui dans les musiques de film. Mohammad Rafi et Mukesh figurent parmi les chanteurs prisés.

À l'origine, la musique se basait sur les formes poétiques chantées de *ghazal* et *thumri*, associées aux *tawa'if* ou *kalavant* (courtisans).

Toutefois, les compositeurs de chansons de film se mirent rapidement à puiser dans une gamme éclectique de sources, du *bhajan* (chant de dévotion) traditionnel au genre sud-américain, en passant par pop et rock occidentaux.

Longtemps, la chanson de film a dominé le marché de la musique populaire en Inde. Depuis la fin des années 1970, les mélodies du folklore régional connaissent un succès considérable. En outre, les grandes villes possèdent aujourd'hui une scène pop-rock prospère, qui s'inspire des musiques européennes et américaines, et bénéficie d'un très large public par le biais de chaînes musicales comme MTV. ❑

À **GAUCHE :** ensemble de *periya melam* (Kerala).
À **DROITE :** fillette apprenant la *vina*, à Thiruvananthapuram, Kerala.

PEINTURE ET SCULPTURE

Depuis l'époque des premières peintures rupestres, formes animales
et personnages aux courbes sensuelles n'ont cessé de dominer l'art indien.

Les arts traditionnels d'Inde comptent parmi les plus anciens et les plus riches au monde. Uniques en leur genre, ils reflètent la continuité d'un génie et d'une sensibilité esthétique au fil des millénaires, de même qu'une remarquable capacité à évoluer en absorbant, immortalisant et modelant styles et concepts nouveaux.

Premières peintures rupestres

Premières œuvres d'art indiennes, les peintures ornant les parois de grottes et abris rocheux remontent à l'ère paléolithique. La plus importante concentration de sites rupestres se trouve dans la région du fleuve Narmada (Madhya Pradesh) et la plus vaste à Bhimbetka dans le même État. Ces peintures, aux traits caractéristiques, rappellent celles du paléolithique supérieur en Europe. Elles représentent essentiellement de gros animaux – taureaux ou bisons – dans un style tendant au naturalisme ; toutefois, comparées aux bêtes effrayantes des grottes françaises ou espagnoles, celles-ci semblent être de douces créatures, presque anthropomorphiques. Depuis, la faune est restée un thème dominant dans l'art indien ; sculptures de temples, miniatures mogholes ou œuvres d'artistes contemporains expriment toutes une relation intime et bienveillante avec la nature.

La majeure partie des peintures rupestres remonte au mésolithique. À cette époque, les progrès techniques améliorent l'efficacité de la chasse et de la cueillette, entraînant ainsi un accroissement de la population. Les personnages en forme de bâtonnets prolifèrent, occupés à des activités aussi diverses que pêche, construction de digues, danse ou théâtre rituel. Parmi les plus étonnants figurent des prêtres dansants et des chamans, précurseurs de Shiva Nataraja (le seigneur de la danse) représenté

des millénaires plus tard dans les bronzes du sud de l'Inde et les sculptures de grands temples, dont Ellora et Elephanta au Madhya Pradesh, et Aihole et Badami au Karnataka.

Nombre des peintures de Bhimbetka couvrent la période allant des premiers agriculteurs et des anciens empires aux souverains moghols.

Le site, véritable musée répertoriant l'histoire des Adivasi de la région, atteste également de l'épanouissement primitif du génie artistique chez le peuple indien. La plupart de ces peintures dégagent une réelle magie. Reflétant une habileté remarquable, elles traduisent une large palette d'humeurs et de sentiments, tels que l'harmonie, la joie et l'humour, des qualités omniprésentes dans l'art indien.

Sculptures

Une admirable sensualité, en particulier dans les corps féminins, caractérise également l'art indien. La statuette de bronze d'une danseuse datant des premières installations urbaines

---

À GAUCHE : détail d'une fresque dans les grottes d'Ajanta, Maharashtra, exécutée entre 200 av. J.-C. et l'an 650.
À DROITE : scène de chasse, activité courante à la cour d'Udaipur.

d'Asie du Sud – les cités de la vallée de l'Indus – en constitue l'exemple le plus ancien. Parée uniquement de bijoux volumineux, la jeune fille semble absorbée par le rythme de la danse ; sa pose et ses formes étirées rappellent les personnages préhistoriques, mais son expression la rapproche des voluptueuses créatures et déesses des sanctuaires bouddhistes et des temples hindous, apparues plus de 2 millénaires plus tard.

Conformément au caractère discret des villes de Harappa – remarquables avant tout par leur excellente planification urbaine –, les autres œuvres d'art de cette civilisation sont de

l'attestent des textes littéraires ultérieurs : ainsi, des récits bouddhiques mentionnent de légendaires "galeries" royales et décrivent des villes ornées de peintures à l'occasion de festivités.

Les premiers monuments en pierre datent du IIIᵉ siècle av. J.-C. Pour diffuser son message de paix, l'empereur Ashoka, converti au bouddhisme, ordonne d'ériger des colonnes gravées d'édits et couronnées de sculptures animales sur les places publiques de son royaume. La plus connue, celle de Sarnath (Uttar Pradesh), était coiffée d'un chapiteau pourvu de lions, devenu l'emblème de la République d'Inde. Ashoka fait également construire des

modestes objets. Elles incluent entre autres un torse masculin dénudé, sculpté dans un vigoureux style naturaliste, un superbe ensemble de sceaux aux motifs animaliers et religieux, ainsi que quantité de figurines et jouets en terre cuite, la plupart zoomorphiques et – à l'instar des animaux des sceaux – magnifiquement réalistes.

Monuments en pierre

Rares sont les témoignages de la période qui suit le déclin de Harappa (début du IIᵉ millénaire av. J.-C. environ), marquée par la naissance des *Veda*, l'âge du Fer, le développement de nouvelles villes et l'avènement du Bouddha. L'activité artistique ne cesse pas pour autant, comme

stupas (tumulus) renfermant des reliques du Bouddha et de ses successeurs. Prévues pour la circumambulation des fidèles, ces structures étaient entourées de balustrades en bois, avec des *torana* (portiques) aux points cardinaux ; vers la fin du IIᵉ siècle av. J.-C., elles seront remplacées par des répliques en pierre.

La balustrade sculptée de Barhut (Madhya Pradesh) qui illustre, entre autres motifs, récits bouddhiques, déités voluptueuses et éléments végétaux, témoigne de cette période de transition. Bien que d'une exécution rudimentaire, ces vestiges – dont l'Indian Museum de Kolkata expose quelques exemples – débordent de vitalité et de fraîcheur. Les mêmes qualités apparaissent sur les portiques de Sanchi (Madhya Pradesh), postérieurs d'un siècle et exécutés avec plus de délicatesse. Véritable chef-d'œuvre, la *yaksi* (jeune fille) du portique oriental est l'une des rares sculptures en ronde bosse encore existante en Inde. Sous un manguier chargé de fruits – qui évoque la fertilité –, cette danseuse semble tout à la fois provocante, digne et gracieuse.

Mathura (Uttar Pradesh) comptait l'une des principales écoles artistiques de l'Inde antique. Cette ville marchande, important centre de pèlerinage, attirait les adeptes de nombreuses sectes, dont beaucoup non orthodoxes. Des *yaksi*, portant des symboles de l'abondance terrestre et arborant le même sourire mystérieux que leur consœur de Sanchi, illustrent à merveille ce style particulier (premiers siècles de notre ère), tout comme la sculpture d'un sage adolescent à la prestance et aux vêtements aristocratiques. Représenté peu après sa découverte inopinée des plaisirs sexuels, le sage, dont le visage reflète une exquise tendresse, semble perdu dans l'extase.

Sur d'autres monuments bouddhiques, des personnages féminins et masculins sous l'emprise d'une joie sensuelle réapparaissent, souvent sous forme d'amants (*mithuna*) s'adonnant à d'espiègles badineries. On retrouve de telles sculptures dans des sites se regroupant aux extrémités est et ouest du Deccan : les sanctuaires taillés dans la roche de Karle et Ajanta (Maharashtra) et les vestiges des grands stupas d'Amaravati et Nagarjunakonda (Andhra Pradesh). Ces derniers montrent des fragments de frise avec des panneaux narratifs entrecoupés de couples aux postures d'un érotisme explicite.

Influence du Bouddha

Le Bouddha avait décidé que seuls les motifs abstraits convenaient aux yeux des moines, et cette règle fut respectée quelques siècles après sa mort. Les transgressions flagrantes qui suivront s'expliquent par des raisons pratiques : les monastères se situent généralement sur des lieux de culte existants, proches des routes commerciales. L'expansion de la sphère d'influence bouddhique – économique et idéologique – s'accompagne de la nécessité d'attirer davantage de fidèles. La hiérarchie bouddhique comprend qu'un art figuratif ancré dans la tradition populaire constitue un outil efficace pour séduire et retenir des adeptes de toutes classes et sectes confondues. Ce même constat régit l'apparition d'images du Bouddha à Mathura et Gandhara vers le Ier siècle de notre ère.

> **IMAGERIE BOUDDHISTE**
>
> Les peintures et les sculptures représentant le Bouddha, "l'Éveillé", illustrent l'une des plus grandes aspirations de l'art et de la pensée humaine.

Ce n'est qu'aux IVe et Ve siècles (époque des Gupta) que les maîtres de Mathura se rapprochent de l'idéal bouddhique sculpté, qui sera atteint à la fin du Ve siècle. En atteste le sublime bouddha assis de Sarnath. Si sa posture yogique lui confère une harmonie géométrique parfaite, la délicatesse des détails l'empreint de réalisme et d'humanité.

L'idéal du sage ou de la divinité au calme imperturbable n'est pas l'apanage de la pensée et de l'art bouddhiques. Ainsi, la comparaison de 3 têtes sculptées de Mathura – le Bouddha, Jina (fondateur du jaïnisme) et le grand dieu hindou Vishnu – suscite des sentiments analogues. D'autres personnages dégagent une

---

À GAUCHE : sculptures érotiques à Khajuraho, Madhya Pradesh.
À DROITE : bronze chola montrant un Shiva Nataraja exécutant une danse cosmique.

sérénité majestueuse : le Bodhisattva de la Compassion peint à Ajanta, l'immense Trimurti d'Elephanta au Shiva androgyne, ou encore le Vishnu endormi sur l'océan cosmique à Mamallapuram (Tamil Nadu) ; même le puissant Shiva Nataraja d'Ellora semble paisible, malgré sa fougueuse danse cosmique exécutée pour maintenir l'harmonie de l'Univers.

Sensualité, calme profond et équilibre constituent les qualités les plus répandues dans l'art indien classique. On retrouve celles-ci dans les grands personnages féminins des peintures rupestres d'Ajanta, dans les divinités dansantes et volantes d'Aurangabad (Maharashtra), de

---

LIVRES ILLUSTRÉS

Du XIIIe au XVe siècle, les cours des sultanats encouragent la production de livres. Les Moghols qui leur succèdent sont également versés dans la littérature. Ainsi Babur, fondateur de la dynastie au XVIe siècle, écrit ses mémoires – dans le premier guide sur l'Hindoustan – avec les yeux d'un naturaliste décrivant les différentes espèces végétales et animales. Son fils, Humayun, fait venir de Perse les grands peintres Mir Sayyid Ali et Abd us-Samad. Près d'un siècle plus tard, son petit-fils Jahangir rédige ses mémoires et, tentant de surpasser Babur, emploie Mansur – maître dans l'art de peindre les animaux – pour illustrer ses descriptions de la nature. L'empereur Akbar, illettré notoire mais grand mécène, commande des annales illustrées qui constitueront les chroniques officielles mogholes – *Babur Nama*, *Timur Nama* et *Akbar Nama* – et recrute des artistes dans toute l'Inde. Leur style, audacieux et enlevé, mêle éléments musulmans et hindouistes. L'art du portrait dans la peinture moghole fait montre d'une qualité restée inégalée jusqu'à nos jours.

Badami (Karnataka) et d'Aihole, ainsi que dans la déesse Ganga d'Ellora. Mamallapuram fournit un autre modèle du genre avec une œuvre d'une grande théâtralité : la déesse Durga combattant le démon-buffle. Ces représentations soulignent toutes à quel point arts visuels, musique, danse et théâtre sont intimement liés.

Mamallapuram, la merveille du Sud

À l'instar de l'ancien site bouddhique d'Amaravati (Andhra Pradesh), Mamallapuram, l'une des splendeurs de l'art hindou en Inde du Sud, se caractérise par un style tout en longueur. Taillés dans les rochers du rivage, ses temples (VIIe siècle) illustrent clairement le concept indien d'unité sculpturale et architecturale.

Tous s'enorgueillissent de délicats détails sculptés dans le granit. Le relief dépeignant la descente du Gange retenu dans les longues boucles de Shiva, depuis sa demeure himalayenne, en constitue sans conteste le chef-d'œuvre. Sur 2 blocs de pierre massifs, quantité de silhouettes – divines, humaines et animales – se pressent gracieusement vers la crevasse centrale formant le fleuve. Les animaux sont particulièrement remarquables.

À l'instar du temple de Kailasa à Ellora – la plus vaste structure monolithique du monde, construite un siècle plus tard –, Mamallapuram marque le crépuscule de la tradition monumentale en Inde, qui se déplacera vers l'est pour façonner les arts d'Indonésie, du Cambodge (Kampuchea) et du Vietnam d'alors (Annam).

Miniatures

Confusion politique et agitation sociale caractérisent l'Inde au Moyen Âge. S'écartant de la vie quotidienne, l'art des temples tend vers la surabondance d'ornementations, à quelques exceptions près, comme à Khajuraho (Madhya Pradesh), renommé pour ses sculptures de couples aux poses érotiques (*mithuna*), Bhubaneshwar et Konarak (Orissa). Le temple du Soleil de Konarak, lui aussi célèbre pour son imagerie libertine, est un véritable chef-d'œuvre d'architecture et d'imagination sculpturale.

Le chapitre suivant de l'art indien s'ouvre sur les premières commandes de peintures de manuscrits médiévaux par les jaïns et les bouddhistes. Cette forme d'art s'attire les faveurs des cours rajpoutes, avec la représentation chamarrée d'épisodes des grandes épopées – *Mahabharata* et *Ramayana* – et autres textes sacrés, dans un style dérivé des traditions populaires. Généralement, les peintures évoquent ou s'appuient sur les saisons et les tempéraments, à l'image des *raga* de la musique hindoustani ; ainsi, la série des Ragamala souligne visuellement les changements d'émotions du musicien.

C'est sous le patronage moghol que l'enluminure devient un art raffiné. Bien qu'illettré, l'empereur Akbar a appris à peindre. Fort intéressé par l'histoire et les religions, il commande la rédaction des chroniques de la dynastie moghole et la traduction des épopées hindoues en persan. Les illustrations de ces textes mêlent éléments persans et rajpoutes, avec toutefois plus de réalisme et de finesse.

La miniature moghole atteint son apogée sous le fils d'Akbar, Jahangir, mécène si instruit qu'il est capable d'identifier la touche de chacun des nombreux maîtres attachés à sa cour. Les documents datant de son règne témoignent du plein épanouissement de cet art séculier, en particulier en matière de portraits ; de nombreuses œuvres montrent l'empereur entouré de quantité de personnages aux détails délicats, chacun pourvu de caractéristiques et attitudes propres.

ARTISTES SANS PAPIER

Avant l'emploi du papier (XIVᵉ siècle), les textes et les illustrations étaient tracés sur des feuilles de palmier ou des parchemins "reliés", à la couverture en bois enveloppée de tissu.

les cours du Deccan, du Rajasthan et des contreforts de l'Himalaya (royaumes des Pahari).

Les miniatures pahari illustrent souvent des textes littéraires, tels que ceux décrivant les exploits amoureux de Krishna. Les artistes mettent alors l'accent sur les personnages féminins, débordant de sensualité. Toutefois, les éléments de paysages constituent le point fort de la peinture narrative pahari : formes et couleurs naturelles sont rendues avec une telle intensité qu'elles deviennent presque la raison d'être des œuvres.

Beaucoup consignent également la vie de personnes ordinaires, du saint homme errant au soldat, en passant par le musicien et le villageois, tous peints avec le même soin. Les contacts artistiques avec l'Europe ne sont pas sans influencer les maîtres de miniatures. Ainsi, les peintres moghols réintroduisent les figures suggérant la rondeur, disparues depuis la période d'Ajanta, et utilisent pour la première fois des éléments de perspective. À la chute de l'empire moghol, à la fin du XVIIᵉ siècle, le mécénat décline et nombre de maîtres gagnent

CI-DESSUS : une peinture du Raj – *The Hirkarah Camel*, de William Daniell (vers 1835).

Période coloniale

Durant la première phase de la période coloniale, dominée par la Compagnie des Indes orientales, des artistes sont recrutés pour représenter les activités humaines, les merveilles naturelles de l'Inde et le mode de vie de leurs mécènes ; continuant d'utiliser la méthode traditionnelle de l'aquarelle opaque, ils incorporent des éléments de la peinture académique britannique. Bien que d'une valeur socio-historique remarquable, rares sont les œuvres – à l'exception des portraits et des peintures d'animaux – dont la finesse et le contenu expressif égalent les miniatures mogholes ou pahari.

Durant l'empire, 2 forces contradictoires modèlent l'art indien. D'un côté, cet art est jugé primitif et décadent : aussi, pour former l'élite autochtone conformément aux critères esthétiques victoriens, les Britanniques établissent des écoles d'art occidental dans des métropoles comme Kolkata et Mumbai. De l'autre, les archéologues ne tardent pas à redécouvrir le passé glorieux de l'Inde, suscitant l'intérêt de l'élite instruite et favorisant l'enseignement des traditions indigènes dans les programmes de ces écoles.

Le mouvement nationaliste émergent soutient à son tour l'art autochtone, symbole de la

fierté nationale. L'art moderne indien naîtra de toutes ces contradictions.

C'est à Shantiniketan, au Bengale-Occidental, que Rabindranath Tagore (prix Nobel de littérature) établit sa célèbre université ; si les maîtres qui y enseignent sont encouragés à expérimenter formes et techniques étrangères, ils s'enracinent également dans les traditions du pays, avec des thèmes liés à la vie quotidienne. Abanindranath Tagore (neveu de Rabindranath), Nandalal Bose, Benode Behari Mukherjee ou encore le peintre et sculpteur Ram Kinkar sont les principaux noms associés à l'école du Bengale.

Parallèlement, au Kerala, le prince et artiste Raja Ravi Varma popularise en Inde la peinture à l'huile, à travers des portraits et des thèmes mythologiques. Formée à Paris, Amrita Sher-Gil, Hongroise par sa mère, parvient à synthétiser l'art moderne européen et les formes classiques indiennes. Si elle s'inspire des fresques d'Ajanta et des miniatures, ses sujets de prédilection restent toutefois personnages et scènes de la vie quotidienne. Autres artistes reconnus, M. F. Husain débute par la peinture d'affiches de film à Mumbai, et Jamini Roy s'inspire des formes rurales traditionnelles. Plus tard, Dhanraj Bhagat, formé à Lahore, s'illustrera dans la sculpture. Ses représentations de Shiva Nataraja aux silhouettes allongées, très stylisées, rappellent les œuvres de Brancusi, mais nous renvoient également aux chamans dansants de la préhistoire. ❑

À **GAUCHE :** *British Raj*, de M. F. Husain (né en 1915).
À **DROITE :** détail de *Tree of Life*, de S. H. Raza (né en 1922).

L'ART CONTEMPORAIN

Dans les années consécutives à l'indépendance, les Progressive Artists de Mumbai dominent l'art indien, notamment Ara, Souza, M. F. Husain, Raza, Ram Kumar et Kishen Khanna qui, pour la plupart, comptent parmi les grands noms du courant contemporain. Contrairement aux maîtres du Mouvement moderne antérieur, les "Progressistes" coulent leurs thèmes – d'inspiration indienne – dans le moule de l'Europe moderne, et leurs successeurs subiront l'influence toujours croissante des avant-gardes occidentales. C'est là l'une des principales raisons pour lesquelles tant d'œuvres indiennes contemporaines semblent sans originalité. Toutefois, nombre d'artistes s'inspireront de l'environnement urbain. En visitant des expositions (la Galerie nationale d'art moderne de Delhi est le lieu idéal pour se familiariser avec les différents courants), vous remarquerez qu'aujourd'hui l'art indien se distingue avant tout par sa diversité. Les artistes explorent toutes ses formes, des installations aux peintures narratives, en passant par les paysages, portraits, œuvres abstraites et travaux présentant des motifs adivasi ou autres. La qualité également varie beaucoup, mais l'œil averti saura discerner les ouvrages accomplis des réalisations médiocres. Si vous voulez acheter des œuvres d'art, rendez-vous à Kolkata ou à Delhi.

ARTISANAT

Chaque village possède sa spécialité, pour le plus grand bonheur du voyageur
qui y découvrira un véritable festival de couleurs, de matières et de motifs.

L'on peut distinguer 2 types d'artisanat : le premier, pratique ou décoratif, qu'utilisent en majorité paysans et éleveurs et – fortuitement – d'autres catégories de la population, le second réalisé sur commande par des professionnels pour un marché ou un acheteur spécifique.

Régions et États ont chacun leur spécialité. Dans l'Himachal Pradesh ou le Gujarat, les villages, à l'image des ustensiles ou des vêtements qu'on y réalise, resplendissent de couleurs et d'ornementations, tandis que dans l'Uttar Pradesh et le Cachemire les artisans confectionnent châles, argenterie, tapis, ivoires et brocarts à des fins essentiellement commerciales. Histoire, géographie, situation économique ou climat conditionneraient-ils la créativité ? Le paysage ocre et desséché du désert des Bani semble avoir suscité, comme par contraste, l'exubérance de l'artisanat du Kutch, et la verdure abondante du Kerala l'austère simplicité de son architecture, ses récipients en bronze et ses tissages en coton blanc ; en revanche, l'inspiration des Cachemiris, friands de motifs luxuriants – dont la grâce et les coloris caractérisent les divers objets en papier mâché, les broderies et les tapis –, reste plus mystérieuse.

Traditionnellement gratifiés du statut d'artistes, les artisans font remonter leurs origines à Visvakarma, "seigneur de nombreux arts, maître d'un millier de produits artisanaux, charpentier des dieux, architecte de leur manoir céleste et créateur de tout ornement, le premier des artisans".

Façonnés dans le métal

Depuis des siècles, les objets en laiton, cuivre, argent et or, qu'ils soient martelés, frappés ou moulés, gravés, émaillés ou repoussés, servent – sous des formes consacrées par la tradition – pour les rituels des temples, les cérémonies princières ou le transport de l'eau. Chaque métal possède des attributs propres : selon un texte ancien, le *Kalika Purana*, l'or "supprime les excès des 3 humeurs et favorise la vision", l'argent "élimine favorablement la bile, mais augmente la sécrétion de vents et de flegme", le bronze est "agréable et intellectuel", mais le laiton "générateur de vents et irritant", et le fer

"salutaire pour surmonter hydropisie, jaunisse et anémie".

Parmi les techniques traditionnelles dignes d'intérêt figure le *minakari*, ou art des émaux ciselés du Rajasthan et de l'Uttar Pradesh, appelé *siakalam* et *marori*. L'artisan cisèle son dessin sur du cuivre jaune, y dépose de la laque noire ou colorée à l'aide d'un outil brûlant, puis polit l'objet. Les décorations chatoyantes – de gracieuses arabesques de fleurs et de feuilles – ressortent sur le métal scintillant. Jaipur et Udaipur proposent également parures et objets d'art émaillés en or ou en argent, incrustés de pierres précieuses ceintes de lumineuses teintes rouges, bleues et vertes.

À **GAUCHE :** des marionnettes artisanales du Rajasthan.
À **DROITE :** potière à l'œuvre, au Gujarat.

Originaire de l'antique Hyderabad, le *bidri* est un saisissant damasquinage (incrustation) d'argent aux motifs stylisés noirs et blancs. L'artisan incruste des feuilles d'argent ciselées sur des boîtes, coupes et vases, constitués d'un alliage de cuivre, zinc et plomb traité avec une solution (sulfate de cuivre et salpêtre) qui confère aux objets une teinte noire de jais.

L'empereur Akbar a encouragé la forme la plus répandue de damasquinage – une base en laiton ou bronze, avec des fils d'or et d'argent –, diffusée depuis Damas jusqu'à l'Inde, *via* l'Iran et l'Afghanistan. Ses soldats partaient en guerre munis d'épées aux poignées ornées

de vers coraniques calligraphiés en arabesques dorées (*koftagiri*). À Udaipur, Alwar et Jodhpur, vous admirerez encore poignards et boucliers fabriqués par des descendants des armuriers royaux, qui confectionnent également casse-noix et couteaux à arec…

Des incrustations élaborées

L'utilisation conjointe de 2 métaux – par incrustation, estampage ou soudure – produit un contraste de couleurs et textures appelé *Ganga-Yamuna* (la confluence de ces 2 fleuves indiens). Il s'agit de la technique la plus répandue dans le pays, des assiettes thanjavur du Sud – avec personnages mythologiques en métal blanc incrustés en relief sur du cuivre – aux ustensiles en laiton ou cuivre des États montagnards du Nord-Est.

Le moulage à la cire perdue est également très courant, comme le prouvent les bronzes de divinités hindoues grandeur nature de Svamimalai (Tamil Nadu), les récipients rituels du Kerala – élégants et austères – ou les ravissants *dhokra* (jouets en forme d'animal) du Madhya Pradesh et du Bengale. L'artisan moule un objet en argile et le recouvre de cire, puis encore d'argile ; par un orifice de l'enveloppe externe, il coule ensuite du métal fondu pour liquéfier la cire qui s'écoule librement. Une fois le métal durci, il retire la couche d'argile, polit l'objet, cisèle le métal et parfait son ouvrage au tour.

Sculptés dans la pierre

Les artisans d'Agra continuent de reproduire incrustations, claires-voies délicates et superbes mosaïques en marbre du Taj Mahal. Vous trouverez boîtes, dessus-de-table, assiettes et bols

---

DES TRÉSORS DE COFFRES

Malgré son ancien surnom de "pays sans meubles", l'Inde utilisait énormément le bois, non seulement pour bâtir et sculpter, mais aussi afin de réaliser équipages de mariage et palanquins, coffres, paravents et autres petits objets. Les *Shilpasastra*, traités d'architecture sacrée, interdisaient d'employer des arbres frappés par la foudre ou la maladie et ceux abritant des nids, poussant près des cimetières ou des sites de crémation, ou foulés par des éléphants. Le santal, bois aromatique jadis considéré comme de bon augure, permet de fabriquer statuettes, ventilateurs, cadres et boîtes décorés. Les sculptures – sur noisetier au Cachemire, bois de rose, acajou, séquoia et ébène dans le Sud et l'Est, ou encore teck dans tout le pays – se déclinent en un large éventail. À ne pas manquer : les *sadeli*, marqueteries de Surat (Gujarat) ; les *tarkasi*, incrustations – en fils de laiton, au Rajasthan et dans l'Uttar Pradesh, en ivoire et nacre au Sud ; les *pattara*, portes et coffres à dot incrustés de feuilles de laiton du Saurashtra ; les *kamangiri*, œuvres figuratives en bois peint de Jodhpur et Jaipur ; les laques aux teintes brillantes de Sankheda, Nirmal et Sawantwadi ; les *jali*, paravents dentelés de Saharanpur ; les fleurs et feuillages cachemiri sculptés dans du noisetier ; décor à feuilles d'or de Bikaner. À Kondapalli (Andhra Pradesh), Udaipur et Sankheda l'on produit de merveilleux objets en bois peint.

en albâtre ou marbre blanc translucide, incrustés de motifs floraux d'inspiration moghole en nacre, lapis-lazuli et cornaline.

Quantité d'autres objets en pierre retiendront votre attention : statues en granite de Mamallapuram ; serpentine verte ou pierre de Gaya couleur rouille ; boîtes, bols et animaux en cristal de roche et en albâtre de Jaipur, de Varanasi et du Bihar ; ustensiles en chlorite noir de l'Orissa ; enfin, colonnes, balcons et fenêtres en grès rouge ou chamois, aux claires-voies semblables à de la "dentelle glacée", qui ornent maisons et temples du Rajasthan et du Gujarat.

> **JEUX DE TRANSPARENCES**
>
> L'empereur Aurangzeb aurait réprimandé sa fille pour s'être montrée "nue" : elle portait une étoffe de mousseline enroulée 7 fois autour de son corps !

Poteries

Si vous en avez l'occasion, ne manquez pas le spectacle d'un potier de village actionnant le tour à l'aide de son gros orteil pour donner vie, en quelques gestes habiles, à un objet identique à ceux confectionnés à Mohenjodaro 5 000 ans plus tôt.

Les célèbres poteries bleues de Jaipur ne sont pas fabriquées au tour, mais moulées. Composées de feldspath broyé mélangé à de la gomme – et non de l'argile –, puis peintes d'un blanc immaculé, opaque, avec motifs floraux et figuratifs turquoise et bleu de cobalt, elles rappellent les carreaux persans et les porcelaines chinoises, tout en conservant leur identité propre. Poteries ajourées bleues et vertes de Khurja, porcelaines noires de Chinhat et Azamgarh (Uttar Pradesh), et immenses chevaux en terre cuite gardant les temples villageois du Tamil Nadu et du Bengale arborent de magnifiques formes et éclats vernissés.

Tissages

Les textiles indiens présentent un prodigieux éventail de couleurs et modèles, comme l'atteste le *Visnudharmottaram*, qui évoque 5 nuances de blanc : ivoire, jasmin, "lune d'août", "nuages d'août après la pluie" et nacre.

Les empereurs moghols se drapaient de ces mousselines délicates qui, 3 millénaires plus tôt, servaient de linceuls aux momies royales égyptiennes. Les poètes de cour baptisaient ces étoffes de noms poétiques : "eau ruisselante" (*abrawan*), "rosée du soir" (*shabnam*) ou "air tissé" (*bafthava*). Aujourd'hui, les couturiers européens, conscients de leur qualité, ne sont pas avares de commandes. Jouant sur les contrastes, les brocarts *tanchoi* de Varanasi sont constitués de 2 nuances légèrement différentes à l'ombre et au soleil, tandis que les saris des temples d'Inde du Sud présentent une surface rose vif aux bordures vert perroquet, avec éléphants et paons stylisés.

Tissé, poissé, brodé, appliqué, broché, imprimé avec des blocs de bois, peint, ligaturé et teint, ou encore lamé, coûteux ou bon marché : à chaque saison et à chaque cérémonie correspond un tissu particulier. Cotons imprimés, incrustations de miroirs du Saurashtra, soieries, brocarts, ainsi que tapis et châles cachemiri se vendent bien à l'étranger. Le célèbre *ring-shawl* est fabriqué avec la toison que le bouquetin sauvage de l'Himalaya – aujourd'hui protégé – abandonne dans les rochers et broussailles, une toison si fine qu'une étole d'1 m de large pourrait passer dans une chevalière (*ring*). Depuis l'époque des pharaons, les étoffes restent l'une des principales exportations de l'Inde.

À GAUCHE : *zari* (broderie dorée) décorant la tenture d'un palanquin, à Jodhpur.
À DROITE : l'art de la sculpture sur pierre à savon.

Saris et foulards *bandhani* (teinture par ligature) du Rajasthan et du Gujarat recourent à une technique peu connue : coton ou soie fine sont noués à du fil poissé pour former de minutieux motifs, puis teints dans une succession de nuances de plus en plus sombres. Une fois les nœuds défaits, l'ensemble du tissu présente de délicates moucheture de la taille d'une pointe d'allumette. Le *laheria bandhani* consiste à nouer les fils pour former de fines diagonales aux nuances contrastées. À la fin du XVIIIᵉ siècle, le prince

COUTURE ET RAFFINEMENT

Au XIIIᵉ siècle, le célèbre voyageur italien Marco Polo (Venise v. 1254-id. 1324) disait de l'Inde : "C'est ici que se trouve la broderie la plus raffinée au monde."

Le *kalamkari* ("art de la plume") tire son nom de l'outil utilisé, sorte de stylet en bois terminé par un bouquet de fils d'acier permettant d'étaler de la cire d'abeille fondue sur une étoffe, avant de la teindre. Cette technique, qui donne de magnifiques tissus raffinés, rappelle le batik indonésien, mais couleurs et dessins diffèrent sensiblement. La côte sud compte 2 centres de *kalamkari* : Machlipatnam, spécialisé dans les délicats treillages floraux recouvrant toute la surface – à l'origine du chintz (*chint*) –, et Kalahasti, avec

régent, grand amateur de tabac à priser, lança une véritable mode en Europe et les mouchoirs colorés de style *bandhani*, ou *bandanna* – permettant de dissimuler les taches –, devinrent alors indispensables.

L'*ikat* se rapproche du *bandhani*. Pour les techniques *patola*, *pochampalli*, *telia rumal* et *mashru* (Gujarat, Andhra Pradesh et Orissa), fils de chaîne et de trame sont liés et teints séparément, avant d'être filés pour former arbustes en fleur, oiseaux, éléphants et poissons stylisés, sur des bandes et carrés géométriques. Un trousseau de mariée ne saurait être complet sans *bandhani* ou *patola*, étroitement associés aux noces.

ses panneaux mythologiques stylisés aux contours noirs marqués, où calligraphies, déesses et guerriers en traits de plume baroques rivalisent de splendeur. Ces 2 styles utilisent indigo et teintures végétales *myrobalam* sur des étoffes tissées à la main, où prédominent bleu foncé, ocre et brun grisâtre.

Phulkari ("ouvrage de fleur") du Penjab et *chikan* de l'Uttar Pradesh sont tout aussi splendides. Avec ses gros points en relief, en bourre de soie orange, rose ou rouge éclatant, le *phulkari* évoque la vigueur et l'énergie du paysan penjabi, tandis que la délicate broderie blanche *chikan* sur tissu blanc – formant une sorte de "filet" aux motifs floraux, ou bien appliquée sur l'envers de l'étoffe – évoque la subtilité et le raffinement des cours mogholes où, selon la légende, la reine Nurjahan, épouse de l'empereur Jahangir, aurait inventé cet art.

Les ravissants *kantha* ("chiffons") – couvertures piquées du Bengale-Occidental – sont fabriqués à partir de vieux saris fixés les uns sur les autres par des coutures blanches en forme de spirales et de cercles asymétriques. Toute la surface est décorée d'animaux, de personnages ou d'arbres brodés avec des fils de couleur et disposés soit en spirale en commençant par un lotus central, soit en panneaux quadrillés comportant chacun un dessin différent.

Motifs brodés

En Inde, la broderie – contrairement au tissage – est une activité dévolue aux femmes. Tenues à l'écart par tradition ou pour des raisons religieuses, celles-ci se rassemblent pour coudre afin de gagner un peu d'argent ou préparer la dot de leurs filles. Ornements et points se transmettent de génération en génération, tout comme les blocs de bois permettant de réaliser les motifs. Dans le Kutch, des villages distants de quelques kilomètres à peine possèdent points, décors et couleurs caractéristiques.

Dans ce secteur dominé par les femmes, l'Uttar Pradesh et le Cachemire constituent des exceptions : autrefois au service de mécènes – cours impériales et noblesse locale –, les brodeurs qualifiés travaillent aujourd'hui pour l'exportation et le tourisme, confectionnant paillettes d'or ou d'argent et broderies *zardoshi* (Uttar Pradesh), ou encore *crewel*, *kani* et *kashida* (Cachemire). L'exécution de fils, strass, paillettes et galons d'or et d'argent est un véritable art en soi.

Un savoir-faire multiséculaire

L'artisanat indien reste indissociable de ses acteurs : comme ce sculpteur d'ivoire de 80 ans qui, penché sur une pièce ayant nécessité 7 ans de travail, spécule calmement sur ses chances de pouvoir vivre 2 ans encore pour l'achever ; ou ce peintre sur papier mâché pourchassant un écureuil pour arracher les poils qui constitueront son futur pinceau. Mais ces images ne sauraient

masquer celles, combien affligeantes, d'enfants utilisés comme main-d'œuvre bon marché, pour coudre des ballons pour le compte de marques occidentales ou tisser au métier des tapis cachemiri. Travaillant dans des conditions indignes, ces véritables esclaves reçoivent – dans le meilleur des cas – des salaires leur permettant à peine de subsister. Les militants qui s'opposent à cette exploitation proposent dans leurs boutiques de l'artisanat fabriqué dans des conditions éthiques. Parmi les organisations actives figurent la SEWA (Self-Employed Women's Association) du Gujarat et la boutique Anokhi au Rajasthan. ❏

LE LANGAGE DES COULEURS

Selon l'artiste contemporain Kamladevi Chattopadhya, en Inde chaque couleur possède ses propres significations, traditions et émotions : "Rouge, couleur du mariage et de l'amour ; orange et safran, couleurs du sol ocre et du *yogi* renonçant à la Terre ; jaune, couleur des sources, des jeunes manguiers en fleur, des essaims d'abeilles, des vents du sud et du chant passionné des oiseaux s'accouplant ; et bleu, couleur de l'indigo, de Krishna, le dieu enfant des bergers, et des nuages nouvellement formés, dormant dans l'obscurité de la pluie. Même les grands dieux possèdent leurs couleurs : rouge pour Brahma, blanc pour Shiva et bleu pour Vishnu."

À GAUCHE : tissage d'un sari *ikat* dans l'Andhra Pradesh – les fils de trame et de chaîne sont teints avant d'être tissés.
À DROITE : détail d'un motif appliqué.

L'INDE SAVOUREUSE

Des tandoor *de la frontière nord-ouest aux currys pimentés du Sud,*
la cuisine indienne se révèle aussi variée que sa culture.

Indissociables de la cuisine indienne, les épices, employées tant pour leur saveur que pour stimuler l'appétit et la digestion, caractérisent de nombreuses recettes. Le cuisinier veille habituellement à ce qu'elles rehaussent – et non dominent – la saveur de base. Autrefois, l'utilisation des ingrédients pour chaque repas variait en fonction de l'âge et de la personnalité du consommateur et des saisons. Il existait également des recommandations spécifiques pour les 6 *rasa* ("saveurs") – sucré, salé, amer, astringent, aigre et piquant – devant figurer dans chaque préparation ; supposés posséder des bienfaits physiques particuliers, ils étaient prescrits en des proportions bien déterminées.

Ingrédients essentiels

Outre les épices, le lait et ses dérivés – surtout *ghi* (beurre clarifié) et *dahi* (yaourt) – comptent parmi les ingrédients de base. Selon la tradition, un repas n'est "pur" que s'il est cuit avec du *ghi*, une croyance qui ne découle pas uniquement de sa richesse et de son goût unique, mais aussi de ses prétendues capacités de conservation.

Le *dahi* fait partie de presque tous les menus. Il permet d'atténuer le feu du piment dans certains plats et se mélange souvent à des légumes ou des fruits ; légèrement épicé, il entre dans la composition des *traita* du Nord et des *pachalik* du Sud. Baratté, il est servi sous forme de *lassi*, une boisson rafraîchissante, salée ou sucrée.

Le *dal* (lentilles écrasées) est répandu dans la majeure partie du pays et se décline dans un étonnant éventail de spécialités, depuis les *sambhar* épais du Sud aromatisés au tamarin et les préparations sucrées du Gujarat jusqu'aux délicieux *makhani dal* du Nord.

Menus végétariens

Le style des mets végétariens dépend de la céréale ou du plat principal qu'ils accompagnent. Les beignets de légumes frits complètent

À **GAUCHE :** lait bouillant destiné à la confection de sucreries, à Agra dans l'Uttar Pradesh.
À **DROITE :** vendeuse de bananes, Tamil Nadu.

à merveille *sambhar* et riz du Tamil Nadu. L'épais ragoût *avial* du Kerala, préparé avec de l'huile de noix de coco, et le *kaottu*, dans une sauce de noix de coco et *gram* (légumineuses), sont tout indiqués pour des repas à base de riz. Les Penjabi apprécient particulièrement le *sarson ka sag*, des feuilles de moutarde dégustées

avec du *maki ki roti* (pain de maïs), tandis que le *chorchori* du Bengale, délicatement parfumé, s'accorde parfaitement avec riz et poissons.

Les Indiens proposent une large palette de mets végétariens. La cuisine du Sud, grillée et à la vapeur, est plus légère que celle du Nord. Le riz – présent à tous les repas – se sert avec *sambhar*, *rasam* (soupe poivrée assez claire), légumes avec ou sans sauce et *pachadi*. La noix de coco convient aux préparations cuites et aux condiments. *Dosa*, *vada* et *idli*, constitués d'une pâte de *dal* et riz fermenté, sont des encas du Sud prisés dans tout le pays.

L'*upma* – semoule cuite avec des feuilles de curry, garnie de noix et de copra – est également fort prisée. Parmi les autres en-cas proposés un peu partout, goûtez aux *samosa*, beignets de pâte triangulaire fourrés de pommes de terre, aux *pakora* et aux *bhajiya*, des légumes enrobés d'une pâte de *gram* et frits. Au Gujarat – autre région renommée pour ses plats végétariens –, la farine de *gram*, source de protéines, sert à la confection de recettes et pains variés.

Le *kadi* (*dahi* et *gram* mélangés à des épices) est également apprécié. *Gur* et *jaggery* (sucre non raffiné) adoucissent les sauces les plus piquantes. L'*am rasa*, une purée de pulpe de mangue, se déguste en été, avec des *puri* (pains frits).

Enfin, savourez les pains frits ou farcis – à base de farines raffinées et complètes –, tels que *puri*, *paratha* et *batura* dorés. Le plus consommé de tous, le *chapatti*, est une simple galette cuite sur une plaque.

Délices de viandes et de poissons

L'influence musulmane se fait surtout sentir dans les préparations carnées et s'illustre principalement par le *tandoor*, un four conique en terre. Celui-ci, qui permet de cuire une savoureuse gamme de *kabab* et *roti* (pains), a engendré les célèbres plats *tandoori* venus de la frontière nord-ouest, aujourd'hui disponibles dans

La cuisine bengali se sert traditionnellement avec un aliment sucré pour atténuer le feu du piment ou varier les saveurs. Conformément aux instructions religieuses, les mets végétariens gujarati – en particulier jaïns – et bengali sont souvent dépourvus d'ail, gingembre, oignon et épices, considérés comme "échauffants" ou stimulants.

La cuisine végétarienne la plus "pure" d'Inde du Nord est sans doute celle de Varanasi. Légèrement épicées, nombre des spécialités comportent du *panir* (fromage doux), préparé de multiples manières : *palak panir* (avec des épinards), *matter panir* (dans une sauce aux pois) ou *panir phulmakhana* (aux graines de lotus).

tout le pays : poulet et poisson *tandoori*, ainsi que *sikh kabab*, *boti kabab* et *barra kabab*. Les *roti* incluent le *nan* allongé, le *tandoori roti* et son homologue le *tandoori paratha*, plus riche.

Les Moghols ont adapté les préparations locales, mettant ainsi au point les recettes mughlai, aux succulentes sauces à base de *dahi*, crème et noix écrasées. Les gastronomes n'auront que l'embarras du choix : succulentes *korma* et *nargisi kofta* (boulettes de viande fourrées d'un œuf dur) de Lucknow, steak de mouton *pasanda* cuit dans une sauce aux amandes, *biriyani* – spécialité renommée d'Hyderabad à base de riz et de viande –, et large éventail de *kabab* fondant littéralement dans la bouche.

Regorgeant de noix, fruits secs et safran, la cuisine musulmane cachemiri, très proche des mets persans, satisfera tous les gourmets. Au menu figurent *halim* (blé concassé accompagné de mouton), *gaustaba* (boulettes de viande étonnamment légères) et *rogan josh*.

Si le riz n'est pas la principale céréale du Nord, il reste toutefois un ingrédient important, comme dans le *pilau* (riz cuit dans un fond de sauce, avec viande, légumes ou noix).

Le vinaigre confère un goût caractéristique aux plats de viande de Goa. Ainsi, porc *sorpotel*, *vindaloo*, saucisses et poulets *shakuti* ou *cafreal* restent inégalés.

Le poisson, également, se prépare selon de multiples recettes : *macher jhol* aromatisé à la moutarde et *malai* ou crevettes à la crème du Bengale, currys fortement pimentés de l'Andhra Pradesh, spécialités à la noix de coco et aux feuilles de curry du Sud, ou encore currys de poissons et crustacés de Goa. Originaire du Bengale, l'*hilsa* cache sous une chair fondante des arêtes hérissées, soyez vigilant si vous en consommez. Accompagné de légumes ou d'un *dal*, le poisson séché, appelé trompeusement "*Bombay duck*", rehausse le plus simple des plats du Maharashtra.

Dhansak, viande accommodée de 5 *dal* différents dans un mélange étonnant d'épices, et *patrani machi*, poisson légèrement épicé, cuit à la vapeur dans des feuilles de bananier, figurent au rang des spécialités parsi.

Chutneys et pickles, sucrés, aigres, chauds – ou les 3 à la fois – stimulent l'appétit et relèvent les plats. Et vous ne manquerez pas d'apprécier les *papad* (ou *papadam*), ces petites galettes rôties ou frites à base de farine de *dal*, riz ou légumes, à la texture croustillante.

Sucreries

Desserts et friandises sont, la plupart du temps, à base de lait. Le Bengale, renommé pour ses sucreries, propose *rasagulla*, *sandesh*, *rasamalai* et *gulab-jamun* fumants. Typiques du Nord, les *barfi* (gâteaux de lait) sont parfois parfumés aux noix (notamment coco). Dorés et croustillants, les *jelabi* dégoulinant de sirop se dégustent le matin ou à l'heure du thé.

Kheer (sorte de gâteau de riz), *shahi tukra* (pudding à base de pain), *phirni* (riz en poudre servi dans des bols en terre cuite) et *kulfi* (riche crème glacée au goût de noix) sont des desserts répandus dans le Nord. Au Sud, *pak* et *payasam* font la renommée de Mysore, tandis que les Gujarati ont un faible pour le *srikhand*, du *dahi* égoutté, sucré et épicé. Des ingrédients aussi variés que carotte, semoule, *dal*, œuf et farine complète entrent dans la composition des *halva*.

Enfin, après le repas, vous n'échapperez pas au rituel du *pan* – un mélange odorant de feuilles de bétel, noix d'arec et de cachou, cardamome, girofle et autres ingrédients parfumés – vanté pour ses propriétés digestives et médicinales, mais entraînant une certaine dépendance. ❑

REPAS DU SUD

Dans le Sud, les repas tournent autour du riz, dégusté avec des soupes à base de *dal*, souvent aromatisées de tamarin, auxquelles le cuisinier ajoute de la "poudre sambhar", un mélange contenant notamment coriandre, graines de *methi* (fenugrec), cumin et ase fétide. Les mets sont souvent servis avec des préparations frites (*tempering*) : des piments et épices entiers chauffés dans de l'huile jusqu'à ce que les graines noires de moutarde – indispensables – "éclatent". Les légumes secs (et, dans certaines régions comme l'Andhra Pradesh et le Kerala, les viandes et poissons épicés) se servent aussi avec du riz, accompagné de *curd* (yaourt) et pickles au goût relevé.

À **GAUCHE** : ingrédients sur une feuille de bananier, Goa.
À **DROITE** : noix et *dal* à vendre.

FAUNE ET FLORE

*Malgré la disparition des habitats et les abus des braconniers, vous pourrez
encore observer une étonnante variété d'animaux et de plantes.*

En Inde, les animaux ne sont jamais loin. Sans parler des geckos s'étirant sur les murs et des scorpions dissimulés dans les chaussures, il n'est pas rare de trouver, parmi les animaux domestiques, des curiosités exotiques telles que singes ou mangoustes. La présence occasionnelle de mainates et cobras dans les jardins ne vous surprendra pas non plus, ni même celle de chameaux et éléphants errant au milieu de la circulation. Dans les rues, vous verrez parfois plus de vaches à bosse que de véhicules. Près des *ghat*, les buffles d'Asie paressent à côté des *dhobi* (blanchisseurs) faisant la lessive, sous d'immenses oiseaux de proie – vautours ou milans noirs – voltigeant en spirale.

Lions, tigres et ours, sauvages et farouches, peuplent l'Asie du Sud, des déserts broussailleux aux forêts de l'Himalaya. Toutefois, le défrichement progresse sur leurs terrains de chasse, dont la superficie diminuerait plus encore sans les réserves et zones protégées. Aujourd'hui, vous n'apercevrez plus de guépards : le dernier a disparu en 1994. Le gouvernement indien autorise l'abattage des grands félins reconnus comme étant anthropophages, tandis que les "voleurs de bétail" – léopards, panthères ou tigres – font souvent les frais des éleveurs mécontents. Léopards des neiges et fragiles panthères nébuleuses (ou longibandes) restent épargnés.

Des centaines de lions d'Asie, trapus, rôdent dans la réserve forestière de Gir (Gujarat), seul site au monde où ils prolifèrent. Contrairement à leurs congénères d'Afrique, ils possèdent une crinière modeste, mais des poils hirsutes sur l'extrémité de la queue et les genoux. Les hyènes rayées se nourrissent de leurs restes. C'est dans le parc du Gir que l'on recense la plus grande concentration de panthères.

Les ours se montrent distants. Les bruns d'Himalaya, massifs, sont plus imposants que les noirs qui peuplent les pentes des montagnes, en dessous de la limite des arbres. Quant à

l'ours lippu (ou jongleur), essentiellement nocturne, il vit un peu partout en Inde. Ces 3 variétés grimpent aux arbres et peuvent même nager. L'ours lippu grogne de plaisir ou de colère, creuse pour déterrer termites ou larves et gobe les abeilles, mais préfère leurs nids, ainsi que baies et fruits sucrés. La vésicule biliaire de ces

plantigrades, réputée combattre la stérilité, est très recherchée pour la pharmacopée chinoise. Dans les villes, vous apercevrez ces malheureux ours, enchaînés et muselés, supposés rapporter quelques roupies à leurs ravisseurs. Des pandas rouges, semblables à de graciles ratons laveurs roux, peuplent les forêts du Nord-Est.

Mammifères de poids

Les rhinocéros indiens, unicornes, se cantonnent aux bois du Nord-Est, dans les environs de Kaziranga (Assam). Depuis leur réintroduction dans le parc de Dudhwa (Uttar Pradesh), l'Inde en dénombre 1 700. Ils mesurent environ 1,60 m de hauteur au garrot et pèsent jusqu'à 2,2 t. Plus

---

PAGES PRÉCÉDENTES : aigrettes en vol à Bharatpur.
À GAUCHE : gracieux loris d'Inde du Sud.
À DROITE : crocodile de mer avec sa proie, Orissa.

imposants que les femelles, les mâles adultes possèdent une corne plus épaisse à la base, et souvent cassée ou fendue à la pointe. Celle des femelles est élancée et intacte. Les mères sont parfois accompagnées de leur progéniture.

Les prairies inondables, parsemées de marais ou de lacs, et les forêts fluviales constituent leurs habitats favoris. Les rhinocéros se nourrissent d'herbes et s'abritent dans d'épais bosquets broussailleux de 6 à 8 m de hauteur.

Les visiteurs les découvrent souvent à dos d'éléphant. Les pachydermes sauvages des jungles sont redoutés, à juste titre : certains, rôdant près des villages, engloutissent parfois

LES ÉLÉPHANTS

Un éléphant sollicite considérablement son environnement : un spécimen adulte consomme quelque 200 kg de fourrage vert par jour et, ce faisant, en gâche un volume à peu près égal. Les éléphants possèdent peu d'ennemis naturels. Les mères gardent jalousement leurs petits, ne laissant que peu d'occasions aux tigres de s'en emparer. Les pachydermes se situent ainsi au sommet de la chaîne alimentaire. Par ailleurs, ils constituent d'excellents indicateurs de l'état de leur habitat. Ce dernier conviendra à d'autres espèces, telles que sambars, cerfs tachetés et muntjacs d'Inde, qui alimentent tigres et léopards, leurs prédateurs naturels.

le contenu des alambics et développent alors un penchant pour l'alcool… D'autres, excités par les villageois soucieux de défendre leurs récoltes, se ruent à travers les habitations, fauchant tout sur leur passage.

L'Inde compterait 9 000 éléphants sauvages et quelques milliers d'autres vivant dans les temples, camps forestiers et parcs à gibier. Certains, dûment apprivoisés, se louent pour les mariages. Periyar, au Kerala, est idéal pour apercevoir des éléphants en liberté, de même que les parcs du Bengale-Occidental et de l'Assam.

Safari

Le safari touristique en Inde s'est développé dans les années 1950 et, aujourd'hui encore, les préparatifs ressemblent parfois à une véritable partie de chasse entre gentlemen. Le confort n'est nullement négligé : tentes luxueusement aménagées, bien que la plupart des chalets forestiers restent sommaires.

Observer la faune requiert une certaine patience. Les animaux sauvages les plus spectaculaires se cachent généralement dans l'ombre, prédateurs solitaires attendant leur tour. À l'exception de Ranthambore au Rajasthan, proche d'une liaison ferroviaire, les réserves restent difficiles d'accès. Quelques parcs nécessitent une autorisation préalable, le plus souvent pour 4 visiteurs au minimum. Le Nord-Est ne sert pas seulement de refuge aux pandas et aux timides macaques, mais aussi aux militants et aux Adivasi. Le gouvernement restreint donc les visites près des frontières stratégiques et zones de guérilla. La situation pouvant changer du jour au lendemain, renseignez-vous avant de partir. Quelle que soit la réserve, revêtez une tenue de camouflage et restez calme pour ne pas effrayer les animaux, très farouches. Avec près de 350 espèces de mammifères, quelques centaines de variétés aviaires et pas moins de 30 000 sortes d'insectes – bien plus que vous ne souhaiteriez en approcher –, l'Inde recèle une faune d'une diversité inégalée, qui justifie plusieurs voyages.

Histoires de tigres…

Sous l'empire britannique, la prise quotidienne d'une chasse rapportait une centaine de têtes. Aujourd'hui, il est très rare d'apercevoir un tigre. En 2001-2002, Project Tiger (http://projecttiger.nic.in) n'en recensait que 3 642 – plus de la moitié du total mondial –, soit un peu plus qu'en 1997. De nos jours, des pharmaciens – ou des charlatans, selon les points de vue – chinois achètent clandestinement des dépouilles de tigres. Depuis que les fourrures intactes ne donnent plus droit à une prime, les braconniers utilisent rarement le fusil mais bourrent plutôt une carcasse avec de la dynamite, attendent que les félins, curieux, s'en approchent et déclenchent l'explosion. D'autres les empoisonnent ou leur tendent des pièges. Face aux braconniers organisés, les gardiens des réserves, mal payés, sont loin de faire le poids.

"REQUINS TIGRES"

Excellents nageurs, les tigres peuplant les marécages des Sunderbans se nourrissent de poissons, varans aquatiques, tortues de mer, cerfs axis et cochons sauvages.

dant 4 à 5 jours, de la chair aux petits os en passant par la peau et les poils.

Le choix d'une proie ne dépend pas de son espèce, mais de sa taille, la plus volumineuse possible. Dans le cas de très gros animaux – gaur ou buffle –, le tigre privilégie les jeunes individus. Une tigresse entraînant ses petits tuera singes et langurs (entelles) de toutes tailles. Il s'agit là de la seule forme de chasse communautaire chez ces félins.

Les mâles dominent de très vastes territoires – 50 à 100 km² –, sur lesquels de 3 à 5 femelles

Le tigre attrape généralement sa proie par l'arrière ; posant sa poitrine sur le dos de l'animal, il saisit son cou entre ses canines, enserre parfois l'un des membres antérieurs avec sa patte avant, et tente de le renverser. Ses griffes acérées, rétractables, l'aident à s'en saisir et à s'y agripper. Un simple coup de patte avant lui suffit pour arrêter un animal en fuite ou tuer de modestes proies, telles que singes ou paons. La victime, selon sa taille, nourrira le tigre pen-

À GAUCHE : femelle sambar dans le parc de Bandhavgarh, Madhya Pradesh.
CI-DESSUS : l'un des 35 tigres protégés par le Project Tiger de Ranthambore, Rajasthan.

occupent exclusivement une zone déterminée. Cette organisation garantit aux tigresses leur subsistance, de même que celle de leur progéniture ; en retour, elles restent fidèles au territoire du mâle.

Pour voir un tigre en liberté, dépêchez-vous de vous rendre dans une réserve de l'Inde avant qu'il ne soit trop tard. Vous aurez plus de chances à Kaziranga (Assam), Bandhavgarh et Kanha (Madhya Pradesh), Dudhwa et Corbett (Uttar Pradesh) ou Bandipur (Karnataka) que dans les parcs, où agissent les braconniers. Même pendant la saison sèche, lorsque les animaux assoiffés ralentissent leur activité et se dissimulent derrière les feuillages desséchés, vos chances d'en apercevoir restent aléatoires. Privilégiez l'aube ou le crépuscule. En 4x4, à dos d'éléphant et même en pirogue, vous pourrez pénétrer au cœur des fourrés. Vous ne serez pas déçu de l'expérience, même si vous ne distinguez que les empreintes de ces gros prédateurs.

... et d'autres bêtes sauvages

De telles expéditions sont également l'occasion de découvrir le pangolin, sorte de tatou nocturne recouvert d'écailles qui vit au sommet des arbres, essentiellement dans les épaisses forêts pluvieuses de l'Est. Lorsqu'il est agité, il siffle et se pelotonne comme pour former une cui-

rasse. Le loris, plus rare, se recroqueville en une boule duvetée le jour. Il chasse en progressant lentement à travers les arbres.

Doués d'une grande capacité d'adaptation, les crocodiles des marais vivent dans tous les habitats d'eau douce – et parfois saumâtre –, des vastes bassins aux petites rivières. Durant les mois de sécheresse, ils creusent de profonds tunnels ou parcourent des kilomètres à travers le pays. Toutefois, en raison des chasseurs, les autorités les confinent désormais à quelques bassins et cours d'eau protégés. Les gavials à gueule effilée, mesurant parfois 5 m de long, se nourrissent de poissons de rivière. Vous les repérerez surtout en hiver lorsqu'ils émergent au soleil. Les immenses crocodiles de mer – les plus imposants du monde – se limitent aux îles Andaman, aux Sunderbans (Bengale-Occidental) et à Bhitar Kanika (Orissa).

L'Inde compte 238 sortes de serpents. Cobra, bongare annelé, vipère de Russell et échide carénée sont les 4 espèces venimeuses les plus répandues ; chaque année, leurs morsures provoquent 10 000 décès dans le pays. Plusieurs espèces dites "de jardin", non venimeuses, sont courantes dans la région. Le gros serpent ratier, souvent confondu avec le cobra – bien que sans capuchon –, possède une tête plus pointue et de grands yeux. Le plus long serpent d'Inde, le python réticulé, peut atteindre 10 m de long.

Ailleurs dans les plaines se rassemblent des troupeaux d'antilopes cervicapres, reconnaissables à leurs bois élégants. D'autres sortes d'antilopes, comme le gros nilgaut au pelage gris-bleu, préfèrent les forêts découvertes. Le sambar est très courant, de Kanniyakumari

---

LA FLORE

L'Inde compte 15 000 espèces végétales, dont l'orchidée sabot-de-Vénus, rare, de précieuses futaies de bois de santal et des pins où s'entrelacent des rhododendrons écarlates. Les marécages aux mangroves enchevêtrées regorgent de casuarinas. Les bambous, qui prospèrent dans les États du Nord-Est, servent notamment à la fabrication de papier. En été, de délicates fleurs sauvages tapissent les hautes prairies himalayennes, tandis que la brise salée agite la frondaison des diverses espèces de palmiers. Si les forêts mixtes à feuilles caduques se sont considérablement appauvries, il existe encore des bosquets de sals ou de teks, à l'épreuve des termites et du feu. Banians aux troncs multiples, figuiers des pagodes, sacrés, et *Saraca asoca* restent typiques de l'Inde. En ville, les arbres ombragent les parcs – jacarandas déployant leurs panicules bleu lavande et magnolias aux fleurs blanches – fascinent le visiteur. Les flamboyants s'enflamment littéralement sous leurs parures cramoisies. Les grandes fleurs orangées des *Butea monosperma* servent à la fabrication de teinture jaune, tandis que leur écorce produit un colorant bleu. Les frangipaniers (arbres des temples) se parent de teintes crème, rose ou fuchsia. Les fleurs des espèces les plus odorantes – tamariniers et *Syzigium cumini* – dégagent une senteur rivalisant avec celle de la tubéreuse ou du jasmin.

aux montagnes de l'Himalaya. Sur les pentes élevées de ces dernières, le bouquetin prospère en liberté. Le cerf d'Eld – l'un des animaux les plus rares du pays – se terre dans les denses forêts du Nord-Est.

De loin, les prairies semblent recouvertes d'un nuage de fleurs himalayennes ondulant dans les airs ; en y regardant de plus près, vous constaterez qu'il s'agit de papillons aux ailes irisées, d'où s'évapore la rosée. Gazelles, sangliers, tortues luths, dauphins du Gange – que vous apercevrez jouant dans le fleuve –,

LES TORTUES DE RIDLEY

La réserve de Bhitkar Kanika (Orissa) est l'un de leurs principaux sites de nidification. Plus de 200 000 tortues y débarquent en l'espace de 3 ou 4 jours.

rurale, guettez les martins-pêcheurs. Parmi les autres oiseaux aquatiques figurent hérons, spatules, flamants, aigrettes et sarcelles à ailes bleues.

À Bharatpur, près d'Agra, la réserve de Keoladeo Ghana est renommée pour ses nombreuses espèces migratoires. Mais, depuis quelques années, les grues de Sibérie ne viennent plus hiverner ici ; selon les scientifiques, les combats en Afghanistan, près de leur trajectoire de vol, auraient perturbé leurs habitudes.

porcs-épics et écureuils volants ont trouvé refuge dans les réserves du pays.

Faune aviaire

S'ajoutant aux merveilles qui parent ce territoire toute l'année, nombre d'oiseaux rares font escale en Inde. Les calaos de Malabar survolent en couples les jungles du Nord-Est et du Sud. Outre corneilles et milans, de bruyantes nuées de perruches à collier voltigent au-dessus des parcs arborés des villes ; en zone

À GAUCHE : poinsettias sur fond de paysage de montagne près de Darjeeling, Bengale-Occidental.
CI-DESSUS : magnifique spécimen de gaur.

Quant aux vautours, ils ont quasiment disparu en 10 ans environ. Un virus inconnu a tout d'abord été tenu pour responsable, mais les chercheurs ont découvert que ces volatiles qui se nourrissent de carcasses, ingèrent par la même occasion du diclofenac, un médicament largement utilisé par les vétérinaires d'Asie du Sud et qui provoque chez eux des troubles rénaux. La disparition de ces charognards, dont l'activité nécrophage empêche la propagation des maladies et la prolifération des chiens sauvages, risque de poser un problème majeur. Les Parsi de Mumbai sont également concernés : ce sont les vautours qui dévoraient les dépouilles exposées sur leurs "tours du Silence". ❑

LE RAIL INDIEN

Si vous voulez voir l'Inde au plus près, sa population et ses paysages, rien
ne saurait égaler un voyage en train, sur l'un des réseaux les plus complets du monde.

Plus grand employeur au monde, l'Indian Railways, au réseau remarquablement performant quoique non dénué de charme, transporte 14 millions de passagers chaque jour. Pour prendre le pouls du pays, aucune expérience ne vaut celle qui consiste à regarder les tranches de vie s'enchaîner sous ses yeux derrière la fenêtre d'un wagon – ce qui, en train couchette sans air conditionné, signifie derrière plusieurs vitres supposées tenir à distance soleil, poussière et voyageurs sans billet.

Les colons britanniques ont posé la majorité des 63 140 km de voies ferrées du pays, laissant sur les quais quelques reliques victoriennes, telles qu'horloges, balances ou bancs. Depuis, la situation a évolué. Aujourd'hui, des services interurbains rapides, le Rajdhani et le Shatabdi, relient les capitales des États et les villes principales à Delhi et aux grands centres urbains. Dans les années 1990, le transfert du pouvoir politique – de l'Inde du Nord aux circonscriptions du Sud – a entraîné la conversion des voies métriques au profit des rails à écartement large. Une décision qui avait été considérée irréaliste sous les Premiers ministres d'Inde du Nord.

Malgré les interférences politiques, le fonctionnement des chemins de fer indiens a de quoi impressionner. Le comité du Rail, présidé par un ingénieur ferroviaire, dépend du ministère des Chemins de fer. Le système se divise en 9 zones, legs partiels des compagnies impériales privées. Ainsi, l'actuelle Central Railway a hérité de l'étendue et du style des lignes du Great Indian Peninsular. Les conditions varient selon les zones : si les opérations restent rentables dans les États du Sud – grâce au matériel roulant et aux cheminots –, les réseaux nord et est, saturés, tendent à péricliter.

Les réservations sont désormais informatisées dans la plupart des gares de quelque importance et les touristes étrangers bénéficient de quotas. Les billets Indrail Rover, en vente en

Inde et à l'étranger, se révèlent très pratiques pour les voyages fréquents.

Services de luxe

Les trains spéciaux, tels que le Palace on Wheels au Rajasthan, proposent des prestations incomparables, avec 2 employés affectés à chaque voi-

ture. Rapidité et installations mises à part, Indian Railways offre, dans ses compartiments climatisés en première classe, de luxueux services analogues à ceux de n'importe quel autre pays. Comparé à l'avion – souvent en retard et sans charme – le train, pour un prix équivalent, se révèle nettement plus avantageux. Pour éviter chaleur et poussière, les voyageurs à petit budget choisiront la seconde classe en voiture climatisée, parfois avec couchettes sur 3 niveaux.

À bord, il y a règles et règles... Officiellement, l'alcool est interdit, mais la clientèle de première classe est généralement libre de s'y adonner, tout comme d'embarquer ses animaux de compagnie.

À **GAUCHE :** la voie est libre pour un voyage en train, le meilleur moyen pour s'imprégner du paysage.
À **DROITE :** peinture décorative dans une gare.

L'âge de la vapeur

Bien que les locomotives à vapeur soient officiellement au rebut – les incessants vols de charbon auraient contribué à leur porter un coup fatal…–, un itinéraire renommé, celui d'Udhagamandalam (Ooty) dans les Nilgiri, bénéficie d'un sursis. La célèbre ligne menant à Darjeeling dans l'Himalaya a récemment été convertie pour les tractions diesel, mais elle accueille parfois des locomotives à vapeur. La ligne est classée au Patrimoine mondial de l'humanité (site de la Darjeeling Himalayan Railway Society : www.dhrs.org). *Tweed* et *Mersey*, des modèles de 1873, ne font malheureusement plus monter

la pression chaque hiver pour acheminer la canne à sucre sur la voie métrique à l'est de Gorakhpur (Uttar Pradesh). En revanche, Tipong Colliery (Assam) maintient en service 2 locomotives à vapeur à écartement étroit, tandis que le moulin Riga (Bihar) utilise parfois un train à vapeur sur une voie métrique pour le transport de la canne à sucre.

Le ministère des Chemins de fer a changé d'orientation depuis qu'il a pris conscience du potentiel touristique des services à vapeur –notamment sur les lignes de montagne, très prisées. Il a prévu de réintroduire la traction à vapeur sur la voie de Matheran près de Mumbai et, outre les services "spéciaux" (informations sur www.indiansteamrailway.org), les trains touristiques à vapeur Royal Orient et Fairy Queen fonctionnent toute l'année.

Lignes principales

Jusqu'en 1994, le voyageur pouvait parcourir l'ensemble du sous-continent sur des voies à écartement semblable ; depuis, les rails d'1 m ont été sacrifiés au profit d'un réseau à voie large qui ne couvre pas (et ne couvrira jamais) une telle étendue. Toutefois, ce dernier court sur 3 776 km de Ledo (Assam) à Bhuj (Gujarat) et sur 3 581 km de Kanniyakumari (Sud) à Jammu Tawi (Nord). Ces trajets traversent des paysages très variés : des luxuriantes pistes des rhinocéros près du Brahmapoutre au désert du Rann de Kutch, en passant par les rizières du Bengale-Occidental et les champs de blé de l'Uttar Pradesh, ou encore du Kerala à l'Himalaya *via* le haut plateau du Deccan, avant de redescendre dans la plaine du Gange et de parcourir les contreforts montagneux.

PETITS PLAISIRS EN GARE

Faire passer le temps dans une gare indienne en attendant une correspondance tardive n'est pas aussi fastidieux que vous pourriez l'imaginer. Outre engager la conversation avec quelque passager curieux, vous y trouverez tout ce qu'il faut pour patienter.

Sur les quais, des libraires – Wheelers dans le Nord et Higginbothams dans le Sud – vendent horaires (*Trains at a Glance* ou le fort complet *Indian Bradshaw*) et livres des meilleurs auteurs indiens à savourer pendant le trajet.

Depuis les dernières éditions des quotidiens aux revues comme *Frontline*, *India Today*, sans oublier *Femina*, un féminin, ou encore *Cine-Blitz* et ses potins sur

Bollywood, vous dénicherez toujours toutes sortes de magazines, dans quelque boutique ou sur un chariot poussé le long des trains entrant en gare.

Les stands vendent de la nourriture délicieuse, notamment au Kerala, où vous dégusterez curry de poisson et riz enveloppés dans des feuilles de bananier. Vous trouverez souvent un étal préparant des omelettes à la demande, et les buffets servent de succulents plats bon marché, tels que *biryani* et *meals* (repas de légumes). Faites-vous plaisir et essayez les jus de pomme des boutiques du gouvernement de l'Himachal Pradesh, proposés dans des gares à travers tout le pays.

Les côtes, de part et d'autre du sous-continent, déploient quelques décors magnifiques, le voyage le plus impressionnant étant celui du Coromandel menant à Chennai. Le nouveau tronçon de la Konkan Railway, entre Mumbai et Mangalore, permet aussi de découvrir un superbe paysage côtier. Toutefois, la ligne littorale la plus spectaculaire reste celle de Ramesvaram, sur l'île de Pamban.

À l'intérieur des terres, les lignes de montagnes sont renommées pour leur charme suranné. Non loin de Mumbai, un petit train grimpe jusqu'à Matheran sur une voie à écartement étroit. Le train miniature de Darjeeling est

nul jusqu'au port de Visakhapatnam dans l'Andhra Pradesh – un triomphe du savoir-faire indien en matière d'ingénierie moderne. Sur cette ligne, de Vizag, un train mixte quotidien traverse les Ghats orientaux jusqu'à Bastar, capitale des Adivasi. Dans les Ghats occidentaux, d'autres paysages impressionnants vous attendent, de Tenkasi à Quilon et – plus spectaculaires encore – de Mangalore à Hassan. Autre ligne mémorable dans la région, celle traversant les monts Aravalli de Jodhpur à Udaipur (Rajasthan) franchit des forêts rocailleuses en passant par le sommet le plus élevé de la Western Railway. ❑

bien connu, de même que celui d'Ooty qui, contrairement à la croyance populaire, roule sur une voie métrique : la section à crémaillère s'arrête à Coonoor. La ligne desservant Simla, dans les montagnes, est célèbre pour ses 103 tunnels, mais celle à écartement étroit traversant la vallée de Kangra offre une plus belle vue sur les pics himalayens.

La voie à écartement large la plus haute du monde accueille des trains remorqués en triple traction, transportant du minerai de fer de Kiri-

À GAUCHE : le train miniature serpentant à travers les spectaculaires monts Nilgiri, jusqu'à Ooty.
CI-DESSUS : vélos sur rails.

SUR LES RAILS

Pour pouvoir photographier le matériel d'Indian Railways, vous devrez vous procurer une autorisation auprès de son siège à New Delhi.

Les restrictions s'appliquent généralement aux zones interdites et aux installations militaires. Vérifiez que votre autorisation indique un délai, ou les autorités risquent de prétendre qu'elle n'est valable que pour le jour de son émission.

Horaires : le mensuel *Newman's Indian Bradshaw* (Kolkata). Les trains express y sont numérotés selon un code indiquant leur lieu de départ et les locomotives sont classées selon l'écartement des voies et le service.

ITINÉRAIRES

Dans les pages suivantes, vous trouverez une présentation détaillée du pays et de ses principaux sites, avec des renvois clairs correspondant aux numéros indiqués sur les cartes.

L'Inde ne laisse personne indifférent. Sa chaleur, ses parfums d'épices et sa poussière assaillent le visiteur dès son arrivée, ses couleurs et ses plaisirs sensuels le séduisent aussitôt. Ici, le temps, tel un contorsionniste, semble se distendre bizarrement : les distances sont plus longues à parcourir, tandis que les minutes s'étirent en d'interminables attentes, avant de disparaître dans le flou des heures et des jours, alors que règne un chaos permanent.

L'Inde présente d'innombrables facettes : ses 28 États, ses six territoires de l'Union et sa capitale, Delhi, offrent un nombre déroutant de possibilités de voyage. Si un trek jusqu'aux villages adivasi, dans les Ghats occidentaux, constitue un véritable exploit physique, la traversée du plateau du Deccan – à bord d'un train haletant, dans une voiture couchette à trois niveaux, au son des ronflements – relève davantage de l'épreuve psychologique…

Vous serez frappé par la fierté des artisans à l'œuvre, sur leur tour de potier ou leur métier à tisser. Quant aux villages regorgeant de fresques murales élaborées, ils vous laisseront un souvenir impérissable. Vous pourrez visiter de vieux forts portugais, d'anciennes synagogues ou vous réfugier dans un palais reculé, à une journée à dos de chameau de toute civilisation ; vous vous essaierez à marchander, dans le bazar de quelque ancien caravansérail, le prix d'antiquités en argent, de couvertures tout juste tissées ou de dagues incrustées, à moins que vous ne leur préfériez des miniatures exécutées avec un pinceau en poils d'écureuil, d'antiques boîtes à opium ou des bijoux contemporains.

Certains se rendent en Inde en quête d'eux-mêmes, pour chercher le calme spirituel, s'initier à la méditation ou s'investir dans l'action sociale et environnementale. D'autres choisissent de voyager à travers le pays, une expérience tout aussi enrichissante.

Profiter de toutes les possibilités qu'offre l'Inde – assister au spectacle pittoresque d'une fête religieuse, faire du rafting sur le Gange ou du yoga sur une plage à l'aube, pister les animaux d'une réserve, escalader un pic himalayen, peindre les fleurs sauvages d'une prairie de montagne ou s'émerveiller devant les sculptures érotiques d'un temple tantrique – exige une résistance physique certaine. Nous espérons pouvoir vous transmettre l'envie de visiter ce pays, tout en vous donnant une vision d'ensemble des peuples et des sites majeurs.

L'Inde ne laisse personne indifférent : certains la fuient à jamais, d'autres y reviennent sans cesse… ❏

PAGES PRÉCÉDENTES : une vallée du Ladakh ; Hampi, dans le Karnataka ; l'attente d'un bus matinal devant la gare CST de Mumbai.
À GAUCHE : la salle du Durbar dans le palais de Samode, au Rajasthan.

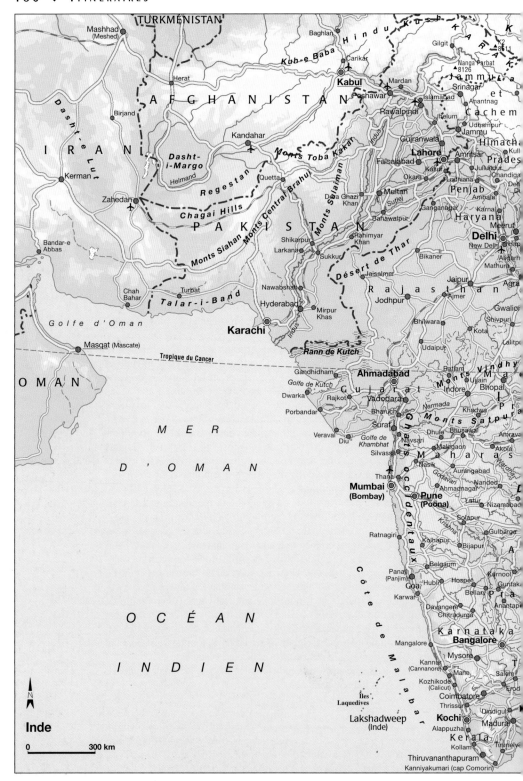

LE NORD

La vaste portion d'Asie du Sud que couvre le nord de l'Inde vous séduira par ses innombrables contrastes.

Dans les villes du Nord où se pressent des foules tumultueuses, les nouveaux venus attirent immanquablement les regards. Couleurs vives et voix aussi bruyantes que les haut-parleurs des temples et des mosquées y composent un spectacle tout à la fois fascinant et… parfois exaspérant.

Le paysage lui aussi est extrême : ici, les dunes sablonneuses du désert de Thar précèdent les glaciers scintillants à l'horizon ; là, les provinces himalayennes rocailleuses se détachent au-dessus des plaines. Sur les routes, d'incessants travaux tentent d'effacer les ravages de la mousson ou de la sécheresse, tandis que les villes coloniales gardent encore le souvenir des nababs et du soulèvement des cipayes. Si vous avez l'esprit aventureux, essayez de dompter les rapides des rivières alimentées par la neige fondue, ou partez, tels des pèlerins, à la recherche de la source du Gange. À Varanasi, le fleuve sacré attire une multitude de fidèles qui dispersent les cendres de leurs disparus dans ses eaux vertes et tourbillonnantes, d'où jaillissent les dauphins.

La région fourmille de monde. L'Uttar Pradesh (UP), qui se situe au cœur même de la Cow Belt, ou "ceinture bovine", est l'État le plus peuplé, à la fois le fief des hindous conservateurs et l'un des bastions de la culture musulmane.

Le Penjab, proche du Pakistan, accueille la fière communauté sikh et les riches fermiers jat. Dans le Ladakh et les hautes vallées de l'Himalaya, les réfugiés tibétains ont conservé rites et vêtements traditionnels. Quant à l'élite indienne, elle envoie sa progéniture dans les pensions de l'intérieur du pays, loin des distractions de la ville.

Malgré la diffusion de la télévision par satellite, le nord de l'Inde résiste à l'uniformité écrasante. Ville grandiose et bourdonnante, Delhi, siège du gouvernement, regorge de monuments, mosquées et bazars. Femmes voilées, hommes enturbannés et chameaux omniprésents : le Rajasthan est un spectacle à lui seul avec, en toile de fond, joueurs de polo s'affrontant à dos d'éléphant et paons agitant le plumage ocellé de leur queue.

Le Jammu-et-Cachemire doit sa prodigieuse beauté à ses lacs, ses vergers et ses pics enneigés, tandis qu'Agra s'enorgueillit du Taj Mahal, l'un des plus somptueux hymnes à l'amour jamais bâtis par l'homme. ❑

À GAUCHE : jeunes filles portant des jarres d'eau de puits, qui serviront à nettoyer l'un des nombreux temples jaïns du xve siècle à Ranakpur, au Rajasthan.

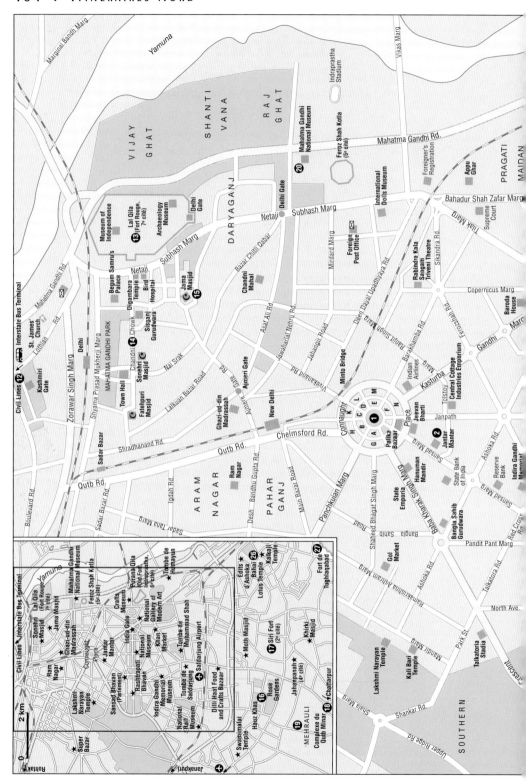

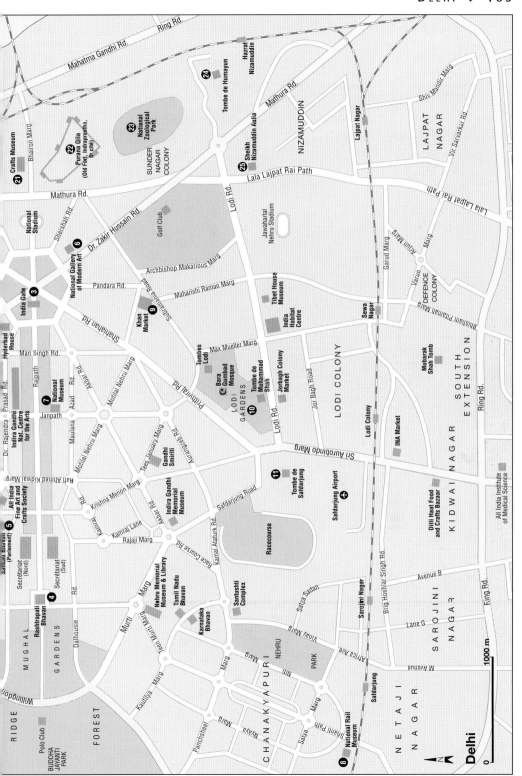

Delhi

Mahatma Gandhi Rd.

Ring Rd.

Bhairon Marg

Crafts Museum **21**

Purana Qila (Old Fort, Indraprastha, 6° city) **22**

National Zoological Park **23**

SUNDER NAGAR COLONY

Tombe de Humayun

24

Mathura Rd.

Hazrat Nizamuddin

Sheikh Nizamuddin Aulia **25**

NIZAMUDDIN

Lajpat Nagar

LAJPAT NAGAR

Shiv Mandir Marg

Vir Savarkar Rd.

Lala Lajpat Rai Path

Lala Lajpat Rai Path

Mathura Rd.

National Stadium

National Gallery of Modern Art **6**

Dr. Zakir Hussain Rd.

Golf Club

Shershah Rd.

Lodi Rd.

Jawaharlal Nehru Stadium

Archbishop Makarious Marg

Pandara Rd.

Subramanya Marg

Maharishi Raman Marg

Tibet House Museum

India Habitat Centre

Sewa Nagar

Varun Marg

Arjun Marg

Garud Marg

DEFENCE COLONY

Bhisham Pitamah Marg

India Gate **3**

Khan Market **9**

Hyderbad House

Man Singh Rd.

Shahjahan Rd.

Rajpath

Akbar Rd.

Azad Rd.

Tombes Lodi

Max Mueller Marg

Bara Gumbad Mosque

Tombe de Muhammad Shah **10**

LODI GARDENS

Lodi Rd.

Jorbagh Colony Market

Jor Bagh Road

LODI COLONY

Mubarak Shah Tomb

SOUTH EXTENSION

Ring Rd.

Hyderbad House

National Museum **7**

Janpath

Dr. Rajendra ° Prasad Rd.

Indira Gandhi Nat Centre for the Arts

Maulana

Motilal Nehru Marg

Tees January Marg

Gandhi Smriti

Auranzeb Rd.

Lodi Rd.

Sri Aurobindo Marg

INA Market

KIDWAI NAGAR

Dilli Haat Food and Crafts Bazaar

All India Institute of Medical Science

Rafi Ahmed Kidwai Marg

All India Fine Art and Crafts Society **5**

Sansad Bhavan (Parlement) **5**

Krishna Menon Marg

Kamraj Rd.

Indira Gandhi Memorial Museum

Safdarjung Road

Tombe de Safdarjung **11**

Safdarjung Airport

Secretariat (Nord)

Secretariat (Sud) **4**

Rajaji Marg

Kamraj Lane

Akbar Rd.

Kamal Ataturk Rd.

Race Course Rd.

Racecourse

Avenue B

RIDGE

MUGHAL GARDENS

Rashtrapati Bhavan

Dalhousie

Teen Murti Marg

Murti Marg

Nehru Memorial Museum & Library

Tamil Nadu Bhavan

Karnataka Bhavan

Santushti Complex

Satya Sadan

Satya Marg

Sarojini Nagar

Brig Hoshiar Singh Rd.

Lane G

M Avenue

SAROJINI NAGAR

Polo Club

BUDDHA JAYANTI PARK

Willingdon

FOREST

Panchsheel

Kautilya Marg

Nyaya Marg

Shanti Path

Niti Marg

CHANAKYAPURI

NEHRU PARK

Vinay Marg

Africa Ave.

Safdarjung

National Rail Museum **8**

NETAJI NAGAR

N

0 1000 m

DELHI

Carte p. 164

La capitale de l'Inde mêle à merveille l'antique et le moderne. Pôle culturel majeur, elle offre une synthèse de la diversité qui vous attend dans les nombreux États du pays.

Avec ses 13,7 millions d'habitants sur une superficie de 1 500 km², Delhi est le centre politique et administratif de la plus grande démocratie du monde. Étonnant mélange de passé et de présent, cette ville tentaculaire se divise en 2 parties : Old Delhi (l'ancienne Shahjahanabad) et New Delhi (jadis capitale britannique), regroupant vieux villages et sites engloutis sous les nouvelles zones résidentielles ("colonies"). La ville lutte pour faire face aux conséquences de son expansion – pollution, embouteillages, pénurie d'eau et d'électricité, chantiers incessants – et de son climat extrême. Récemment, certaines mesures ont permis d'améliorer la situation, comme l'adoption du GPL par les transports publics et l'extension des lignes du métro (état des travaux mis à jour sur www.delhimetrorail.com). Celles-ci sont au nombre de 3. Les lignes 1 (Shahdara/Rithala) et 3 (Indraprashtha/Dwarka) sont orientées est-ouest et coupent la ligne 2, respectivement à Kashmiri Gate et Rajiv Chowk, orientée nord-sud. Cette dernière (Vishwa Vidyalaya/Central Secretariat) vous sera très utile, car elle passe par la Connaught Place, ou Ravi Chowk, haut lieu du shopping.

Cités antiques de Delhi

Le site stratégique de Delhi (du nom d'un ancien peuplement, Dillika) – entre la chaîne des Aravalli et la rivière Yamuna – a vu se succéder plus d'une douzaine de villes. La première, Indraprastha, est la capitale mythique des Pandava, héros épiques du *Mahabharata*. De récentes fouilles au Purana Qila (Vieux Fort) semblent pourtant confirmer la légende et la présence d'une cité (Ier siècle av. J.-C.-IVe siècle apr. J.-C.).

Au VIIIe siècle, le clan rajpoute des Tomara érige la première ville attestée, Lal Kot. Les Rajpoutes Chauhan s'en emparent et la rebaptisent Qila Rai Pithora au XIIe siècle. Plus tard, le roi slave Qutb-ud-Din Aibak, le fondateur du sultanat de Delhi, l'occupe et lance la construction du Qutb Minar (sud de Delhi) ; quant aux vestiges de Siri, capitale du Turc Ala-ud-Din Khilji, ils sont encore visibles près de la colonie Hauz Khas. En 1320, Ghias-ud-Din Tughlaq s'installe dans sa forteresse de Tughlaqabad, à l'est du Qutb Minar.

En 1351, son successeur Feroz Shah Tughlaq fonde Ferozabad, jadis la cité la plus riche du monde, sur les berges de la Yamuna. Les restes de son palais et d'autres monuments ont subsisté à Feroz Shah Kotla, au sud des mémoriaux sur la Ring Road.

Les Lodi Gardens (jardins des Lodi), au sud de l'India Gate, accueillent les tombeaux de leurs héritiers, les Sayyid et les Lodi. Leur défaite face à l'envahisseur Babur, venu d'Asie centrale au XVIe siècle, marque la fin du sultanat de Delhi et l'avènement de l'empire moghol.

À GAUCHE : rue bondée de Old Delhi.
CI-DESSOUS : dans l'enceinte de la mosquée de Qutb Minar.

CI-DESSOUS :

les Secrétariats
nord et sud bordent
le Rajpath menant
au Rashtrapati
Bhavan, le palais
présidentiel.

Le fort de Din-Panah (Purana Qila), en surplomb de la Yamuna, est l'œuvre du fils de Babur, le studieux Humayun, contraint de fuir devant l'envahisseur afghan Sher Shah. Ce dernier commence l'édification de sa nouvelle capitale, Shergarh, mais Humayun s'empare à nouveau de Delhi en 1555, avant de mourir d'une chute dans les escaliers de sa bibliothèque quelques mois plus tard. Akbar, son fils, transfère la capitale à Agra, et son petit-fils Shah Jahan, bâtisseur du Taj Mahal, retourne à Delhi en 1638 pour ériger la superbe Shahjahanabad. Cette capitale fortifiée, délimitée par 14 portes, englobe la majeure partie de Old Delhi, la Jama Masjid (mosquée du Vendredi), les bazars de Chandni Chowk et Lal Qila, ou Fort Rouge, d'où l'empereur gouvernait. Les invasions successives des Persans affaiblissent le règne des Moghols, jusqu'à la prise de Delhi par les Britanniques au XIXᵉ siècle. En 1911, pendant la visite du roi George V, Delhi est déclarée capitale de l'empire britannique en Inde. L'actuelle New Delhi, conçue par Edwin Lutyens et Herbert Baker, sera achevée en 1931.

La Delhi de Lutyens

Les arcades circulaires de **Connaught Place ❶** (de son vrai nom Ravi Chowk) constituent le cœur de la ville moderne. Souhaitant faire leurs achats dans un décor stylé, les Britanniques avaient conçu ces passages à colonnades, séparés par 3 artères concentriques bordées de magasins, restaurants, étals et cinémas. À la hauteur de la ceinture externe, le **Palika Bazaar**, souterrain, renferme de minuscules boutiques regorgeant de camelote pour touristes et de rabatteurs. Le quartier touristique se poursuit vers le nord, face à la gare ferroviaire de New Delhi, avec le **Paharganj Bazaar**, le secteur des *backpackers*, avec ses restaurants, ses hébergements bon marché et ses échoppes pittoresques – à éviter pour la plupart.

À l'ouest, les grands emporia d'État de Baba Kharak Singh Marg vendent de l'artisanat régional à prix réglementés. Du même côté de la chaussée, se dresse le célèbre Coffee Home. Le temple **Hanuman Mandir**, en face, est dédié au dieu-singe Hanuman, révéré des lutteurs. Au bout de la rue, à gauche, s'élève le dôme doré du **Bangla Sahib Gurudwara** (temple sikh). Vers le sud-ouest en longeant Sansad Marg (Parliament Street), vous découvrirez l'observatoire de plein air **Jantar Mantar** ❷, en grès rouge, construit par le Maharaja Jai Singh II de Jaipur ; c'est aujourd'hui le foyer des contestations politiques. Plus au sud, vous arriverez au quartier de **Janpath**, apprécié pour ses étals de rue, son marché tibétain, ses tissus brodés colportés par des femmes de l'ouest du pays et l'immense **Central Cottage Industries Emporium** (CCIE).

En vous dirigeant vers le sud, sur Kasturba Gandhi Marg, avant l'India Gate, vous atteindrez les centres culturels britannique et américain. Au sud-est, Barakhamba Road (rue des "douze piliers") débouche sur un complexe culturel regroupant le **Rabindra Kala Sangam**, le **Triveni Theatre**, un café et des salles accueillant régulièrement des spectacles de danse, musique et théâtre.

Les environs de l'**India Gate** ❸ forment le centre administratif britannique de Delhi, avec le **Rajpath** – les "Champs-Élysées" locaux – entouré de pelouses à l'ombre des arbres, de canaux et de fontaines. L'India Gate, un arc de triomphe de 42 m de hauteur édifié en 1931 par les Britanniques à l'extrémité orientale, rend hommage aux soldats indiens décédés durant la Première Guerre mondiale et sur la frontière nord-ouest.

Rashtrapati Bhavan ❹, la résidence présidentielle (ancienne Viceregal Lodge), se dessine à l'extrémité ouest du Rajpath, près du bâtiment circulaire de **Sansad Bhavan** ❺ (Parlement). Les Secrétariats nord et sud – sièges respectifs des ministères des Finances et de l'Intérieur et de ceux de la Défense et des Affaires extérieures – flanquent l'entrée de l'édifice. Hyderabad House et Baroda House, 2 magnifiques résidences à l'extrémité est du Rajpath, près de l'India Gate, furent construites pour les 2 souverains les plus puissants des États princiers de l'Inde britannique. Au-delà de l'India Gate s'étend le stade national.

Au sud de Rashtrapati Bhavan, Teen Murti Bhavan, jadis résidence de Nehru, abrite le **Jawarharlal Nehru Memorial Museum** (ouv. du mar. au dim. de 9h30 à 16h45). Outre le bureau, le salon et la chambre de l'ancien Premier ministre, vous découvrirez une exposition détaillée sur la lutte pour l'indépendance. La modestie de l'intérieur s'accorde avec le caractère de celui qui fut l'un des plus grands dirigeants de l'Inde.

Continuez de suivre l'histoire de la dynastie Nehru-Gandhi en visitant la résidence de sa fille Indira, l'**Indira Gandhi Memorial Museum** (ouv. du mar. au dim. de 9h30 à 17h). C'est dans ce bungalow, au n° 1 de Safdarjung Road, que ses gardes du corps sikhs l'assassinèrent. L'intérieur renferme son bureau et son sari de mariage tissé par Nehru.

Tout près, sur Tees January Marg, le musée mémorial **Gandhi Smriti** (ouv. du mar. au dim. de 9h à 17h30), dans la maison de l'industriel G. D. Birla, rappelle un autre événement dramatique : c'est ici que, le 30 janvier 1948, fut abattu le Mahatma Gandhi.

Carte p. 164

Le Rabindra Kala Sangam sur Mandi House Chowk accueille la galerie d'art contemporain de la Lalit Kala Akademi et le musée Sangeet Natak Akademi (instruments de musique).

CI-DESSOUS :
Jantar Mantar, l'observatoire en plein air.

Si possible, évitez de visiter Lal Qila le dimanche, lorsque les bazars de Chandni Chowk sont fermés et que le fort est bondé.

Au sud de l'India Gate, dans l'ancienne résidence de la famille royale de Jaipur, la **National Gallery of Modern Art** ❻ (ouv. du mar. au dim. de 10h à 17h ; entrée payante ; www.ngma-india.com) propose une exposition permanente de peintures de Jamini Roy et Nandalal Bose (années 1930) et de paysages indiens de Thomas et William Daniell (XVIIIe siècle). Le rez-de-chaussée est consacré aux artistes indiens contemporains. Le **National Museum** ❼ (ouv. du mar. au dim. de 10h à 17h ; entrée payante ; www.nationalmuseumindia.org), au sud du Rajpath sur Janpath, abrite de superbes sculptures et bijoux, des bronzes chola et une galerie bouddhique avec un portique sculpté de Sanchi. Ne manquez pas la remarquable collection Verrier Elwin, au 2e étage, et ses objets d'art adivasi des États du nord-est, du centre et du sud de l'Inde.

Au sud-ouest du Rajpath s'étend **Chanakyapuri**, enclave diplomatique rassemblant la plupart des ambassades et missions étrangères. Le **National Rail Museum** ❽ (ouv. du mar. au dim., d'oct. à mars de 9h30 à 17h, d'avr. à sept. de 9h30 à 19h30 ; entrée payante ; www.railmuseum.org), près de Shanti Path, mérite une visite pour ses voitures d'époque, son large éventail de machines à vapeur, dont l'immense Garratt construite en 1930 à Manchester, et la Fairy Queen, la locomotive à vapeur en service la plus vieille au monde (1855). Non loin de là, vous pourrez flâner dans le **Santushti Complex** – face aux hôtels Ashoka et Samrat – avec ses boutiques de créateurs indiens et son agréable restaurant Basil and Thyme.

Les Lodi Gardens et leurs environs

Au sud de l'India Gate sont regroupés la plupart des sites des anciennes villes de Delhi et nombre de bons quartiers commerçants, comme **Khan Market** ❾, où vous trouverez fleurs, librairies bien approvisionnées et boutiques de décoration d'intérieur raffinées.

À quelques pas au sud-ouest, sur Subramania Road, s'ouvrent les magnifiques **Lodi Gardens** ❿ (ouv. de l'aube au coucher du soleil), dont les pelouses parfaitement entretenues sont bordées de parterres fleuris et d'arbres immenses, et ponctuées de tombeaux. Au bout des jardins, côté Lodi Road, remarquez la tombe octogonale de **Muhammad Shah** (1434-1444), souverain des Saiyyid, et près du lac, côté Subramania Road, une autre de même forme, celle de Sikandar Lodi (1489-1517). La grande sépulture Shish Gumbad, au centre du parc, date du règne des Lodi.

Traversez Lodi Road pour pénétrer en face dans le **Jorbagh Colony Market**, qui vend toute une gamme de fromages naturels et autres produits alimentaires. C. Lal & Sons propose de l'artisanat. Plus à l'est, sur Lodi Road, les bureaux de nombreuses organisations siègent dans l'**India Habitat Centre**, un centre culturel

LAL QILA, LE FORT ROUGE

S'il est un paradis sur la surface de la Terre,
Il est celui-là ! Oh, il est celui-là ! Oh, il est celui-là !
Ce couplet persan d'Amir Khusrau, poète à la Cour, est inscrit sur les murs de la Diwan-e-Khas – salle d'audience privée – du magnifique Lal Qila (ouv. du mar au dim. de l'aube au coucher du soleil ; entrée payante ; l'entrée se fait par la Lahori Gate), qui renfermait le légendaire trône du Paon avant que les Perses ne le dérobent. L'empereur moghol Shah Jahan érigea cet immense fort en grès rouge, en 1648. À l'intérieur, en passant par le marché couvert Chatta Chowk, l'on pénètre dans les jardins raffinés de Shah Jahan. À l'extrême droite se trouve le Mumtaz Mahal (ancien harem), qui jouxte le Rang Mahal (palais des Couleurs ; ouv. du sam. au jeu. de 10h à 17h) et Khas Mahal, les appartements privés de l'empereur. La tour octogonale servait aux apparitions publiques des souverains (dont celle de George V et de la reine Mary, en 1931). Parmi les autres édifices figurent la Diwan-e-Am (salle d'audience publique), les bains royaux et la minuscule Moti Masjid (mosquée de la Perle). Le fort fut construit au bord de la Yamuna, mais, depuis que la rivière a déplacé son lit, il domine un vaste terrain, ancien site du Chor Bazaar ("marché des voleurs", qui se tient aujourd'hui près de la Jama Masjid).

**Carte
p. 164**

accueillant des conférences. D'ici, en longeant la route, vous débboucherez sur l'Institutional Area et le **Tibet House Museum** (ouv. du lun. au ven. de 9h30 à 17h30), dont la merveilleuse collection inclut *thanka* (images religieuses boudd-hiques) et instruments musicaux.

La **tombe de Safdarjung ⓫** (ouv. de l'aube au coucher du soleil ; entrée payante), immense monument de 1753 et dernier chef-d'œuvre de l'architecture moghole à Delhi, et son jardin de roses adjacent se trouvent de l'autre côté d'Aurobindo Marg. Poursuivez vers le sud en dépassant l'aérodrome de Safdarjung ; vous parviendrez à un marché très vivant (l'**INA**). De l'autre côté de la route, les stands immaculés du **Dilli Haat Food and Crafts Bazaar** (ouv. de 10h30 à 22h ; entrée payante) – un pavillon destiné aux artisans de toute l'Inde – vous permettront de goûter à des spécialités régionales variées.

Old Delhi

Les paisibles **jardins Qudsia** du XVIIIᵉ siècle, près de l'Inter-State Bus Terminal (ISBIT) et la Kashmiri Gate, marquent la limite sud de la Delhi britannique – qui s'étendait vers l'est de Northern Ridge –, avec ses bungalows de cantonnement, les bâtiments administratifs des **Civil Lines ⓬** et le **campus universitaire**. Au sud des jardins, **Shahjahanabad**, la septième ville de Delhi, date de la période moghole. Son spectaculaire Fort Rouge, **Lal Qila ⓭** (*voir encadré ci-contre*) apparaît au bout de Chandni Chowk ("clair de lune" ou "rue de l'argent"), jadis l'avenue centrale d'un bazar antique.

Essayez d'explorer **Chandni Chowk ⓮** – la rue commerçante la plus importante de Old Delhi – en *rickshaw*. Chaque artère adjacente possède sa spécialité : argent et or pour Dariba Kalan, accessoires de mariage et de théâtre pour Kinari

Le temple de Sisganj Gurudwara, à Old Delhi, est dédié au gourou Tegh Bahadur, tué par Aurangzeb au XVIIᵉ siècle pour avoir refusé d'abjurer sa foi.

CI-DESSOUS : vue sur Old Delhi depuis le minaret de la Jama Masjid.

Chaque vendredi,
jour de prière,
les fidèles affluent
à la Jama Masjid
de Old Delhi.

Bazaar, et saris en soie, cuivre ainsi qu'épices et fruits secs pour Naya Bazaar. Sur Netaji Subhash Marg se dressent le **temple de Digambara** – le plus ancien sanctuaire jaïn de Delhi – et le **Bird Hospital**, pour les oiseaux blessés.

Au milieu des étals de bric-à-brac, photographes de rue munis de vieux appareils, colporteurs et rabatteurs, se dressent 3 monuments parmi les plus visités : un temple sikh, le **Sisganj Gurudwara**, et 2 mosquées, la **Sonehri Masjid** (mosquée d'Or) et la **Fatehpuri Masjid** (1650). **Ghantewala**, célèbre confiserie fondée en 1790, mérite une visite pour ses spécialités de *sohn halva* et *sohn papri* (bonbons caramélisés au beurre clarifié). Au sud de Central Rd, suivez Dariba Kalan jusqu'à la **Jama Masjid ⑮** (mosquée du Vendredi), un bâtiment massif en grès rouge et marbre blanc où se rassemblent les musulmans de Delhi. Commandée par Shah Jahan en 1644, la mosquée peut accueillir 20 000 fidèles dans sa vaste cour, au centre de laquelle trône le bassin pour les ablutions. La mosquée et le fort, face à face, faisaient partie intégrante du tracé de la ville fortifiée.

Le quartier sud de Delhi

En longeant Aurobindo Marg vers le sud au départ des Lodi Gardens, vous découvrirez le **Hauz Khas Village ⑯**, avec sa madrasa et le tombeau de Feroze Shah Tughlaq, au bout d'un réservoir du XIVe siècle. Malgré ses boutiques onéreuses, restaurants et galeries d'art, cette enclave a conservé en grande partie sa verdure et son charme. Des spectacles de danse traditionnelle s'y tiennent parfois le soir.

Plusieurs monuments jalonnent les environs. Vous aurez du mal à distinguer les vestiges du **Siri Fort ⑰** – près de l'Asian Games Village à l'est (réservé aux membres) –, aujourd'hui envahis par la végétation. Le complexe du **Qutb Minar ⑱** (ouv. de l'aube au coucher du soleil ; entrée payante) se situe au sud sur Aurobindo Marg, après l'Outer Ring Rd et l'Aurobindo Ashram. Pour célébrer sa victoire sur les rois hindous au XIIIe siècle, Qutb-ud-Din Aibak, premier sultan musulman de Delhi, a construit cette remarquable tour de 72 m de hauteur gravée de versets du Coran. Sur ce domaine, la mosquée **Quwwat Ul Islam** d'Aibak, constituée de vestiges de temples hindous et jaïns démolis, passe pour la plus ancienne d'Inde. Dans sa cour, l'étonnant pilier en fer (IVe siècle), n'a jamais montré la moindre trace de corrosion. Non loin de là gisent les ruines de **Lal Kot**, la première ville de Delhi.

À l'ouest, d'autres sites historiques parsèment **Mehrauli Village ⑲**, au cœur d'un labyrinthe de vieux bazars. Toujours plus à l'ouest, sur Gurgaon Road, les tombeaux **Jamali Kamali**, renommés pour leurs plafonds chamarrés, font face à une statue géante de Mahavira (le fondateur du jaïnisme). Repartez vers le sud pour admirer les temples modernes et l'ashram de **Chattarpur**, qui propose cours de yoga, de naturothérapie, de chromothérapie, de "pouvoir des pyramides" et études religieuses plus traditionnelles.

Sur les rives de la Yamuna

Vers l'est, derrière le Fort Rouge, 3 ponts relient la Ring Road longeant le fleuve aux zones résidentielles, sur l'autre rive de la Yamuna. Les terrains de crémation, transformés en parc mémorial pour les dirigeants du pays – Nehru, Lal Bahadur Shastri, Indira et Rajiv

Ci-dessous :
Purana Qila.

Gandhi –, s'étendent sur la berge entre le fort et le pont ITO. Le plus vaste complexe, **Rajghat**, indique le lieu d'incinération du Mahatma Gandhi. Le **Mahatma Gandhi National Museum** (ouv. du mar. au dim. de 9h30 à 17h30), au sud du Rajghat, présente ses effets personnels et des photos.

Carte p. 164

Plus au sud, le **Pragati Maidan** – un vaste centre d'exposition – accueille le parc de loisirs Appu Ghar. Dans le **Crafts Museum** ❷ (musée de l'Artisanat ; ouv. du mar. au dim. de 10h à 17h ; entrée payante), voisin, vous découvrirez des artisans régionaux à l'œuvre. Outre des huttes typiques des divers États et une boutique d'artisanat, vous admirerez des galeries d'art adivasi, des sculptures sur bois, des textiles, des *bhuta* du Karnataka, des objets chamarrés du Nagaland (Nord-Est) et de magnifiques bronzes de l'Orissa. Les textiles comptent plus de 22 000 pièces, notamment d'étonnants exemples de broderies du Cachemire.

Face à l'entrée, les remparts du **Purana Qila** ❷ (ouv. de l'aube au crépuscule ; entrée payante ; spectacle sons et lumières tlj.) offrent une vue panoramique sur la ville. Construit sous le souverain afghan Sher Shah Suri (1540-1545), le fort fut repris par l'empereur moghol Humayun lorsqu'il remonta sur le trône (1555-1556). Le pavillon Sher Mandal, une bibliothèque et un lac (autrefois intégré aux douves) entourent le fort.

Le **National Zoological Park** ❷ s'étend juste à côté. Sachez toutefois qu'en Inde les zoos sont souvent des ménageries – assez déprimantes – où l'on entasse les animaux, plutôt que des lieux de protection d'espèces menacées (information complémentaire : www.aapn.org, www.zoocheck.com et www.petaindia.com). Le domaine jouxte le riche quartier de **Sunder Nagar**, au marché renommé pour ses étals de sucreries, antiquités et reproductions.

Mathura Road mène à la **tombe de Humayun** ❷ (ouv. de l'aube au coucher du soleil ; entrée payante), en grès rouge, nichée dans un jardin magnifique. Précurseur du Taj Mahal, ce monument est sans conteste le plus beau bâtiment moghol de Delhi. Commandé par la première épouse de Humayun, Bega Begum, il sera achevé en 1565. Sur place se trouvent également les vestiges de la tombe octogonale d'Isa Khan. Le bâtiment récent de Damdama Sahib Gurudwara, au nord, est visible depuis le jardin.

Arrêtez-vous un instant près du *dargah* (sanctuaire) de **Sheikh Nizamuddin Aulia** ❷ (1236-1325), grand saint soufi de l'ordre chishti, véritable havre de paix au milieu de ce quartier animé. Un pavillon pourvu d'admirables panneaux en marbre renferme sa tombe (interdit aux femmes). L'empereur moghol Muhammad Shah (1719-1748) et Amir Khusrau, poète et disciple du saint, y sont également enterrés.

Sur la colline Kalkaji, au sud de Nizamuddin, se dresse le **Bahaï Lotus Temple** ❷. Cette structure en marbre et en forme de lotus, achevée en 1986, est un lieu de pèlerinage pour les bahaïs – déchaussez-vous pour la visite. Tout près, les marchés de Greater Kailash (blocs M et N) comptent boutiques et restaurants de qualité.

Au sud, sur la route Mehrauli-Badarpur, les vestiges du **fort de Tughlaqabad** ❷ (XIVe siècle) et d'**Adilabad**, troisième ville de Delhi, dominent le paysage. Vous pourrez explorer les ruines des remparts, réservoirs d'eau et passages souterrains (pour des raisons de sécurité, évitez d'y aller seul). ❏

NOTEZ-LE

Le service de bus Delhi-Lahore, aujourd'hui restauré, part 2 fois par semaine (le jeudi et le vendredi) de la gare routière Dr Ambedkar de Delhi Gate, au nord du Rajghat.

CI-DESSOUS :
instants studieux au tombeau de Humayun.

Carte p. 176

L'UTTAR PRADESH

*Ce vaste État, qui s'étend à travers la plaine du Gange,
compte quelques-uns des sites les plus sacrés
du bouddhisme et de l'hindouisme.*

Avec ses 166 millions d'habitants, l'Uttar Pradesh ("État du Nord") formerait, s'il était indépendant, le septième pays le plus peuplé de la planète. Il se caractérise par une vie politique souvent agitée et, bien que doté d'importantes infrastructures industrielles, il reste essentiellement agricole, fournissant blé, maïs, riz et canne à sucre à l'ensemble de l'Inde. L'Uttar Pradesh (UP) se divise en 2 régions : la riche plaine alluviale du Gange et de ses affluents, la plus étendue, et, au sud, celle qui inclut les monts Vindhya et le plateau de l'Inde péninsulaire. S'il est célèbre dans le monde entier pour son Taj Mahal, à Agra, il compte également de nombreux sites de pèlerinage hindou sur le Gange, qui baigne les villes saintes d'Allahabad et Varanasi. Quant aux bouddhistes, ils se rassemblent dans le parc aux Cerfs de Sarnath, où le Bouddha prêcha son premier sermon. L'Uttar Pradesh enregistre 15 % de musulmans ; outre ses mosquées historiques et ses sanctuaires soufis, il accueille l'Aligarh Muslim University et quelques-uns des plus prestigieux instituts théologiques musulmans.

CI-DESSOUS :
jali (écran)
sur la tombe
de Salim Chishti.

Agra, la cité des empereurs

Avec ses ruelles étroites et ses boutiques d'artisanat pittoresques – broderies en fils d'or et d'argent ou imitations d'incrustations mogholes en marbre –, le vieux quartier d'**Agra ❶**, à 204 km au sud-est de Delhi, ressemble encore à une cité médiévale. Parmi les spécialités culinaires de la ville goûtez à la *petha* (citrouille confite). Agra a connu son apogée sous les Moghols, en particulier sous les empereurs Akbar (1556-1605), Jahangir (1605-1627) et Shah Jahan (1628-1658).

Le **fort d'Agra** (ouv. de l'aube au coucher du soleil), sur la berge de la Yamuna, fut construit à partir de 1564. Akbar utilisa le grès de la région pour ériger ses murailles de 2,4 km de long. La légende affirme que ses pierres de taille rouge feu, maintenues verticalement par des anneaux de fer, seraient jointes si étroitement que même un cheveu ne pourrait s'insinuer entre elles. Sur les "500 édifices en pierres rouges d'Akbar, aux styles raffinés bengali et gujarati", il ne reste plus que le Jahangiri Mahal, partie principale du quartier des femmes, dont l'architecture indienne correspondait aux besoins des épouses hindoues de l'empereur. Shah Jahan fit démolir les autres bâtiments d'Akbar pour y construire ses quartiers impériaux, mêlant les influences hindoue et musulmane. C'est de la Mussaman Burj (Tour octogonale) que Shah Jahan, gisant sur son lit de mort, aurait contemplé le Taj Mahal pour la dernière fois.

Sur la rive opposée, la sépulture d'**Itimad-ud-Daula** – beau-père et vizir de l'empereur Jahangir – est le plus émouvant des 3 grands monuments d'Agra (ouv. de l'aube au coucher du soleil). De 1622 à 1628, sa fille Nur Jahan, reine et épouse de Jahangir, fit construire ce tombeau en marbre blanc incrusté de pierres de couleurs. Sur la même rive, dissimulé derrière les pépinières d'Aligarh Road, vous découvrirez le **Chini ka Rauza** (tombeau d'Afzal Khan, courtisan de Jahangir et Shah Jahan) et, plus loin, le jardin **Aram Bagh** (tous 2 ouv. de l'aube au coucher du soleil).

Visible depuis le fort, le **Taj Mahal** (ouv. du sam. au jeu. de l'aube à 19h30) se dresse au cœur d'un jardin moghol solennel, sur une terrasse, près d'un coude de la Yamuna. Il renferme la tombe de Mumtaz Mahal, épouse de l'empereur Shah Jahan. Durant leurs 19 années de mariage, elle l'accompagna dans ses campagnes militaires et le soutint dans le gouvernement des affaires de l'État. Elle lui donna 13 enfants, dont 7 survécurent jusqu'à l'âge adulte. L'un d'entre eux, Aurangzeb, succéda à son père. En 1631, Mumtaz Mahal mourut en couches et Shah Jahan, inconsolable, construisit le Taj Mahal en sa mémoire (*voir encadré ci-dessous*). Déposé par son fils, Aurangzeb, il fut emprisonné dans le fort d'Agra.

Fatehpur Sikri, capitale d'Akbar

À 35 km au sud-ouest d'Agra, vous découvrirez (tôt le matin, si vous le pouvez) **Fatehpur Sikri ❷** (ouv. de l'aube au coucher du soleil), la capitale impériale d'Akbar. Parmi les vestiges bien préservés figurent le palais et la Jami Masjid (mosquée royale), où repose le saint soufi Shaikh Salim Chishti. Alors qu'Akbar, inquiet quant à sa descendance, lui rendait visite, le saint lui prédit qu'il engendrerait 3 fils ; le sage homme avait vu juste et Akbar choisit Sikri pour capitale.

Le grès extrait de la colline de Fatehpur ("ville de la victoire") servit à bâtir la cité. Akbar ne l'occupa que 14 ans, avant de transférer le siège de son royaume à Lahore en raison – selon les habitants de Fatehpur Sikri – de la pénurie en eau.

NOTEZ-LE

À Agra, le système des tarifs d'entrée est assez complexe. À l'heure actuelle, le billet valable pour une journée, qui couvre le Taj Mahal, le fort, Fatehpur Sikri, Itimad-ud-Daula, Sikandra et Aram Bagh, coûte 500 roupies. Comptez 100 à 250 roupies en plus, selon les sites, facturées par l'ASI (Archaeological Survey of India).

CI-DESSOUS : l'entrée du Taj Mahal, Agra.

LE TAJ MAHAL

Le Taj Mahal, un condensé d'architecture moghole, arbore des proportions d'une simplicité étonnante : sa hauteur est égale à la largeur de la terrasse qui le soutient, et celle de sa façade équivaut à la hauteur du double bulbe qui le coiffe.

Édifié entre 1631 et 1648 par l'empereur Shah Jahan pour abriter la sépulture de son épouse chérie, Mumtaz Mahal, il s'inspire fortement du tombeau de Humayun à Delhi. Il aurait été dessiné par le maître architecte Ustad Ahmad Lahori. Le marbre blanc, venu de Makrana (Rajasthan) à 300 km de là, contribue à sa beauté éthérée, tout comme les ornementations florales, les bandeaux de calligraphie arabe en marbre noir et les écrans en marbre sculpté. Quatre minarets, légèrement inclinés vers l'extérieur – pour ne pas s'effondrer sur l'édifice principal dans l'éventualité d'un séisme –, complètent le tombeau de la reine. À l'ouest de l'enceinte se dresse une mosquée ; sa réplique, à l'est, ne peut servir pour les prières car son arche centrale n'est pas orientée vers La Mecque.

Selon la légende, Shah Jahan avait prévu pour lui-même un tombeau similaire en marbre noir, mais son rêve ne s'est pas concrétisé. L'empereur repose dans le Taj Mahal au côté de son épouse.

Mais il est possible qu'il ait pris cette décision plutôt pour des raisons stratégiques. Le palais s'inspire de l'architecture locale, avec répliques en pierre de modèles originaux en bois. Parmi les plus beaux monuments figurent le Diwan-e-Khas, où Akbar débattait de religion, la demeure du sultan turc aux sculptures détaillées, la maison de Mariam et ses belles peintures murales, et la Jami Masjid.

Akbar conçut lui-même son tombeau, achevé en 1613, qui se trouve à **Sikandra**, à 12 km au nord-ouest d'Agra. Il comporte quatre niveaux, les 3 premiers en grès rouge, le dernier en marbre blanc contenant la tombe factice de l'empereur. Sa véritable sépulture, à l'instar de tous les mausolées de ce genre, repose dans une crypte en contrebas. Vous aurez peut-être la chance d'apercevoir des antilopes en liberté dans les jardins.

La Braj

Mathura ❸ se situe sur les berges de la Yamuna, à 30 km au nord d'Agra sur la route de Delhi. La légende veut que la région, connue sous le nom de Braj,

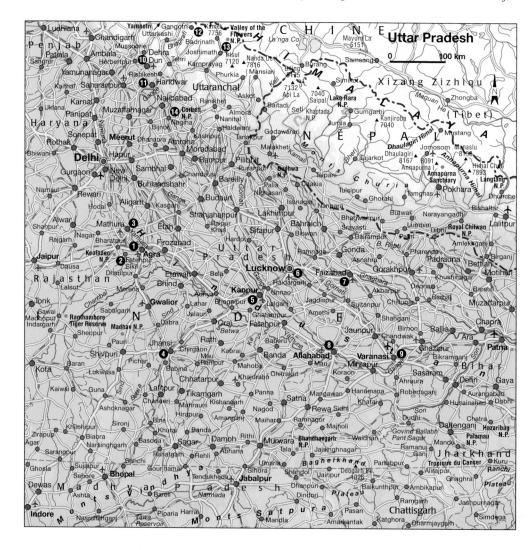

Carte
p. 176

serait le lieu de naissance et la patrie du seigneur Krishna qui, dans l'un des plus grands textes hindous, la *Bhagavad Gita*, explique le fonctionnement du monde et la meilleure façon d'y vivre. Élevé dans une famille de bergers, il accomplissait des miracles pour le bien des villageois – tout en leur jouant des tours –, tandis que les *gopi* (vachères) s'amourachaient de lui. Les hindous le considèrent comme une incarnation du dieu Vishnu.

Aujourd'hui, Mathura est une ville industrielle connue pour ses raffineries de pétrole, mais les pèlerins continuent de se rassembler sur les *ghat* de la Yamuna pour leurs ablutions et de se rendre dans ses temples, tels que le **sanctuaire de Dvarkadhish**, dans le marché couvert.

Chaque année à Mathura et Vrindavan se jouent des épisodes de la vie du seigneur Krishna, les Ras Lila.

Les environs comptent de nombreux sites associés à Vishnu. Dans le plus impressionnant, **Vrindavan**, à 10 km au nord de Mathura, quantité de veuves hindoues gagnent misérablement leur vie en chantant des hymnes à la gloire du dieu. Parmi les plus beaux temples figurent ceux de **Govind-Dev** (1590), **Jugal Kishor**, **Radha-Vallabh** et **Madan-Mohan** (tous 3 du XVIIe siècle), **Rangana-thji** et **Shahji** (XIXe siècle), ainsi que les **sanctuaires de Vankebehari** et **Pagal Baba**. Mathura était jadis un centre prospère du bouddhisme et du jaïnisme. Son musée (ouv. du mar. au dim., de juil. à avr. de 10h30 à 16h30, de mai à juin de 7h30 à 12h30) expose des sculptures d'artisans locaux du IIe au VIe siècle.

Le sud de l'Uttar Pradesh

Jhansi ❹, à 188 km au sud d'Agra, permet d'explorer le Madhya Pradesh limitrophe. Depuis le fort (ouv. de l'aube au coucher du soleil) qui domine la ville du haut de sa colline, la Rani (reine) de Jhansi dirigea la révolte des cipayes, soulèvement contre les Britanniques en 1857. Vous pourrez visiter le musée des environs (ouv. du mar. au dim., de juil. à mars de 10h30 à 16h30, d'avr. à juin de 7h30 à 12h30).

CI-DESSOUS :
la Jami Masjid de Fatehpur Sikri, capitale d'Akbar.

À 3 heures de voiture vers l'est, vous découvrirez le village de **Khajuraho** (au Madhya Pradesh), renommé pour ses temples millénaires aux sculptures érotiques *(voir p. 290)*. Avec ses *ghat* longeant l'étroite rivière Mandakini, le centre de pèlerinage de **Chitrakut**, à 235 km à l'est de Jhansi, ressemble à un Varanasi miniature.

Le centre et l'est de l'Uttar Pradesh

La route de Lucknow, ville située à 446 km au sud-est de Delhi, traverse Aligarh, site de l'Aligarh Muslim University (1975). Son fondateur, Sir Syed Ahmad Khan, souhaitait fournir une instruction scientifique à la communauté musulmane d'Inde.

Kanpur ❺, sur le Gange, à 70 km au sud-ouest de Lucknow, est la principale ville industrielle de l'État. Lors du soulèvement de 1857, les troupes indiennes assiégèrent la garnison britannique qui, affamée, accepta de se rendre pour avoir la vie sauve ; pourtant, elle fut massacrée alors qu'elle traversait le fleuve. L'église **All Souls' Memorial** (1875) renferme les noms des victimes.

Lucknow

Capitale de l'État, baignée par le Gomti, un affluent du Gange, **Lucknow ❻** se situe à une heure au nord

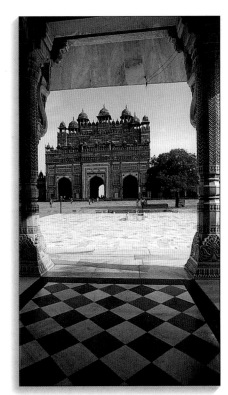

La Jama Masjid à Lucknow, construite par Mohammad Ali Shah au milieu du XIXᵉ siècle.

CI-DESSOUS : l'ensemble d'Imambara à Lucknow.

de Kanpur. Si les jardins qui faisaient jadis sa renommée ont, pour la plupart, cédé la place aux bureaux, centres commerciaux et zones résidentielles, Lucknow reste une ville de province paisible. **Hazratganj**, la rue principale, court entre le bâtiment de la **State Legislative Assembly** (l'assemblée législative de l'État) et la **Governor's House** (maison du Gouverneur), datant toutes 2 du British Raj. À l'autre extrémité, une rue mène aux vestiges de la **Residency** (ouv. de 10h à 16h30 ; entrée payante), où les Britanniques furent assiégés 87 jours durant, lors de la révolte des cipayes en 1857. Le bâtiment, niché dans un ravissant jardin, abrite un musée.

Le quartier recèle quelques monuments de l'âge d'or de Lucknow, jadis capitale de la province moghole d'Avadh (Oudh). Gagnant leur indépendance à mesure que l'empire déclinait, les souverains d'Avadh établirent leur propre dynastie au XVIIIᵉ siècle. L'ancien tribunal renferme les expositions temporaires de la **State Contemporary Art Gallery**. Au coin de la rue se dresse **la résidence du nabab**, en état de décrépitude, laquelle fait face au Central Drug Research Institute, installé dans l'immense demeure de l'aventurier français Claude Martin.

Les nababs d'Avadh – musulmans chiites – accordaient une grande importance au *muharram*, l'anniversaire du martyre d'Imam Hussain, petit-fils du Prophète. À cette occasion, des poèmes à la mémoire d'Imam et ses compagnons martyrs sont récités dans de vieilles *imambara* (maisons de l'imam), rares monuments historiques encore préservés. La cour de Lucknow attirait de nombreux érudits et artistes. Parmi les plus beaux édifices de l'époque des nababs, figurent les tombeaux à dôme du **Begum Hazrat Mahal Park**, au bout de Hazratganj, et l'*imambara* du Shah Najaf, près des jardins botaniques. Plus loin, le **Bara Imambara** (ouv. de 8h à 18h30 ; fermé durant le *muharram* ; entrée payante), ou **Grand Imambara**, regroupe un nombre important d'édifices colossaux. Sa construction, entreprise en 1784, visait à fournir du travail à une population éprouvée par la famine. Un *bul-bhulaiya* (labyrinthe) zigzague au-dessus du magnifique hall. Non loin de là, le **Husainabad Imambara** (ouv. de 6h à 17h ; entrée payante), flanqué de 2 pavillons secondaires – sortes de Taj Mahal en miniature –, a conservé photophores en verre coloré et autres décorations de l'époque, alors qu'ailleurs, ils ont généralement disparu. Aujourd'hui, en raison du conflit irakien, sachez que les Occidentaux ne sont plus les bienvenus dans les sanctuaires chiites.

Sur un vaste domaine, se dresse l'un des édifices les plus extravagants de l'époque, l'**école La Martinière** – construite par Claude Martin, enterré ici. Elle se visite sur autorisation du principal.

Aucun circuit de Lucknow ne saurait être complet sans une balade dans le **Chowk**, un quartier de la vieille ville où d'innombrables boutiques vendent des broderies *chikan* locales, héritages des nababs d'antan. Le **musée d'État** (ouv. du mar. au dim., de 10h30 à 16h30 ; entrée payante) abrite statues et frises du Iᵉʳ au XIᵉ siècle, monnaies, ainsi qu'une momie égyptienne.

Vers l'est

L'influence des nababs se fait également sentir à **Faizabad ❼**, située à 150 km à l'est de Lucknow, jadis capitale de la province d'Avadh. Cette ville animée possède des monuments ouvragés, dont le tombeau de la bégum Bahu et le Gulab Bari, mausolée d'un des premiers souverains d'Avadh, Shuja-ud-Daula.

À 6 km à l'est, sur les rives du Ghaghara, vous découvrirez **Ayodhya**, célèbre pour son temple. Les hindous la considèrent comme la capitale et le berceau du seigneur Rama, incarnation de Vishnu et héros du *Ramayana*. La dévotion populaire pour Rama s'est renforcée au XVIᵉ siècle, lorsque Tulsi Das a rédigé sa remarquable version du *Ramayana* en avadhi (la langue locale). Les édifices les plus anciens et les plus majestueux encore visibles à Ayodhya datent des nababs d'Avadh et de leurs courtisans, à l'origine de la construction de divers temples. **Hanumangarhi** (enceinte ouv. de l'aube au coucher du soleil), le fort d'Hanuman (dieu des singes), est l'un des plus remarquables : des escaliers abrupts conduisent au temple principal, flanqué de singes bien vivants… Un ordre d'ascètes constitué autrefois de lutteurs dirige le temple. La paix de la ville fut rompue en 1992, lorsque des extrémistes hindous démolirent une mosquée construite, d'après eux, sur le lieu de naissance de Rama, "Ram Janambhoomi".

Gorakhpur, à 130 km à l'est de Faizabad, tire son nom du gourou Gorakhnath, dont le temple et le *matha* (monastère) se dressent dans la ville. Si vous le pouvez, visitez le temple lors de la Khichri Mela, fête annuelle, qui culmine le 14 janvier, et à l'occasion de laquelle les villageois jettent riz et lentilles au pied de l'effigie du saint.

Sites bouddhiques

C'est de **Khushinagar**, à 53 km à l'est de Gorakhpur, que le Bouddha aurait quitté ce monde et atteint le *parinirvana* au Vᵉ ou VIᵉ siècle av. J.-C. Les Malla, régnant sur la région lors de sa mort, auraient construit le **stupa Muktabandhana**

Carte p. 176

Près de Kanpur, à Bhitargaon, se dresse un temple en brique (IIIᵉ-VIIᵉ siècle), le plus ancien de ce genre à avoir conservé son architecture d'origine, en dépit de l'érosion.

CI-DESSOUS : bain à l'aube d'un jour de bon augure, à l'occasion de la Kumbha Mela du 14 janvier 2001.

Le plafond aux décorations dorées de la tombe d'Akbar à Sikandra. Le long du Gange, l'empereur construisit de nombreux forts, et les vestiges du principal d'entre eux sont encore visibles à Allahabad.

pour y enfermer ses reliques. Tout près, un petit sanctuaire abrite une statue couchée du Bouddha. Parmi les autres destinations de pèlerinage accessibles de Gorakhpur, **Piprahva**, à 90 km, conserve le souvenir des premières années de la vie du Bouddha, tandis que **Lumbini**, à 8 km au-delà de la frontière népalaise, revendique sa naissance. À **Sravasti**, à l'ouest, près de cette même frontière, il aurait séjourné 25 jours durant la saison des pluies. Mahavira, fondateur du jaïnisme et contemporain du Bouddha, s'y rendait fréquemment. Deux colonnes d'Ashoka s'élèvent près de la porte de **Jetavana**, où des vestiges ont été mis au jour.

Allahabad

Haut lieu de l'hindouisme, **Allahabad ❽**, ou Tirth Raj ("capitale des lieux saints"), s'étend à 188 km au sud-est de Kanpur, au confluent de la Yamuna et du Gange, dans lequel – selon les hindous – se jetterait également l'invisible Saraswati. Cette jonction sacrée accueille la Magh Mela (fête religieuse annuelle) en janvier et février ainsi que, tous les 12 ans, la Mahakumbha Mela, principale fête mystique du Nord de l'Inde. S'immerger aux moments les plus sacrés laverait des péchés accumulés au cours de ses multiples existences ; en 2001, 66 millions de fidèles s'y seraient baignés. Des bateaux à rames vous conduiront au point de rencontre des eaux laiteuses du Gange et de celles, bleutées, de la Yamuna. La ville proprement dite est surpeuplée et quelque peu délabrée. Centre névralgique du mouvement pour l'indépendance, **Anand Bhavan** (ouv. du mar. au dim. de 9h30 à 17h ; entrée payante) a été la maison des Nehru. À **Kausambi**, à 45 km de là, se trouvent les vestiges d'un des plus grands forts urbains, construit durant le premier millénaire av. J.-C. Des murailles en briques protégeaient les maisons pourvues de cours. Kausambi fut occupée du VIIIe siècle av. J.-C. au VIe siècle de notre ère. Son principal stupa bouddhique mesurait 25 m de rayon.

Varanasi

À **Varanasi ❾** (l'ancienne Bénarès) s'étend la section la plus sacrée du Gange. Depuis plus de 2 500 ans, elle attire pèlerins et visiteurs en quête de spiritualité. Le centre-ville se niche entre les rivières Varuna et Assi – d'où le nom de Varanasi –, qui se jettent dans le Gange. Kasi, l'autre appellation de la ville, dérive probablement d'un mot sanscrit signifiant "briller" ou "d'aspect brillant", qui fait référence à la lumière du dieu Shiva, dont Varanasi est la patrie. Shiva se traduit littéralement par "heureux auspices" ou "joie" et, selon un dicton local, cette divinité qui rivalise de popularité avec Vishnu serait présente dans chaque gravier et chaque pierre de Kasi. Mourir à Varanasi sur les berges du fleuve sacré permet d'atteindre le *moksa*, la libération des cycles de réincarnation. Loin d'être dissimulée, la mort fait partie du quotidien en Inde, d'où la présence de sites de crémation au cœur même de la ville.

Le Gange coule du sud au nord, entre la ville sur la rive ouest et les champs arborés à l'est. C'est à l'aube que le spectacle est le plus saisissant, quand les rayons dorés du soleil se posent sur les innombrables temples et les *ghat*, sur les prêtres cachés par leurs ombrelles et les fidèles prenant leur bain purificateur. La mosquée la plus remarquable se détachant à l'horizon est l'œuvre

INDIA

de l'empereur moghol Aurangzeb. Des canots vous emmènent de l'Assi Ghat, au sud, au Raj Ghat.

Dans le centre, **Vishvanath** (fin du XVIIIe siècle), le principal temple de Shiva, est réservé aux hindous, mais les visiteurs peuvent grimper sur les bâtiments voisins pour en admirer le dôme doré. Shiva, roi de Varanasi, a pour reine la déesse Annapurna, dont le sanctuaire se dresse non loin de là. Mère parfaite et déesse pleine de douceur, elle apporte nourriture *(anna)* et vie. Au sud, un autre sanctuaire, dédié à la déesse Durga, l'une des gardiennes de la ville, est surnommé **temple des Singes** en raison de la horde de macaques rouges qui y a élu domicile.

Tout près, vous découvrirez le **Sankat Mochan**, lieu saint très populaire consacré au dieu-singe Hanuman, que l'on invoque pour résoudre mille et un problèmes. Le mardi et le samedi, les fidèles s'y rassemblent pour implorer son aide. Le prêtre principal vit dans une maison surplombant le Gange, sur Tulsi Ghat, où Gosvami Tulsi Das aurait rédigé son *Ramayana*.

De l'autre côté du fleuve, le fort de **Ramnagar**, demeure du rajah de Bénarès, abrite un musée privé (ouv. en été de 9h à 12h et de 14h à 17h, en hiver de 10h à 13h et de 14h à 17h ; entrée payante). Le rajah patronne le Ramnagar Ram Lila, une représentation traditionnelle du *Ramayana* qui dure un mois (oct. et nov.).

C'est dans le parc aux Cerfs de **Sarnath**, à 6 km au nord de Varanasi, que le Bouddha fait son premier sermon après avoir atteint l'Éveil ; il y retournera à plusieurs reprises. Parmi les vestiges les plus remarquables de ce site figurent ceux du **Dhamekh Stupa** – là où le Bouddha aurait prêché –, ainsi qu'une colonne d'Ashoka (IIIe siècle av. J.-C.). L'exceptionnelle collection du musée voisin (ouv. du sam. au jeu., de 10h à 17h ; entrée payante) comporte, entre autres, le chapiteau aux lions de la colonne, devenu l'emblème du gouvernement indien. ❏

Carte
p. 176

NOTEZ-LE

Les étroites gali (allées) et les bazars animés de Varanasi méritent une visite. La ville est également renommée pour ses confiseries et sa soie richement brochée.

CI-DESSOUS :
ablutions dans le Gange, sur les *ghat* de Varanasi.

Carte
p. 176

Delhi

L'UTTARANCHAL

*Cet État du Nord englobe l'Himalaya et ses contreforts,
les Shivalik, parsemés de stations climatiques très fréquentées
et de forêts s'étendant dans le Corbett National Park.*

L es chaînes du nord de l'Uttar Pradesh couvrent la région de l'Uttarakhand, un nouvel État appelé Uttaranchal, séparé de l'Uttar Pradesh en 2001. L'hindouisme fait de ces sommets la résidence des dieux, et l'Himalaya est doublement sacré dans la mesure où s'y forment les cours d'eau qui, par leur réunion, engendrent le Gange et la Yamuna. Le Nanda Devi, l'un des points culminants, s'élève à 7 817 m de hauteur.

Située au pied des montagnes, la capitale de l'État, **Dehra Dun** ❿, en plein essor, compte des institutions prestigieuses, dont le Wildlife Institute of India, le Forest Research Institute et l'Indian Military Academy. La station climatique de **Mussoorie**, sur une crête surplombant la ville, accueille la Lal Bahadur Shastri National Academy of Administration, qui forme les candidats à l'élitiste Indian Administrative Service, le successeur de l'Indian Civil Service (administration des colons britanniques).

À **Haridwar** ⓫, l'une des 7 villes les plus sacrées d'Inde, située à 50 km au sud-est de Dehra Dun, le Gange émerge des montagnes pour s'écouler à travers les plaines. À l'instar d'Allahabad, Haridwar accueille une Kumbha Mela (grande fête religieuse) tous les 12 ans. L'*arati* (culte) vespéral sur le fleuve a lieu au *ghat* principal, **Har-ki-Pauri**.

CI-DESSOUS :
Deoprayag, à
la confluence
des fleuves sacrés,
sur les contreforts
de l'Himalaya.

Ville de temples et d'ashrams, **Rishikesh** s'étend à 25 km en amont au milieu de la forêt. Des 2 ponts suspendus au-dessus du fleuve – Ram Jhula et Laksman Jhula –, vous bénéficierez des plus belles vues sur la partie nord de la ville, **Muni-ki-Reti**, fort agréable.

Les sites sacrés de l'Himalaya

Haridwar, Rishikesh et Dehra Dun sont les points de départ des pèlerinages vers les 4 lieux les plus sacrés de l'Himalaya : Yamunotri – source de la Yamuna –, Gangotri – source du Gange –, et les temples de Kedarnath et Badrinath.

Vous pourrez gagner **Yamunotri** de Dehra Dun ou Rishikesh. La route s'arrêtant 13 km avant le temple de **Hanuman Chatti**, il faut ensuite suivre une piste le long de la rivière. Dans une source chaude près du temple, les pèlerins font cuire riz et pommes de terre qu'ils offriront à la déesse Yamunotri.

La route abrupte pour **Gangotri** ⓬ relie Rishikesh à Narendra Nagar, Tehri (site de construction d'un barrage controversé), Uttarkashi et le sanctuaire de Gangotri (3 140 m) sur le Gange. De là, comptez une journée de marche pour atteindre **Gaumukh** ("museau de la vache"), la base d'un glacier d'où jaillit le Gange.

L'itinéraire pour **Badrinath**, patrie du dieu Vishnu, s'élève en pente douce de la vallée escarpée de Deoprayag jusqu'à **Srinagar**, ancienne capitale du Garhwal. Il mène ensuite à **Joshimath**, le siège d'Adi Shankaracharya, grand réformateur hindouiste du VIIIe siècle qui aurait fondé les temples de Badrinath et Kedarnath. Le **temple Narsingh Bhagwan** devient le principal centre de dévotion à Vishnu lorsque le sanctuaire de Badrinath ferme en hiver. C'est de Govindghat, plus loin, que partent les treks pour le **Valley of the Flowers National Park** ⓭ (parc national de la vallée des Fleurs ; meilleure période pour les visites juin-août), tapissé de fleurs durant la mousson, et le temple sikh récent de **Hemkund**. La route se poursuit jusqu'à Badrinath, mais bifurquez avant pour gagner **Kedarnath**, dont le sanctuaire dédié à Shiva comporte l'un des 12 *jyotirlinga* ("lingam de la lumière"). Il se situe à la source de la Mandakani, dans une belle vallée au milieu de montagnes enneigées.

Le Kumaon, à l'est, comprend les stations climatiques de Nainital, Ranikhet et Almora. **Nainital**, bâtie autour d'un lac cerné de monts boisés, constituait la capitale estivale du gouvernement des Provinces unies, ancienne appellation britannique de l'Uttar Pradesh et l'Uttaranchal. **Ranikhet**, siège du régiment du Kumaon, reste l'une des villes montagnardes les moins polluées. Enfin, **Almora** est le point de départ idéal pour explorer les forêts de chênes de **Binsar** ou visiter les 150 magnifiques temples de **Jagesvar**.

Les plus belles forêts du Teraï tapissent le **Corbett National Park** ⓮ (ouv. de mi-nov. à mi-juin), à 300 km au nord de Delhi, dans le district de Nainital. Ce parc peuplé de tigres – 150 en 2005 –, éléphants et cerfs accueille aussi des oiseaux, dont le loriot pourpré, l'irène vierge, la pirolle verte et le fauconnet à collier. Crocodiles, gavials, mais aussi le majestueux mahseer (poisson de la famille des carpes), trouvent refuge dans l'habitat de la rivière Ramganga. La réserve, premier parc national d'Inde, porte le nom du chasseur Jim Corbett, reconverti en protecteur de la nature. ❑

NOTEZ-LE

Le Nehru Institute of Mountaineering d'Uttarkashi (tél. 01374 222 123 ; www.nimindia.org) propose des cours d'alpinisme et vous donnera des conseils actualisés sur les treks et le rafting dans la région.

CI-DESSOUS : pèlerins dans le temple de Badrinath.

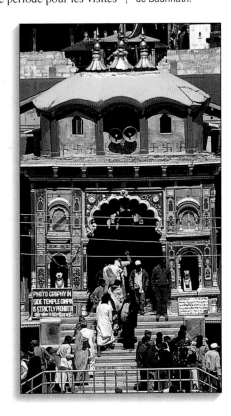

Carte
p. 186

LE PENJAB ET L'HARYANA

*Ces deux États couvrent des terres agricoles brûlées par le soleil,
descendant en pente douce des contreforts de l'Himalaya jusqu'aux
déserts du Rajasthan et aux plaines centrales.*

Autrefois le Penjab, qui s'étirait vers le nord-ouest jusqu'à l'Indus, était appelé Pentopotamia par les Grecs, en raison des 5 rivières le traversant. Il doit son nom actuel aux Perses, qui le rebaptisèrent *Panj* ("cinq") *ab* ("eaux"). En 1947, lors de la partition de l'Inde, la majeure partie de la région revint au Pakistan. Toutefois, ces 2 pays conservèrent l'appellation de "Penjab" pour leurs États respectifs, car le penjabi est parlé de part et d'autre de la frontière. En 1966, après l'effervescence qui secoua les sikhs, la partie indienne fut divisée entre le Penjab, l'Haryana et l'Himachal Pradesh.

Les populations du Penjab et de l'Haryana partagent de nombreuses ressemblances. Grands, forts et bourrus, les fermiers, Jat pour l'essentiel, sont réputés pour leur pugnacité. Quant aux citadins, ils ont une âme d'entrepreneurs. Si les Penjabi du Pakistan sont musulmans, ceux d'Inde sont sikhs ou hindous. Les habitants de l'Haryana, majoritairement hindous, parlent un dialecte dérivé de l'hindi.

Le climat passe du froid vivifiant en hiver à la chaleur torride en été, et les 2 saisons sont ponctuées par la mousson. Le printemps commence avec la fête de Basant Panchmi, début février, lorsque la campagne disparaît sous un océan de moutardiers jaunes parsemé de carrés verdoyants de cannes à sucre. Une fois récoltée, la moutarde cède la place au blé et à l'orge. Le pépiement des perdrix

CI-DESSOUS :
ouvriers agricoles
sikhs, au Penjab.

brunes se répondant et le son monocorde des moulins envahissent la campagne. Un long été s'installe ensuite, que vient adoucir la frondaison des arbres : kapokiers, érythrines caffres, palas (*Butea monosperma*) et flamboyants se couvrent de teintes écarlates, tandis que les cytises, en fleur fin mai, se parent de bruns dorés. Après les perdrix le cri du coucou koël niché dans les bosquets de manguiers répond à l'appel métallique du barbu. Au plus fort de l'été, les fermiers moissonnent le blé. Les grandes chaleurs durent d'avril à fin juin. À l'arrivée de la mousson, mi-juillet, le paysage se transforme en quelques jours en un véritable marécage, et la nature entame un nouveau cycle.

La fraîcheur revient avec la fin des pluies. Les agriculteurs sèment riz, maïs, millet et légumineuses. Traditionnellement, les communautés rurales dansent le *bhangra* au son du *dhol* (tambour cylindrique à 2 faces). Foires et festivités se succèdent entre octobre et la fête des Lumières (Divali), généralement en novembre.

"Le soleil dessèche, la terre brûle comme un four. Les eaux exhalent leur vapeur, mais la brûlure et le feu restent implacables."
GOUROU NANAK,
1469-1539,
FONDATEUR DU SIKHISME.

Sites historiques

L'Haryana compte plusieurs sites moghols. Parmi les plus prisés figurent les **Pinjore Gardens**, qui s'étendent au pied des monts Shivalik, à 20 km au nord de Chandigarh sur la route de Simla. Magnifiquement aménagés, ils se déploient entre fontaines et cascades dans l'enceinte des remparts.

Aux environs de Delhi, le voyageur découvrira le **Suraj Kund**, un temple du soleil hindou du VIIIᵉ siècle, puis le **lac Badkhal**, pourvu d'un gîte d'étape en surplomb de l'eau. Le **Sultanpur Bird Sanctuary** (réserve ornithologique, *voir p. 189*) se trouve à 46 km au sud-ouest de Delhi, un peu avant la source chaude de **Sohna**.

CI-DESSOUS :
Chandigarh,
œuvre de
Le Corbusier.

Le Penjab et l'Haryana conservent les vestiges de quelques-unes des plus anciennes civilisations indiennes. Les archéologues y ont découvert des ustensiles en quartzite façonnés il y a plus de 300 000 ans. Par ailleurs, des outils agricoles en cuivre et en bronze attestent l'existence de communautés rurales vers 2500 av. J.-C. et de récentes fouilles ont mis au jour des villes entières fondées vers cette même période. Plus riches en histoire qu'en monuments, ces 2 États proposent davantage d'installations pour vacanciers que de sites touristiques. Portes d'accès des envahisseurs – Grecs, Turcs, Mongols, Perses et Afghans – arrivés en Inde par le nord-ouest, ils ont été les témoins de nombreuses batailles, indiquées par des pierres commémoratives et des mausolées de rois ou commandants, dont **Panipat**, qui accueille le sanctuaire du saint musulman Abu Ali Kalandar, et **Karnal**, dans l'Haryana. D'innombrables forts s'éparpillent à travers la campagne, notamment ceux de **Bathinda**, **Faridkot** et **Anandpur Sahib** (*voir p. 189*). En outre, les 2 États ont aménagé des réserves naturelles le long des lacs, marécages et rivières, ainsi que d'agréables bungalows pour touristes.

La ville de Le Corbusier

Parmi les nombreux points communs du Penjab et de l'Haryana figure **Chandigarh ❶**, leur capitale conjointe, une ville charmante bâtie sur un site magnifique au pied des Shivalik. Revendiquée par les 2 États, Chandigarh est placée sous l'administration du gouvernement central, en tant que territoire de l'Union. En attendant une décision qui règle définitivement son sort, elle accueille les gouverneurs des 2 États, ainsi que leurs Secrétariats (ministères) et leurs hautes cours respectifs, dans les mêmes bureaux mais à des étages différents…

Deux torrents de montagne apprivoisés forment le vaste **lac Sukhna**, bordé d'un boulevard très agréable où les habitants viennent prendre l'air matin et soir tout en admirant les oiseaux aquatiques – migrant de l'Asie centrale à l'Inde et inversement – qui font escale sur le lac.

Assisté de son cousin Pierre Jeanneret et d'un couple d'Anglais, Maxwell Fry et Jane Drew, l'architecte suisse Le Corbusier a réalisé le tracé de la ville au milieu du XXᵉ siècle. Il en a dessiné lui-même la plupart des principaux bâtiments publics, dont le **Secrétariat**, l'**Assemblée législative** et la **Haute Cour**. Les amateurs d'architecture et d'urbanisme visiteront le **City Museum**, présentant plans et maquettes d'origine. Nombre d'entre eux se dressent sur des pilotis, un style architectural repris pour plusieurs institutions et demeures privées. Très verdoyante, Chandigarh possède une grande variété d'arbres à fleur ainsi qu'une vaste **roseraie** comportant plus d'un millier d'espèces. Le Corbusier a également conçu le **Government Museum and Art Gallery** (ouv. du mar. au dim. de 10h à 16h30 ; entrée payante), qui expose une excellente collection de sculptures et miniatures gandhara.

La ville de Kalka, au nord de Chandigarh, constitue le point de départ du spectaculaire trajet en train pour Simla, dans l'Himachal Pradesh (*voir pp. 151 et 191*).

CI-DESSOUS :
sikh du Penjab.

LES TURBANS

Les sikhs enveloppent leur chevelure dans des turbans bien caractéristiques. S'il en existe de formes, couleurs et tailles fort variées, ils utilisent généralement des tissus d'au moins 4,5 m de long. Les cheveux sont tout d'abord coiffés en chignon, puis recouverts d'un foulard – dans certaines situations informelles, les sikhs ne portent que le foulard seul. Les turbans penjabi sont souvent bien nets, comparés aux énormes coiffures des Rajasthanis du désert, jusqu'à 7 m de long. Les citadins se servent d'un tissu molletonné semblable à un couvre-théière pour se protéger de la poussière lorsqu'ils circulent à deux-roues et vous verrez même souvent des filets pour la barbe. Les motocyclistes, qui ne peuvent porter de casque sur leur turban volumineux, se contentent de grosses lunettes protectrices.

Faire tomber le turban de la tête de son propriétaire est une agression humiliante… Le retirer pour le placer aux pieds d'un interlocuteur est un signe d'excuses serviles. Dans le monde musulman, les turbans protègent de la chaleur et des coups. Apportant une touche de raffinement, les envahisseurs persans y ajoutaient joyaux et ornements en plume indiquant leur statut. Le turban reste l'apanage des hommes ; pour bénéficier d'un peu de fraîcheur, les femmes se couvrent d'un grand foulard.

*Principale attraction
de Chandigarh,
le Rock Garden est
un immense complexe
sculptural d'objets
trouvés ou recyclés,
assemblés par
l'inspecteur du
gouvernement local
Nek Chand
(ouv. de 9h à 13h
et de 15h à 19h).*

CI-DESSOUS :
le Golden Temple
à Amritsar.

Les temples du Penjab

C'est dans la plus grande ville du Penjab, **Amritsar** ❷, que se situe le **Golden Temple** (temple d'Or), saint des saints sikh qui fut au cœur de conflits religieux et politiques (en 1984, il fut pris d'assaut par les troupes du gouvernement). Le gourou Ram Das, le quatrième des 10 gourous sikhs, fonda Amritsar il y a plus de 4 siècles. Son fils et successeur, Arjun, le cinquième gourou, érigea le temple au centre d'un bassin, consacra ses eaux et plaça l'Écriture sainte sikh – le *Granth Sahib* – dans son sanctuaire intérieur. La ville tire son nom de ce réservoir sacré (*amrit* signifie "nectar" et *sar* "bassin"). En 1803, le dirigeant sikh Maharaja Ranjit Singh (1780-1839) se servit de marbre et d'or pour reconstruire le temple, renommé depuis Golden Temple. Les sikhs l'appellent *Harimandir* ("temple de Dieu") ou *Darbar Sahib* ("cour du Seigneur").

L'enceinte du temple mérite que vous y consacriez 1 ou 2 heures à écouter les hymnes chantés et à regarder les milliers de pèlerins s'y rassemblant pour prier (pensez à vous couvrir la tête et à vous déchausser). Elle comprend plusieurs sanctuaires d'une grande importance historique, comme l'**Akal Takht** ("trône du dieu intemporel") face au temple – où figurent les armes des gourous guerriers, leurs tenues et leurs emblèmes – et la **tour Baba-Atal** à 8 étages.

Non loin du Golden Temple se dresse son homologue hindou, le **Durgiana Temple** (XVIᵉ siècle), et **Jallianwala Bagh**, site de l'un des massacres les plus effroyables du règne britannique : le 13 avril 1919, le général Dyer ouvrait le feu sur une foule pacifique et désarmée, faisant au moins 300 victimes. Dans le jardin, un monument commémore l'événement. Contrastant avec l'atmosphère paisible du temple d'Or, Amritsar, grand centre industriel et commercial, est une ville animée, victime d'une circulation congestionnée.

Carte
p. 186

Le Penjab comporte de nombreux autres sanctuaires sikhs. C'est à **Anandpur**, adossée à l'Himalaya, que le dernier des gourous sikhs, Govind Singh, baptisa les 5 premiers sikhs en 1699, formant ainsi une fraternité militante qu'il nomma Khalsa ("la pure"). Vous y admirerez plusieurs temples, ainsi que la forteresse de **Kesgarh**. **Sirhind**, près de Patiala, possède un vaste ensemble de sanctuaires, palais et forts.

Hormis pour l'achat de textiles, **Ludhiana**, surnommée "le Manchester de l'Inde", ne présente guère d'intérêt. À **Patiala**, capitale de l'un des plus riches "États princiers" de l'Inde britannique, le palais Shish Mahal mérite la visite.

L'Haryana

Bien que regroupant très peu de sites touristiques renommés, l'Haryana n'en est pas moins le berceau des Écritures saintes de l'hindouisme : c'est à **Kuruksetra ❸**, à 155 km au nord de Delhi, que s'est déroulée, selon la légende, la bataille opposant les Kuruva à leurs cousins, les Pandava. La veille des combats, Sri Krishna, incarnation de Vishnu, parvint à convaincre le commandant des Pandava, Arjuna, qui hésitait à livrer combat contre ses parents. Son sermon, la *Bhagavad Gita*, traite du *dharma*, principe moral selon lequel chacun doit accomplir son devoir sans tenir compte des récompenses, victoires et défaites potentielles. Kurukshetra regorge de temples et de bassins où les pèlerins viennent se baigner, tandis que les hommes saints font leur apparition à l'occasion des éclipses.

Dans le district de Gurgaon, près de Delhi, s'étend le **Sultanpur Bird Sanctuary**, une réserve ornithologique aménagée en 1971. Vous y admirerez un grand nombre d'oiseaux, dont la huppe fasciée, l'ibis blanc et le tantale indien. Vous aurez aussi l'occasion de voir des nilgauts et des antilopes cervicapres. ❏

Durant la fête de hola mohalla à Anandpur, des sikhs Nihang participent à des reconstitutions de combats à cheval.

CI-DESSOUS : l'intérieur du temple d'Or.

Carte
p. 186

Delhi

L'HIMACHAL PRADESH

*Nichées dans le nord-ouest de l'Himalaya, ses hautes vallées
et ses pentes verdoyantes attirent randonneurs, alpinistes
et visiteurs en quête de tranquillité.*

L'Himachal Pradesh s'étend sur les pics enneigés de l'Himalaya, de ses contreforts jusqu'aux vallées du Lahaul et du Spiti. Sa capitale, Simla, permettait jadis aux vice-rois britanniques de trouver un refuge contre la chaleur étouffante des plaines pendant les mois d'été.

À cette saison, le parfum des fleurs sauvages envahit ces monts enchanteurs, rafraîchis par la fonte des neiges. Puis, pendant la mousson, la végétation devient luxuriante et les cascades se multiplient. D'agréables journées claires et radieuses se succèdent à l'automne, couronnées par des couchers de soleil féeriques. Enfin, l'arrivée des premiers flocons marque le retour de l'hiver.

Si les habitants de l'Himachal Pradesh sont majoritairement hindous, le bouddhisme y joue un rôle prépondérant, en raison de la présence du dalaï-lama en exil à Dharamsala et à celle de l'importante communauté de réfugiés tibétains. Sur son territoire, relativement restreint, on ne compte pas moins de 6 000 temples.

Chaque année, un nouveau cycle de cérémonies débute : foires et festivités, souvent liées aux divinités, sont rythmées par un large éventail de chants et de danses, qui font la renommée de cet État. Au cours de la *nati*, la plus répandue, les danseurs, masqués, forment une chaîne en se donnant la main. Dans le Kinnaur et le Lahaul-Spiti, certains spectacles dépeignent la lutte entre dieux et démons.

CI-DESSOUS :
un village de
l'Himachal Pradesh.

Essentiellement rural, l'Himachal Pradesh ne compte que de petites localités. La maison villageoise traditionnelle se caractérise par un niveau inférieur, occupé par le bétail, un autre, intermédiaire, utilisé pour entreposer céréales et autres denrées, mais aussi pour y dormir en hiver, et enfin un dernier étage, le *dafi*, servant de lieu d'habitation.

De Simla au Kinnaur

Perchée sur une crête à 2 100 m d'altitude, **Simla** ❹ (Shimla), autrefois la résidence d'été officielle du gouvernement de l'Inde britannique, baigne encore dans une atmosphère coloniale. Une voie ferrée à écartement étroit, ouverte au fret en 1891 et aux passagers en 1903, relie la ville à Kalka, dans la plaine ; quatre fois par jour, dans les deux directions, un train s'ébranle lentement pour franchir le pittoresque paysage à flanc de colline (6 heures de trajet). Le Mall, la rue principale autrefois interdite aux Indiens, fait le bonheur du chaland, tandis que le Ridge et Scandal Point constituent des lieux de rendez-vous prisés en soirée. Malgré son essor considérable depuis l'indépendance, Simla – peut-être plus que n'importe quelle autre ville du pays – témoigne d'une volonté de retrouver l'atmosphère britannique. Son architecture coloniale et sa Christ Church – la deuxième église construite dans le nord de l'Inde – lui donnent l'air d'une ville oubliée de l'époque édouardienne. Ces lieux servirent de toile de fond à plusieurs nouvelles de Rudyard Kipling dans le recueil *Simples contes des collines*. Quant à son roman *Kim*, il comporte une description célèbre du bazar sous le pont. Dans ce cadre reposant, vous pourrez partir en randonnée à travers les bois environnants au milieu des rhododendrons, des sapins, des pins et des chênes de l'Himalaya.

À 64 km de Simla, sur la route qui reliait l'Hindoustan au Tibet, **Narkanda** ❺ (2 700 m environ) déploie ses paysages ravissants ponctués de pommeraies. Cette station de ski constitue une base pratique pour explorer le cœur de l'Himachal Pradesh. De là, en vous dirigeant vers l'est par la vallée de la Sutlej, vous parviendrez au **Kinnaur** limitrophe, l'une des régions les mieux préservées et les moins visitées de l'Himachal Pradesh.

Son accès est réglementé en raison de sa proximité avec la frontière tibétaine, mais vous obtiendrez facilement une autorisation à **Rampur Bushahr** ❻, l'une des principales agglomérations de l'État, à 140 km de Simla, sur les bords de la Sutlej. La foire de Lavi s'y déroule tous les ans, au mois de novembre.

Rekong Peo constitue la ville majeure du Kinnaur ; toutefois, privilégiez **Kalpa**, bien qu'un peu plus éloignée de l'axe principal, pour sa vue stupéfiante sur les montagnes du Kinner-Kailash et son offre d'hébergements. Des cars vous mèneront de Rekong Peo et Kalpa à **Sangla**, dans la splendide vallée de la Baspa.

La région propose d'excellents treks, en particulier l'ancienne route reliant l'Hindoustan au Tibet – pour laquelle un permis Inner Line est requis –, qui vous mènera de Sarahan jusqu'à la Rupa Valley en passant par Kalpa et le Haut-Kinnaur. Autre parcours spectaculaire à ne pas manquer : le circuit des pèlerins, dans la chaîne du Kinner-Kailash.

Visitez la vallée de Kullu en octobre, lors de la fête de Dussera. À cette occasion, les fidèles transportent en procession les effigies des divinités sur des palanquins d'apparat.
Parmi les attractions majeures, ne manquez pas les compétitions de danse, en soirée.

CI-DESSOUS :
le bazar de Simla.

Nombre des sommets de l'Himachal Pradesh n'ont jamais été gravis, mais les montagnes les plus accessibles offrent un bon terrain d'entraînement aux alpinistes.

CI-DESSOUS : femme vêtue du costume régional.

La vallée des dieux

Célèbre pour ses paysages superbes, ses pommeraies, ses temples en bois, sa musique et ses danses, la **Kullu Valley** ❼ (1 200 m), traversée par la rivière Beas, ravira tant les adeptes de la randonnée et de l'escalade que les passionnés de rafting et de pêche.

Si **Kullu** semble moins attrayante que les localités situées plus haut dans la vallée, ne manquez pas son temple de Raghunathji, divinité majeure des environs, ni le sanctuaire de Vaisno Devi, dans une grotte. La ville s'éveille véritablement durant la fête de Dussera, lorsque touristes et population locale affluent pour assister aux cérémonies. À cette occasion, réservez votre hébergement à l'avance.

Le temple le plus remarquable de la vallée, **Bijli Mahadeva**, à 8 km au sud-est de Kullu, se compose d'immenses blocs de pierre assemblés sans aucun ciment. Son mât de drapeau (20 m) attire la foudre qui, selon la croyance, est l'expression d'une bénédiction divine. Lorsqu'elle frappe le mât, la foudre renverse le *lingam* (symbole phallique) de Shiva installé dans le temple ; un prêtre le remet alors en place, jusqu'à la prochaine manifestation "miraculeuse".

De Bhuntar, qui accueille l'aéroport de Kullu à 10 km au sud, vous pourrez gagner vers le nord-est la **Parvati Valley**, dont les sources chaudes, à **Manikaran**, constituent un lieu de pèlerinage sikh et hindou. L'idéal est de découvrir la région à pied, mais sachez que plusieurs randonneurs y auraient été attaqués. Mieux vaut donc se faire accompagner d'un guide expérimenté et se déplacer en groupe.

La route reliant Kullu à Manali longe les flots impétueux de la Beas, flanquée de pics montagneux et de vastes forêts. À **Naggar**, près de Katrain, vous pourrez visiter la demeure du peintre russe Nicholas Roerich (1874-1947) à qui cette petite localité doit sa renommée (ouv. du mar. au dim., de 9h à 13h et de 14h à 17h ; entrée payante).

Les environs de **Manali** ❽ recèlent de multiples buts de randonnée, d'escalade, de trekking ou de pique-nique au cœur des clairières de cèdres de l'Himalaya et de marronniers d'Inde. Ces dernières années, cet important centre de commerce est devenu une station climatique appréciée des Indiens en lune de miel et des touristes occidentaux. La ville se divise en deux quartiers : la partie récente, desservie par l'arrêt de cars et où se concentrent la plupart des hôtels ; et le vieux village, plus pittoresque, se déployant le long du Mall et sur l'autre rive de la Manalsu, qui offre des hébergements en maisons traditionnelles. L'**Hindu Dhungri Temple**, dédié à la déesse Hadimba, daterait d'il y a plus de mille ans. L'importante communauté tibétaine de Manali a érigé deux nouveaux *gompa* (monastères), accessibles aux touristes ; n'oubliez pas que le tour d'un sanctuaire bouddhique s'effectue toujours dans le sens des aiguilles d'une montre.

À 3 km en remontant la vallée, au départ de Manali, vous découvrirez les sources chaudes de **Vashisht**, un ensemble de temples avec des bains en plein air séparés pour les hommes et les femmes. La vallée de Kullu prend fin lorsque la route dépasse la station de ski de Solang pour serpenter sur le Rohtang Pass, voie d'accès aux vallées enchanteresses du Lahaul et du Spiti.

Le Lahaul et le Spiti

Coupées du monde la plupart du temps, les vallées du **Lahaul** et du **Spiti** (3 000-4 800 m) débutent après le **Rohtang Pass** (3 955 m), dans le nord-est de l'État. Ce col n'ouvre que de mai à octobre, seule période durant laquelle vous pourrez également franchir le **Kunzam Pass**, à une altitude supérieure (4 500 m), pour pénétrer dans la Spiti Valley. Les peuples de ces deux vallées possèdent des cultures bien distinctes : à la fois hindouiste et bouddhique pour le Lahaul, et presque entièrement bouddhique pour le Spiti.

Le chef-lieu du Lahaul, **Keylong**, pratique pour faire une halte entre Manali et Leh, se situe à proximité de plusieurs *gompa*. Pomme de terre et houblon – les principales cultures de cette vallée – confèrent une certaine aisance à sa population. Le Spiti présente un paysage nettement moins hospitalier. À **Kaza**, vous pourrez planifier vos trekkings et obtenir les autorisations "Inner Line" pour les zones les nécessitant. À 12 km de là, à **Kyi**, se dresse un *gompa* spectaculaire ; à 46 km en amont dans la vallée, celui de **Tabo** recèle quelques-uns des plus beaux exemples au monde de peintures et sculptures bouddhiques.

Une "terre de miel et de lait"

Peu de sites peuvent rivaliser de beauté avec la **vallée de Chamba**, ancien État princier dont les gorges, les prairies, tout comme les lacs et les moindres cours d'eau dégagent un charme unique. La ville de **Chamba** ❾ (900 m), sur la rive droite de la Ravi, est connue pour ses temples anciens (dont certains du Xᵉ siècle) dédiés à Shiva et Vishnu. Véritable joyau, le **Bhuri Singh Museum** (ouv. du mar. au dim., de 10h à 17h) renferme d'exquises miniatures des célèbres écoles de Kangra et Basohli, ainsi que des épigraphes relatant l'histoire de la région.

Carte
p. 186

Selon la légende, la déesse Renuka aurait été décapitée, sur ordre de son mari, par son propre fils, qui, en échange, demanda une faveur : que sa mère retrouve la vie. Au Parshuram Tal (bassin) près de Renuka, une fête annuelle commémore l'événement.

CI-DESSOUS :
environs de Manali, véritable paradis du trekking et de l'escalade.

ITINÉRAIRES DE TREKKING

L'Himachal Pradesh offre aux marcheurs des possibilités illimitées, sur des itinéraires généralement bien plus tranquilles qu'au Népal.

Manali-Chandratal 11 jours : Chikka, 2 956 m (13 km) ; Chatru, 3 360 m (16 km) ; Chota Dara (16 km) ; Batal (16 km) ; Chandratal (18 km) ; Topko Yongma (11 km) ; Topko Gongma, 4 730 m (10 km) ; Baralacha, 4 870 m (10 km) ; Patseo, 3 820 m (19 km) ; Jispa (14 km) ; Keylong, 3 340 m (21 km).

Manali-Deo-Tibba 7 jours : Khanul, 2 020 m (10 km) ; Chikka (10 km) ; Seri (5 km) ; Chandratal, 4 570 m (10 km).

Manali-Solang Valley 7 jours : Solang, 2 480 m (11 km) ; Dhundi ; Beas Kund, 3 540 m, aller-retour (10 km) ; Dhundhi-Shigara Dugh (8 km) ; Marrhi, 3 380 m (10 km).

Dharamsala-Chamba *via* **Lakagot et Bharmaur** 8 jours : Lakagot se situe au bas de l'Indrahar Pass, 5 660 m.

District de Chamba : Pangi Valley et les montagnes Manimahesh offrent un paysage magnifique.

District de Simla : de Simla à Kullu *via* Jalori Pass ; de Simla à Mussoorie *via* Tuini ; et de Simla à Churdhar *via* Fagu.

Manali-Chandrakhani-Manala 7 jours : Ramsu, 2 060 m (24 km) ; Chandrakhani, 3 650 m (6 km) ; Malana (6 km) ; Kasol (8 km) ; Jari (14 km) ; Bhuntar, 1 900 m (11 km).

CI-DESSOUS :
bouddhistes
en prière
à Dharamsala.

Vers le mois d'août, la **Minjar Fair** de Chamba – principale des innombrables foires et festivités de l'Himachal Pradesh – célèbre l'arrivée de la pluie et la maturité du maïs. Un défilé de chevaux parés, parmi les bannières, indique le début de cette fête, qui durera une semaine.

Dalhousie, paisible station de montagne étagée sur 5 collines, à 56 km de Chamba, est le point de départ d'agréables randonnées. **Brahmaur**, l'ancienne capitale de la vallée, doit sa renommée à ses temples – bel exemple d'architecture pahari – ainsi qu'à son site ravissant, et **Nurpur** à la qualité de ses textiles.

District de Kangra

La vallée de Kangra compte parmi les plus belles de l'Himalaya. **Dharamsala ❿**, siège du district au pied des monts Dhauladhar, s'étire sur 2 quartiers bien distincts – haut et bas – à une altitude s'échelonnant entre 1 000 et 2 000 m. La partie supérieure, appelée McLeod Ganj (ou Upper Dharamsala), accueille Sa Sainteté le dalaï-lama et le gouvernement tibétain en exil. La communauté soutient de nombreuses organisations, dont le TIPA (Tibetan Institute of Performing Arts) qui maintient en vie et organise des spectacles d'art traditionnel – musique, danse et, plus particulièrement, théâtre (*lhamo*). Le **Museum of Kangra Art** (ouv. du mar. au dim., de 10h à 13h30 et de 14h à 17h), dans la partie basse, expose miniatures et autres objets d'artisanat.

À 48 km de là, les temples qui font la renommée de la ville antique de **Kangra ⓫** – et en particulier le plus fréquenté, dédié à la déesse Vajresvari – ont subi les assauts des envahisseurs à plusieurs reprises. Le fort, ancien palais des souverains de Kangra, les Katoch, mérite une visite pour sa vue magnifique sur la vallée en contrebas. À 34 km au sud-ouest de Dharamsala, les sanctuaires de **Masrur** (Xᵉ siècle), taillés dans la roche, rappellent celui d'Ellora au Maharashtra ; ils sont toutefois moins bien conservés.

Festivités locales

Mandi ⓬ (750 m), sur la rive gauche de la Beas à 165 km de Simla, possède plusieurs temples en pierre ornés de gracieuses sculptures. À l'occasion de la fête de Sivaratri (février-mars), des villageois se rendent à Mandi en tirant les *ratha* (chars) surmontés des divinités familiales. Ils visitent d'abord le temple de **Raj Madhan**, puis viennent vénérer Shiva dans le temple de **Bhutnath** ; débute ensuite une semaine de festivités, ponctuées de ventes de produits divers, de musiques et de danses.

La grotte **Vyas Gufa** ainsi que les temples de **Lakshmi Narayan** et de **Radheshyam** figurent parmi les principaux centres d'intérêt de **Bilaspur**, à 90 km au nord-ouest de Simla. Le temple de **Shri Naina Devi**, qui attire les pèlerins par milliers lors de ses nombreuses festivités, se dresse au sommet d'une butte triangulaire à 57 km de Bilaspur. Ce lieu sacré offre, de part et d'autre, une vue imprenable sur la ville sainte d'**Anandpur Sahib**, berceau d'un gourou sikh, et Govind Sagar (du nom de ce même gourou).

Poanta Sahib, centre de pèlerinage sikh à 45 km de la modeste station de villégiature de **Nahan**, s'enorgueillit d'un impressionnant *gurdwara* (temple), sur la

Carte
p. 186

berge de la Yamuna, assailli par les fidèles à l'occasion de la fête de Hola en mars. Charmante ville au bord d'un lac, **Renuka** se trouve à 45 km de Nahan.

Activités sportives

La saison du ski débute la dernière semaine de décembre et dure jusqu'à la fin de février (date variable en fonction du climat). À **Kufri**, haut lieu des sports d'hiver dans la région, à 16 km de Simla, vous trouverez l'unique patinoire de cette partie du monde. **Narkanda**, à 64 km de Simla, et **Solang**, à 10 km de Manali, permettent également de skier. Un service sporadique d'héliski fonctionne depuis Manali.

L'Himachal Pradesh est une destination idéale pour les amateurs de sports d'aventure, en particulier de trekking, d'escalade et de rafting. En matière de randonnées à pied, de nombreuses possibilités s'offrent à vous (*voir p. 193*); examinez-les minutieusement afin de trouver un itinéraire adapté, en fonction de vos aptitudes et du temps dont vous disposez. Les instituts d'alpinisme de Manali et Dharamsala fournissent de précieux conseils pour les trekkings et l'escalade. Manali propose désormais des descentes de la Beas en rafting et en kayak. Pour toutes ces activités, renseignez-vous auprès du Western Himalayan Institute of Mountaineering and Allied Sports.

Naldera, à 23 km de Simla, accueille l'un des plus anciens terrains de golf du pays. Les mordus de cricket se rendront à **Chail**, à 63 km de Simla. Cette ancienne capitale d'été du maharaja de Patiala, devenue une agréable station touristique, tire sa fierté de son terrain de jeu, fort pittoresque, dont on dit qu'il est "le plus élevé du monde". Ses environs, parfaits pour pratiquer pêche, tennis et squash, raviront aussi les passionnés d'oiseaux et de nature en général. ❑

Pour en savoir plus sur le trekking et le ski dans l'Himachal Pradesh, adressez-vous à l'Indian Institute of Skiing and Mountaineering de New Delhi, Dept. of Tourism, C-1 Hutments, Dalhousie Road, tél. (011) 2301 6179.

CI-DESSOUS :
drapeaux de prière flottant sur le Rohtang Pass.

Carte
p. 197

LE JAMMU-ET-CACHEMIRE

Telle une sentinelle, le Jammu veille sur la route du nord traversant les plaines jusqu'aux beautés légendaires du Cachemire, un secteur, pour l'heure, interdit aux voyageurs.

CI-DESSOUS : jardin moghol de Nisat, à Srinagar.

L e Jammu-et-Cachemire se divise en 3 régions. Le Jammu couvre des plaines peuplées de Dogra et de Penjabis essentiellement hindous ou sikhs, parlant penjabi, dogri, cachemiri, ourdou et hindi. Le Cachemire comprend la vallée du Cachemire et les montagnes environnantes s'étirant de Banihal au nord jusqu'au Pakistan. La troisième région, le Ladakh, fait l'objet d'un chapitre distinct dans ce guide (*voir p. 198*).

Le Pakistan contrôle la majeure partie du nord du Cachemire et la ligne de cessez-le-feu ("ligne de contrôle") de la guerre de 1948-1949 marque la frontière séparant aujourd'hui les 2 pays. À l'indépendance, la question de savoir quel pays le Cachemire intégrerait restait sans réponse ; le souverain hindou décida que sa population, majoritairement musulmane, entrerait dans l'Union indienne en 1948 – une décision qui reste contestée avec virulence, notamment par le Pakistan. Le référendum promis par Nehru pour laisser le choix aux Cachemiris n'a jamais pu avoir lieu.

Si les pourparlers entre les gouvernements indien et pakistanais ont repris pour tenter de résoudre enfin l'inextricable problème de la partition du Cachemire, cet État reste extrêmement dangereux en raison des activités des extrémistes et de l'armée. Et, en 1999, la guerre semblait sur le point d'éclater entre les 2 pays. Des touristes étrangers ont été enlevés, certains tués, et un circuit au Cachemire reste fortement déconseillé. La brève description ci-dessous ne figure dans ce guide qu'à titre indicatif. Quant au Ladakh, au nord, si jusqu'à présent il a largement échappé aux troubles, il constitue toutefois une zone frontalière névralgique.

Le Jammu

Unique tête de ligne ferroviaire du Jammu-et-Cachemire, **Jammu Tawi ❶**, au cœur des monts Shivalik, présente un climat estival chaud et humide en raison de sa faible altitude (300 m). Traditionnellement, les voyageurs se rendant dans la vallée du Cachemire et les pèlerins visitant le temple de Vaisno Devi, aménagé dans une grotte, y font escale.

La ville possède 2 temples dignes d'intérêt : le **Ranbireshwar Temple**, dédié à Shiva, et le **Raghunath Temple**, en l'honneur de Rama. Tous 2 datent des rois dogra, protecteurs des arts au XIXᵉ siècle. La **Dogra Art Gallery** renferme une collection de miniatures provenant des écoles de Basholi, Jammu et Kangra. Hors du centre-ville, le **Bahu Fort**, perché sur une colline sur l'autre rive de la rivière Tawi, est dédié à la déesse Kali. À la lisière nord de Jammu se dresse l'**Amar Mahal Palace** – transformé en musée exposant de superbes miniatures pahari –, qui offre une vue magnifique sur la ville et la campagne environnante.

Le Cachemire

Des rizières fertiles, bordées de peupliers et de vergers qui font la renommée de la région, tapissent la vallée du Cachemire. **Srinagar ❷**, sur le lac Dal Lake au milieu de hautes montagnes, en constitue le centre d'activité. Certains habitants continuent de vivre sur les *houseboats* (bateaux-maison) du lac, où se tient chaque jour un marché aux légumes flottant. Malheureusement, les lacs de Srinagar agonisent sous la pollution des égouts de la ville. Plusieurs jardins moghols sont aménagés sur le boulevard contournant le lac Dal : **Chasma Shahi**, construit par Shah Jahan ; **Nisat** et **Shalimar**, avec fontaines, terrasses et pavillons ornés de treillis en marbre ; et **Harwan**, plus modeste. Srinagar compte plusieurs mosquées et *dargah* notables. L'immense **Jami Masjid** date de la fin du XVIIᵉ siècle. Quant à la mosquée **Shah Hamadan**, elle est renommée pour ses murs et son plafond au décor en papier mâché, ainsi que pour sa structure dépourvue de clous et de vis. La **Pather Masjid** (1623), en pierre, se situe de l'autre côté du fleuve. À Nagin, le **sanctuaire lacustre de Hazratbal**, récent, renfermerait un cheveu du prophète Mahomet.

Pahalgam, à l'est de Srinagar, constitue le point de départ des pèlerins effectuant – dans des conditions de sécurité draconiennes – un trek de 4 jours jusqu'à la **grotte d'Amarnath ❸**, sanctuaire hindou consacré à Shiva. Mattan, près de la route reliant Pahalgam à Anantnag, au sud de Srinagar, abrite les ruines du **Martand Temple**, ainsi qu'une source sacrée. Au sud d'Anantnag s'étendent les jardins moghols d'**Achabal** et ceux de **Verinag**. D'autres vestiges de temples se dressent à **Avantipur**, en direction de Srinagar. **Gulmarg ❹**, une station climatique non loin de Srinagar, servit de toile de fond aux vieux films hindi. **Sonamarg ❺** était jadis une étape prisée des voyageurs se rendant au Ladakh. ❏

Extrêmement pittoresque, la route reliant Jammu à Srinagar longe les rivières Chenab et Jhelum, dépassant un vaste sarai moghol à Akhnu, ainsi qu'un important temple hindou dans une grotte à Katra. Le tunnel de Jawahar, long de plus de 1,5 km, marque l'entrée du Cachemire.

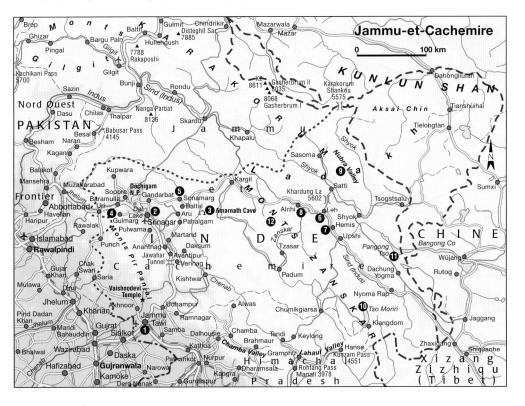

Carte
p. 197

LE LADAKH

*Cet ancien royaume bouddhiste situé sur les hauteurs de l'Himalaya
offre quelques-uns des paysages les plus impressionnants
de l'Inde et abrite de magnifiques monastères.*

ncien royaume du Tibet occidental, le Ladakh, dans l'extrême Nord, fut
annexé par l'Inde après les invasions dogra au XIXᵉ siècle. Sa géographie
et sa culture s'apparentent moins à celles de l'Inde qu'à celles du Tibet,
dont il vous offrira un avant-goût. Le ladakhi est assez proche du tibétain et, bien
que la région compte de nombreux musulmans, le bouddhisme y prédomine.
Son identité, fort différente du reste du pays, a poussé sa population à revendi-
quer le statut d'État à part entière ou – en tant que territoire de l'Union – une
administration distincte de Delhi, notamment pour dissocier le Ladakh des
troubles au Jammu-et-Cachemire.

Essayez de visiter la région entre juin et mi-septembre, lorsqu'il est possible
de se déplacer par la route. Aujourd'hui, la saison touristique génère une part
notable de l'économie du Ladakh. Vous pourrez prendre l'avion à Delhi pour Leh
ou passer par le col de Taglang depuis Manali dans l'Himachal Pradesh (pour des
raisons de sécurité, l'itinéraire *via* Srinagar et Kargil est déconseillé). Sur le plateau tibétain, le paysage verdoyant se transforme en terres austères. Seules les
hauteurs de l'Himalaya présentent de tels sommets striés de minéraux sur fond

d'azur éclatant. Deux jours de voyage (475 km) séparent Manali de **Leh ❻**, la
capitale. Toute l'année, des vols relient Leh à Delhi, Chandigarh et Srinagar,
mais en hiver les conditions climatiques peuvent
entraîner leur suspension pendant plusieurs jours ;
attention, en été, les surréservations sont fréquentes.
Vus du ciel, les pics enneigés constituent un spectacle
étonnant. Si vous ne souhaitez prendre l'avion qu'une
seule fois, mieux vaut le faire pour atteindre Leh, puis
repartir en bus : à l'aller, au col de Taglang (5 328 m),
l'altitude peut engendrer des effets désagréables sur
les passagers non acclimatés.

En arrivant au Ladakh, accordez-vous 1 ou 2 jours
de repos total pour éviter le mal des montagnes.
Buvez beaucoup d'eau (3 l/j), et pas seulement au
début : sécheresse de l'air et altitude rendent indispensable l'absorption d'une grande quantité de liquide.
La pollution constituant une véritable menace pour
l'environnement, évitez à tout prix d'acheter des bouteilles pour ne pas contribuer à la "montagne" de plastique, déjà gigantesque (en outre, l'eau vendue sur
place est souvent périmée). Emportez votre propre
bouteille et faites-la remplir d'eau bouillie pour une
somme modique auprès d'un organisme agréé, tel que
Dzomsa (*voir p. 199*).

Tsampa (farine d'orge grillé), yaourt, thé salé et
beurre sont la base du régime local. Vous trouverez de
nombreux plats tibétains, en particulier *momo* (ravio-
lis) et *thukpa* (soupe de pâtes). "*Jullay !*", le mot ladakhi le plus utile aux voyageurs, signifie tout à la fois
"bonjour", "au revoir", "s'il vous plaît" et "merci".

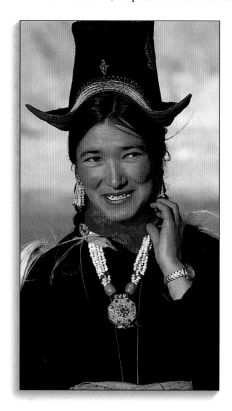

Leh

Ancien comptoir commercial sur la route reliant l'Inde, la Chine et l'Asie centrale, le bazar de Leh a perdu de son importance dans les années 1950, lors de la
fermeture de la frontière chinoise. Toutefois, il fait encore bon flâner au milieu des
étals. Les vendeurs – réfugiés tibétains pour l'essentiel – proposent des articles
peu intéressants et onéreux ; les articles ladakhi sont de meilleure qualité et moins
chers. En revanche, les restaurants servent de délicieux plats tibétains. Il est difficile de changer ou retirer de l'argent à Leh (rares sont les établissements qui
acceptent les cartes de crédit) ; prévoyez donc des espèces en quantité suffisante.

Dans la ville, la promenade la plus ardue conduit à l'imposant **palais de Leh**
(ouv. de 7h à 9h30 ; entrée payante) du XVIᵉ siècle, en partie en ruine. Il abritait
les souverains du Ladakh jusqu'au début des années 1940, lorsque la famille
royale déménagea à Stok. Les plus sportifs visiteront le *gompa* de **Tsemo**, monastère perché sur le mont Namgyal au-dessus du palais (ouv. de 7h à 9h ; entrée
payante). Les étroites ruelles d'**Old Leh**, en contrebas, évoquent la ville médiévale qu'elle était autrefois ; le *gompa* de **Soma**, récent, se dresse tout près, sur la
rue principale. Le très intéressant **Ecology Centre**, dirigé par le Ladakh Ecologi-
cal Development Group (LEDEG), vise à sensibiliser le public à la protection de
l'environnement. **Dzomsa**, au bout de la rue principale, possède une blanchisserie écologique, qui recycle les déchets, fournit de l'eau bouillie, et vend des produits frais locaux (abricots secs, pommes).

Avec ses jardins potagers et ses pensions paisibles, le village de **Changspa**
(dans le prolongement de Leh à l'ouest) constitue un agréable but de promenade.
Au bout de Changspa Lane, des escaliers fort raides mènent au **Shanti Stupa**,
un sanctuaire récent construit par des Japonais. Le sommet offre une vue magnifique et vous y trouverez même un petit café.

Les *gompa* du Ladakh

Louez chauffeur et guide auprès d'une agence de
voyages ou de la Taxi Operator's Union pour découvrir quelques *gompa* (monastères) spectaculaires à une
journée de voiture de Leh. Peintures sacrées (*thanka*)
et tentures aux couleurs de bon augure décorent leurs
salles de prière, tandis que de nombreux textes bouddhiques sur soie tapissent les murs. À l'origine, des
lampes dans lesquelles brûlait du beurre fumant à
l'odeur âcre – aujourd'hui remplacé par de l'huile –
éclairaient les sanctuaires, dédiés au Bouddha et aux
Bodhisattva, regorgeant d'offrandes (encens, eau, thé,
aliments et argent). La plupart des monastères, admi-
nistrés par l'Archaeological Survey of India, facturent
des droits d'entrée pour leur entretien.

Le Ladakh est célèbre pour ses "oracles" qui, d'après
le bouddhisme tibétain, entrent en transe pour guérir
hommes et animaux ou prédire l'avenir. Intermédiaires
des esprits bienveillants qui les possèdent, ils font le
bien de tous les êtres. Plusieurs monastères et villages
ont leur oracle, comme Mulbekh, sur la route de Srinagar à Leh, ou Stok, résidence royale proche de Leh.

Deux circuits principaux permettent la visite des
monastères, l'un remontant la vallée de l'Indus, l'autre
la descendant. En partant de Leh vers le sud, vous lon-
gerez l'**Indus** jusqu'au *gompa* d'Hemis. À la sortie de

Au Ladakh, la Ladakhi
Taxi Operator's Union,
sur Fort Road à Leh
(tél. 253 089),
réglemente les
locations de taxis
ou 4x4 et pratique des
tarifs fixes – un bon
moyen pour se
déplacer facilement
dans la région
en évitant les
surfacturations.

CI-DESSOUS :
le palais de Leh.

NOTEZ-LE

La fête du Ladakh,
organisée par le
Jammu and Kashmir
Tourism, a lieu
les quinze premiers
jours de septembre –
une astuce pour
prolonger la saison
touristique ! Dans la
mesure du possible,
faites coïncider votre
voyage avec ces
festivités : vous
pourrez y admirer
le rituel de la danse
masquée cham.

CI-DESSOUS :
apparition de l'oracle
au *gompa* de Shey.

la ville, vous verrez **Sankar**, petit mais intéressant. Sur cette même route se dressent le **Shey**, palais d'été des rois du Ladakh (XVIIᵉ siècle), où vous admirerez le plus grand bouddha de la région ; le *gompa* de Shey (XVᵉ siècle) et des centaines de *chorten* – reliquaires chaulés – éparpillés à travers les plaines arides ; **Tikse**, un monastère perché, renommé pour sa statue monumentale de Maitreya (Bouddha).

Sur l'autre rive de l'Indus au bout d'une route sinueuse, **Hemis ❼** (à 45 km de Leh), fondé dans les années 1630, constitue le plus grand monastère du Ladakh, renommé pour sa fête religieuse de juin, avec théâtre dansé traditionnel. Son plus précieux trésor, un immense *thanka* brodé, n'est déployé que tous les 12 ans (prochaine cérémonie en 2016).

La route accidentée revenant vers Leh, sur la rive sud de l'Indus, passe devant **Stagna**, connu pour ses représentations de Bodhisattva, et **Matho**. La bifurcation peu avant le pont sur l'Indus conduit au **Stok Palace** (ouv. de 7h à 19h ; entrée payante), demeure la plus récente (XVIIIᵉ siècle) des rois du Ladakh et de la région actuelle de Gyalmo. Le palais expose quelques précieux objets rituels et cérémoniels de la famille royale, accompagnés d'explications bien documentées.

Au départ de Leh vers l'ouest (en descendant l'Indus), vous arriverez à **Alchi ❽** (*voir encadré ci-dessous*), l'un des plus beaux monastères de la région, puis **Spituk** et **Phyang**. Au-delà de Spituk, la route émerge d'une profonde gorge, à la confluence de l'Indus et de la Zanskar, offrant une vue spectaculaire sur les eaux des 2 fleuves aux couleurs contrastées. Plus loin, une route goudronnée vous conduira au monastère de **Likir**, un *gompa* de l'ordre gelugpa complété d'un petit musée et d'une magnifique salle de prière. Après **Saspul** (réputé pour ses abricots) et le pont sur l'Indus menant à Alchi, tournez à droite pour traverser une gorge impressionnante avant d'atteindre le *gompa* de **Rezong**.

ALCHI

Le plus beau monastère du Ladakh est sans doute celui d'Alchi, à 60 km de Leh. Unique en son genre – bâti sur un terrain plat dans la vallée –, il fut érigé au XIᵉ siècle par le Tibétain Kal-dan Shes-rab. Il n'est plus utilisé, mais les moines de Likir, tout proche, se chargent de son entretien. Le bois des saules poussant dans les environs constitue le principal matériau de construction, mais sa réalisation semble due à des artisans cachemiri, dont la touche est visible dans les sculptures et les plafonds peints. Les peintures comptent parmi les exemples les plus antiques et les plus notables de l'art bouddhique cachemiri.

Du-Khang, le temple le plus ancien, présente une porte ornée de sculptures et des murs décorés de mandalas, à l'instar de celui de Sum-tsek, bâti sur 3 niveaux. Les sanctuaires carrés de Lotsava Lha-Khang et Manjusri Lha-Khang se situent côte à côte ; les murs de ce dernier sont tapissés de représentations des 1 000 bouddhas. Les statues des temples figurent des Bodhisattva, dont Avalokitesvara et Manjusri.

Alchi est en cours de restauration, et vous devrez vous acquitter d'un droit d'entrée modique pour l'entretien ; si vous êtes accompagné d'un guide local, il vous facilitera l'accès aux sanctuaires habituellement fermés.

Les vallées de Nubra et de Markha

Les touristes peuvent désormais accéder à plusieurs zones autrefois interdites, notamment la **Nubra Valley** ❾, près de Khardung La (5 600 m d'altitude), l'une des routes carrossables les plus hautes du monde. Au-delà du col, la luxuriance de la vallée vous surprendra ; le microclimat local permet de cultiver abricots, pommes et noix. À Panamik, au bout de la vallée, vous découvrirez des sources chaudes et Deskit accueille le principal *gompa* de la région.

Les lacs de **Tso Moriri** ❿ et **Pangong Tso** ⓫ s'étendent au sud-est, à 3 jours de trajet de Leh. Pangong Tso (130 km de long), aux eaux délicieusement limpides, se déroule jusqu'au Tibet. Le petit royaume de **Zanskar** ⓬, au sud-ouest, couvre une partie de la chaîne du même nom. Sept mois de l'année, cette région enclavée est coupée du monde par la neige, ce qui lui a permis de préserver son identité bouddhique. **Padum**, la capitale, se situe au-delà du mont Pensi La (4 400 m) ; la seule façon de s'y rendre consiste à longer la rivière Zanskar à pied.

Le trek constitue sans doute l'une des meilleures manières d'explorer la région. Parmi les circuits les plus prisés figurent celui de la **Markha Valley**, qui inclut la plaine Nimaling et le col de Kongmaru (5 200 m), ainsi que l'itinéraire reliant Lamayuru à Alchi ou Chiling. Un excellent circuit – particulièrement ardu – conduit à la magnifique vallée de la Zanskar. Certaines excursions plus brèves mènent aux monastères des environs de Leh et permettent de longer l'Indus. Nous vous recommandons de louer les services d'un guide expérimenté ainsi que des poneys, d'être en possession des autorisations nécessaires et de vous munir de l'équipement et des provisions adéquats. Au Ladakh, à l'écosystème fragile avec peu de précipitations, les vivres se font rares. Prévoyez autant d'aliments, d'eau et de combustible que possible, et remportez *toutes* vos ordures. ❑

Carte p. 197

Fresque bouddhique au gompa *de Tikse, dans le Ladakh.*

CI-DESSOUS : monastère perché sur un mont du Ladakh.

LE RAJASTHAN

Jaipur la ville rose, Jodhpur la ville bleue ou les maisons peintes du Shekhavati : la couleur est omniprésente dans cette terre de légende parsemée de palais princiers et de citadelles imprenables.

Haut lieu du tourisme, cette contrée désertique attire de nombreux visiteurs séduits par son passé de conte de fées. Vous y découvrirez l'Inde légendaire : l'Inde des maharajas, des éléphants caparaçonnés, des palais somptueux (dont certains sont aujourd'hui convertis en hôtels…) et des forteresses imposantes. Le désert de Thar et les monts Aravalli – aux sommets déchiquetés se découpant au-dessus des dunes – dominent le paysage.

Premiers habitants

Les tribus des Bhil et des Mina occupaient cette région – déjà peuplée pendant la période pré-harappéenne – lorsque, vers 1400 av. J.-C., des cavaliers nomades descendant du nord-ouest y pénétrèrent. Ces guerriers étaient venus pour s'installer, tout comme les Afghans, les Turcs, les Perses et les Moghols qui leur succédèrent. Ce sont eux les ancêtres des Rajpoutes – les *raja* ("fils des rois"). Entre la fin de l'empire de Harsha (VIIᵉ siècle apr. J.-C.) et la fondation du sultanat de Delhi (1206 apr. J.-C.), le Rajasthan fut fragmenté entre plusieurs royaumes concurrents. Cette période, dite "des Rajpoutes", est marquée par ces puissants "fils des rois" qui se réclamaient de la lignée légendaire du Soleil, de la Lune et du Feu. Après le XIVᵉ siècle, leur prospérité commença à décliner. Au XVIᵉ siècle, les Moghols s'établirent dans le nord de l'Inde. Tolérant en matière religieuse, Akbar, leur chef, conquit le Rajasthan grâce à sa carte maîtresse : des alliances matrimoniales avec les Rajpoutes hindous qui, de dangereux ennemis, se transformèrent en fidèles alliés.

Nombre de princesses de Jaipur et Jodhpur s'unirent à des descendants des Moghols, mais lorsque le pouvoir de ces derniers s'affaiblit, les Rajpoutes ne tardèrent pas à rétablir leur souveraineté. En 1757, les Anglais s'emparèrent du Bengale, mais le Rajasthan leur résista. Et ce, jusqu'au début du XIXᵉ siècle, date à laquelle les maharajas avaient perdu la plupart de leurs pouvoirs.

Sous le règne colonial, le Rajasthan s'appelait Rajputana ("terre des Rajpoutes") et le maharana de Mewar (Udaipur) était le chef reconnu de ses 36 États. À l'indépendance, 23 d'entre eux s'unirent pour former l'État du Rajasthan, la "terre des rajas".

Jaipur, la ville rose

En 1728, le maharaja Sawai Jai Singh II fonda **Jaipur ❶** – "ville de la victoire" (*jai*) –, la capitale du Rajasthan. Sa maison royale régnait à partir d'Amber, à 11 km, dès le début du Xᵉ siècle. À l'origine, les murs de Jaipur n'étaient pas roses, mais gris clair, ornés de bordures et motifs blancs. En l'honneur du prince Albert, en visite en 1883, la ville fut repeinte dans la couleur traditionnelle de l'hospitalité, une couleur qui a perduré dans l'ancienne cité fortifiée.

À GAUCHE : toit d'une *haveli* à Jaisalmer.
CI-DESSOUS : l'intérieur de l'Amber Fort, près de Jaipur.

Carte p. 204

Delhi

Le City Palace
Museum de Jaipur
conserve 2 immenses
urnes en argent.
Lorsque le maharaja
Madho Singh se
rendit à Londres
en 1901 pour le
couronnement du roi
Édouard VII, il prit
dans ses bagages la
quantité d'eau sacrée
du Gange nécessaire
à 6 mois d'ablutions.

Conçue par l'urbaniste bengali Vidyadhar Bhattacharya selon les canons de l'architecture sacrée, Jaipur présente un plan en damier : 7 pâtés de maisons séparés par 3 larges avenues arborées avec, au cœur de la ville, le palais couvrant 2 autres blocs de bâtiments. Ce tracé rectangulaire symbolisait les 9 divisions de l'Univers. Une muraille crénelée dotée de 7 portes imposantes (*pol*), encore utilisées, ceint l'ensemble. Ces divisions délimitent des *mohalla*, ou quartiers, consacrés chacun à la pratique d'une activité artisanale, de la confection des bracelets à la teinture du tissu en passant par les *minakari* (émaux) qui font la renommée de la ville.

Le **City Palace** (palais et musée ouv. de 9h30 à 16h30 ; entrée payante) reste la résidence de la famille royale. Plusieurs passages mènent au palais, mais nous vous conseillons l'entrée par le musée. Elle se trouve entre la cour de justice et l'étonnant **observatoire Jantar Mantar** (ouv. de 9h30 à 16h30 ; entrée payante). Avant celui-ci, datant de 1716, le maharaja Jai Singh II, éminent mathématicien, astronome et architecte, avait déjà bâti l'observatoire de Delhi. Il fit construire par la suite ceux de Mathura, Ujjain et Varanasi. Les dimensions imposantes des

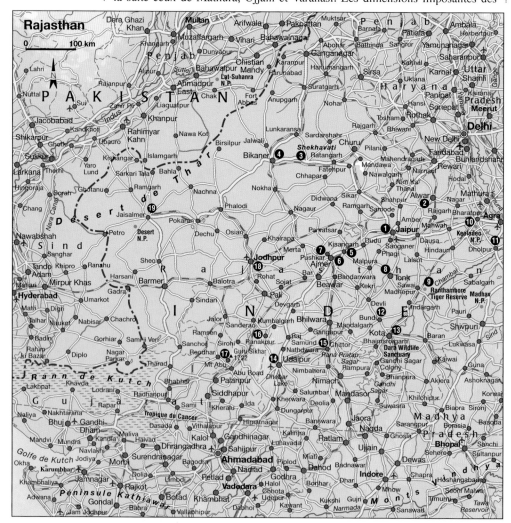

Carte p. 204

16 instruments de mesure – d'immenses cadrans solaires ou installations enregistrant les mouvements stellaires et planétaires –, minutieusement calibrés, devaient en garantir la précision.

Le **City Palace Museum** expose une riche collection de tissus, armes, tapis, peintures et manuscrits. La **Pritam Niwas Chowk**, ou "cour du paon" – l'une des plus belles parties du palais –, tire son nom des couleurs ornant ses portes. Mais le monument le plus connu reste l'extraordinaire **Hawa Mahal** (1799), ou "palais des Vents" (ouv. du sam. au jeu. de 10h à 16h30 ; entrée payante), près du mur d'enceinte extérieur : en fait une simple façade ajourée de 953 niches et fenêtres, d'où les femmes du palais (*purdah*) observaient, sans être vues, le spectacle de la rue.

Hors des murs de la ville, l'Albert Hall, dans les jardins de Ram Niwas, abrite le **Central Museum** (ouv. du sam. au jeu., de 10h à 16h30 ; entrée payante). Ce bâtiment de style indo-sarrasin renferme une collection quelque peu hétéroclite de costumes, ivoires, dinanderies, bijoux et autres objets.

Parmi les forts cernant la ville, celui de **Nahargarh** offre une vue imprenable sur Jaipur et son **Jal Mahal** (palais de l'Eau). Les cénotaphes des maharajas de Jaipur, à Amber et Gaitor, et les *chatri* (mémoriaux) des maharanis méritent également une visite.

Amber (ouv. de 9h à 16h30 ; entrée payante), à 11 km de Jaipur, était la capitale des Mina, les premiers habitants de la région. Des éléphants parés de peintures vous achemineront sur la colline, où vous admirerez les portes massives et les pavillons à colonnes du palais – bâti par le raja Man Singh, commandant en chef de l'armée d'Akbar –, témoignage de la gloire et de la richesse des Moghols. La **Diwan i Am**, salle d'audience de Mirza Raja Jai Singh – puissant allié de Jahangir –, se révèle particulièrement intéressante, tout comme le **Shish Mahal**, ou palais des Glaces, aux murs couverts d'une délicate mosaïque de miroirs que le reflet d'une seule flamme de bougie suffit à embraser de mille feux.

Le **Jaigarh Fort** (ouv. de 9h à 16h30 ; entrée payante), à quelques pas de là, renfermerait dans ses caves un véritable trésor. Ses vastes espaces austères affichent une pureté admirable, mais l'attraction du fort – outre sa vue sur Amber – reste le Jaya Vana, le plus grand canon antique de l'Inde.

À 10 km sur la route Jaipur-Agra, vous parviendrez aux sources sacrées de **Galta** et au temple de **Hanuman**, particulièrement animé le mardi.

Alwar

Au départ de Jaipur, empruntez la National Highway n° 8, vers le nord, qui mène à Delhi. Après 60 km, bifurquez vers le nord-est pour **Alwar** ❷, ville pittoresque émaillée de sites historiques. À **Bairath**, ou **Viratnagar**, ne manquez pas d'antiques édits bouddhiques de l'empereur Ashoka gravés dans la roche, un *chaitya* (temple) bouddhique du IIIe siècle av. J.-C. et un pavillon de jardin peint (1600 environ).

L'État princier d'Alwar, fondé en 1771, est l'un des plus récents du Rajasthan. Au cœur du chaos du XVIIIe siècle, sa famille régnante (des cousins éloignés de la dynastie de Jaipur) parvint à tirer son épingle du jeu, en retournant sa veste au gré de ses intérêts financiers. Les Britanniques la récompensèrent pour son

Sur J. Nehru Road, le Moti Dhungri, fort aux allures de château écossais, hébergea Gayatri Devi, la 3e épouse de Man Singh II. Son séjour reste à jamais mémorable car, lors d'un contrôle fiscal en 1975, on trouva dans l'une des pièces plus de 3 millions d'euros en or !

CI-DESSOUS : Hawa Mahal, le palais des Vents, à Jaipur.

aide contre les Marathes en la reconnaissant officiellement. Des fastes d'antan, Alwar conserve de nombreux palais d'un luxe demesuré, bâtis en vidant à moitié les caisses de l'État.

Parmi les armes, les miniatures et les manuscrits précieux exposés dans le **musée** (ouv. de 10h à 16h30; fermé le ven.) du **City Palace** vous remarquerez une superbe table de salle à manger en argent massif. À l'extérieur, vous découvrirez un bassin bordé de temples raffinés, kiosques et escaliers symétriques, véritables chefs-d'œuvre de l'architecture indo-islamique.

Le **Sariska Palace**, un ancien pavillon de chasse transformé en hôtel, s'élève à 37 km d'Alwar, en bordure d'une réserve naturelle.

Villes chefs-d'œuvre

De Jaipur, la National Highway n°11 mène, vers le nord, au **Shekhavati** ❸ (*voir encadré ci-dessous*), célèbre pour ses superbes demeures peintes, avant d'atteindre Bikaner. Au XIXᵉ siècle, les riches marchands du Marwar s'installèrent dans la région pour approvisionner les caravanes qui empruntaient la route de la Soie jusqu'à Calcutta. Leurs hautes maisons (*haveli*) les préservaient de la chaleur et de l'éclat du soleil. Pour en égayer les vastes pans en plâtre blanc, ils firent appel à des artistes rajpoutes qui les décorèrent de fresques mêlant événements héroïques et éléments fantaisistes. Chacun tentait de surpasser son voisin à grand renfort de couleurs éclatantes et de curiosités "technologiques". Ainsi des dieux aux visages bleutés voisinent avec des colons au teint rose, à dos d'éléphant; des scènes érotiques dissimulées dans des niches – à l'instar de celles de la Saraf Haveli à Mandawa – côtoient une locomotive à vapeur et un gramophone; ou encore un bateau à aubes lourdement chargé orne la Sarogi Haveli, à Fatehpur.

Certains forts, palais et haveli du Shekhavati ont été convertis en hôtels. Samode Palace, Castle Mandawa, Roop Niwas (à Nawalgarh) et Dundlod Fort comptent parmi les hébergements les plus remarquables.

CI-DESSOUS :
façade richement peinte d'une *haveli*, à Shekhavati.

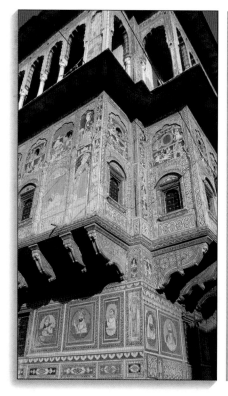

EXPLORER LE SHEKHAVATI

Jadis, le Shekhavati était subordonné à Jaipur. En 1471, Rao Shekhav assit son indépendance, conférant son nom au royaume. Située sur la route des caravanes reliant les ports du Gujarat et le centre de l'Inde à Delhi, la région prospéra grâce au commerce de l'opium, du coton et des épices. Les marchands marwari bâtirent *haveli* (demeures) mais aussi cénotaphes, réservoirs, temples et caravansérails, qu'ils firent décorer de fresques entre 1760 et 1920. Dans ces *haveli* fortifiées, les femmes vivaient en recluses dans leurs appartements (*zenana*) disposés autour d'une cour intérieure. Dans les salons, confortablement installés sur des matelas, les hommes dirigeaient leurs affaires…

Les rues de **Nawalgarh**, à 120 km au nord de Jaipur, sont animées par de nombreuses façades peintes et par… un marché haut en couleur. Aux abords de la ville, faites halte dans le jardin du palais. De Nawalgarh, la route conduit à **Dundlod** et **Mandawa** au nord. Leurs robustes forteresses abritent aujourd'hui des hôtels au charme médiéval. **Fatehpur**, à 20 km à l'ouest de Mandawa, regorge elle aussi de magnifiques *haveli*. De la route pour Bikaner, un détour conduit à **Ramgarh** et **Churu**, deux villes fascinantes qui rassemblent quelques-uns des plus beaux exemples d'architecture de la région.

Ne manquez pas, à Sikar, la tour de l'horloge et la vaste *haveli* Somani – des merveilles d'éclectisme – et, à Ramgarh, les peintures exquises du temple de Saturne. Les districts de Jhunjhunu et Sikar, à une demi-journée de route de Delhi, Jaipur ou Bikaner, regroupent la plupart des 30 grandes localités du Shekhavati. À flanc de colline, le palais de **Samode** (à 31 km de Jaipur), converti en hôtel, servit de décor au film *Pavillons lointains* (1983). Les fresques de sa *durbar* comptent parmi les plus belles du Rajasthan.

Carte
p. 204

Villes du désert

Érigée en 1488, **Bikaner ❹**, à 190 km à l'ouest de Fatehpur, est postérieure de 29 ans à Jodhpur, fondée par Rao Jodha. Craignant une guerre de succession, ce dernier confia à Rao Bika, l'un de ses plus jeunes fils mais aussi des plus doués, une armée pour aller chercher sa propre fortune. Bikaner vit ainsi le jour au cœur de la nature sauvage du Jangaldesh. C'est peut-être le dépouillement du paysage environnant qui a incité, par contraste, les bâtisseurs de cette ville à y insuffler tant de beauté. Vous serez séduit par la délicatesse des sculptures du **Lalbagh Palace** (ouv. du mar. au jeu. de 10h à 17h ; entrée payante), par le raffinement des palais et temples du **Junagarh Fort** (ouv. de 10h à 16h30 ; entrée payante), du XVe siècle, et par la splendeur des fresques du **Durbar Hall**, orné de stucs dorés, de motifs floraux et de tapis exquis. La vieille ville compte une multitude de *haveli*, dont les plus ravissantes se dressent sur Rampuria Street et dans Purana Bazaar.

Lors de la parade militaire de Delhi, le jour de la fête de la République, le Bikaner Camel Corps reste l'attraction majeure. La ferme aux chameaux (ouv. du lun. au sam. de 15h à 17h), dans la banlieue de Bikaner, mérite une visite : effectuez-la au crépuscule, lorsque les troupeaux reviennent des dunes.

Vénérés, circulant en toute liberté, les rats sacrés du temple de Karni Mata à Deshnoke (à 28 km de Bikaner) offrent un spectacle réservé aux âmes endurcies.

CI-DESSOUS :
à Mandawa,
le chameau
remplace le bœuf.

*Femme venue
à Pushkar pour
la foire aux
chameaux annuelle,
en novembre.*

Dans les environs, des temples jaïns délicatement sculptés (XVIe siècle) ponctuent un paysage accidenté. Les dirigeants de Bikaner érigèrent leurs cénotaphes à **Devi Kund** (8 km). À **Gajner** (31 km), de magnifiques palais s'égrènent au bord d'un lac.

Au nord de Bikaner, entre Suratgarh et Anupgarh, s'étend **Kalibangan**, troisième ville harappéenne par la taille après Mohenjodaro et Harappa (toutes deux dans le Pakistan actuel). Elle date d'environ 3000 av. J.-C. Sa citadelle trône sur les berges de la Ghaggar. Les fouilles conduites ici ont révélé, à l'instar des autres sites de Harappa, une excellente organisation, avec un réseau d'évacuation des eaux bien conçu et un système de poids et mesures.

Kisangarh ❺, à 100 km à l'ouest de Jaipur vers Ajmer, regorge de palais et de lacs. Vous pourrez partir du bassin situé près du **City Palace**, du **Phul Mahal** et du **Kalyan Raiji Temple** pour flâner dans les ruelles de la cité fortifiée. Le **Majhela Palace** abrite la plus importante collection de peintures de l'école de Kishangarh, très renommée (visite sur rendez-vous).

Kishangarh constitue par ailleurs une base pratique pour découvrir les cénotaphes en marbre de **Karkeri**, le **Krisna Temple** de la secte Nimbarkachari à Salemabad, ainsi que le fort et le palais de **Rupangarh**. Un peu plus loin, vous déboucherez sur le lac salé de **Sambhar** et les carrières de **Makrana**, toujours exploitées, qui fournirent le marbre du Taj Mahal. À **Kuchaman**, tout près, s'élève l'une des plus belles forteresses habitées du Rajasthan.

Des sites sacrés

À 135 km au sud-ouest de Jaipur s'étend **Ajmer ❻**, principal lieu de pèlerinage soufi de l'Inde. Son passé musulman remonte à 1193, année durant laquelle le roi hindou Prithviraj Chauhan perdit la ville au profit du sultan Mahmud de Ghor. Le saint persan Khwaja Mu'in-ud-din Chishti (1142-1236), fondateur du premier ordre soufi de l'Inde, repose dans le **Dargah Sharif**, en bas du mont Taragarh. En 1556, Akbar s'empara d'Ajmer et en fit le quartier général de son armée. Désirant un héritier, il se rendit à pied d'Agra à la tombe du saint et le pria de lui accorder un fils. Sa demande fut exaucée et Akbar se mit à fournir de grands chaudrons (*deg*) de nourriture aux pèlerins. Aujourd'hui, ce rite perdure, même si les *deg* d'origine ont été remplacés au XIXe siècle. Parmi les monuments notables du sanctuaire figure la mosquée de Shah Jahan (1650 env.).

À l'ouest du *dargah* se dresse l'un des plus beaux monuments de l'Inde médiévale, l'**Adhai din ka Jhonpra**, somptueusement décoré et orné d'inscriptions calligraphiques. Cet ancien collège sanscrit fut transformé en mosquée par Qutb-ud-din-Aibak en 1210. Près de Station Rd se dresse le palais d'Akbar, le **Daulat Khana**, en grès rouge. Le vaste **Taragarh Fort** d'Ajaipal Chauhan (XIIe siècle) domine la ville.

Non loin de là se dessine le lac d'**Ana Sagar** (début du XIIe siècle), agrémenté de pavillons en marbre blanc construits par Shah Jahan et d'une Circuit House (hôtel) datant des Britanniques.

À 14 km d'Ajmer, **Pushkar ❼**, haut lieu de pèlerinage hindou, possède l'un des rares temples dédiés au créateur Brahma. En novembre, à la pleine lune, des centaines de fidèles se baignent dans le lac sacré. Ce rassemblement donne lieu à l'une des principales foires au bétail et aux chameaux du Rajasthan, un véritable feu d'artifice de couleurs, parures et turbans.

La route pour Tonk

À 12 km au sud de Jaipur, la route de l'aéroport débouche sur **Sanganer**, où vous pourrez visiter un temple jaïn (XVe siècle) et un autre dédié à Krishna. Mais la ville doit surtout sa renommée à ses délicats tissus imprimés, obtenus en utilisant des panneaux en bois sculpté imprégnés de teinture (l'eau de la ville aurait comme propriété de fixer les couleurs). À l'origine, ces imprimés n'étaient réalisés que sur du coton grossier servant pour les jupes évasées du Rajasthan, qui descendent jusqu'à la cheville.

Serpentant vers le sud, la route dépasse le temple de **Chaksu** où une multitude de fidèles se réunissent chaque année pour honorer Shitala Mata, déesse de la variole qui, malgré l'éradication de la maladie en Inde, continue de faire des adeptes.

Vous atteindrez ensuite **Tonk** ❽ (à 80 km de Jaipur), anciennement dirigée par des nababs musulmans descendant des Pathan – une tribu afghane venue en Inde en quête de *Zan, Zar* et *Zamin* (des femmes, de l'or et des terres, dans le désordre…). De son riche passé, la ville conserve de très belles mosquées et plusieurs édifices coloniaux. Ne manquez pas l'étonnant **Sunehri Kothi** ("maison dorée") qui, tel un écrin précieux, resplendit, à l'intérieur, d'une multitude d'incrustations de verre peint, de mosaïques de miroirs et autres dorures, éclairés par des vitraux multicolores.

Le Padma *(lotus)* Purana *raconte que* Brahma *tua un démon avec un lotus dont les pétales tombèrent sur 3 sites, sur chacun desquels naquit un lac. Le principal se trouve à Pushkar et les hindous considèrent que s'y baigner est de bon augure.*

Ci-dessous : chantier – féminin – routier, campagne du Rajasthan.

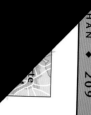

*La période d'octobre
à avril est la
meilleure pour visiter
la Tiger Reserve
du Ranthambore
National Park,
dans le sud-est
du Rajasthan.*

Une route au sud de Tonk mène à Bundi, puis Kota, et une autre à l'est conduit à **Sawai Madhopur**, où la famille royale de Jaipur et ses hôtes de marque aimaient participer à de grandes parties de chasse. La redoutable forteresse de Rao Hamir, conquise par Alauddin Khalji au XIVe siècle, puis par Akbar en 1569, domine le **Ranthambore National Park** ❾, à 13 km de la ville. Bien qu'en ruine, ses palais, temples et cénotaphes méritent la visite. Vous pourrez passer la nuit dans l'ancien pavillon de chasse du maharaja.

Les États des Jat

La route reliant Jaipur à Agra, à l'est, passe par **Bharatpur** ❿ et **Dholpur** ⓫, deux États dominés – étonnamment – par les Jat (une lignée de guerriers-paysans), en plein cœur du bastion rajpoute.

Le **Bharatpur Palace** abrite un musée archéologique, mais Bharatpur doit avant tout sa renommée au **Keoladeo Ghana Sanctury** (29 km²), qui compte la plus grande concentration et variété ornithologique d'Asie (ouv. de 6h à 18h). Avant 1940, il s'agissait du terrain de chasse favori des vice-rois britanniques, dont la prise record se monte à 4 273 oiseaux en une journée. Pour les observer, préférez l'aube et le crépuscule, d'octobre à février. Sans doute apercevrez-vous la grue antigone, le petit duc radjah, l'aigrette, la spatule blanche, le martin-pêcheur et, avec un peu de chance, la grue de Sibérie, devenue rare ces dernières années.

Le merveilleux palais de **Deeg**, à 30 km de Bharatpur, est blotti dans un cadre rafraîchissant, surplombant un bassin agrémenté de canaux, fontaines et voies d'eau où étaient placées des boules métalliques qui grondaient comme le tonnerre sous les pluies de la mousson. Ses chambres dégagent un charme exquis.

Carte p. 204

Le sud-est du Rajasthan

La chaîne déchiquetée des Aravalli, abruptes ravines rocheuses traversées par quatre défilés étroits, englobe l'ancien royaume de **Bundi** ⓬ (de *bando nal*, ou "passage étroit"), fondé en 1342 dans le sud-est du Rajasthan. Site phare de Bundi, le saisissant palais-forteresse de **Chattar Mahal** est ceint de murailles en serpentine dont le vert moiré se mire dans le lac **Naval Sagar**. À l'intérieur des remparts, rampes et escaliers forment un incroyable dédale, tandis que des balcons en saillie ouvrent sur des vues splendides. En plus de son architecture, le palais est renommé pour sa **Chitra Shala**, une galerie de fresques superbes (XVIIᵉ et XVIIIᵉ siècle), à l'harmonie incomparable de teintes bleutées, vertes et ocre.

Le petit État jat de Dholpur, à 55 km au sud de Bharatpur, fournit les pierres du palais présidentiel de New Delhi.

Vous remarquerez que les boutiques de la rue principale de Bundi ont un seuil étonnamment élevé. Cela s'explique par le fait que, lorsque les pluies de mousson ont rempli le réservoir du **Taragarh Fort**, au sommet de la colline, on ouvre les vannes pour évacuer le trop-plein et des trombes d'eau envahissent les voies (la population étant avertie à l'avance, la ville n'a jamais déploré de pertes humaines ni matérielles). Sa position reculée lui épargna le "métissage" du XIXᵉ siècle, même si les Britanniques contrôlaient, pour ainsi dire, ses affaires depuis 1818. Comme l'écrivait le maharaja de Baroda, Bundi est "une ville agréablement ancrée dans le passé".

Udaipur, puis Jaipur, revendiquèrent le territoire de Bundi. En 1579, l'un des cadets préférés du souverain reçut en héritage une zone située dans de vastes plaines, où vit le jour la ville de **Kota** ⓭ ; plus étendue que l'État suzerain, elle jouissait, en outre, de toute la vigueur d'une jeune cité marchande. Contrairement à Bundi, qui s'épanouit dans ses fastes passés, Kota s'industrialisa rapidement.

CI-DESSOUS : mosaïque du City Palace d'Udaipur.

De par sa position stratégique dans les plaines de la rivière Chambal, elle attirait les convoitises d'Udaipur, de Jaipur, des Marathes, puis des Britanniques – auxquels le régent Zalim Singh, clairvoyant, finit par céder. Bien qu'épisodiques, les périodes de paix que connut Kota ont permis l'essor des activités architecturales et artistiques. Certaines des fresques et miniatures les plus délicates de l'Inde datent de l'école de Bundi-Kota. Dans le **City Palace** richement décoré (ouv. du sam. au jeu. de 10h à 16h30 ; entrée payante), un petit musée expose la collection privée du souverain, dont des peintures allant de la période moghole au règne britannique. Les fameuses scènes de chasse de Kota illustrent ce qui est aujourd'hui devenu le **Dara Wildlife Sanctuary**, grande réserve naturelle où vivent tigres, ours, sangliers et cerfs tachetés.

Udaipur

La maison royale du Mewar – actuel **Udaipur** ⓮ – a deux raisons d'être fière : d'une part, son histoire est bien plus ancienne que celle de Jaipur et Jodhpur, puisqu'elle remonte à Bapa Rawal (an 728) ; d'autre part, ses habitants, hindous, n'ont jamais cédé devant l'envahisseur musulman. Le Mewar fut le dernier État rajpoute à résister aux alliances, 50 ans après les autres. Ce sentiment de fierté persista sous les Britanniques qui réservèrent à Udaipur la plus importante salve d'honneur du Rajasthan : 19 coups de canon contre seulement 17 à Jaipur, Jodhpur, Bundi, Bikaner, Kota et Karauli. Quant au maharana Fateh Singh d'Udaipur, il eut le privilège d'être absent à la *durbar* de Delhi en l'honneur du roi George V en 1911.

Une succession de temples, de palais, de cénotaphes et de lacs contribue à faire d'Udaipur l'une des villes les plus séduisantes du Rajasthan. Son fabuleux **City Palace** (ouv. de 9h30 à 16h30 ; entrée payante) est un véritable labyrinthe de cours richement ornées de miroirs incrustés, de galeries parées de fresques, de temples et de kiosques ouvrant sur le **lac Pichola**. L'élégante résidence d'été des souverains, **Jag Niwas**, édifiée en 1746 sur l'une de ses îles, abrite aujourd'hui le **Lake Palace Hotel**. Une autre île, **Jag Mandir**, accueillit, en 1624, le prince Khurram – futur empereur Shah Jahan – qui s'y réfugia quelque temps. Dans la vieille ville, le **Jagdish Temple** (milieu du XVIIᵉ siècle) renferme une remarquable statue en bronze de Garuda (oiseau mythique) faisant face à Vishnu, son seigneur révéré. Les ruelles étroites du bazar, jalonnées de boutiques et d'ateliers artisanaux, vous réservent d'interminables flâneries.

À 24 km d'Udaipur se dresse le **temple d'Eklingji** – forme de Shiva et divinité tutélaire du Mewar –, sculpté dans le marbre. Aujourd'hui encore, le maharana d'Udaipur, *diwan* (Premier ministre) du temple, s'y rend chaque lundi.

En cours de route, vous pourrez vous arrêter aux ruines de l'antique **Nagda** et ses temples hindous (Xᵉ siècle) et jaïn (XVᵉ siècle) somptueusement sculptés.

À 48 km d'Udaipur, le célèbre **Srinathni Temple** de **Nathdwara** (entrée réservée aux hindous) renferme une effigie de Krishna en marbre noir, apportée de Mathura au XVIIᵉ siècle afin de la protéger face à l'avancée militaire d'Aurangzeb. Nathdwara est également renommée pour ses *pichwai* (tentures peintes).

Antiques colonnes sculptées dans le désert de Thar, aux environs de Jaisalmer (ouest du Rajasthan). De la ville, vous pourrez organiser un safari à dos de chameau dans les dunes.

Ci-dessous : le splendide palais de Jodhpur.

Les Heritage Hotels

Thikara, *haveli*, petits palais et forts ouvrent leurs portes aux visiteurs pour de courts séjours. Si certains d'entre eux affichent des tarifs prohibitifs, quelques anciennes familles nobles accueillent désormais des hôtes à un prix raisonnable (moins de 2 500 Rs la nuit). Une occasion unique de dormir dans des chambres chargées d'histoire, d'entendre de la musique locale ou tout simplement de paresser sur la terrasse. Le cadre, souvent spectaculaire, se compose de meubles anciens et de murs ornés de décorations traditionnelles. Dans les grands hôtels, un buffet de spécialités du Rajasthan et d'Inde du Nord vous est proposé. Le réseau des Heritage Hotels, qui a vu le jour au Rajasthan, s'étend aujourd'hui dans tout le pays.

Demandez une liste à jour à l'Indian Heritage Hotels Association (306 Anukampa Tower, 1 Church Road, Jaipur, tél. 0141 237 1194, www.indianheritagehotels.com).

Le Paying Guest Scheme – à Ajmer, Bikaner, Bundi, Jaipur, Jaisalmer, Jodhpur, Mont Abu, Pushkar et Udaipur – se charge de vous loger chez l'habitant. Les prix varient selon la qualité de l'hébergement. Renseignez-vous auprès de l'office du tourisme indien le plus proche, ou du Department of Tourism (Paryatan Bhavan, M. I. Road, Jaipur, tél. 0141 511 0595, www.rajasthantourism.gov.in).

Les forts du Mewar

L'ancien État princier du Mewar comptait trois forts considérés comme imprenables : **Chittor** ⓯ (112 km d'Udaipur), **Kumbalgarh** (64 km d'Udaipur) et **Mandalgarh** (près de Kota). Le second, difficile d'accès, récompensera les visiteurs les plus opiniâtres. Construit par Rana Kumbha au XVᵉ siècle, il trône parmi 13 pics montagneux qui, telles des sentinelles, semblent surveiller l'horizon. Sept portes mènent aux palais.

Chittor devint la première capitale du Mewar sous le règne de Jaitra Singh (1213-1253). Le siège de Chittorgarh par le sultan de Delhi, Ala-ud-Din Khilji, en 1303, reste célèbre : ayant eu vent de la beauté de la princesse Padmini, épouse du maharana Rawal Ratan Singh, le sultan était bien décidé à la ramener dans son harem et, malgré le courage des Rajpoutes, ses troupes parvinrent à prendre la citadelle. Refusant le déshonneur, la princesse opta pour le *johar* (suicide collectif) ; psalmodiant des versets de la *Gita*, elle et ses compagnes s'immolèrent dans un bûcher funéraire. Chittor retomba aux mains des Rajpoutes. Deux siècles plus tard, en 1535, lors de l'attaque par le sultan du Gujarat, Bahadur Shah, 13 000 femmes rajpoutes se sacrifièrent à nouveau dans les flammes.

Dans une vallée ombragée à 160 km au nord-ouest d'Udaipur, vous découvrirez les superbes sanctuaires jaïns de **Ranakpur** ⓰ (milieu du XVᵉ siècle). Le **Risabji Temple** arbore 1 444 colonnes, toutes différentes. À proximité, le **Sun Temple** présente un tracé inhabituel et des sculptures admirables.

Le Mahavira – le dernier des 24 *tirthankara* ("saints") – passa un an à **Abu**, haut lieu de pèlerinage jaïn à 100 km à l'ouest d'Udaipur. Sur le **mont Abu** ⓱ (1 220 m d'altitude), unique station climatique du Rajasthan, les bungalows d'été et les petits palais construits par les princes autour du Nakki Lake

Carte
p. 204

*Près de Jhalavar,
à 87 km au sud
de Kota, se dresse
Jhalra Patan,
la "cité des cloches",
et les vestiges
du Surya Temple
(Xᵉ siècle), l'un des
plus beaux temples
du Soleil du pays.*

Ci-DESSOUS :
Jodhpur, "la ville
bleue", vue
de la forteresse.

accueillent une foule de touristes venus profiter de la fraîcheur estivale. Les bois environnants vous promettent de nombreuses promenades agréables.

Les 5 **temples jaïns de Dilwara** comptent parmi les fleurons de l'Inde, et en particulier, **Adinath** et **Neminath**, aux délicates sculptures en marbre blanc. Le plus célèbre, Adinath, érigé en 1031, est dédié au premier *tirthankar*. Remarquez le plafond en forme de lotus, dans le sanctuaire principal, sculpté dans un seul bloc de marbre. À Neminath, construit en 1230 pour le 22e *tirthankar*, ne manquez pas l'exquis **Hall of Donors**. Les trois autres temples sont le Chaumukha Temple en grès, postérieur, le Risah Deo Temple, inachevé, et le Dagambar Temple, nettement moins décoré. Les 24 clans chauhan du Rajasthan prétendent descendre du légendaire feu sacré jaillissant du sommet du mont Abu.

Jodhpur, la ville bleue

En 1211, les Rathor de Kanauj (Uttar Pradesh) s'installèrent dans le brûlant désert du Marusthali, au cœur du Rajasthan. Leur territoire prit le nom de Marwar. En 1459, l'ancienne capitale, Mandore, étant trop vulnérable, Rao Jodha fonda **Jodhpur** ⑱. Cinq siècles plus tard, de 1929 à 1943, pour créer des emplois et lutter ainsi contre la famine, le maharaja Umaid Singh entreprit la construction de l'une des plus vastes demeures privées du monde, composée de 347 pièces ; elle abrite aujourd'hui le somptueux Umaid Bhawan Palace Hotel.

Pour atteindre l'impressionnant **Meherangarh Fort** (ouv. de 10h à 13h et de 14h30 à 17h ; entrée payante), qui trône sur un gigantesque rocher de 120 m, en surplomb de la ville, vous devrez gravir un escalier abrupt et sinueux franchissant 7 portes. La **Loha Pol** ("porte de Fer"), la plus solide, arbore une série d'empreintes de mains, celles des *sati*, ces veuves de maharajas brûlées vives sur

les bûchers de leurs époux. À l'intérieur du mur d'enceinte, les palais, bâtis en grès dur, ont été conçus de manière à être rafraîchis par la brise. Le vaste musée présente, entre autres, une spectaculaire tente de l'époque de Shah Jahan (XVIIᵉ siècle). En contrebas du fort, ne manquez pas d'explorer Jodhpur et son mystérieux bazar sillonné de ruelles enchevêtrées.

L'ancienne capitale, **Mandore** (8 km au nord de Jodhpur), regroupe temples et *chatri* des souverains du Marwar, aujourd'hui entourés de jardins paysagers. Le **Hall of Heroes** (galerie des Héros), avec ses peintures voyantes aux personnages plus grands que nature, et le temple de Bhairav le Noir et Bhairav le Blanc (manifestations de Shiva), aux idoles recouvertes de feuilles d'aluminium, retiendront votre attention.

Le site d'**Osiyan**, à 65 km au nord de Jodhpur, rassemble 16 temples hindous et jaïns (VIIIᵉ-XIIᵉ siècles). Le premier groupe – 11 édifices – illustre la phase liminaire de construction de temples au Rajasthan ; **Mahavira**, le plus vaste, comporte un sanctuaire (783-793), de superbes décorations et des salles ouvertes pourvues de balustrades – et non de murs –, permettant ainsi une meilleure luminosité. Vous découvrirez également l'un des rares temples dédiés à Surya (le dieu Soleil). Le deuxième groupe, postérieur, comporte le superbe **Sachiya Mata** (XIIᵉ siècle).

À **Khimsar**, à 90 km au nord de Jodhpur, le **Khimsar Fort** (XVᵉ siècle) est aujourd'hui un hôtel de charme. Plus loin vers le nord-est, **Nagaur** (à 135 km de Jodhpur) accueille la foire de Ramdeoji en février et le marché au bétail Tejaji en août. Ces deux événements, qui portent les noms de héros locaux, comptent parmi les plus importantes foires aux bestiaux du monde. Leurs courses de chameaux attirent des milliers de participants venus des régions les plus reculées.

Jaisalmer

Fondée en 1156, **Jaisalmer** ⑲, terre des princes Bhatti, issus de la lignée de la Lune, est la plus ancienne capitale rajpoute. Vous pourrez y admirer kiosques, balcons, ainsi que des temples jaïns (XIIᵉ-XVᵉ siècle), dont la beauté vous laissera bouche bée.

Véritable cité à elle seule, l'imposante forteresse de Jaisalmer, construite en 1156, regroupe demeures, boutiques et hôtels. Au sein du palais du maharaja, le **Rajmahal**, se dressent plusieurs temples hindous et jaïns (ouv. de 8h à 13h et de 15h à 17h ; entrée payante). Le Rani ka Mahal – palais de la maharani –, restauré par l'organisation **JiJ**, abrite désormais le **Jaisalmer Heritage Centre** (www.jaisalmer-in-jeopardy.org). C'est à **Manik Chowk**, près de l'entrée, que les marchands venus de terres lointaines, notamment d'Afrique du Nord, se retrouvaient avant de poursuivre à travers le désert de Thar. Le rôle de la ville en tant qu'important poste de commerce explique en partie ses richesses.

Les *silavat* (sculpteurs sur pierre) de Jaisalmer, renommés, connurent leur heure de gloire aux XVIIIᵉ et XIXᵉ siècles. Les *haveli* les plus ravissantes – Salim Singh, Nathmalji et Patwon – doivent leur cachet au grès jaune caractéristique de Jaisalmer. Vous pourrez également y admirer un ensemble de temples jaïns (XIIᵉ-XVᵉ siècle), dont les *mandir* de **Risabdevji**, **Sambhavnath** et **Astapadi**. ❏

Les tour operators de Jaisalmer proposent des safaris à chameau dans le désert. Au programme : gigantesques dunes de Sam sculptées par le vent (40 km à l'ouest), vestiges d'une forêt pétrifiée, à Aakal (17 km), et Lodurva, ancienne capitale des Bhatti (16 km).

CI-DESSOUS : jeune Rajpoute.

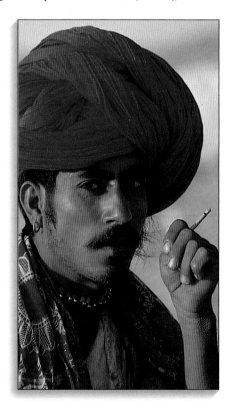

L'EST

*Encore ignorée par la plupart des touristes,
cette partie de l'Inde vous réserve bien des surprises
pour les yeux, aussi bien que pour l'esprit.*

En dépit de ses beautés et de ses richesses naturelles, l'Est reste la région la moins visitée de l'Inde. Lorsque la mousson sévit et que les routes sont inondées, le Gange et le Brahmapoutre, qui la parcourent, assurent le lien avec la civilisation. L'Orissa se distingue pour ses temples spectaculaires, qui attirent d'immenses foules de fidèles, tel celui de Konarak et ses sculputres gigantesques de chars servant de toile de fond à un festival de danse annuel. C'est également une fois par an que d'énormes chars sortent du temple de Puri pour transporter les effigies des dieux en procession dans les rues de la ville. Toujours dans l'Orissa, vous pourrez rencontrer des Adivasi, généralement à l'écart des étrangers, lors des marchés qui se tiennent chaque semaine à la croisée des chemins menant au Koraput.

Dans le Bihar, vous partirez sur les traces du Bouddha. Bodhgaya, où il médita sous l'arbre sacré de la *bodhi* jusqu'à atteindre l'Éveil, attire désormais des érudits du monde entier. Dans un registre plus terre à terre, si vous souhaitiez vendre ou acheter des éléphants… c'est à la foire de Sonepur qu'il faut vous rendre !

Les Sunderbans, une zone de marécages limitrophe du Bangladesh, séduiront les amoureux de la nature. Mais méfiez-vous, si, dans la région, apiculteurs et pêcheurs portent des masques derrière la tête, il y a bien une raison ! C'est pour tromper les tigres nageurs : ces prédateurs sont en effet réputés attaquer leur proie par-derrière.

Malgré son image – quelque peu immérité – de métropole miséreuse, la capitale du Bengale, Kolkata (Calcutta), la ville de Kali, se targue de posséder, au cœur d'une activité débordante, de beaux palais, un circuit équestre et des terrains de cricket datant du Raj. Au Bengale-Occidental, vous lierez facilement conversation avec ses habitants, opiniâtres et instruits. Sachez que les femmes jouissent ici d'un statut particulier, qui découle du culte rendu aux puissantes déesses Kali et Durga. Nombre de sociétés des États du Nord-Est sont d'ailleurs matriarcales, et les droits de propriété s'y transmettent par la mère. Cela dit, même si la région s'ouvre peu à peu, certaines zones restent fermées aux touristes en raison des guérillas séparatistes.

Au terme d'un trajet de 88 km à bord d'un train miniature, duquel vous bénéficierez d'une vue spectaculaire sur l'Himalaya, vous parviendrez à Darjeeling, la plus grande station climatique de l'Est. Quant au Sikkim, ne manquez pas ses orchidées, célèbres dans toute la région.

Les îles Andaman et Nicobar, également touchées par le tsunami de 2004, s'éparpillent sur le profond canal menant au Myanmar (Birmanie). Peuplé d'indigènes, cet archipel reculé et couvert de forêts tropicales accueille de nombreux oiseaux exotiques. ❑

PAGES PRÉCÉDENTES : plantations de thé tapissant les contreforts de l'Himalaya, aux environs de Darjeeling dans le Bengale-Occidental.
À GAUCHE : transport traditionnel sur le delta du Gange, dans le Bengale-Occidental.

KOLKATA (CALCUTTA)

Carte p. 222

Après avoir connu son heure de gloire durant le British Raj, dont elle conserve palais et monuments, l'ancienne Calcutta passe aujourd'hui pour un centre culturel très actif.

Kolkata a retrouvé son nom bengali en 1999. Son histoire ne débute qu'en 1686, lorsque le responsable du comptoir de la Compagnie anglaise des Indes orientales à Hugli, Job Charnock, en quête de nouveaux sites, retint un groupe de trois villages – Kalikata, Govindapur et Sutanuti – où résidaient déjà Arméniens et Portugais. La fondation d'un comptoir à Kalikata, le 24 août 1690, marquait la naissance de Kolkata, où les Britanniques érigèrent Fort William, en l'honneur du roi Guillaume III.

La société qui s'y établit était constituée en majorité de jeunes célibataires, dont le mode de vie portait l'empreinte européenne. Dans les "Punch houses" (tavernes), rixes ou duels étaient monnaie courante, et les *writers*, les "écrivains" – comme la Compagnie surnommait ses employés –, vivaient généralement avec une maîtresse indigène, leur "dictionnaire de nuit".

En 1773, Calcutta devint le quartier général – et la capitale politique – de l'administration britannique en Inde. La population européenne était passée de quelques centaines à plus de 100 000 individus, grâce à l'arrivée de nouveaux "écrivains", commerçants, soldats et, selon les propres termes de l'administration, "cargaisons de femmes". Petite Londres du bout du monde, cette ville prospérait, riche de son Esplanade et de son Strand. Son déclin s'amorça avec le transfert de la capitale de l'Inde britannique à Delhi, en 1911. Lors de la partition qui suivit l'indépendance, en 1947, un flot de réfugiés déferla à travers les frontières nouvellement créées, submergeant Kolkata au-delà de ses capacités d'accueil. Après la guerre du Bangladesh en 1971, la ville connut soudainement un nouvel afflux de migrants. Ses services étaient au bord de l'implosion, mais deux projets permirent de soulager les transports : un métro, le premier de l'Inde, et un nouveau pont, à Hastings, pour décharger le Haora Bridge.

Deuxième ville du pays, avec plus de 13,2 millions d'habitants, la réputation d'indigence dont elle souffre semble pourtant exagérée. Gérée de longue date par une municipalité communiste, Kolkata est une mégalopole dynamique, où il se passe toujours quelque chose – une fête religieuse, un festival de théâtre ou une manifestation politique – et qui, malgré tout, a su conserver son patrimoine architectural, bien qu'il soit aujourd'hui dans un état de délabrement extrême.

Cette vitalité fait de Kolkata un centre culturel et intellectuel sans égal en Asie du Sud. Elle n'est pas seulement la patrie du premier et unique prix Nobel indien de littérature, Rabindranath Tagore (1913), mais aussi du seul lauréat indien aux Oscars, Satyajit Ray (1991), dont on a loué la "rare maîtrise de l'art du cinéma et la profonde conception humanitaire". Au XXᵉ siècle, des peintres et sculpteurs majeurs y ont également vu le jour, dont Jamini Roy et Nandalal Bose.

À GAUCHE : scène de rue à Kolkata. **CI-DESSOUS :** statue du vice-roi, Lord Curzon, devant le Victoria Memorial.

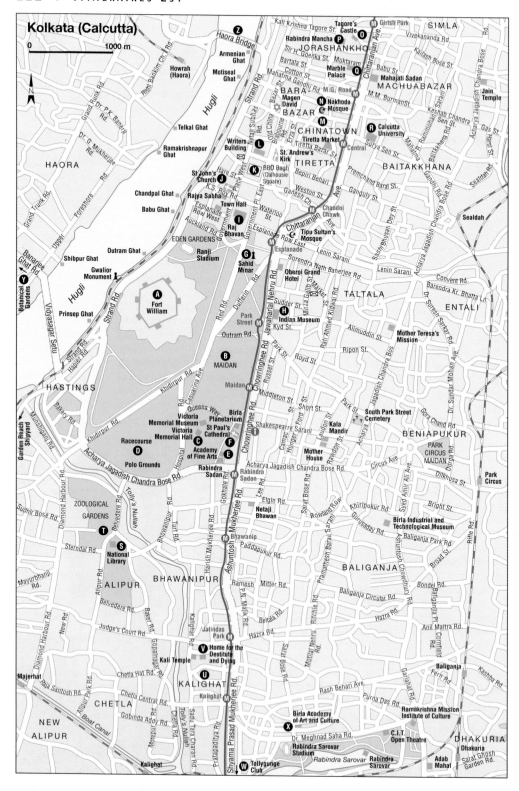

Le centre-ville

Kolkata s'est développée autour de **Fort William** . À l'ouest de celui-ci s'étendent **Strand Road** et la **Hugli**, un bras du Gange, et à l'est le Maidan.

Le **Maidan** ⓑ, un vaste parc entourant le fort – l'actuel siège oriental de l'armée indienne –, date de 1758, année à laquelle Robert Clive fit défricher les bois environnants pour dégager la ligne de tir. Son monument principal, le **Victoria Memorial Hall** ⓒ (ouv. du mar. au dim. de 10h à 17h ; entrée payante ; www.victoriamemorial-cal.org), est un édifice massif en marbre blanc du Rajasthan surmonté d'un dôme. Inauguré en 1921 par le prince de Galles, il renferme une excellente collection de souvenirs victoriens et une vaste exposition sur le Bengale, avec peintures, miniatures et manuscrits. Le parc, où se dressent les statues de Lord Curzon et de la reine Victoria – aux pieds de laquelle, telle une "maharani", les pèlerins déposent encore des fleurs –, est le lieu où traditionnellement les familles se réunissent pour pique-niquer ou arranger des mariages…

Le **Presidency General Hospital**, où Sir Ronald Ross identifia le vecteur de la malaria en 1898, se trouve sur A. J. C. Bose Road, derrière le mémorial. Le **Racecourse** ⓓ (hippodrome), inauguré en 1819, s'étend au sud du Maidan ; quant au **Kolkata Polo Club**, au centre, il accueille des parties de polo depuis 1861.

Cathedral Road, au sud-est, débute à la hauteur de **Rabindra Sadan**, une salle de concerts qui tire son nom de Rabindranath Tagore. Dans l'**Academy of Fine Arts** ⓔ (Académie des beaux-arts ; ouv. du mar. au dim. de 15h à 18h), toute proche, des épées mogholes et des souvenirs de Tagore côtoient des œuvres d'art moderne bengali. Non loin de là, s'élève la **St Paul's Cathedral** ⓕ, une haute église néogothique, consacrée en 1847. Remarquez ses rangées de ventilateurs suspendus au plafond lambrissé, ses stalles et bancs en bois lourd, ainsi que ses vitraux représentant *La Destruction de Sodome* par Burne-Jones. Aux murs, des dalles évoquent le souvenir d'Anglais tués lors de conflits divers, notamment le soulèvement des cipayes, en 1857 (*voir p. 45*).

Près de la cathédrale, vous découvrirez le **Birla Planetarium** (ouv. du mar. au dim. de 12h30 à 18h30 ; entrée payante), l'un des plus grands du monde, et le **Nehru Children's Museum** (ouv. du mar. au dim. de 12h à 20h ; entrée payante), qui présente une collection de jouets et deux dioramas du *Ramayana* et du *Mahabharata* en 61 tableaux.

À l'extrémité nord du Maidan, l'**Ochterlony Monument**, une colonne haute de 48 m, célèbre les victoires du général Sir David Ochterlony durant la guerre du Népal. Au XIXᵉ siècle, les nationalistes du mouvement "Young Bengal" y hissèrent le drapeau français en signe de rébellion contre le British Raj. Le monument porte désormais le nom de **Sahid Minar** ⓖ (mémorial des Martyrs), en l'honneur des martyrs de la liberté.

À toute heure de la journée, le Maidan est le théâtre d'un va-et-vient incessant. Dès l'aube, les joggers s'y activent, suivis de la police montée y promenant ses chevaux et des militaires effectuant leurs exercices matinaux, tandis que chèvres et moutons paissent sur le terrain du **Calcutta Golf Club**. Un peu plus tard, le tramway s'ébranle pour conduire ses passagers sur leur lieu de travail. Joueurs de football et de cricket prennent ensuite le relais, tandis que les badauds se

NOTEZ-LE

De nombreux lieux de Kolkata ont changé de nom : Harrison Road est devenue M. G. Road, Theatre Road se nomme dorénavant Shakespeare Sarani, et Howrah s'orthographie Haora.

Ci-dessous : l'hippodrome.

Pour connaître les manifestations culturelles, procurez-vous un exemplaire de Calcutta this Fortnight, *disponible auprès des offices du tourisme.*

CI-DESSOUS :
St Paul's Cathedral, Kolkata.

rassemblent autour d'un *sadhu* ou d'un chanteur sous les arbres près de la **statue de Gandhi** et du **War Memorial**. Le soir, les activités se concentrent autour de la **Sri Aurobindo's Statue**, face au Victoria Memorial.

Le Maidan est bordé à l'est par **Chowringhee Road** (Jawaharlal Nehru Road), un ancien chemin qui traversait la jungle en direction du temple de Kali. Jalonnée de bâtiments datant de la fin du XIXᵉ siècle, tels que l'**Oberoi Grand** et l'**Indian Museum**  (*voir encadré p. 226*), cette rue incarnait jadis, tout comme l'**Esplanade**, la grandeur de Kolkata. De nos jours, la gloire de Chowringhee Road est bel et bien révolue : bon nombre de ses façades tombent en ruine, des tours modernes ont remplacé les édifices anciens et la chaussée est envahie par une marée de colporteurs, cireurs de chaussures, mendiants et autres rabatteurs.

Sur East Esplanade, se dresse le **Raj Bhavan** ❶, érigé en 1803 par le gouverneur général Wellesley. En poursuivant en direction du fleuve, vous atteindrez la **Rajya Sabha** (assemblée), l'ancien **Town Hall** (hôtel de ville) et la **High Court** (Cour suprême) construite en 1872 sur le modèle du beffroi gothique d'Ypres, en Flandre. L'hôtel de ville, restauré, abrite le **Kolkata Museum** (ouv. du lun. au sam. de 10h30 à 17h30 ; entrée payante). Une animation son et lumière y retrace l'histoire municipale. Les célèbres **Eden Gardens**, au nord du Maidan, accueillent des matchs de cricket internationaux. Ils s'étendent sur le site de Respondentia Walk, une promenade à la mode. La pagode qui s'y trouve fut rapportée de Prome (Myanmar) par le vice-roi, Lord Curzon.

La **St John's Church** ❶ (1784), au nord du Raj Bhavan, renferme une *Cène* de Zoffany. Dans le cimetière adjacent, repose Job Charnock, fondateur de la ville. Le Halwell Monument rend hommage aux victimes du "Black Hole". Après l'assaut de Fort William en 1756, 146 prisonniers anglais furent entassés

Carte p. 222

dans une petite pièce ; 113 d'entre eux périrent étouffés. Au-delà s'étend **Dalhousie Square**, rebaptisée **BBD Bagh**  en mémoire de trois frères – Binoy, Badal et Dinesh –, pendus pour avoir projeté d'assassiner Lord Dalhousie, lieutenant gouverneur du Bengale. Au nord de la place, le **Writers Building** (1880) hébergeait les "écrivains" (employés) de la Compagnie des Indes orientales. L'édifice, siège du gouvernement du Bengale-Occidental, se dresse devant un réservoir, autrefois seule source d'eau potable de la ville. En face, **St Andrew's Kirk** (1818), église édifiée sur le site de l'ancien Court House, est renommée pour ses grandes orgues, les plus belles d'Inde.

C'est dans ce quartier, étranglé par une circulation chaotique, et en particulier sur **Netaji Subhas Road**, que s'élèvent les bureaux des sociétés les plus prestigieuses de Kolkata – de hauts édifices victoriens ornés d'escaliers Art nouveau, sols en marbre et boiseries. Poussez jusqu'à l'India Exchange Lane, près de la **Jute Balers Association**, et observez les spéculateurs du marché du jute opérer depuis des cabines téléphoniques, situées devant les bâtiments, et crier leurs ordres d'achat aux vendeurs, installés sur la chaussée. Même la Bourse, le **Stock Exchange** (1917) – qui regroupe associations et organismes officiels –, à l'angle de Lyon's Range, déborde sur la rue qui fait face à Jardine Henderson.

Des communautés mélangées

Fabricants de chaussures chinois, tailleurs musulmans et boutiques de thé se succèdent depuis l'angle nord-est du Maidan, sur **Bentinck Street**. Tout près, le **Tiretta Market** – du nom de son ancien propriétaire, un ami de Casanova contraint de fuir Venise – vend légumes, viande et poisson séché.

Les premiers Chinois s'installèrent à Tangra, aujourd'hui **Chinatown** , à la fin du XVIIIe siècle. Autrefois, les Cantonais occupaient tout un quartier de Kolkata, mais leur nombre a considérablement diminué depuis les affrontements de 1962 à la frontière sino-indienne. Si la communauté chinoise ne compte plus à présent que quelque 5 000 personnes, Tangra conserve de nombreux restaurants chinois et le **Sea Ip Temple**, sur Chatawala Gully, reste ouvert au culte. **Kuomintang Press**, sur Metcalfe Street, publie toujours deux quotidiens en chinois, *Seong Pow* et *Chinese Journal of India*.

À l'ouest de Brabourne Road, vous découvrirez dans **Old China Bazaar** un *agiary* (temple de feu parsi, une mosquée ismaélienne, un temple jaïn gujarati – l'un des plus beaux de Kolkata – et deux synagogues encore en fonction, dont celle de **Magen David** (1884). Les juifs de Kolkata, arrivés d'Irak au XIXe siècle, formaient alors une communauté prospère, mais la vague d'émigration vers Israël, les États-Unis et le Royaume-Uni, amorcée après la Seconde Guerre mondiale, l'a réduite à moins d'une centaine de familles.

Près d'Old China Bazaar Lane, l'église arménienne **Our Lady of Nazareth** (1724) posséderait la plus ancienne horloge en fonctionnement de Kolkata. Lorsque Job Charnock fonda la ville, les Arméniens, venus d'Ispahan au XVIIe siècle, auraient déjà été présents sur les lieux ainsi qu'à Chinsura, en amont sur la Hugli. L'une des tombes du cimetière date d'ailleurs de 1630. Dans Kolkata et ses environs, les Arméniens

NOTEZ-LE

Le métro de Kolkata, propre et efficace, fonctionne du lun. au sam. de 7h à 21h15, et le dim. de 15h à 21h15. Sur les quais, des écrans projettent des films permettant de tromper l'attente. Si vous le pouvez, évitez les heures de pointe (consultez http://business.vsnl.com/metrolry).

CI-DESSOUS : Tagore's Castle (1867).

Mère Teresa (1910-1997) a passé sa vie parmi les déshérités et les infirmes de Kolkata.

CI-DESSOUS :
Belur Math, siège de la Ramakrishna Mission.

– aujourd'hui quelques centaines – ont plusieurs églises, une école, un club et l'une des meilleures équipes de rugby du pays.

Sur Chitpur Road (rebaptisée Rabindra Sarani), la **Nakhoda Mosque** , en grès rouge, s'inspire de la tombe d'Akbar à Sikandra près d'Agra. Cette immense mosquée peut accueillir jusqu'à 10 000 fidèles. Quantité de boutiques musulmanes et quelques bons restaurants agrémentent ses environs.

Des demeures somptueuses

Avec ses maisons munies de vérandas sur Sir Hariram Goenka Street et ses superbes demeures près des rues Kali Krishna Nagore et Jadulal Mullick, le quartier de **Jorashankho** dégage un charme unique en son genre. Ne manquez pas le très excentrique **Tagore's Castle** (1867), sur Darpanarain Tagore Lane, qui rappelle le château bavarois de Neuschwanstein, bien que des ajouts ultérieurs en aient malheureusement modifié la silhouette originale. C'est à **Rabindra Mancha** (ouv. du lun. au ven. de 10h à 17h, le sam. de 10h à 13h30), une maison du XVIIIᵉ siècle, au bout de Dwarkanath Tagore Lane, que le célèbre Rabindranath Tagore vit le jour en 1861 et s'éteignit en 1941. Elle jouxte une bibliothèque ainsi que la **Rabindra Bharati University** (Tagore Academy). Le musée de l'université (www.rabindrabharatiuniversity.net), qui conserve près de 2 000 peintures de Tagore, est consacré à la vie du poète et au mouvement "Young Bengal".

Kumartuli, plus au nord, regroupe une communauté d'artisans spécialisés dans les représentations en argile des déesses Durga, Laksmi et Sarasvati que l'on utilise pour les fêtes religieuses. À **Rajabazar**, sur Badni Das Temple Road, vous admirerez le **Parasnath Mandir**, un ensemble de quatre temples jaïns de la secte Digamber datant de la fin du XIXᵉ siècle. Le plus connu, dédié à

L'INDIAN MUSEUM

Cet immense musée, sans doute le plus vaste du pays – pour ne pas dire d'Asie –, fait face au Maidan sur Jawaharlal Nehru Road. Fondé en 1814, il n'ouvrira ses portes au public qu'en 1878. Également appelé *jadu ghar* ("maison de la magie"), il attire un grand nombre de visiteurs indiens et étrangers.

Pour en découvrir les pièces maîtresses, réparties dans ses 36 salles, prévoyez au moins une demi-journée. Parmi les trouvailles archéologiques de choix figurent un chapiteau mauryen en forme de lion (IIIᵉ siècle), de superbes objets provenant de Mohenjodaro et de Harappa, ainsi que des pans du stupa de Barhut (IIᵉ siècle av. J.-C.) dans le Madhya Pradesh. Le musée renferme également de vastes galeries de géologie et d'histoire naturelle, ainsi que des textiles, des peintures kalighat, des miniatures et sculptures, dont de nombreuses œuvres de style Gandhara et quelques excellents bronzes Pala. Les nouvelles galeries de peinture, de qualité, exposent des œuvres bengali.

L'excellent guide publié par le musée vous sera très utile pour vous y repérer (ouv. du mar. au dim., de mars à nov. de 10h à 17h, de déc. à fév. de 10h à 16h30 ; entrée payante ; www.indianmuseum-calcutta.org).

Sital Nath, mêle influences architecturales mogholes, baroques, néoclassiques et indiennes. Mosaïques, verrerie colorée, miroirs et pierreries en ornent l'intérieur.

En 1835, le raja Mullick érigea le **Marble Palace** (ouv. du mar. au mer. et du ven. au dim. de 10h à 16h), en marbre blanc d'Italie, dans Chorebagan, sur Muktaram Babu Street. Même si ses descendants y résident encore, une grande partie est accessible à la visite. Parmi les peintures et les objets exposés dans les salles sombres du palais, vous verrez un *Napoléon* de Houdin, ainsi que des œuvres de Gainsborough, Rubens et Michel-Ange. Une colonie de perroquets, colombes et mainates égaye la cour, où se dresse le temple familial.

Transférée sur College Square en 1873, la **Calcutta University** ®, fondée en 1857, fut le théâtre de nombreuses manifestations, et ses murs sont régulièrement couverts de graffitis à caractère politique. Dans son enceinte, le bâtiment de l'**University Senate** abrite l'**Asutosh Museum** (ouv. du lun. au ven. de 10h à 17h30 ; www.caluniv.ac.in), riche d'une collection de sculptures pala, terres cuites, bronzes, *thanka* (peintures bouddhiques sur tissus) et d'exemples d'art bengali traditionnel. La **Coffee House**, sur Bankim Chatterjee Street, reste le lieu de rencontre habituel des cercles intellectuels et étudiants.

Sur R. N. Mukharji Road, à l'ouest de BBD Bagh, l'**Old Mission**, construite en 1770 par un missionnaire suédois, est la plus ancienne église de Kolkata. Le **Birla Industrial and Technological Museum** (Gurusady Road ; ouv. du mar. au dim. de 10h à 17h ; entrée payante), expose des maquettes et une étonnante réplique grandeur nature de la section d'une mine de charbon en exploitation.

Jadis habité par les Européens, le quartier de Chowringhee est jalonné de demeures cédant peu à peu la place aux bâtiments modernes. Sur **Park Street**, l'artère principale, vous remarquerez la **Freemasons' Hall** ("maison des francs-

CI-DESSOUS : statue en argile du dieu Ganesh.

Carte
p. 222

Le temple de Kali se dresse là où aurait atterri le petit orteil de Sati, après que Vishnu – qui souhaitait arrêter la danse destructrice du deuil de Shiva – eut démembré et éparpillé sur la terre son corps sans vie.

maçons", datant du XIXᵉ siècle) ; également au début de la rue, l'**Asiatic Society** (ouv. du lun. au ven. de 10h à 20h, le sam. et le dim. de 10h à 17h ; www.indev.nic.in/asiatic), fondée en 1784 par Sir William Jones, conserve une collection de livres, manuscrits et peintures (visite sur demande).

La Martinière College, un autre incontournable, sur Acharya Jagadish Chandra Bose Road, fut fondé par le français Claude Martin. Ancien garde du corps du gouverneur français de Pondichéry, Martin rejoignit la Compagnie des Indes orientales et termina sa carrière comme major général. Après sa mort, en 1800, sa fortune servit, selon sa volonté, à ouvrir des écoles à Lyon, Kolkata et Lucknow. Une somme de 50 000 Rs fut versée à la Church of the Sacred Heart de Chandernagore.

Park Street, ancienne European Burial Road, s'arrêtait autrefois au **South Park Street Cemetery** (1767), le plus ancien cimetière de Kolkata. C'est là que reposent plusieurs personnages historiques, dont William Makepeace – père de William Thackeray –, Rose Aylmer, "morte pour avoir mangé trop d'ananas", et le poète Henry Derozio, fondateur du mouvement "Young Bengal".

Durant la Seconde Guerre mondiale, le meneur nationaliste Netaji Subhas Bose s'échappa de **Netaji Bhavan**, tout proche, sur Elgin Road dans Bhavanipur, pour fonder l'Indian National Army, dans l'Asie du Sud-Est occupée par les Japonais. La demeure a été transformée en musée (www.netaji.org).

Le sud de Kolkata

CI-DESSOUS : nouveau pont sur la Hugli.

Dans cette zone essentiellement résidentielle alternent quartiers aristocratiques et bourgeois. L'ancienne résidence résidence des vice-rois des Indes sur Belvedere Road accueille à présent la **National Library ⑤** (Bibliothèque nationale ; ouv. du lun. au ven. de 9h à 20h, le sam. et le dim. de 9h30 à 18h ; www.nlindia.org). Ses gigantesques collections comportent plusieurs sections, correspondant aux principales langues du pays.

Non loin de la bibliothèque s'étendent les **Zoological Gardens ①** (1876). Sachez toutefois que, si vous aimez les animaux, la visite d'un zoo indien peut s'avérer une expérience plutôt déprimante (www.petaindia.com, www.aapn.org et www.zoocheck.com).

Kalighat ⑪ est un quartier bourgeois traversé par le **Tolly's Nullah**, un canal assaini en 1775 par le colonel Tolly pour acheminer l'eau du Gange jusqu'au **Kali Temple**. En 1809, Sobarna Chowdhury construisit l'actuel *mandir* sur le site d'un temple antérieur (XVIᵉ siècle) dédié à Kali – lui-même précédé sans doute d'un sanctuaire plus ancien encore. Le temple (accès réservé aux hindous) reste la propriété des descendants du fondateur, les *palada*, seuls habilités à diriger les rituels. Les pèlerins offrent à Kali (avatar de Sati) du lait mêlé à de l'eau du Gange et du *bhang* (cannabis). Aux sacrifices humains d'autrefois ont succédé les offrandes sous forme de chevreaux. Dans le sanctuaire central, Kali la terrible, en marbre noir, est représentée avec quatre bras parés d'une guirlande de têtes humaines, ainsi qu'une main, une langue et des sourcils en or ; ses yeux et sa langue sont peints en rouge sang.

Le bâtiment voisin, la **Home for the Destitute and Dying ⑰**, maison des Indigents et des Mourants, ou

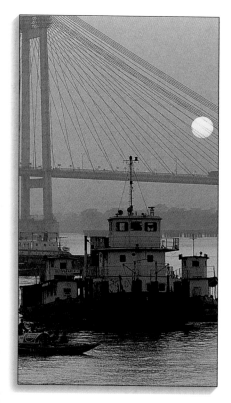

Nirmal Hriday, appartenait à mère Teresa. Il accueillit la première des nombreuses missions des Sœurs de la Charité (*voir* Notez-le *ci-contre*). Vous apercevrez ses religieuses en sari blanc à travers la ville.

D'autres temples se dressent plus au sud, sur Alipore Chetla Road et Tollygunge Road, aux environs desquels s'étend le **Tollygunge Club** . En 1781, la famille Johnson y créa une plantation d'indigo. Plus tard, le sultan Tipu en exil occupa la maison des Johnson. La demeure, devenue le Tollygunge Club en 1895, accueille à la journée des non-membres et propose forfaits-équipements pour le golf, tennis et squash, et hébergements (secrétariat : 120, Deshapran Sasmal Road, Kolkata 700 033 ; tél. (033) 2473 4539 ; www.thetollygungeclub.com).

Si vous pratiquez l'aviron, rendez-vous sur le **lac Rabindra Sarovar**, au nord-est de Tollygunge. Sinon, préférez une visite paisible à la **Birla Academy of Art and Culture**  (ouv. du mar. au dim. de 16h à 20h), sur Southern Avenue, consacré aux miniatures des principales écoles et aux statues anciennes.

À l'est du lac Rabindra Sarovar, dans Gol Park, découvrez dans le **Ramakrishna Mission Institute of Culture** un musée d'art indien, une école de langues, une bibliothèque et une salle de prière universelle.

Les *ghat* du delta

Au départ du *ghat* proche du chantier naval de Garden Reach, un ferry dessert périodiquement les **Botanical Gardens** ⓨ (ouv. de l'aube au coucher du soleil). Aménagés en 1787, ces jardins botaniques, qui accueillent le Central National Herbarium of India (herbier), possédaient autrefois le plus grand banian du monde. Frappé par la foudre en 1919, l'arbre fut abattu, mais aujourd'hui quelque 1 500 rejetons forment un cercle de plus de 10 m de diamètre !

Somptueusement décorée, la **Metiaburuz Shiite Mosque** (XIXᵉ siècle), qui s'élève sur Garden Reach Road, est l'œuvre de la famille royale d'Avadh.

À l'instar des autres *ghat* du Gange, ceux proches de Strand Road s'animent à l'aube et au crépuscule. Durant les fêtes, des milliers de fidèles convergent vers ceux de **Babu**, **Outram** et **Princep** pour immerger des statues en argile de Durga, Kali, Lakshmi ou Sarasvati. D'autres communautés organisent également des fêtes : sur Chat, les Bihari plongent des fruits dans le fleuve et les Sindhi, sur Chetti Chand, baignent des statues du dieu Jhulelal. Sur Strand Road, en janvier, un camp de transit est installé pour les milliers de pèlerins se rendant sur l'île sainte de Sagardwip. Enfin, chaque matin, les *ghat* fourmillent de croyants qui prient en accomplissant leurs ablutions.

Sur la promenade fluviale, le **Gwalior Monument**, surnommé la "poivrière" en raison de sa forme, commémore une victoire britannique lors des guerres marathes. Le *ghat* de Princep loue des dériveurs.

Franchissant la Hugli depuis 1941, le **Haora Bridge** ❷ et ses 8 voies ne parviennent plus aujourd'hui à absorber le flot quotidien de tramways, bus, taxis, camions, *rickshaws* mais aussi piétons, buffles, moutons, chèvres et chars à bœufs… Sous l'effet de la chaleur, le pont peut s'allonger d'1 m. Un nouveau pont à suspension, le Vidyasagar Setu à Hastings, permet un délestage partiel. ❑

Carte p. 222

NOTEZ-LE

Si le bénévolat au Nirmal Hriday vous intéresse, contactez avant votre départ la maison mère : Missionaries of Charity, 54 A. J. C. Bose Road, Kolkata 700 017 ; tél. (033) 2244 7115.

CI-DESSOUS :
un taxi Ambassador, avec St Andrew en toile de fond.

Carte
p. 232

Delhi

LE BENGALE-OCCIDENTAL

*Des marécages des Sunderbans aux sommets de l'Himalaya,
ce pays aux mille et un visages a attiré marchands, colons, poètes
et maîtres spirituels, et tous y ont laissé leur empreinte.*

L e Bengale-Occidental s'étire de l'Himalaya au golfe du Bengale. Le
Mahabharata et la géographie de Ptolémée mentionnent déjà cette région
de navigateurs, d'où les marchands partaient pour le Sri Lanka, Sumatra
et Java, et où se rendaient Grecs, Chinois et Persans.

Dès la fin du XIXe siècle, le Bengale devint l'un des territoires les plus prospères de l'empire britannique. Des temples virent le jour, la langue bengali s'enrichit grâce aux apports de poètes et écrivains, tels que Bankim Chandra Chatterjee ou Rabindranath Tagore, et de grands maîtres spirituels – Ramakrishna et
Vivekananda – firent leur apparition.

Les premiers colons

Au nord de **Kolkata** ❶, sur la berge droite de la Hugli le long de la Grand Trunk
Road, se succède une série d'anciens comptoirs danois, hollandais et français,
aujourd'hui de petites villes somnolentes arborant chacune ses maisons coloniales, ses palais, ses églises et sa promenade au bord du fleuve. Vous rejoindrez
la Grand Trunk Road par le Bally Bridge, qui traverse la Hugli à **Dakshinesvar**
(20 km au nord de Kolkata). Son **Kali Bhavatarini Temple** (IXe siècle), bâti sur
la rive droite, abrite un sanctuaire central dédié à Kali, un autre en l'honneur de

CI-DESSOUS :
jeune bouvier et
son troupeau,
à Vishnupur.

Radha-Krisna et 12 petits temples consacrés à Shiva. C'est là que vécut le sage Ramakrishna (1836-1886) ; sa chambre a été transformée en musée. **Belur Math**, siège de la Ramakrishna Mission en aval sur l'autre rive, a été fondé par Vivekananda, son disciple. Le bâtiment principal, le **Sri Ramakrishna Temple** (75 m de long et 35 m de haut), reflète l'aspiration de Ramakrishna à l'harmonie entre les religions : un plan en croix, un portail bouddhique, une structure surmontant l'entrée, typique du sud de l'Inde, et des fenêtres et balcons moghols et rajpoutes.

Serampore, à 25 km au nord de Kolkata, fut un comptoir danois de la fin du XVIIe siècle à 1845, date à laquelle les Danois cédèrent leurs possessions en Inde aux Britanniques. En 1799, le pasteur anglais William Carey, aidé par 2 autres missionnaires baptistes, y installa une imprimerie qui publia pour la première fois des ouvrages en plusieurs langues du subcontinent. En 1819, Carey créa le **Serampore College**, constitué en université par la charte royale danoise en 1827. Toujours active, cette université convertie en institut théologique baptiste se situe sur les rives de la Hugli, parmi des demeures des XVIIIe et XIXe siècles. La **Saint Olaf's Church**, à l'intérieur des terres, date de 1747.

Une porte arborant la devise "Liberté, Égalité, Fraternité" marque l'entrée de **Chandernagore**, qui fut un comptoir français – presque sans interruption – de 1673 à 1952. Sur Strand Road, l'ancien quai Dupleix, les bancs publics, répliques exactes de ceux du Paris haussmannien, rappellent également ce passé colonial.

À **Palpara** et **Narvah**, au nord-ouest, se regroupent des temples dédiés à Shiva ; consacré à Krishna, le **Nandadulal Temple** (XVIIIe siècle) – le principal –, à Lal Bagan, est un bon exemple d'architecture bengali.

En 1625, les Hollandais s'installèrent à **Chinsura**, à 1 km au sud de Hugli, qu'ils cédèrent aux Britanniques contre Bencoolen à Sumatra en 1826. Église, cimetière et casernes de l'époque ont survécu. La communauté arménienne de Chinsura édifia la **St John's Church** en 1695 ; une fois par an en janvier, le jour de la Saint-Jean, les Arméniens de Kolkata s'y retrouvent pour un service religieux. Sur la berge au nord, l'**Imambara**, lieu de culte chiite, possède une tour de l'horloge offerte par la reine Victoria.

En 1580, les Portugais fondèrent à proximité Bandel de Ugolim, actuelle **Hugli**, d'où ils contrôlèrent la plupart du commerce à travers le Bengale jusqu'à l'arrivée d'autres colons européens.

De ce passé, il ne reste plus que l'**église Notre-Dame de Bandel**. Consacrée en 1599, puis détruite par Shah Jahan en 1632, elle fut reconstruite sans l'habituelle exubérance des églises portugaises. Aujourd'hui encore, ce centre de pèlerinage célèbre la messe pour les veillées de Noël.

Villes saintes

À **Bansberia** ❷, à 6 km au nord de Hugli, vous pourrez visiter 2 sanctuaires : le petit **Vasudeva Temple** (XVIIe siècle), dont les carreaux sculptés en terre cuite représentent bateaux, soldats portugais et scènes du *Ramayana*, et le **Hangsesvari Temple** (début du XIXe siècle), pourvu de 13 tours. Rajah Deb, qui avait entrepris sa construction, disparut avant la fin des

NOTEZ-LE

La Mahesh Yatra (fête du Char) a lieu tous les ans dans le temple de Jagannpath à Mahesh (3 km de Serampore) en juin-juillet. De gigantesques chars transportant des effigies des dieux défilent alors en procession.

CI-DESSOUS : îles couvertes de mangroves et palmiers dans les Sunderbans.

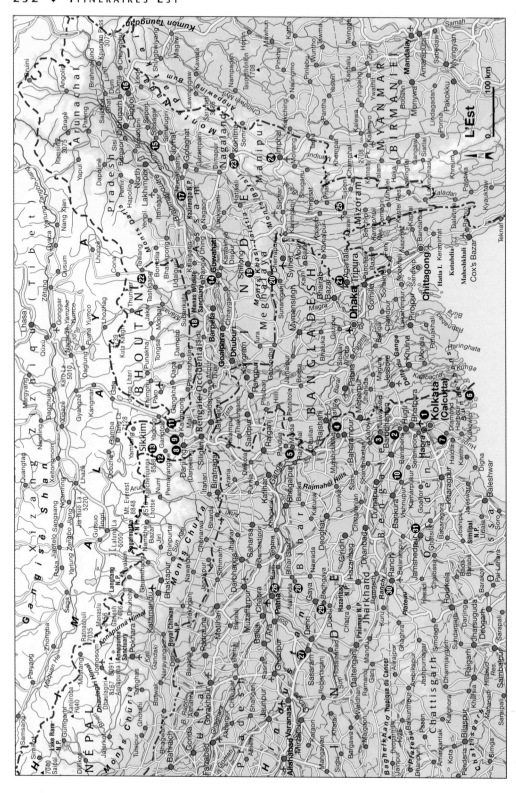

travaux. Sa veuve, qui allait accomplir le *sati* (immolation sur le bûcher funéraire de l'époux), fut sauvée *in extremis* par le réformateur religieux Raja Ram Mohan Roy, fondateur du mouvement Brahmo Samaj ; elle acheva le sanctuaire.

Site sacré à la confluence de 2 rivières, **Tribeni**, à 50 km au nord de Bansberia, s'anime 2 fois par an à l'occasion de Dussera et de la fête de Varuna, dieu de l'Eau : les pèlerins se rendent au petit complexe de **Benimadhava Temple** et se baignent dans le Gange. Sur la rive sud, **Darya Zafar Khan**, le plus ancien bâtiment musulman du Bengale (xiiie siècle), fut érigé à partir de matériaux de temples bouddhistes et hindous démantelés.

À 125 km au nord de Kolkata, la localité de **Nawadwip ❸**, également connue sous le nom de **Nadia**, couvre 9 îles – jadis distinctes – du Gange, appelé Bhagirathi dans cette section du fleuve. Capitale du Bengale aux xie et xiie siècles, elle compte parmi les lieux les plus sacrés de l'État. Chaitanya Mahaprabhu, une incarnation de Vishnu, y enseignait la philosophie vaisnava au xvie siècle. Chaque année en mars, plus de 500 000 fidèles se rendent à Nadia pour faire à pied le *padikrama*, un pèlerinage qui suit une boucle de 50 km à travers sites et temples associés à Chaitanya. Sri Mayapur, siège de l'International Society for Krishna Consciousness (ISKON), est établi à proximité.

Murshidabad et Malda

Murshidabad ❹ s'étend à quelque 50 km au nord du lieu où se déroula la célèbre bataille de Plassey (1757), où l'armée de Siraj-ud-Daula fut défaite par les Anglais, ouvrant ainsi la voie à la domination britannique en Inde. En 1705, Murshid Kuli Khan, divan (vice-roi moghol) du Bengale, Bihar et Orissa, y avait transféré sa capitale, jusqu'alors à Dacca. La plupart de ses monuments sont en ruine, mais vous pourrez voir la tombe de Siraj-ud-Daula, à Khusbagh, celle de Murshid Kuli Khan dans la mosquée Katra, ainsi que le cimetière de Jaffraganj. Vous découvrirez également des palais, comme celui de Jaffraganj Deorhi, où Siraj-ud-Daula fut exécuté, et **Hazarduari** (ouv. du sam. au jeu. de 10h à 16h30.), la propriété du nabab, de style néogothique (1837). Cette dernière, aménagée en musée, renferme, entre autres, des assiettes censées se briser si les mets destinés au nabab avaient été empoisonnés ! Murshidabad doit sa renommée à sa soie délicate et ses sculptures en ivoire.

À **Baranagar**, tout proche, se dressent des temples en brique du xviiie siècle. Plus au nord, à 340 km de Kolkata, se trouve la colonie de **Malda ❺**, fondée en 1680 et baptisée jadis "le bazar anglais", base commerciale des Hollandais, des Français, puis de la Compagnie des Indes orientales.

Gaur, non loin de là, fut la capitale des rois hindous Pala et Sena. Détruite par la dynastie afghane qui s'empara de la région, elle connut des revers de fortune, avant d'être définitivement désertée. Vous y découvrirez la mosquée Barasona Baroduari (1526), le Feroze Minar – un minaret de 1486 –, les vestiges de la mosquée Chika – avec idoles hindoues sur les portes et les linteaux – et ceux de la mosquée Lattan. Les bâtisseurs de la nouvelle capitale, **Pandua** – dont la mosquée Adina constitue l'attraction majeure –, réutilisèrent certaines parties des monuments hindous de Gaur.

Carte
p. 232

NOTEZ-LE

Berhampore, à 11 km de Murshidabad, est renommée pour sa production de soie. Ne manquez pas l'intéressante visite proposée par le Government Silk Research Centre.

CI-DESSOUS : une famille des Sunderbans.

*Si le Sunderbans
Wildlife Sanctuary
est un centre de
protection des tigres,
vous y verrez plus
sûrement des cerfs,
des singes et
des sangliers
que l'insaisissable
tigre du Bengale.*

CI-DESSOUS : moyen
de transport dans
les montagnes
proches de
Darjeeling.

Le sud des Sunderbans

Le delta du Gange et du Brahmapoutre forme la région des **Sunderbans** ❻ ("forêt magnifique" en bengali), du sud de Kolkata à la rive nord du golfe du Bengale. Inscrits au Patrimoine mondial, ces marais de mangroves – propriétés du Bangladesh, aux 2 tiers – couvrent la plus vaste jungle d'estuaire au monde. C'est également le territoire du redoutable tigre royal du Bengale.

Les routes y sont rares et l'eau y constitue souvent le seul moyen de communication. Il vous faudra une autorisation pour pénétrer dans cette zone. Renseignez-vous auprès du West Bengal Tourist Promotion Board, en particulier pour les réserves naturelles **Sudhanyakali** et **Sajankali**. Si les chances d'apercevoir un tigre restent minces, le spectacle qu'offrent les plus gros crocodiles d'estuaire de la planète – somnolant généralement sur des vasières le long du fleuve –, chats pêcheurs, varans aquatiques et tortues devrait vous consoler.

À **Bratacharingam**, à 15 km au sud de Kolkata, le **Gurusaday Museum** (ouv. de 10h à 17h), sur la route pour Diamond Harbour, présente une collection d'art traditionnel bengali : plaques de temple en terre cuite, figurines en argile, sculptures sur bois, peinture kalighat et sur rouleaux, ainsi que *kantha*.

Au bout de Budge-Budge Road en quittant Diamond Harbour Road, vous parviendrez à **Achipur**, sur la Hugli, dont le nom provient d'Ah-Chi, premier Chinois de l'époque moderne (XVIIIᵉ siècle) à avoir migré au Bengale. Sa tombe rouge, face au fleuve, constitue sans doute la seule sépulture chinoise située sur le Gange. Vous admirerez également un temple taoïste orné d'inscriptions du XVIIIᵉ siècle. Chaque nouvel an lunaire, les Sino-Indiens de Kolkata s'y rendent en pèlerinage, transformant ainsi ce village bengali en communauté chinoise pour la journée.

Diamond Harbour ❼, à 50 km de Kolkata sur la Hugli, forme un havre naturel. Dans cet ancien fief de la piraterie portugaise, vous distinguerez encore les vestiges d'un fort en bordure du fleuve.

La dernière île avant le golfe du Bengale, **Sagardwip**, à la confluence du Gange et de l'océan, accueille une fête religieuse chaque année à la mi-janvier : à l'occasion de Gangasagar Mela, plus d'un demi-million de pèlerins se baignent dans les eaux sacrées, avant de converger vers le **Kapil Muni Temple**. Vous pourrez organiser un circuit individuel à Sagardwip avec hébergement à bord d'un bateau.

Digha, sur la frontière de l'Orissa, à 240 km au sud-est de Kolkata, possède une plage agréable appréciée des touristes indiens.

Darjeeling, station climatique du nord

Chaque année au début de la mousson, les vice-rois des Indes – et, après 1911, les lieutenants gouverneurs du Bengale – se rendaient à **Darjeeling** ❽ (2 134 m d'altitude), face à l'Himalaya. La culture du thé, dont elle tire son prestige et sa renommée, y fut introduite par les Anglais dans les années 1840. À 3 heures de l'aéroport de Bagdogra, près de Siliguri, par une route sinueuse, Darjeeling est également accessible par le **Toy Train** (train miniature) qui part de la gare ferroviaire de New Jalpaiguri. Achevée en 1881, la ligne grimpe un dénivelé de 1 500 m à travers montagnes et plantations de théiers – une ascension qui nécessite 7 heures ; sur l'un des tronçons, le train va si lentement que vous aurez même le temps d'acheter quelque marchandise aux colporteurs le long de la voie. Sachez cependant que, pendant la mousson, le service peut subir des interruptions.

La population de Darjeeling – très différente de celle de la plaine – se compose de Népalais, Lepcha, Tibétains et Bhoutanais. En centre-ville, des échoppes de souvenirs jalonnent le **Mall**, l'artère commerçante, où vous pourrez acheter des reproductions de vieux clichés du début des années 1900. Le Mall débouche sur **Chaurastha** : sur cette place, agrémentée d'un kiosque à musique, vous trouverez une librairie d'ouvrages anciens sur l'Inde et le Tibet, ainsi qu'une boutique d'antiquités. **Observatory Hill** est sans doute le plus ancien site bâti de Darjeeling. Le monastère bouddhiste nyingmapa, **Dorjeling** ("lieu du tonnerre"), qui s'y dressait, fut détruit par les Népalais au XIXᵉ siècle ; il a été remplacé par un temple de Shiva et un hôtel.

Sur Birch Hill, au nord, se trouvent Shrubbery, la résidence du gouverneur du Bengale-Occidental et, sur Birch Hill Road, l'**Himalayan Mountaineering Institute**, jadis dirigé par Tenzing Norgay, le sherpa qui conquit l'Everest avec Sir Edmund Hillary le 29 mai 1953. Un musée (ouv. de 9h à 13h et de 14h à 16h ; entrée par le zoo) expose leurs équipements. Le **Zoological Park**, spécialisé dans la faune de haute altitude – yaks, ours noirs de l'Himalaya et pandas –, possède quatre tigres de Sibérie (ouv. de 10h à 16h ; entrée payante). Si vous cherchez un point de chute, rendez-vous au **Planters' Club**, qui domine le Mall. Aménagés en 1878, les **Lloyd Botanical Gardens** (ouv. du lun. au sam. de 6h à 17h) présentent la flore himalayenne et alpine. Non loin de là, le camp de réfugiés tibétains regroupe un temple, une école, un hôpital et des boutiques d'artisanat.

Carte p. 232

NOTEZ-LE

L'Himalayan Mountaineering Institute (Jawahar Parbat, Darjeeling, tél. 0354 225 4083) propose des stages d'alpinisme et vous renseignera sur les possibilités de randonnées et d'escalade dans la région.

CI-DESSOUS :
Darjeeling.

NOTEZ-LE

Les Anglais ont
introduit le thé à
Darjeeling dans les
années 1840. D'avril
à novembre, si vous
visitez le Happy Valley
Tea Estate,
vous assisterez
à la cueillette et
à la transformation
du thé (ouv. du mar.
au sam. de 8h à 12h
et de 13h à 16h30,
le dim. de 8h à 12h).

CI-DESSOUS :
plantations
de théiers
sur les collines
de Darjeeling.

Vous apercevrez le **mont Kanchenjunga** de l'Observatory Hill, mais **Tiger Hill**, à 10 km au sud de Darjeeling, offre une plus belle vue. Nombreux sont ceux qui s'y rendent en taxi pour admirer le lever du soleil. La plupart du temps, en hiver, la chaîne apparaît nettement, avec le **Kanchenjunga** (8 598 m) au centre, flanqué du **Kabru** (7 338 m) et du **Pandim** (6 691 m).

À droite se dressent les "trois sœurs" : l'**Everest** (8 848 m), le **Makalu** (8 482 m) et le **Lhotse** (8 500 m), avec les pics tibétains à l'est. Sur la route du retour, les taxis s'arrêtent à Ghum. Attention, ne confondez pas le petit monastère tibétain, en bordure de chaussée, avec le **Yiga Choling**, un temple bouddhiste de l'ordre gelugpa (1875), tout proche, qui abrite une statue du Bouddha haute de 5 m.

Le long des cimes

Offrant une vue plongeante sur les plaines, **Kurseong** (1 458 m), à 35 km au sud de Darjeeling, marque le point de départ du Toy Train, sur une voie parallèle à la route. De Ghum, une autre route conduit à **Mirik**, localité nichée dans une agréable forêt à 40 km au sud-ouest de Darjeeling ; vous pourrez louer un bateau pour canoter sur le lac artificiel, au creux d'une petite vallée.

Le centre de trekking de **Sandakphu**, à 130 km de l'Everest à vol d'oiseau, se situe à 5 heures de route (57 km à l'ouest) de Darjeeling. Idéal pour entamer une randonnée, Sandakphu mérite également une visite pour sa vue magnifique sur la chaîne principale de l'Himalaya. De **Phalut**, à 22 km de Sandakphu, panorama spectaculaire sur le Kanchenjunga.

Vous rallierez **Kalimpong ❾**, 51 km à l'est de Darjeeling, en 2 heures, par une route qui traverse forêts et plantations de théiers, puis, grâce à un pont à voie unique, franchit la Tista près de sa confluence avec le Rangeet, à Pashoke. Selon les Lepcha, les 2 fleuves seraient des amants échappés des montagnes pour dissimuler leur amour. L'un aurait dévalé la pente en ligne droite, dirigé par une perdrix, l'autre en zigzaguant, conduit par un cobra, et tous 2 se seraient rejoints à Pashoke. De Kalimpong partait autrefois la piste pour le Tibet. À voir : le *hat* (marché) qui s'y tient le mercredi et le samedi, où sur les étals fruits et épices côtoient remèdes tibétains traditionnels, textiles, laine et musc.

Kalimpong compte 2 monastères bouddhistes gelugpa : **Tharpa Choling**, à Tirpai, qui renferme une bibliothèque de *thanka* et manuscrits tibétains, et le petit **Zangdog Palrifo Brang**, sur Durpin Dara Hill, plus récent.

À l'est de Kalimpong, sur la frontière bhoutanaise, vous déboucherez sur le **Dooars**, dont le paysage mêle plantations de théiers et jungle ; la zone, peu fréquentée des touristes, est accessible par le train depuis New Jalpaiguri et par avion *via* Cooch Behar ou Bagdogra. La réserve naturelle de **Jaldapara** regorge d'animaux sauvages : rhinocéros unicornes de l'Inde, éléphants, cerfs, gaurs, sangliers... **Madarihat**, tout proche, possède une villa, le Tourist Lodge, entièrement construite en bois sur pilotis. Phuntsholing, un peu plus loin, est située au-delà de la frontière bhoutanaise.

L'ouest de Kolkata

À 57 km à l'ouest de Kolkata, le **Tarakeshwar Temple**, édifié autour d'un *lingam* en pierre noire de Tarakesvar Babu – avatar de Shiva –, présente peu d'intérêt sur le plan architectural, mais reste l'un des centres de pèlerinage les plus actifs du Bengale-Occidental. Lors des fêtes de Sivaratri (février) et Kastamela (août), des pèlerins nu-pieds transportent de l'eau du Gange de Kolkata jusqu'au temple, dans des pots en terre ornés de fleurs, pour la verser sur le *lingam*.

Carte
p. 232

Berceau du maître spirituel Ramakrishna Paramhansdeb, **Kamarpukur** – 3 hameaux nichés au milieu des rizières, à 60 km à l'ouest – possède un temple avec une statue en marbre de Ramakrishna.

Vishnupur ❿, à 200 km à l'ouest de Kolkata, était la capitale des rois Malla. Important centre culturel au XVIIe et au XVIIIe siècle, renommée pour ses chants de *dhrupad*, elle développa également son propre style architectural, avec des temples en brique.

Son édifice le plus impressionnant, **Rashmancha**, dédié à Vishnu, est une structure pyramidale plate reposant sur les arches de 3 galeries de circumambulation. Tout près, face à la Tourist Lodge, le **Dalmadal** – un immense canon de presque 4 m de long – sauva la cité des armées marathes en 1742. Vous découvrirez plusieurs temples à travers la ville, la plupart dédiés à Radha et Krishna, notamment le **Kalachand Sri Mandir**, le **Shyam Rai Mandir** – sans doute le plus beau du Bengale, en brique, avec des épisodes du *Ramayana* et du *Mahabharata* –, le **Jor Bangla**, couvert de carreaux dépeignant batailles navales et scènes de chasse, le **Madan Mohan** (1694), et enfin le **Madan Gopal**, avec 5 tours.

L'architecture des temples de Vishnupur s'inspire des toits incurvés des huttes villageoises bengali.

C'est à **Shantiniketan**, au nord de Vishnupur et à 136 km de Kolkata, que le père de Rabindranath Tagore fonda un ashram en 1861. Par la suite, le poète consacra la majeure partie de la somme affectée à son prix Nobel à en faire une institution pédagogique. En 1921, avec l'aide du maharaja de Tripura, il parvint à l'élever au rang d'université, dont Indira Gandhi fut l'une des plus célèbres diplômées. Shantiniketan devint bientôt un pôle majeur de la vie intellectuelle. C'est là que Tagore remit à l'honneur l'enseignement indien traditionnel, en plein air sous un arbre, en étroit contact avec la nature.

CI-DESSOUS :
cours en plein air
à Shantiniketan.

Un festival annuel a lieu près de Shantiniketan, à **Kendubilwa**, berceau de Jaidev, autre grand poète bengali et fervent propagateur de la philosophie vaisnava. Mi-janvier, durant 4 jours, des "bardes" bengali (*baul*) donnent un récital ininterrompu de l'œuvre du poète.

Au nord de Shantiniketan vous rencontrerez 2 lieux de pèlerinage. Selon la légende, c'est sur le premier, **Bakresvar**, à 58 km vers la frontière du Bihar, que serait tombé l'un des 51 morceaux du corps dépecé de Kali, l'espace séparant ses sourcils ; Bakresvar, voué au culte de la déesse, est par ailleurs renommé pour ses sources chaudes sulfureuses.

L'autre site, **Tarapith**, à 80 km de Shantiniketan, est un petit village dominé par un temple de Tara, avatar de Kali, dont le troisième œil aurait atterri sur les lieux. ❏

Carte
p. 232

Delhi

Le Sikkim regroupe environ 660 espèces d'orchidées, fleurissant de mi-avril à début mai.

CI-DESSOUS :
Gangtok,
capitale du Sikkim.

LE SIKKIM

Perché dans l'Himalaya, à la lisière du Tibet, cet ancien royaume est un pays de fleurs, de forêts et de monastères splendides encore relativement épargné par les impératifs marchands.

Avec ses sommets culminant à plus de 8 000 m d'altitude, le Sikkim est l'État le plus élevé de l'Inde. Le Kanchenjunga (8 598 m), troisième pic du monde, abriterait la demeure du dieu éponyme, un personnage virulent au visage rougeaud portant une couronne de 5 crânes et chevauchant un lion des neiges. Selon la légende, il y aurait enterré 5 trésors sacrés : du sel, des joyaux, des livres saints, des remèdes et une armure.

Jusqu'au XVIIIe siècle, les habitants du Sikkim se composaient essentiellement de Lepcha, des cultivateurs d'origine mongole venus du Tibet au VIIIe siècle. Les premiers rois du Sikkim, les Namgyal, descendaient des Minyak du Tibet. Khye-Bumsa, un prince namgyal, contribua à la construction du monastère Sa-Kya dans le centre du Tibet en 1268. Il se lia d'amitié avec les Lepcha et devint le frère de sang de leur chef, Thekongtek. Lorsque ce dernier disparut, les Lepcha se tournèrent vers Guru Tashi, quatrième fils de Khye-Bumsa, qui fut consacré roi (*chogyal*) en 1642. En 1700, les Bhoutanais envahirent le Sikkim, contraignant le jeune *chogyal*, Chador, à s'exiler. Ce dernier bâtit des monastères à Pemayangtse et Tashiding, et inventa l'alphabet lepcha, avant d'être assassiné en 1717 sur ordre de sa demi-sœur pro-bhoutanaise, Pei Womgmo.

Au début du XIXe siècle, la Compagnie des Indes orientales pénétra dans l'Himalaya pour commercer avec le Tibet. En 1814, lors des guerres anglo-népalaises, le Sikkim prit le parti des Anglais et reçut en récompense un pan du Teraï népalais en 1816. Comme preuve d'amitié, le roi Tsugphud Namgyal offrit à la Compagnie la colline de Darjeeling pour qu'elle y développe une station climatique. Les relations, toutefois, se détériorèrent et, suite à une querelle portant sur la collecte illégale des taxes par les Britanniques au Sikkim, ceux-ci annexèrent le Teraï et établirent un protectorat sur le royaume. Depuis le XVIIIe siècle, les Népalais ne cessent d'affluer au Sikkim et représentent aujourd'hui 75% de la population.

À la fin du règne britannique, le gouvernement de l'Inde indépendante passa un accord avec le *chogyal*. Mais le Sikkim ne fusionna entièrement avec l'Union indienne qu'en 1975, quand son parlement vota l'intégration du royaume à l'Inde. Une fois la monarchie abolie, il devint un État à part entière.

Gangtok

La capitale, **Gangtok ⓫** ("colline aplatie"), se dresse à une altitude de 1 640 m, face au Kanchenjunga. Vous y accéderez par la route de Darjeeling, l'aéroport de Bagdogra (110 km) ou la gare ferroviaire de New Siliguri (125 km). Le bâtiment le plus important de la ville, le **Chogyal's Palace**, est fermé aux visiteurs, à l'exception de la Tsuklakhang Royal Chapel, où se tiennent les cérémonies. Le palais lui-même ouvre

une fois par an lors de la fête de Pong Labsal, la dernière semaine de décembre, à l'occasion de laquelle les lamas portant des masques exécutent une danse en l'honneur de Kanchenjunga autour d'un mât.

Le **Research Institute of Tibetology**, fondé en 1958 par le dernier *chogyal* pour préserver la culture tibétaine, conserve dans sa bibliothèque plus de 30 000 ouvrages, ainsi qu'une collection de *thanka* (peintures religieuses tibétaines sur tissu). Le **parc aux Cerfs** fut aménagé en hommage à un bodhisattva réincarné en chevrotain porte-musc. L'**Orchid Sanctuary**, qui rassemble 250 espèces d'orchidées, se trouve à proximité d'un centre d'artisanat de réfugiés tibétains et de l'hôtel **Tashi Delek**.

En route pour les monastères

Le **Rumtek Monastery**, à 24 km à l'ouest de Gangtok, appartient à l'école de Karmapa, une branche réformatrice du bouddhisme tantrique, fondée au xvᵉ siècle. Ce monastère, réplique d'un bâtiment tibétain détruit lors de la prise de contrôle par la Chine, date des années 1960.

À **Pemayangtse** ⓬, à environ 100 km plus à l'ouest, le **Red Hat Ningmapa Monastery** (1705) vous surprendra par ses murs et plafonds recouverts de dieux et démons. D'ici, un trek d'une journée mène au **Tashiding Ningmapa Monastery** (1706) ou, si vous disposez de plus de temps, au **Kanchenjunga** ⓭. Lorsque, en l'approchant, vous aurez dépassé les 4 000 m, rizières et champs d'orge céderont la place aux vergers de pommiers, puis aux sapins. Après 6 heures de marche, vous parviendrez à **Yakshun**, une petite ville où eut lieu le couronnement du premier *chogyal* en 1642. Vous atteindrez **Bakkhin** en 5 heures et, en 6 heures, **Dzongri**, d'où vous jouirez d'une belle vue sur le Kanchenjunga. ❑

NOTEZ-LE

L'accès au Sikkim nécessite un Inner Line Permit, délivré par les autorités indiennes lors de votre demande de visa. Cette autorisation valable 15 jours est prorogeable à Gangtok. La partie orientale de l'État, ainsi que les cols Nathu-la et Jelep-la menant au Tibet et au nord, sont actuellement fermés aux touristes.

CI-DESSOUS : lamas d'un monastère tibétain au Sikkim.

LES ÉTATS DU NORD-EST

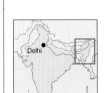

Carte p. 232

C'est dans cette zone frontalière sensible que vit le plus grand nombre d'Adivasi. Les restrictions d'accès par la route s'assouplissant peu à peu, il n'y a plus de raisons de négliger ce territoire fascinant.

À l'instar de sa topographie, la population des États du Nord-Est présente davantage de points communs avec ses voisins de l'Est et du Sud-Est qu'avec le reste de l'Inde, tant au plan historique que culturel. Peu visitée, cette région est pourtant l'une des plus séduisantes d'Asie du Sud, et l'assouplissement des limitations du gouvernement indien concernant les déplacements permet de découvrir de nouveaux territoires. Vous trouverez ci-dessous une description des 7 États de la région ; avant votre départ, renseignez-vous auprès du gouvernement indien pour connaître les restrictions en vigueur.

L'Assam

Assam signifie "ondulé" – un nom qui sied parfaitement à cette région de plaines ondoyantes sillonnées par le Brahmapoutre et ses nombreux tributaires. Par endroits, le Brahmapoutre – l'un des fleuves les plus larges du monde – s'étale sur plusieurs kilomètres, si bien que depuis l'une des rives il devient impossible de distinguer celle d'en face. Les crues y sont fréquentes ; ainsi, pendant la mousson de l'an 2000, des inondations dévastatrices, largement imputables à la déforestation excessive, ont entraîné le déplacement de plus d'un million d'habitants.

À GAUCHE : rhinocéros indien unicorne.
CI-DESSOUS : le chital, ou cerf tacheté indien, est réputé pour sa rapidité.

Les origines de l'Assam

Son nom dérive sans doute de la dynastie ahom, qui régnait sur le Kamrupa – ancienne appellation de la région – du XIIIᵉ au début du XIXᵉ siècle. La légende raconte que son premier roi, Narakasur, né de l'union du dieu hindou Vishnu et de Dharitiri (la Terre nourricière), fut tué par son propre père pour conduite irréligieuse, et que son fils lui succéda.

Depuis ses origines, l'Assam regroupe une grande variété de peuples. En 1228, les Ahom, tribu bouddhique du nord de la Thaïlande, attaquèrent l'Assam, y fondèrent leur propre royaume, établirent leur capitale à Charideo (actuelle Sibsagar) et se convertirent à l'hindouisme. Dans le haut Assam, toutefois, certains villages isolés perpétuent leurs coutumes bouddhiques et les habitants parlent le shan thaï. Leur puissant fief prospéra sur la rive sud du Brahmapoutre. À plusieurs reprises, les Moghols s'efforcèrent de soumettre les "rats de l'Assam", mais les Ahom se montrèrent toujours plus farouches que leurs occupants.

Le règne britannique

Le pouvoir de la dynastie ahom s'affaiblit dès le XVIIᵉ siècle. En 1792, la Birmanie envahit l'Assam et le roi Gaurinath Singh dut demander l'aide de la Compagnie des Indes orientales. La guerre anglo-birmane de 1824-1826 déboucha sur le traité de Yandaboo, par lequel la Birmanie cédait aux Britanniques une vaste

partie du Nord-Est, dont l'Assam. Les colons assirent progressivement leur emprise sur la région qui, durant la Seconde Guerre mondiale, joua un rôle stratégique pour l'approvisionnement de la Chine et de la Birmanie. Ses 300 plantations de thé dérivent directement des Anglais : aidés des cultivateurs du centre de l'Inde, bravant l'hostilité du terrain et du climat, ces derniers avaient réussi à transformer des pans entiers de jungle tropicale infestée de malaria en un impeccable tapis de théiers, qui font aujourd'hui la renommée de l'État.

C'est sur le site du temple Hayagribha Maghadeva Mahadap d'Hajo, à l'ouest de Guwahati, que le Bouddha aurait atteint le nirvana.

L'Assam actuel

Fragmenté en petits États à l'indépendance (1947), l'Assam actuel ne couvre plus que les plaines de la vallée du Brahmapoutre, au sud de l'Arunachal Pradesh et du royaume du Bhoutan. Ce morcellement a accentué la crise qui secouait la région. Le déséquilibre croissant entre Assamais d'origine et immigrés – Bengalis hindous déplacés lors de la partition de 1947 et musulmans fuyant la pauvreté du Bangladesh – constitue son problème majeur.

Dans les années 1980, les sentiments xénophobes éclatèrent en une révolte populaire menée par les étudiants, qui déboucha sur la création de mouvements séparatistes virulents, tels que l'ULFA (United Liberation Front of Assam) et Bodo, aujourd'hui tout-puissants dans la région. Fermé aux étrangers jusque dans les années 1990, l'Assam a rouvert ses frontières ; toutefois, gardez l'œil sur la situation politique et restez prudent lors de vos déplacements.

CI-DESSOUS :
un pêcheur adivasi dans le Kaziranga National Park.

Guwahati

Ancienne capitale des rois Kamrup, Pragjyotishpur, rebaptisée **Guwahati** ⓮, compte environ 600 000 habitants. Si elle ne dégage aucun charme particulier, sa situation, sur la rive sud du Brahmapoutre, est spectaculaire. Pour profiter du panorama, montez à bord d'un bateau au crépuscule ou en haut de la colline – à 3 km au sud-est du centre – où se dressent le **Raj Bhavan**, la résidence du gouverneur, et le **Belle Vue Hotel**.

Près de la gare ferroviaire, face au réservoir Dighali Pukhuri, le **State Museum** (ouv. du mar. au ven et un sam. sur deux de 10h à 16h) expose de rares sculptures en pierre datant de la période Kamrup. Parmi les temples, ne manquez pas le **Sukhlesvar Janardhan Temple** (Xᵉ siècle), sur un petit promontoire en bordure du fleuve. Reconstruit au XVIIᵉ siècle, il abrite une statue du Bouddha coexistant – fait exceptionnel – avec des divinités hindoues. Non loin de là, sur **Umananda**, l'île du Paon, au milieu du fleuve, se dresse un sanctuaire dédié à Shiva (bateaux-navettes au départ des *ghat*). Sur l'île voisine, en hiver, un spectacle son et lumière relate l'histoire de l'Assam.

Navagraha Mandir, le temple des Neuf Planètes, sur Chitrachala Hill, était un centre astrologique, d'où l'ancien nom de la ville, Pragjyotishpur, ou "ville orientale de l'astrologie".

Mais le temple le plus important de Guwahati, **Kamakhya Mandir**, s'élève au sommet d'une colline, Nilachal Hill, au bord du Brahmapoutre, à 10 km au sud-ouest du centre-ville. Pour arrêter la terrible danse destructrice de Shiva contemplant la dépouille de la déesse Sati, son épouse, des divinités morcelèrent furtivement le corps de cette dernière et l'éparpillèrent sur la terre. Son *yoni* (matrice) tomba ainsi sur Nilachal Hill. À Kamakhya, l'un des principaux centres du culte tantrique, les sacrifices humains étaient autrefois courants.

Près du mur et du réservoir d'eau marquant la limite de Guwahati, vous apercevrez les vestiges du temple d'origine détruit en 1553 par Kalapahar, un brahmane puissant converti à l'islam, sa communauté l'ayant exclu en raison de son mariage avec une princesse musulmane. La structure actuelle, avec sa haute flèche alvéolée et sa longue salle au plafond arrondi, est typique des débuts de l'architecture religieuse de l'Assam.

Le pays d'Assam

Ancienne capitale ahom, **Charideo**, aujourd'hui rebaptisée **Sibsagar** ⓯, s'étend à 372 km à l'est de Guwahati sur la rive sud du Brahmapoutre. Seuls quelques monuments ont survécu aux moussons et aux broussailles qui menacent d'en recouvrir les vestiges abandonnés. Vous distinguerez encore le réservoir d'eau et les temples de Devi, Shiva et Vishnu, un pavillon ovale d'où les rois assistaient aux combats d'éléphants, ainsi que la *charideo* (nécropole) des rois ahom.

En 1867, les Britanniques trouvèrent du pétrole dans les villes de **Duliajan** et **Digboi** ⓰, au milieu de denses forêts, à 100 km au nord-est de Sibsagar. Ils construisirent la première raffinerie du pays à Digboi.

Majuli constitue l'île fluviale sans doute la plus vaste du monde – une situation qui ne devrait toutefois pas durer, en raison de l'importante érosion et des inondations qui la frappent. Pôle du vishnouisme de l'Assam, l'île est parsemée de *satra*, sortes de villages où des spectacles de théâtre dansé rendent hommage à Vishnu. Par ailleurs, elle offre refuge à de nombreuses espèces d'oiseaux.

Carte p. 232

Un pèlerinage jusqu'à la mosquée à flanc de colline de Pao Mekka, à 25 km au sud-ouest de Guwahati, équivaudrait au quart (pao) d'un pèlerinage à La Mecque.

CI-DESSOUS :
lever de soleil sur le Brahmapoutre, Assam.

Un loris du Manipur.

Parcs nationaux

Le **Kaziranga National Park** ⓱, à 23 km au nord-est de Guwahati, couvre la principale réserve de rhinocéros indiens unicornes, menacés de disparition au début du XXᵉ siècle. Réintégrés depuis, ils restent la cible de braconniers et contrebandiers qui, malgré des mesures de protection rigoureuses, écoulent chaque année leurs cornes sur le marché de la médecine traditionnelle en Asie orientale.

À 176 km au nord-ouest de Guwahati, le **Manas Wildlife Sanctuary** ⓲, une épaisse jungle tropicale longeant la frontière bhoutanaise, regroupe plusieurs espèces en voie d'extinction : rhinocéros, tigres, sangliers nains et entelles dorés. Le cours d'eau de la réserve fait la joie des pêcheurs amateurs de *mahaseer*, une variété de carpe locale. Des camps de pêche sont installés sur la rivière Jia Bharali dans le **Nameri Sanctuary**, à 200 km de Guwahati.

Le Meghalaya

Le Meghalaya ("demeure des nuages") s'étend au sud de l'Assam, dont il faisait autrefois partie. Devenue un État de l'Union indienne à part entière en 1972, cette région vallonnée se couvre d'une brume épaisse en hiver, contraignant alors la police de la circulation à revêtir des tenues fluorescentes. Les 3 tribus adivasi qui y résident – Garo à l'ouest, Khasi au centre et Jaintia à l'est – formaient à l'origine de petits royaumes-cités indépendants, les Seiyam, que les colons annexèrent tour à tour à l'Inde britannique au XIXᵉ siècle.

Les Garo, Tibétains, se livraient autrefois, dans le cadre de leur religion, aux sacrifices humains et ne cessèrent d'exposer des crânes dans leurs habitations qu'en 1848, à la suite d'un traité conclu avec l'Angleterre. Parier sur un jeu de tir utilisant des flèches reste toujours un amusement courant.

CI-DESSOUS : les Great Escarpment Cliffs de Cherrapunji.

Les Khasi, Môn-Khmers apparentés aux Shan de Birmanie, pratiquent la religion Seng Khasi, qui interdit de représenter ou de vénérer Dieu – omniprésent – sous une forme spécifique. D'où l'absence de temples, remplacés par de simples salles de prière. Les Khasi se parent de bijoux en or et en ambre et, pour célébrer leurs morts, érigent des *mawbynna* (ensembles d'au moins 3 monolithes), que vous apercevrez dans la plupart des villages. Les Pnar, plus connus sous le nom de Jaintia, en sont très proches.

Ces 3 peuples s'organisent dans des sociétés matriarcales. Si, au XIXᵉ siècle, la plupart d'entre eux ont été convertis au christianisme par les missionnaires, leurs anciennes traditions persistent, et en particulier les danses. Ainsi, un grand festival de danse, le Shat Suk Myasiem ("fête du cœur joyeux"), se tient à Shillong en avril. En novembre, la fête garo des 100 Tambours, à Tura, célèbre la fin des moissons.

À 100 km au sud de Guwahati, soit à 3 heures de route à travers les monts tapissés de forêt de pins et de plantations d'ananas ainsi que de bétels, et le long du **Bara Pani** (Umian Lake), s'étend **Shillong** ⓳, capitale de l'Assam jusqu'en 1972, puis du Meghalaya.

En raison de son climat et de son altitude (1 500 m), la petite ville de Shillong est surnommée "l'Écosse de l'Orient". Britanniques et riches Bengalis y ont construit des cottages, ainsi que des terrains de golf et de polo. Son marché, **Bara Bazaar**, propose, entre autres, bijoux népalais en argent et parures khasi en or. La ville s'étage sur des collines émaillées de maisons de campagne à l'anglaise, dont la **Raj Bhavan** – la plus spacieuse –, résidence estivale du gouverneur de l'Assam et du Meghalaya, ainsi que le **Pinewood Hotel**. Le **Ward Lake** et les **Botanical Gardens** se déploient à proximité. Point culminant de l'État, le **Shillong Peak** (1 965 m) offre une vue splendide sur les monts avoisinants.

Avec 11 500 mm de pluie annuels, **Cherrapunji** , à 56 km au sud de Shillong, est l'un des villages les plus humides au monde ! Le site le plus intéressant est **Mawphluang**, 24 km plus au sud, un plateau stérile et venteux couvert de monolithes. **Mawsynram**, au-delà de Mawphluang, bat parfois Cherrapunji en matière de précipitations annuelles. La route longe une gorge spectaculaire et la région est criblée de grottes, dont beaucoup sont pourvues d'étonnantes formations rocheuses et traversées de cours d'eau.

De Shillong, l'accès – difficile – à la **région des Garo Hills** se fait par Guwahati, puis par **Tura** au sud-ouest. Les villages ont conservé leurs constructions traditionnelles, comme le dortoir des garçons à Rongreng (Williamnagar). Sur les Garo Hills, qui culminent au Nokrek Peak (1 412 m), pousse une flore abondante protégée dans le cadre d'une réserve de biosphère. À 167 km de Tura, dans les collines autour d'une vaste gorge, s'étend le **Balpakram National Park**.

Le Tripura

Cet ancien État princier (Tipperah), très arboré, regroupe une population majoritairement tibéto-birmane, qui adopta assez tôt l'hindouisme vishnouite et resta sous la coupe des rajas jusqu'à l'indépendance. Parmi les différentes ethnies figurent les Kuki, apparentés aux Shan de Birmanie, les Chakma, les Mogh, les Lushari et les Riang. L'État était en guerre contre ses voisins lorsque les Anglais, profitant d'une querelle entre le maharaja Krishna Manikya et les nababs du Bengale, intervinrent pour y établir un protectorat. Après l'indépendance, le Tripura rejoignit l'union indienne en 1949 et devint un État en 1972.

Sa capitale, **Agartala** ㉑, une petite localité de 60 000 habitants, est entourée de collines sur 3 côtés. Au cœur d'un agréable jardin moghol, le maharaja Radha Kishore Manikya bâtit un palais immense, le magnifique **Ujjayanta Palace** (1899-1901), qui abrite aujourd'hui la State Legislature (parlement d'État). Le **Pushbanta Palace** (1917), édifié par le maharaja Birendra – un philanthrope qui aida Rabindranath Tagore à financer la Shantiniketan University au Bengale –, accueille la résidence du gouverneur du Tripura. Dans le **Tripura Government Museum** (ouv. du lun. au sam. de 10h à 13h et de 14h à 17h ; entrée payante) vous verrez d'intéressants vestiges archéologiques et une exposition d'objets d'artisanat.

À Udaipur (55 km d'Agartala), ancienne capitale du Tripura, le temple de **Tripura Sundari** – surnommé Kurma ("tortue") Pith en raison de sa forme semblable à une carapace de tortue – indique l'emplacement où serait tombé le pied droit de la déesse Sati (*voir p. 228*). Dans un bassin proche du temple, d'énormes tortues attendent que les visiteurs les nourrissent.

Carte p. 232

NOTEZ-LE
Actuellement, les étrangers n'ont pas besoin d'autorisation pour visiter les États de l'Assam, du Meghalaya et du Tripura.

CI-DESSOUS : monolithes érigés par les Khasi, au Meghalaya.

NOTEZ-LE

Pour se rendre dans l'Arunachal Pradesh il faut un laissez-passer, le Restricted Area Permit, valable 10 jours, uniquement pour un groupe de 4 pers. au minimum (50 $/pers.). Les réservations s'effectuent auprès d'un voyagiste habilité de la région. La haute commission indienne et l'ambassade vous fourniront davantage de renseignements. (voir *adresse p. 248*).

CI-DESSOUS :
danseuses manipuri.

L'Arunachal Pradesh

Situé au nord de l'Assam, cet État est resté longtemps isolé en raison de sa position névralgique sur la frontière sino-indienne. Il compte 600 000 habitants répartis en 82 ethnies – dont les Apatani, les Khampti, les Padma et les Miri –, pour la plupart bouddhistes. À **Itanagar**, la capitale de l'État, quelques sites intéressants méritent une visite, comme l'Itar Fort, une citadelle en brique sans doute construite par les Ahom, et le Jawaharlal Nehru Museum, pour avoir un bon aperçu des coutumes et des tribus locales.

Tawang ㉒, au-delà du Sela Pass (col de Sela, à 4 215 m), possède le plus grand *gompa* gelugpa de l'Inde. C'est dans ce monastère bouddhiste, fondé en 1642, que vit le jour le sixième dalaï-lama. Très semblable aux monastères tibétains, il arbore des fenêtres et des murs chamarrés, ainsi qu'une immense statue dorée du Bouddha. En décembre ou janvier, s'y déroule une importante fête, mais son véritable atout réside dans son emplacement impressionnant (à 3 048 m d'altitude), qui offre une vue extraordinaire sur le paysage environnant.

À l'est, près de la frontière sino-birmane, le Brahmapoutre forme le lac du **Brahmakund**, avant de s'écouler dans les plaines de l'Assam. Le jour de Makar Sankranti (mi-janvier), les hindous s'y baignent par milliers pour se laver de leurs péchés. L'ancien chemin pour Mandalay débute à **Ledo**.

Dans le sud de l'État, le **Namdapha National Park**, resté quasiment vierge en raison de son inaccessibilité, couvre tout un éventail d'habitats s'échelonnant entre 200 m et 4 500 m au-dessus du niveau de la mer. Cette réserve reculée accueille le hoolock (gibbon), très rare, 4 espèces de félins – le tigre, le léopard, la panthère longibande et le léopard des neiges –, ainsi que le puma rouge, en voie de disparition.

Le Nagaland

Cet État très isolé est peuplé par les Naga, un ensemble de groupes tibéto-birmans – comme les Ao, les Angami ou les Konyak – parlant une vingtaine de dialectes différents. Anciens chasseurs de têtes, les Naga ont abandonné leurs pratiques depuis 2 générations.

De son royaume hindou de **Dimapur**, la tribu naga des Cachari partait jadis attaquer l'Assam et la Birmanie. Les Ahom de l'Assam assirent leur autorité sur les Cachari à la fin du XVIIᵉ siècle, mais dès que la Birmanie envahit l'Assam en 1816 les Naga reprirent leurs raids dans les plaines. En 1832, les Britanniques, établissant un lien routier entre l'Assam et le Manipur, entrèrent en contact avec les Naga pour la première fois. Pendant quelques années, ils tentèrent de les contrôler, menant des expéditions punitives après chacun de leurs assauts. En 1879, un poste avancé britannique à **Kohima** ❷❸ dut soutenir un siège d'un mois. Finalement, une paix permanente fut conclue en 1889.

Pendant la Seconde Guerre mondiale, après avoir lancé une attaque sur Kohima, les Japonais et l'armée nationale indienne s'emparèrent de la moitié de la ville en 1943. Leur objectif était d'atteindre Dimapur, tête de ligne vitale pour approvisionner les unités des troupes britanniques au front. À l'ouest, ils ne dépassèrent jamais Kohima, dont le cimetière de guerre rassemble des tombes du Commonwealth et un mémorial qui porte l'inscription suivante : "Lorsque vous rentrerez chez vous, parlez-leur de nous et dites-leur : *pour votre avenir, nous avons donné notre présent.*"

Les Naga soutinrent les forces alliées contre les Japonais, les ravitaillant au front, évacuant les blessés et épiant les lignes ennemies. Après l'indépendance de l'Inde, quelques-uns d'entre eux, regroupés au sein du Naga National Council, demandèrent l'autonomie, mais des sécessionnistes ne tardèrent pas à réclamer une véritable indépendance. En 1975, à Shillong, gouvernement indien et dirigeants naga conclurent un accord selon lequel ces derniers acceptaient la constitution ; ce qui n'empêche pas que des épisodes de violence éclatent encore aujourd'hui. Les villages naga – comme **Barra Basti**, dans la banlieue de Kohima – se perchent sur des collines, entourés d'un mur de pierre. À Dimapur, à l'est de Kohima, s'étendent les vestiges de l'ancienne capitale de Cachar Hills, rasée par les Ahom en 1536.

Le Manipur

Le Manipur – encore un ancien État princier – longe la frontière birmane. Les Meithei (60% de la population), proches des Shan, sont installés dans les vallées où ils ont inventé le *jagoi*, une danse exécutée lors des fêtes au son du *pung* (tambour à 2 faces). Les 29 autres ethnies de la région (1/3 des habitants) – majoritairement tibéto-birmanes comme les Meithei, et aujourd'hui chrétiennes pour la plupart – vivent sur les collines, tels les Lotha, les Konyak et les Naga.

Guerriers réputés, les Manipuri excellent dans les arts martiaux, qu'il s'agisse de *thangta*, pratiqué par les hommes et les femmes au rythme des tambours, de danse de la lance (*takhousarol*), de combat d'épées (*thanghaicol*) ou de lutte (*mukna*). Leur passé est jalonné de conflits contre leurs voisins de l'Arakan et

Carte
p. 232

Pour le Nagaland, vous devrez vous procurer un Restricted Area Permit ; l'autorisation, valable 10 jours, est renouvelable pour les groupes d'au moins 4 pers. et les couples mariés. Contactez le bureau des étrangers du ministère des Affaires étrangères (voir *adresse p. 248*).

CI-DESSOUS :
danseur adivasi.

Carte p. 232

NOTEZ-LE

La visite du Manipur et du Mizoram nécessite un Restricted Area Permit pour les étrangers. Contactez au moins un mois à l'avance le Ministry of Home Affairs, Foreigners Division, Lok Nayak Bhavan, Khan Market, New Delhi 110 003.

CI-DESSOUS : fabricant de tambours du Manipur.

des autres régions birmanes limitrophes, qu'ils envahirent en 1738. En 1819, le raja du Manipur, tributaire du royaume birman, n'assista pas au couronnement de son nouveau roi, Bagyidaw. Cette attitude suscita une expédition punitive, en partie à l'origine de la guerre anglo-birmane qui s'ensuivit.

Par le traité de Yandaboo, le 24 février 1826, la Birmanie vaincue reconnaît la souveraineté britannique sur le Manipur. En 1891, après plusieurs années de paix relative, une révolte éclate, durant laquelle le commissaire en chef britannique de l'Assam est tué. Le soulèvement est écrasé et son meneur, Tikenderjit Singh, le frère du maharaja, pendu. De nouveaux troubles se produisent en 1930 lorsqu'un prétendu prophète, Jadonang, annonce le départ imminent des colons. Ceux-ci l'exécutent, puis condamnent à la prison à vie sa prêtresse, Rani Gaidiniliou, âgée de 17 ans seulement ; ils ne la relâcheront qu'à l'indépendance. Entre mars et juin 1944, l'armée nationale indienne et les Japonais font en vain le siège d'Imphal ; en mars 1945, la 14e armée du général Slim marche sur Mandalay des collines du Manipur. Ce dernier devient un territoire de l'Union en 1949, puis un État de l'Union indienne à part entière en 1972.

Après un trajet de 130 km sur la célèbre route pour Mandalay, vous atteindrez **Imphal ㉔**, la capitale. N'y manquez pas l'immense Kwairamband Bazaar, un marché de femmes vendant alimentation et artisanat. Le **Manipur State Museum** (ouv. du mar. au dim. de 10h à 16h30) présente un éventail d'objets adivasi digne d'intérêt. Deux cimetières de guerre bien entretenus méritent le coup d'œil, tout comme le Raja's Palace et les Royal Polo Grounds (terrains de polo royaux). **Langthabal**, tout près, accueille le Raja's Summer Palace (palais d'été du raja). À 45 km d'Imphal, **Moirang** est connue pour son **temple de Thankgjing** mais aussi pour avoir été le quartier général de l'armée nationale indienne (*voir p. 53*).

Le Mizoram

Ancien district des Lushai Hills, le **Mizoram** s'étend aux frontières bangladaise et birmane. Son relief se caractérise par de profondes gorges sillonnées de rivières, avec des pentes tapissées de denses bosquets de bambous. Proches des Shan, les Mizo (qui regroupent Lushai, Hmar et Pawi), implantés depuis peu en Inde, commencent par attaquer les plantations de thé en 1871. Les Britanniques ripostent et assoient leur contrôle en 1872, mais ne parviennent à la paix qu'en 1892. Ils introduisent le système d'Inner Line, que seuls les missionnaires sont autorisés à franchir, d'où la forte proportion de chrétiens (95 %) et de population alphabétisée (86 % dans certaines zones). Devenu territoire de l'Union à l'indépendance, le Mizoram a obtenu le statut d'État en 1987.

Sa capitale, **Aizawl ㉕**, s'étire le long d'une crête. Dans le Bara Bazaar – le quartier commerçant –, des villageois en costume traditionnel vendent de nombreux produits frais, dont des crabes de rivière, dans de jolis paniers en osier. Le modeste **Mizoram State Museum** (ouv. du lun. au ven. de 9h à 17h, le sam. de 9h à 13h) abrite pourtant une belle collection d'objets d'artisanat. À voir également, le **Dampha Wildlife Sanctuary**, sur la frontière bangladaise, et la ville animée de **Champhai**, d'où vous pourrez visiter **Ruantlang**, un village traditionnel mizo. ❑

Le thé

Selon la tradition chinoise, l'Inde serait à l'origine du thé. La légende raconte qu'un brahmane du nom de Dharma s'était rendu en mission en Chine. Arrivé à destination, harassé par la fatigue, il s'endormit. À son réveil, fâché de sa propre faiblesse, il s'arracha les sourcils de colère. Ceux-ci prirent racine et se transformèrent en plants de thé. Après en avoir consommé les feuilles, le brahmane se plongea dans une profonde méditation.

Des voyageurs anglais mentionnent pour la première fois le thé de l'Assam vers la fin du XVIIIe siècle. Lorsque, en 1823, le monopole de l'East Indian Company sur l'importation du thé chinois en Angleterre est aboli, la compagnie envisage la culture du thé en Inde. Elle lance alors des expéditions dans l'Assam. En 1826, après les guerres birmanes, ses éclaireurs rapportent un théier, prouvant ainsi l'existence de plants dans la région. La veille de Noël 1844, le gouverneur général Lord Bentinck annoncera officiellement la découverte du thé en Inde, appelant au développement de sa production. Celle-ci, qui avait débuté dans l'Assam en 1836 et au Bengale en 1839, démarra dans les monts Nilgiri, dans le sud, en 1863. Au début des années 1840, des plants passés en contrebande depuis la Chine sont introduits dans les environs de Darjeeling.

Les premiers thés indiens sont d'une qualité si médiocre que l'on fait venir des experts chinois dans l'Assam pour en superviser le traitement. En 1900, le pays sera en mesure de fournir à l'Angleterre 70 000 t de thé, contre 5 000 t pour la Chine.

Aujourd'hui, l'Inde reste le producteur numéro un, avec 635 000 t de thé (la production mondiale se monte à 2 millions de tonnes) et 400 000 ha plantés, soit la plus vaste superficie du monde. L'Assam en cultive plus de la moitié, contre un quart pour le Bengale-Occidental et un cinquième pour les Nilgiri du Sud.

Il existe 2 sortes de thés indiens. Le CTC, le plus répandu, tire son nom du procédé "Cut-Twist-Curl" ("couper-torsader-enrouler"), au cours duquel la feuille est broyée, ce qui donne un breuvage sombre au goût prononcé. Cette production s'adresse essentiellement au marché domestique. Les thés "classiques", dits "légers" et destinés à l'exportation, comme le Darjeeling et l'Assam Golden Flower Orange Pekoe, produisent une boisson claire bien moins forte (1 kg permet de faire 350 tasses, contre 500 pour le CTC).

Environ 60 % de la production indienne s'écoule lors de ventes aux enchères à Guwahati (Assam), Kochi, Coimbatore et Coonoor (Sud), ainsi qu'à Siliguri et Kolkata (Bengale-Occidental). Kolkata possède 2 salles des ventes (l'une pour la production domestique, l'autre pour les exportations) et le plus vaste espace de dégustation au monde.

Consommé uniquement par les tribus montagnardes il y a un siècle et demi, le thé est devenu la boisson nationale de l'Inde. Pourtant, les Anglais continuent d'en boire en moyenne 6 fois plus que les Indiens.

N'hésitez pas à visiter les plantations de Darjeeling et du Sud pour assister au processus de production dans son intégralité. ❏

À DROITE : cueilleuses au travail à Darjeeling. L'Inde est le premier producteur mondial de thé.

Carte
p. 232

Delhi

LE BIHAR

Enclavé, accablé par une extrême pauvreté et ébranlé par les sursauts de violence entre castes, cet État abrite pourtant un incroyable patrimoine bouddhique et jaïn.

Siège de quelques grandes dynasties indiennes, le Bihar fut le berceau du jaïnisme et du bouddhisme. Son nom dérive de *vihara* (monastère bouddhiste). Bien qu'il s'étende dans la très fertile plaine alluviale du moyen Gange, il compte parmi les régions les plus défavorisées de l'Inde. Il est tristement connu pour ses profondes divisions entre castes, débouchant régulièrement sur des explosions de violence qui contribuent à sa réputation de zone de non-droit et qui opposent, d'un côté, les féroces milices des propriétaires terriens, de l'autre, les Naxalites, révolutionnaires communistes proches du parti maoïste népalais. Dans un tel contexte, l'on ne saurait trop vous conseiller la prudence si vous vous aventurez hors des entiers battus. Visiter Patna et les principaux sites bouddhiques, en revanche, ne pose pas trop de problème.

Patna ㉖, capitale du Bihar – et de l'ancien empire Magadha, sous le nom de Pataliputra –, abrite plus d'un million d'habitants installés sur les berges du Gange. Une vaste place, le Maidan, la divise en 2. À l'ouest s'étire **Bankipur**, une zone de cantonnement et de bureaux jalonnée d'édifices coloniaux, dont le **Raj Bhavan** – le palais du gouverneur –, le **palais du maharaja**, qui abrite aujourd'hui la Bihar State Transport Corporation, le **Patna Women's College** – complexe néomoghol du XXᵉ siècle – et des bungalows construits dans les années 1920 pour les agents du gouvernement.

Le **Patna Museum**, près de la **cour de justice**, expose une collection de statues hindoues et bouddhiques en pierre, des bronzes et des terres cuites, ainsi qu'un arbre fossilisé long de 15 m et vieux de 200 millions d'années (ouv. du mar. au dim. de 10h30 à 16h30). À l'entrée du hall, sur la gauche, ne manquez pas la **Didarganji Yaksi**, une statue féminine de l'époque maurya en grès jaune, pièce maîtresse du musée ; remarquable par son fini brillant, avec sa poitrine ronde, son ventre généreux creusé par un nombril délicat et ses hanches provocantes, elle est considérée l'un des plus beaux exemples d'art indien de tous les temps. Entre le Maidan et le Gange se dresse le **Golghar**, un énorme silo à grain bâti en 1786. Haute de 27 m, cette structure alvéolée peut contenir 150 000 t de blé. De son sommet, auquel on accède par 2 escaliers, on a une vue magnifique sur la ville.

À l'est du Maidan, s'étend la partie ancienne de Patna. Dans ce quartier de bazars quelques édifices sont à signaler, comme la **Khuda Baksh Oriental Library** – une bibliothèque rassemblant de précieux manuscrits islamiques –, la **Padri-ki-Haveli** (église Sainte-Marie) édifiée en 1775, ainsi que la **Sher Shah Masjid** et la **Patther-ki-Masjid**, des mosquées érigées respectivement vers 1540 et en 1621.

C'est dans un *gurdwara* (temple sikh) du vieux quartier, **Haramandirji**, l'un des hauts lieux du

CI-DESSOUS :
une statue de boue
destinée à une fête
religieuse.

sikhisme, qu'est né et a disparu le 10ᵉ et dernier gourou sikh, Govind Singh. Le temple en marbre blanc, édifié au XIXᵉ siècle dans la pièce où il vit le jour, abrite un musée du sikhisme. À son sommet, depuis les kiosques en marbre de la terrasse, vous admirerez la course du soleil au-dessus de la ville, au son des haut-parleurs qui diffusent des récitations du Granth (Écriture sainte).

La **Qila House**, une résidence privée construite sur les ruines de la forteresse de Sher Shah, près du *gurdwara*, conserve une collection de jades, peintures chinoises, objets moghols en filigrane d'argent, ainsi qu'un lit ayant appartenu à Napoléon. C'est le propriétaire lui-même qui vous fera visiter les lieux.

À **Gulzaribagh**, plus à l'est, près de Mahabir Ghat, une ancienne factorerie de l'East India Company a été transformée en imprimerie du gouvernement. Vous y découvrirez des entrepôts à opium, l'ancienne salle de bal et la galerie où Shah Alam II fut couronné empereur de Delhi le 12 mars 1761, sous le patronage de l'East India Company. À **Kumhrar**, au sud, dans un parc aménagé gisent les vestiges de **Pataliputra**, avec les fondations d'un palais de l'empereur Ashoka, des poutres en bois provenant de structures de l'ancienne cité, des remparts, ainsi que la mare où Ashoka aurait jeté les corps de ses 99 frères, qu'il avait tués pour éviter toute concurrence – ceci, bien sûr, avant de se convertir au bouddhisme.

Le **pont Mahatma Gandhi**, à l'est de la ville, permet de franchir le Gange. Sur la berge nord, près de la confluence du Gange et du Gandak, une foire aux animaux a lieu, en octobre-novembre, à **Sonepur**. **Vaishali**, 40 km plus au nord, fut la capitale de la confédération Vriji (VIᵉ siècle av. J.-C.), sans doute la première république d'Asie. Le deuxième concile bouddhiste s'y tint en 383 av. J.-C. Aujourd'hui, il ne reste plus qu'un pilier d'Ashoka et des vestiges de stupas bouddhiques. Après Vaishali, la route mène à Raxaul, sur la frontière indo-népalaise. Plus à l'est, le village de **Madhubani** (à 7 heures de Patna) est renommé pour ses peintures de Mithila.

Monuments moghols

À l'ouest de Patna, vous découvrirez quelques-uns parmi les plus beaux monuments du Bihar. À **Maner** (à 30 km) se dressent 2 mausolées : **Choti Dargah**, la tombe de Maneri, un ascète soufi du XVIIᵉ siècle, dans un petit cimetière musulman, et **Bari Dargah**, sur la rive élevée d'un bassin artificiel, construit vers 1620 par Ibrahim Khan, gouverneur du Bihar sous Jahangir, pour servir de sépulture à Shah Daula, son précepteur religieux. **Sasaram ㉗**, à 155 km au sud-ouest, compte quelques imposants monuments datant du règne de l'Afghan Suri dans le nord de l'Inde, dont le **mausolée** de l'empereur **Sher Shah** (XVIᵉ siècle), au centre d'un vaste bassin carré, ainsi que les tombeaux de son père, de son fils et du responsable des travaux.

C'est à **Buxar**, à 110 km à l'ouest, que Rama aurait combattu le démon Taraka et reçu, avec Laksmana, la connaissance supérieure du sage Visvamitra ; une empreinte de son pied serait gravée dans le Ram Rekha Ghat. Non loin de là, les Anglais soumirent Mir Kasim, dernier nabab indépendant de Murshidabad, en 1764, intégrant ainsi le Bengale et le Bihar à leurs possessions.

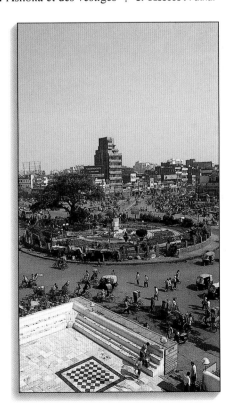

CI-DESSOUS : Patna.

Panneau dans le Mahabodhi Temple de Bodhgaya. Le sanctuaire se dresse près du site de l'"arbre de la bodhi" sous lequel le Bouddha aurait atteint l'Éveil.

Le berceau du bouddhisme

À 90 km au sud de Patna, **Nalanda** ㉘, "le lieu du lotus" (de *nalam*, ou "connaissance spirituelle"), accueillit la **Sri Mahavihara Arya Bhikshu Sanghasya**, une prestigieuse université monastique active entre le Ve siècle et l'an 1199, date de sa mise à sac par l'envahisseur afghan Bakhtiar Khilji (*voir encadré ci-dessous*). Mahavira, dernier *tirthankara* jaïn, et le Bouddha y enseignèrent. Par la suite, Nalanda devint un centre d'apprentissage bouddhique.

Entre Nalanda et Rajgir, vous remarquerez un petit temple chinois, un centre de recherche, le **Nava Nalanda Mahavira Research Centre on Buddhism and Pali Literature**, et un temple thaï, le **Wat Thai Nalanda**.

À 12 km au sud, **Rajgir**, ou Rajgriha ("palais royal"), capitale de l'empire Magadha au VIe siècle av. J.-C., est un lieu saint pour les jaïns et les bouddhistes. Mahavira y professa durant 14 saisons des pluies et le Bouddha y séjourna également pendant 5 moussons. Lors de sa première visite à Rajgir, ce dernier fit une telle impression sur le roi Bimbisara que, lorsque le Bouddha revint de Bodhgaya accompagné d'un millier de disciples – après être parvenu à l'Éveil –, le souverain fit construire un monastère pour sa communauté monastique (*sangha*) dans un parc de bambous.

L'actuelle Rajgir s'étend au nord de son site antique. Étagée sur 7 collines dépouillées, autour d'une vallée, l'ancienne ville était ceinte d'une muraille de 50 km constituée d'immenses blocs de pierre, avec des tours de guet ; vous en apercevrez les vestiges sur les collines, ainsi qu'à la hauteur des portes nord et sud.

Au-delà des ruines de l'**Ajatasatru Fort** (Ve siècle av. J.-C.), la route débouche sur une petite place bordée de boutiques. À droite s'étend **Venuvana**, le parc aux bambous où vécurent le Bouddha et ses disciples, avec le **Karanda Tank**, un bassin où le Bouddha se serait baigné. Un monticule, aujourd'hui couvert de tombes musulmanes, indique le site du stupa et du *vihara* d'Ajatasatru.

Vous admirerez également un grand temple bouddhiste japonais, le **Nipponzan Myohoji**, ainsi que le Centaur Hokke Club, une hostellerie pour pèlerins nippons. Les bouddhistes birmans ont érigé un temple à l'est du fort, au pied de la Vipula Hill. Plus haut sur cette même colline, au-delà de la **Pippla Cave** (grotte) et du monastère **Jarasandha-ki-Baithak**, vous visiterez la **grotte Saptaparni** où se tint le premier concile bouddhique. Au sud, se dresse un temple cylindrique en pierre, **Manyar Math**, dédié autrefois au serpent Maninaga, un demi-dieu mentionné dans le *Mahabharata*. Bifurquant à gauche, la route dépasse **Jivakamhavana** – un jardin de manguiers donné au Bouddha par Jivaka, médecin de Bimbisara –, avant d'atteindre **Maddakuchchi**. De là, vous devrez grimper à pied la **Gridhrakuta Hill**, le lieu le plus saint de Rajgir, où le Bouddha fit la plupart de ses sermons.

NALANDA

L'université de Sri Mahavihara Arya Bhikshu Sanghasya de Nalanda abritait, à son apogée, 2 000 professeurs, plus de 10 000 étudiants et une bibliothèque dont on dit qu'elle contenait 9 millions de volumes. À la suite du sac de Nalanda en 1199, elle aurait brûlé 6 mois durant.

Les fouilles ont révélé 9 niveaux d'occupation, 6 temples (*chaitya*) et 11 monastères (*vihara*), tous en brique rouge. Les *vihara* – avec leurs cellules, salles de cours et d'archivage, pièces pour le bain, cuisines, bibliothèques et puits – se dressent sur le flanc est. Remarquez le *vihara* 1, fondé au IXe siècle par le roi Balaputradeva de Sumatra, et les *vihara* 4 et 5, bâtis par le roi gupta Kumar au Ier siècle. Les temples s'élèvent à l'ouest. Le plus imposant, le Sariputra Stupa, fut édifié par l'empereur Ashoka en l'honneur d'Ananda, le premier disciple du Bouddha. Cette structure à 3 niveaux est ornée de représentations en stuc du Bouddha enseignant et entourée de stupas à la mémoire des étudiants morts durant leur apprentissage. À proximité, vous apercevrez les *chaitya* 12, 13 et 14, quasiment en ruine.

Les fouilles d'un nouveau site, le Sarai Mound, ont mis au jour des fresques représentant chevaux et éléphants. Le musée, à l'est des vestiges, renferme des sculptures en pierre et en terre cuite.

De Maddakuchchi, un téléphérique mène au sommet du **Ratna Giri**, une hauteur surmontée du **Vishva Shanti** ("paix du monde") **Stupa** ; cette immense structure blanche édifiée par des bouddhistes japonais est visible depuis des kilomètres à la ronde. Quatre statues en or – une de chaque côté – rappellent la naissance, l'Éveil, les enseignements et la mort du Bouddha.

Carte
p. 232

Lieux de pèlerinage

Gaya, important lieu saint hindou à 90 km au sud-ouest de Rajgir, aurait reçu de Vishnu le pouvoir de libérer des péchés. Les fidèles y affluent lors de cérémonies rédemptrices destinées à délivrer les morts du fardeau de leurs fautes, emportées dans l'au-delà. Après avoir accompli un bain rituel dans la rivière Phalgu, ils déposent sur les *ghat* des *pinda* (gâteaux de riz) en guise d'offrande, avant d'entrer dans le **Visnupada Temple** (accès réservé aux hindous). Dans l'enceinte de ce sanctuaire, érigé en 1787 par la Maharani d'Indore sur une empreinte de Vishnu, pousse un banian sous lequel le Bouddha aurait médité pendant 6 ans.

C'est à **Bodhgaya** ㉙, à 12 km au sud de Gaya sur la Phalgu, que le Bouddha atteignit l'Éveil. Il commença par méditer non loin de là, à Dungesvari, se nourrissant d'un grain de riz par jour durant 2 ans, puis jeûnant pendant 4 ans. Comprenant que la mortification ne le mènerait pas à la Connaissance, il s'installa ensuite dans une grotte, où des voix lui révélèrent qu'il devait choisir un autre lieu. Enfin, il s'assit sous un *Ficus religiosa* – appelé arbre de la *bodhi* – pour méditer, faisant le vœu de demeurer ainsi tant qu'il n'aurait pas atteint l'Éveil.

Près de cet arbre, l'empereur Ashoka érigea un sanctuaire, remplacé au IIe siècle par l'actuel **Mahabodhi Temple**. Au XVIIe siècle, les hindous – qui considèrent le Bouddha comme une incarnation de Vishnu – s'approprièrent le temple, aujourd'hui géré par un comité hindou-bouddhiste. À l'intérieur, remarquez une statue dorée du Bouddha assis les jambes croisées, dont la main droite touche le sol en signe d'acceptation de l'Éveil. Des stupas votifs jalonnent le périmètre du temple.

Près du mur occidental se dresse l'arbre de la *bodhi*. Ou plutôt, son dernier "avatar", planté au XIXe siècle, l'original ayant été arraché par l'empereur Ashoka lui-même, avant sa conversion au bouddhisme, bien entendu... Sous l'arbre, une dalle en marbre, le **Vajra-sana** (trône de Diamant), matérialise l'endroit où le Bouddha était assis au moment suprême.

Le long du flanc nord du Mahabodhi Temple, le **Chanka Ramana**, une terrasse construite au Ier siècle av. J.-C., indique le lieu où le Bouddha marchait, plongé dans ses méditations. Des lotus gravés dans la pierre désignent les emplacements auxquels ces fleurs surgirent de son pied. Au sud du temple s'étend un grand bassin aux lotus avec, en son centre, une statue du Bouddha protégé par un cobra.

À Bodhgaya, nombre de monastères appartenant à des communautés bouddhiques non hindoues acceptent généralement des étudiants étrangers. Le projet d'ériger une immense statue du Bouddha en bronze dominant le site reste controversé (pour plus de détails, consulter www.maitreyaproject.org). Un musée archéologique (ouv. du sam. au jeu. de 10h à 17h) expose des sculptures. ❑

NOTEZ-LE

À Rajgir, au pied de la Vaibhara Hill, des temples jaïns et hindous ont été construits près de 22 sources chaudes. Accordez-vous un moment de détente dans les eaux vert émeraude des bains publics qui ont été aménagés sur les lieux.

CI-DESSOUS :
le Mahabodhi Temple à Bodhgaya.

Carte
p. 232

Delhi

*Rajrappa, à
la confluence
de la Damodar et
de la Bhairavi, attire
de nombreux pèlerins
dans son temple
dédié à la déesse
Chinamastika.*

CI-DESSOUS : aciéries
à Jamshedpur.

LE JHARKHAND

*Peuplé par de nombreuses tribus adivasi, ce territoire, qui couvre
les hauts plateaux sauvages et reculés du Chota Nagpur, regroupe
à lui seul la plupart des richesses minérales de l'Inde.*

Situé au sud du Bihar – dont il faisait autrefois partie –, le nouvel État du Jharkhand a vu le jour en novembre 2000. Il englobe un vaste pan du plateau du Chota Nagpur, riche en minéraux. Ses habitants, majoritairement adivasi – Santal, Bedia, Birhor, No, Khond, Munda et Oraon –, parlent des langues môn-khmères. Certains, nomades, vivent toujours de la chasse, mais la plupart, sédentarisés, cultivent maïs et millet, tout en élevant bétail et volaille. Environ 60 % d'entre eux sont chrétiens. La plupart, victimes d'une grave discrimination, ont quitté leurs villages pour chercher du travail dans les usines des nouvelles villes industrielles.

La fraîcheur de **Ranchi ㉚**, ancienne capitale estivale du Bihar, n'est plus qu'un souvenir depuis que ses arbres, abattus, ont cédé la place à un paysage industrialisé. Quelques édifices coloniaux ont survécu, comme l'**Eastern Railway Hotel**, **St Paul**, une église anglicane et une autre **luthérienne**, ainsi que des villas à l'architecture excentrique sur Kanke Road, près de Ranchi Hill. Au-delà du bazar, au sommet de Ranchi Hill, en surplomb du lac, se dresse un **temple de Shiva** accessible aux non-hindous. Cependant, le **Jagannath Temple** (XVIIᵉ siècle) de Jagannathpur, près de l'aéroport, s'avère, en comparaison, bien plus intéressant. La ville accueille également le **Tribal Research**

Institute and Museum (ouv. du lun. au sam. de 10h30 à 17h), où une vaste collection ethnographique est ouverte au public.

Le Jarkhand a conservé un important couvert forestier – qui ne cesse toutefois de diminuer du fait d'un abattage inconsidéré –, ponctué de nombreux sites facilement accessibles depuis Ranchi, comme les spectaculaires **chutes de Hundru**, **Dassam** et **Johna** – à 40 km de la capitale –, les 5 cascades successives de **Panch Ghagh**, à 55 km, et celles d'**Hirni** à 70 km.

Le cœur industriel de l'Inde

Outre des gisements de charbon et de minerai de fer, le Jharkhand compte aussi des réserves de bauxite, de cuivre et de mica. C'est de ses ressources minérales – les plus importantes d'Inde – qu'il tire l'essentiel de ses revenus. La perte de ce territoire risque de porter un coup fatal à l'économie déjà sinistrée du Bihar.

Jamshedpur ㉛, à 170 km au sud de Ranchi, appartient à la Tata Iron and Steel Company. La ville s'est développée autour de cette première aciérie, la plus productive d'Inde, construite en 1912 par l'industriel Sir Jamshedji Tata, d'origine parsi, qui a donné son nom à la ville.

À l'est de Ranchi s'étend la "Ruhr indienne", une zone industrielle longeant la rivière Damodar jusqu'au Bengale-Occidental. Au nord-est, **Dhanbad** gît sur la plus vaste réserve de charbon d'Inde, sur fond de houillères, institutions techniques et centres de recherche. **Bokaro**, à l'ouest, comprend le plus grand complexe d'aciéries du pays. Au nord-ouest de Dhanbad, le centre religieux de **Parasnath Hill** est connu pour ses 24 temples jaïns appartenant aux sectes Svetambara et Digambara, notamment **Samosavan**, **Bhomia Baba** et Parasvanath, les plus intéressants ; 20 des 24 *tirthankara* jaïns y auraient atteint le *nirvana*. ❑

NOTEZ-LE

Le Palamau National Park, à 140 km à l'ouest de Ranchi, adhère au Project Tiger, mais s'avère également le lieu idéal pour apercevoir des éléphants, plus particulièrement aux mois de mars et avril.

CI-DESSOUS : gracieux sambar.

L'ORISSA

Ses plages tropicales et ses parcs naturels où tigres et éléphants vivent en liberté vous séduiront autant que ses temples et ses lieux de pèlerinage, parmi les plus sacrés d'Inde.

Carte p. 258

Si ses danseurs, ses villages adivasi, ses temples et ses vastes plages où viennent pondre les tortues ont bâti sa renommée, cet État est aussi tristement célèbre pour ses tornades soudaines. Celle de 1999, particulièrement meurtrière, y a fait plusieurs milliers de victimes et de nombreux dégâts matériels.

Le royaume de Kalinga – l'ancien nom de la région – établit des comptoirs en Birmanie et à Java. Le bouddhisme s'y implanta très tôt et des universités bouddhiques fleurirent à Nrusinghanath et Ratnagiri, près de Cuttack.

Très pieux, les habitants de l'Orissa vouent un culte majeur à Jagannath, une incarnation de Vishnu. Ainsi leur culture est, tout naturellement, imprégnée d'éléments émanant des temples. Ornés de sculptures érotiques d'une finesse remarquable, les temples sont aussi à l'origine de l'*odissi*, une danse religieuse jadis exécutée par des *mahari (*danseurs) qui y résidaient et qui avaient consacré leur vie au dieu tutélaire. Lorsque les danses de temple furent prohibées, l'*odissi* commença à disparaître ; depuis, elle a été rétablie en tant qu'art du spectacle.

À GAUCHE :
jeune fille bonda.
CI-DESSOUS :
le Lingaraj Temple
(XIe siècle) à
Bhubaneshwar.

Bhubaneshwar, ville des temples

Capitale de l'Orissa depuis 1956, **Bhubaneshwar ❶** comptait autrefois plus d'un millier de temples, dont un grand nombre sont encore en service. Beaucoup se regroupent aux environs de **Bindu Sarovar**, un bassin que l'on dit alimenté par tous les cours d'eau sacrés de l'Inde. Érigé en 1014 à la gloire de Shiva, le **Lingaraj**, au sud, vous apparaîtra sans doute comme le plus impressionnant : son enceinte massive entoure un *deul (*temple) de 45 m de hauteur et d'autres, secondaires, dédiés à Parvati, Gopalini et Bhubanesvari. Tous sont ornés de sculptures de déesses, nymphes et couples enlacés– mais l'accès est réservé aux hindous.

Vaital Deul, caractéristique du VIIIe siècle avec son toit oblong (*khakhara deul*), est décoré d'effigies en pierre de la déesse Durga. Remarquez en particulier la Mahishasuramardini à huit bras sur le mur nord, transperçant de son trident l'épaule gauche de Mahisasura, le démon à tête de buffle. Dans le sanctuaire, un autre avatar (incarnation) de Durga à huit bras, Chamunda, habituellement cachée sous une robe, trône sur un cadavre, flanquée d'un hibou et d'un chacal, et parée d'une guirlande de crânes.

Le **Sisiresvara Temple**, près de Vaital, arbore des sculptures de lions, d'éléphants, des dieux Ganesh et Kartikeya, et du Bouddha Avalokitesvara assis les jambes croisées, accompagné d'un cerf et d'un *nag* (cobra) – ce qui souligne la forte influence du bouddhisme dans l'Orissa. L'**Uttaresvara Temple**, sur la berge nord du lac, a été entièrement restauré.

Bien conservé, le temple de **Parasuramesvar** (VIIe siècle), l'un des plus anciens d'un groupe situé à

l'est du lac, est orné d'un Ganesh à 4 bras, d'un Kartikeya à 2 bras monté sur un paon et tuant un serpent, de couples d'amants et de lions rampants. Enfin, ne manquez pas **Muktesvara**, le joyau architectural de l'Orissa. Une fois passée sa *torana* (porte) sculptée, observez le *jagamohana* (porche) avec ses fenêtres à treillages en losange et son intérieur richement orné. Temple, porte et murs sont littéralement couverts d'une foule de guerrières, de personnages dans des postures érotiques, d'éléphants, de singes, de croyantes vénérant des *lingam* et de *nagini* (créatures mi-serpents, mi-femmes). Le *deul* est flanqué de part et d'autre d'une tête de lion grimaçante aux côtés de *gana* (nains) souriants.

L'**Orissa State Museum** (ouv. du mar. au dim. de 10h à 13h et de 14h à 17h ; entrée payante), avec ses sculptures et ses anciens manuscrits sur feuilles de palmier, mérite une visite ; tout comme le **Handicrafts Museum** et sa collection d'art traditionnel, dont des filigranes en argent de Cuttack. Dans le **Tribal Research Museum** (ouv. du lun. au sam. de 10h à 17h), aménagé dans un bureau du gouvernement, une bonne librairie propose cartes et manuscrits.

Environs de Bhubaneshwar

À l'ouest de la ville, sur les collines toutes proches d'**Udayagiri** et **Khandagiri**, des ascètes jaïns vivaient dans des cellules creusées à même la roche. Bien que les grottes soient moins nombreuses à Khandagiri qu'à Udayagiri, vous y verrez encore un petit temple jaïn au sommet de la colline.

Sur le mont **Dhauli**, à 8 km au sud de Bhubaneshwar, vous pourrez admirer quelques-uns des célèbres édits d'Ashoka. Des éléphants sculptés indiquent le lieu où, en 262 av. J.-C., l'empereur infligea une défaite sanglante aux troupes du Kalinga, massacrant 100 000 hommes et en capturant 150 000. Rongé par le

Le Rajarani Temple de Bhubaneshwar est réputé pour ses sculptures de femmes aux postures sensuelles.

CI-DESSOUS : le temple de Jagannath à Puri.

remords, Ashoka aurait décidé d'embrasser le bouddhisme et d'abandonner l'idéal du *digvijaya* (conquête militaire) pour celui du *dharmavijaya* (victoire spirituelle). En haut de la colline, une **pagode de la Paix** commémore cette conversion. **Pipli**, un village à 10 km au sud, est spécialisé dans les appliqués aux couleurs vives, typiques de la région.

Carte p. 258

Ancien port prospère, assimilé à l'antique Dantpur, **Puri ❷**, à 60 km au sud-est de Bhubaneshwar, incarne le lieu le plus sacré des hindous de l'Orissa et l'un des principaux centres de pèlerinage du pays tout entier.

La ville est réputée pour le culte qu'elle voue à Jagannath – l'un des nombreux noms de Vishnu –, représenté sous forme d'une idole en bois que certains rattachent à l'époque où la population de l'Orissa vénérait les arbres. Selon une autre version, plus répandue, Jagannath serait apparu en songe au roi Indrodyumna pour lui ordonner d'ériger un temple en son honneur. Le souverain se serait exécuté et aurait fait sculpter, conformément à sa demande, une image du dieu dans une bille de bois flottant. Ce culte culmine chaque été au **Jagannath Temple** lors de la fête de Rath Yatra (*voir p. 260*).

La plage de Puri, très agréable, connaît parfois des vagues déchaînées et des courants forts et imprévisibles. Soyez prudent, car la vigilance des *nolia* – les maîtres nageurs, reconnaissables à leur chapeau conique en paille blanche – laisse souvent à désirer. Prenez également garde aux pêcheurs revenant vers la rive.

Les deul (*temples*) *de l'Orissa consistent en un sanctuaire, un ou plusieurs* jagamohana (*porches en façade*), *un* nata mandir (*pavillon de danse*) *et une* bhoga mandapa (*salle d'offrandes*).

Konarak : le temple du Soleil

À 33 km au nord de Puri, **Konarak ❸**, connue jadis pour son port très actif – aujourd'hui envasé –, était devenue, dans l'Antiquité, le centre d'un culte voué au dieu Soleil, Surya. Précédé d'un temple plus ancien construit au IXᵉ siècle, le

CI-DESSOUS : roue de char sculptée sur le temple du Soleil de Konarak.

sanctuaire actuel (XIIIe siècle) fut bâti en 16 ans, par 1 200 artisans. À l'origine, le monument – un *deul* de 70 m de hauteur, avec un *jagamohana* de 40 m – revêtait la forme d'un char du Soleil, monté sur 24 roues à huit rayons et tiré par sept chevaux impétueux. Le *deul* s'est malheureusement effondré au milieu du XIXe siècle, l'un des étalons a disparu et l'ensemble ne se trouve plus sur la berge, car la mer a reculé de 3 km. Qu'importe : ses vestiges éblouissants, magnifiquement sculptés de scènes érotiques, d'épisodes de guerre, de chasse et de cour, de motifs floraux et d'éléphants, constituent l'un des plus beaux exemples architecturaux de tout l'Orissa.

Deux lions gardent l'entrée pyramidale du Sun Temple (temple du Soleil) à Konarak ; de part et d'autre du temple se dressent un éléphant de guerre colossal et un cheval piétinant des soldats à terre.

Le littoral sud

Au sud de Bhubaneshwar, le lac **Chilka** s'étire sur 75 km, séparé du golfe du Bengale par une simple langue sablonneuse. Riche en poissons et crustacés, cette petite mer intérieure peu profonde, couvrant quelque 1 100 km², en fait un reposoir idéal pour les oiseaux migrateurs qui y font une halte de la mi-décembre à la mi-janvier. L'Orissa Tourist Development Corporation organise au départ de Barkul des croisières de 2 heures qui vous mèneront au Kalijai Temple et à Nalabar Island. À 35 km plus au sud, **Gopalpur-on-Sea ❹** était l'une des plus agréables stations balnéaires de l'Inde orientale à l'époque du Raj.

Les Adivasi – issus de la tribu austro-asiatique Munda pour la plupart – occupent les collines méridionales du district de **Koraput**. Chez les Bonda, que vous croiserez peut-être les jours de marché, les femmes épousent des garçons 2 fois plus jeunes qu'elles ; les hommes, souvent vêtus uniquement de perles, sont armés de flèches et s'enivrent régulièrement de grogs de sagoutier. Les femmes portent également un ensemble de 9 anneaux métalliques autour du cou.

CI-DESSOUS : femme adivasi à Puri.

LE JAGANNATH TEMPLE (PURI)

Surnommé la "Pagode blanche", le temple de Jagannath (XIIe siècle), autre nom de Vishnu, se dresse au milieu d'un vaste ensemble de bâtiments où vivent plus de 5 000 prêtres et employés. Un mur de 6 m de hauteur entoure l'édifice principal (65 m) surmonté d'une roue mystique (*chakra*) et du drapeau de Vishnu (l'accès au temple est réservé aux hindous).

Environ 2 semaines avant la fête annuelle des Chars, Rath Yatra, qui se déroule en juin et juillet, les fidèles aspergent d'eau sacrée les effigies de Jagannath, de son frère Balabhadra et de sa sœur Subhadra. Le premier jour des festivités, les divinités sont placées sur des chars monumentaux (*rath*) de 12 m de haut, munis de roues de 2 m de diamètre. Ces chars cérémoniels – rouge pour Subhadra, bleu vif pour Balabhadra et décoré de bandes jaunes pour Jagannath –, précédés chacun de quatre chevaux de bois, sont tirés par des milliers de dévots sur 8 km, du temple jusqu'à Gundicha Mandir (Garden House), où ils resteront 7 jours. Les rites achevés, les divinités réintègrent leur temple. Cette procession commémore le voyage de Krishna (avatar de Vishnu) entre Gokhul et Mathura.

Tous les 12 ans, les statues, remplacées par de nouvelles, sont enterrées au cours d'une cérémonie secrète.

Dans les collines du Nord, frontalières du Bengale-Occidental et du Bihar, le **Simlipal National Park ❺** couvre l'une des plus belles forêts d'Inde, avec ses 2 750 km² peuplés de tigres et éléphants sauvages.

Le nord de l'Orissa

Au sein du parc de **Nandanakanan**, aménagé dans la Chandka Forest (à 15 km au nord de Bhubaneshwar), les animaux évoluent librement dans leur milieu naturel. Quatre tigres blancs, des rhinocéros, des gibbons *Hybolates hoolock* et des lions d'Afrique en constituent les attractions majeures. Le **jardin botanique** du parc abrite un temple zen, une roseraie et une serre aux cactus.

Cuttack ❻, ancienne capitale de l'Orissa, s'étire sur une étroite île fluviale à 19 km au nord de Bhubaneshwar. Parmi ses rares vestiges historiques figurent le **fort Barabati Maratha** en granit bleu, détruit par les Anglais en 1803, ainsi que **Qadam-i-Rasal**, un ensemble fortifié avec tours d'angle, 3 mosquées du XVIIIᵉ siècle et un bâtiment à dôme renfermant des empreintes du pied du prophète Mahomet dans une pierre circulaire. De nombreux pèlerins hindous aussi bien que musulmans visitent le sanctuaire.

Plus au nord, **Balasore ❼**, l'une des premières colonies britanniques d'Inde, fut octroyée à l'East India Company en 1633. Dans ses environs se dressent 3 temples : Kutopokhari à Remuna, siège du culte vaisnava, avec une statue en granit de Durga à 18 bras, Bhudhara Chandi à Sajanagarh (XVIᵉ siècle), orné d'une représentation de Shakti à 3 visages, et Panchalingeswar sur Devagiri Hill, comportant 5 *lingam* en pierre. À l'est, la petite station balnéaire de **Chandipur-on-Sea ❽**, où la mer se retire sur 5 km à marée basse, constitue un bon point de départ pour explorer la réserve de Simlipal (*voir ci-dessus*). ❑

Carte
p. 258

Le site de l'ancienne université bouddhique de Ratnagiri conserve les vestiges de 3 monastères, plusieurs temples en ruine et quelques stupas.

CI-DESSOUS : festivités de Rath Yatra, à Puri.

Carte
ci-
dessous

LES ÎLES ANDAMAN ET NICOBAR

Frangées de récifs coralliens et de marécages de mangrove, ces îles tropicales au cœur du golfe du Bengale accueillent des tribus autochtones n'ayant pas ou peu de contacts avec le monde extérieur.

L es îles Andaman et Nicobar, patries d'ethnies variées, se situent à 1 220 km au large de la côte est de l'Inde, bien au-delà des Kala Pani (Eaux noires). Dès le IXe siècle, des marchands arabes faisant voile vers le détroit de Sumatra rapportèrent leur existence, mais en raison de leurs forêts denses, de leurs marécages de mangroves et de leurs eaux infestées de requins, ces 572 îles furent longtemps le seul fief de prisonniers politiques et pirates malais. Leur développement en tant que destination touristique pour plongeurs, ornithologues et couples en lune de miel ne date que des trente dernières années. Toutefois, afin de garantir la protection de la tribu Shompen, Nicobar reste interdite aux visiteurs.

Les Danois, premiers Occidentaux à débarquer sur ces îles, établirent une colonie dans les Nicobar, qu'ils quittèrent en 1768 en raison de leur insalubrité. Le gouvernement des Indes britanniques annexa les deux archipels en 1872 et construisit à Port Blair, sur South Andaman, un bagne pour les condamnés à perpétuité – des prisonniers politiques engagés dans la lutte pour l'indépendance, pour l'essentiel. C'est dans cette ville que le drapeau indien fut levé pour la première fois, sous l'occupation japonaise lors de la Seconde Guerre mondiale.

CI-DESSOUS : les îles Nicobar, berceaux de la population Shompen.

Îles Andaman et Nicobar

0   50 km

Le 26 décembre 2004, le gigantesque tsunami qui a dévasté une grande partie de l'Asie du Sud-Est a frappé notamment ces îles, leur infligeant des dégâts considérables ; les chiffres officiels évoquent plus de 3 000 victimes, un nombre plus important encore de disparus et des milliers de déplacés. Les ravages étaient tels que, pour éviter des travaux de construction incommensurables, 6 îles ont été abandonnées. Si les vols ont repris vers/depuis Port Blair, l'essentiel des infrastructures hors de la capitale est en ruine, et la reconstruction prendra des années. Les déplacements hors de Port Blair restent d'ailleurs extrêmement difficiles.

Située sur South Andaman, **Port Blair ❶**, la capitale, porte le nom du lieutenant Reginald Blair, qui avait exploré cette zone en 1789. Vous y verrez la **Cellular Jail** (prison), maintenant un musée, où 400 combattants pour la liberté furent détenus pendant la lutte pour l'Indépendance ; l'**Anthropological Museum**, avec ses maquettes de villages de tribus locales ; ainsi qu'un temple birman à **Phoenix Bay**. Autrefois, les exécutions avaient lieu dans l'**Aberdeen Market** sur **Vyper Island**, de l'autre côté du port, et sur **Ross Island**, gardée par des bunkers japonais durant la Seconde Guerre mondiale. Il est difficile de prévoir quand les installations touristiques seront à nouveau en mesure d'accueillir les voyageurs ; avant votre départ, contactez les autorités locales.

La plupart des îles servant de réserves aux populations tribales, seules quelques-unes étaient, jusqu'alors, accessibles aux touristes. Après le tsunami, les pouvoirs publics se sont montrés inquiets pour les Adivasi, mais le survol des îles en hélicoptère a révélé qu'ils avaient dans l'ensemble été épargnés – tout comme la faune –, ce qui s'explique par le fait qu'ils vivent sur des terres élevées et densément boisées. Il est possible en outre qu'ils aient su interpréter le comportement des animaux annonçant l'imminence du désastre. ❑

NOTEZ-LE

Les anthropologues ont établi des directives pour les visiteurs, qui doivent notamment rester à l'écart des tribus menacées de disparition et veiller à la protection des délicats jardins de coraux en évitant coups de palmes et dégagement de carburant.

CI-DESSOUS :
partie de chasse sur la plage.

TRIBUS OUBLIÉES

Restées à l'écart de tout contact – se déplacer sur l'océan dans de frêles pirogues n'étant pas si simple –, les tribus de ces archipels ont conservé chacune leur identité propre. Groupe principal de Little Andaman, les chasseurs-cueilleurs Onge, récoltent le miel, pêchent au harpon et recouvrent leur corps de peintures rituelles en argile.

Les Sentinel, une mystérieuse ethnie composée de 400 membres se parant de peintures corporelles, perles et os, chassent invariablement les intrus par des flèches empoisonnées. Les Jarawa, qui comptent 750 âmes, disposent d'une vaste réserve sur South Andaman. La construction illégale d'une route, la Truck Road, à travers leur territoire n'a fait que multiplier leurs contacts avec l'extérieur, les exposant aux maladies. La Cour suprême de Kolkata a imposé au gouvernement d'arrêter les programmes de réimplantation et de prohiber toute incursion sur les terres des Jarawa. Quant aux Andamanais, pratiquement décimés par les maladies, ils ne comptent plus que 30 membres installés sur Strait Island, leur nouveau territoire interdit aux étrangers.

Les Nicobarais, prédominants sur Nicobar, sont d'origines birmane, malaise, môn et shan. Ils cultivent des légumes et élèvent vaches et cochons, introduits par les Danois.

L'OUEST

Sur la côte, les lumières de Mumbai (Bombay) et le sable doré de Goa font de l'œil aux touristes, tandis qu'à l'intérieur des terres de véritables joyaux culturels les attendent.

L'ouest de l'Inde vit au rythme imposé par Mumbai – l'ancienne Bombay –, baignée par la mer d'Oman. Si art antique et légendes prédominent sur Elephanta Island ou dans les superbes grottes d'Ajanta et d'Ellora, à Mumbai, en revanche, ce sont le commerce et le cinéma qui attirent les foules. Dans les collines orientales, Pune a l'avantage d'être beaucoup moins fréquentée… Vous y rencontrerez plus d'adeptes du gourou Osho, *alias* Baghwan Rajneesh, en quête spirituelle que de touristes occidentaux.

Ancienne colonie portugaise, Goa est aujourd'hui l'un des *spots* préférés de la société dorée de Mumbai. Haut lieu de la fête, elle accueille à la fois noctambules invétérés et groupes qui, tout juste descendus de leurs vols charters, s'entassent sur les indolents ferries du fleuve ou avalent des tonnes de porc vindaloo, la spécialité locale, en l'arrosant de bière suffisamment glacée pour en faire passer le goût… Pour découvrir le vrai visage de Goa, allez-y à la saison de la mousson, lorsque les "touristes d'hiver" ont quitté les lieux depuis longtemps. Laissez-vous alors ensorceler par ses vagues retentissantes et ses ciels spectaculaires au-dessus des forts et des églises.

Diu, une île minuscule au large du Gujarat, étire ses plages dans un cadre plus paisible. Les femmes feront cependant attention aux regards indiscrets, les habitants étant peu habitués aux adeptes des bains de soleil.

Au Gujarat, vous verrez des vastes étendues de terre brûlée par le soleil et désespérément sèche – dans tous les sens du terme, l'alcool étant officiellement interdit presque partout dans cet État. Dans le Rann de Kutch, vous aurez peut-être la chance d'apercevoir des mirages au-dessus des puits salants : des visions surnaturelles que les habitants reproduisent avec talent dans leurs merveilleuses broderies, si justement réputées. Pour admirer cet artisanat textile exceptionnel, visitez le Calico Museum à Ahmadabad ; et, aux feux rouges, ne manquez pas d'observer les femmes tsiganes – aux jupons superposés multicolores et aux coiffures à paillettes – se frayant un chemin entre les voitures.

Le Madhya Pradesh, au cœur de l'Inde, est célèbre pour ses citadelles comme celles, impressionnantes, de Jhansi, Gwalior et Mandu ; mais aussi pour ses parcs naturels, peuplés de félins redoutables. ❏

PAGES PRÉCÉDENTES : balcons en fer caractéristiques de l'architecture de Mumbai.
À GAUCHE : la lessive sur les *dhobi ghat* de Mumbai.

MUMBAI (BOMBAY)

*Idéalement située au bord de la mer d'Oman, l'ancienne Bombay,
plaque tournante de l'économie indienne, est une immense métropole
où argent et paillettes côtoient une profonde misère.*

Carte
p. 270

L e passé de Mumbai excite l'imagination. Comment ce modeste archipel de 7 îlots entrecoupés de marécages, aux criques inondées par les marées, a-t-il pu prendre une telle ampleur au point de devenir le principal pôle commercial et industriel de l'Inde ? Des travaux de poldérisation ont peu à peu entraîné la fusion des îles, dont les noms survivent dans ceux de plusieurs localités : Colaba, Mahim, Mazgaon, Parel, Worli, Girgaum et Dongri. Les premiers colons portugais baptisèrent le site Bom Baim, la "bonne baie". Son nom marathe actuel, Mumbai, est tiré de Mumba Devi, la divinité locale.

Lieu de résidence des stars et des classes fortunées, mecque du cinéma indien – surnommée à juste titre "Bollywood" car Mumbai produit depuis toujours plus de films que toute autre ville dans le monde –, elle connaît à présent un formidable essor grâce à l'industrie croissante de la télévision par satellite.

Cependant, comme toute métropole, Mumbai cache une facette bien différente, faite de bidonvilles surpeuplés, affligeants contreforts de la misère sur fond de gigantesques gratte-ciel. Et à l'instar de toute *success story*, la sienne est ponctuée d'intrigues, de joies, de périodes d'accalmies alternant avec des épisodes de violence. Comme ceux qu'elle connut durant les années précédant l'indépendance ; puis dans les années 1990, lorsque éclatèrent les émeutes entre hindous et musulmans, attisées par le mouvement nationaliste hindou Shiv Sena et son leader controversé, Bal Thackeray ; et plus récemment, en juillet 2006, lors des 7 attentats à la bombe, explosant quasi simultanément dans les gares et le métro à l'heure d'affluence.

À GAUCHE :
équipe de cricket
en pleine action
sur le Maidan.
CI-DESSOUS :
un pêcheur de
Sassoon Dock.

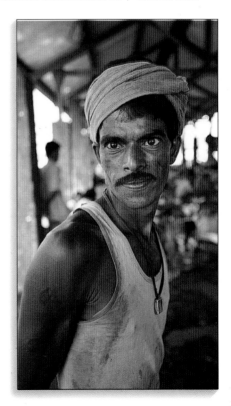

Mumbai se situe sur la côte ouest de l'Inde : un littoral magnifique, qui s'étire du Gujarat au Kerala, en passant par Goa et le Karnataka, déroulant plages étroites et plaines jusqu'aux vertes collines des Ghats occidentaux. Ce sont les Anglais qui ont développé son port naturel. Après l'ouverture du canal de Suez au XIXe siècle, celui-ci n'a plus connu de répit et gère désormais plus de 40 % du commerce maritime indien.

Cette immense métropole, la plus grande du pays, s'étend sur un site péninsulaire de 22 km, bordée par la mer d'Oman au sud, à l'ouest et à l'est. Sur une bande étroite – sa largeur maximale ne dépasse pas 5 km ! –, s'entassent la majeure partie de ses 16,3 millions d'habitants, ses entreprises, ses bassins et entrepôts, et la plupart de ses industries, notamment la presque totalité de la gigantesque production textile, qui emploie des milliers d'ouvriers.

Les étés y sont chauds et humides, les hivers tempérés, et la brise marine apporte un peu de fraîcheur toute l'année. La mousson, qui touche la côte de juin à septembre, entraîne dans son sillage un rideau de pluie voilant le paysage, inondant les routes et laissant entrevoir, par endroits, de spectaculaires couchers de soleil.

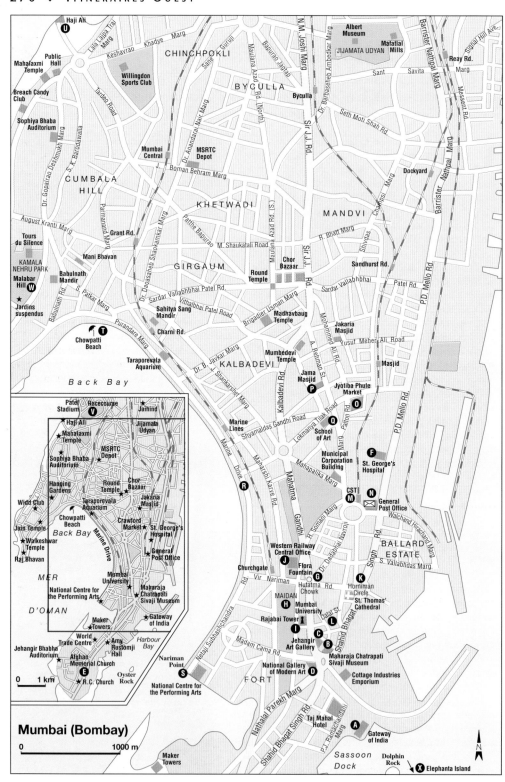

Mumbai (Bombay)

0   1000 m

Carte p. 270

Un creuset de cultures

La Mumbai Municipal Corporation dispense un enseignement primaire et secondaire dans une dizaine de langues, dont l'anglais. Les habitants, eux, ont développé leur propre dialecte : ce *"Bombay speak"* – souvent caricaturé dans les films indiens –, qui sonne si plaisamment aux oreilles des locuteurs hindis et ourdous. La population de Mumbai compte une part importante d'hindous, dont beaucoup de marathes, aux côtés de jaïns gujarati et de néobouddhistes dalit.

Les nababs musulmans qui régnaient sur la région la cédèrent aux Portugais en 1534, en échange de leur soutien contre les Moghols. Une vaste communauté chrétienne –catholique pour l'essentiel– s'y développa. De la période portugaise datent de nombreux lieux de culte – 2 quartiers furent même surnommés **"église portugaise"**. Beaucoup d'églises arboraient, il y a peu encore, de belles façades lusitaniennes ; depuis, la plupart ont disparu au profit de la modernisation. Celle de l'**église St Andrew**, dans la banlieue de Bandra, en constitue un bel exemple. Quelques vestiges mineurs de fortifications portugaises subsistent sur l'île principale et sur celle, bien plus vaste, de **Salsette**, au nord, aujourd'hui presque entièrement intégrée au Grand Mumbai. La construction d'un **New Mumbai** est en cours sur le continent, à quelques kilomètres du port. À **Vasai** (Bassein), à 50 km de la ville, se dressent les ruines d'une colonie lusitanienne fortifiée, avec une vaste église.

En 1662, Charles II d'Angleterre épousa une princesse portugaise, Catherine de Bragance. Elle apportait en dot les îles de Bombay, qui furent louées à la Compagnie anglaise des Indes orientales en 1668 contre le montant royal de 10 £ par an. Cette compagnie d'aventuriers et de marchands aspirait à posséder un autre port sur la côte ouest, pour compléter et, finalement, supplanter Surat, au Gujarat. Des gouverneurs clairvoyants, comme Gerald Augiers, débutèrent la construction de la cité et du port, encourageant l'implantation de marchands gujarati, ainsi que celle de fabricants et commerçants parsi, musulmans et hindous, ce qui explique aujourd'hui la présence de toutes ces communautés à Mumbai.

L'essor du coton

La lente évolution de ces îles marécageuses, amorcée aux XVIIe et XVIIIe siècles, s'est considérablement accélérée au XIXe siècle. En 1858, la Compagnie des Indes orientales remit l'archipel à la Couronne britannique. Entretemps, la machine à vapeur fit son apparition : à la fin du siècle, Bombay était reliée au nord et au centre de l'Inde par le Great Indian Peninsular Railway et, quelque temps plus tard, à l'est du pays.

Dans l'intervalle, elle était devenue une ville cotonnière majeure. À l'époque, le coton brut du Gujarat était expédié dans le Lancashire en Angleterre, filé et tissé, puis réacheminé à Bombay pour être vendu dans tout le pays. Peu à peu, cette industrie parvint à s'implanter sur place grâce à la persévérance d'entrepreneurs locaux. Le déclenchement de la guerre civile aux États-Unis en 1861 et l'ouverture du canal de Suez (1869) donnèrent une nouvelle impulsion aux exportations de coton. Cette richesse permit à Bombay de faire peau neuve, en construisant, durant la seconde moitié du XIXe siècle, d'imposants édifices.

Les rickshaws sont interdits dans le centre de Mumbai, mais son service de bus est excellent. N'hésitez pas à emprunter les taxis, qui généralement utilisent leur propre compteur. Le tarif en vigueur se calcule à partir d'un tableau, que vous pouvez demander à consulter.

CI-DESSOUS : intérieur d'un temple jaïn à Mumbai.

Colaba

À Mumbai, opère une organisation unique en son genre, celle des dabbawalla. *Tous les matins, ils collectent au domicile des employés leurs repas – faits maison et mis dans des* dabba *(gamelles) – pour les leur livrer à midi au bureau. Nom et lieu de travail des clients sont indiqués sur le couvercle des* dabba *par des signes que seuls les* dabbawalla *savent déchiffrer.*

Près du front de mer, la **Gateway of India** Ⓐ (porte de l'Inde), sur P. J. Ramachandani Marg (ancien Apollo Bunder), commémore la visite de George V et de la reine Mary lors du Delhi Durbar de 1911. Œuvre de George Wittet, cet arc de triomphe en basalte jaune, face au large, capte la lumière du soleil à l'aube et au crépuscule, virant tour à tour de l'or à l'orangé puis au rose. C'est en passant sous cette arche que la dernière troupe britannique quitta l'Inde par la mer. En face se dresse le **Taj Mahal Hotel** de l'industriel J. N. Tata. Ce dernier, refoulé de l'hôtel "européen" Watson's, riposta en érigeant à proximité cet établissement plus opulent et plus spectaculaire encore. Depuis son inauguration en 1903, chefs d'État, têtes couronnées et célébrités n'ont cessé de franchir ses portes.

Le prince de Galles George V, en visite en Inde en 1905, posa la première pierre du Prince of Wales Museum, devenu le **Maharaja Chatrapati Sivaji Museum** Ⓑ (ouv. du mar. au dim. de 10h15 à 18h ; entrée payante), sur M. G. Road. Conçu également par George Wittet, cet édifice, surmonté d'un dôme, renferme quelques excellents exemples de miniatures provenant des écoles de peinture moghole et rajasthani, ainsi que pièces en jade et porcelaines. La **Jehangir Art Gallery** Ⓒ (ouv. de 11h à 19h), près du musée, expose et, parfois, vend des œuvres d'art ou objets d'artisanat contemporains, mais son principal atout reste son Samovar Café, très prisé. En face, l'agréable **National Gallery of Modern Art** Ⓓ (ouv. du mar. au dim. de 11h à 19h ; entrée payante) propose rétrospectives et expositions temporaires. À l'extérieur, un "panneau d'orientation" métallique comporte un plan détaillé, avec l'histoire des environs.

Dans le sud du quartier de **Colaba** sur Captain P. Pethe Marg, l'**Afghan Memorial Church** Ⓔ (Saint-Jean-l'Évangéliste) est une ravissante église avec

CI-DESSOUS :
la Gateway of India et le Taj Mahal Hotel (à gauche).

arcs néogothiques et vitraux. Bâtie en 1847, elle fut consacrée 11 ans plus tard comme mémorial aux victimes de la première guerre afghane.

Carte p. 270

Le Fort

Le quartier central du Fort tire son nom de l'ancienne cité fortifiée qui s'y trouvait, et dont seul un modeste pan a survécu, à la hauteur du mur oriental du **St George's Hospital** **F**. Les lieux gardent la mémoire de leur passé dans des noms tels que Churchgate, Bazaargate ou Rampart Row, tous rebaptisés ces dernières années. L'enceinte du Fort englobait le "Mumbai Castle" (château), siège du gouvernement municipal, d'où émanèrent les ordres officiels jusqu'à l'indépendance mais qui, dans sa forme initiale, avait disparu depuis longtemps.

La **Flora Fountain** **G** se situe au cœur du quartier du Fort, sur une place animée rebaptisée **Hutatma Chowk**, place des Martyrs. La fontaine fut érigée en l'honneur du gouverneur, Sir Henry Bartle Edward Frere, promoteur de la ville nouvelle dans les années 1860. Le mémorial dont la place tire son nom – Hutatma – rend hommage à ceux qui sacrifièrent leur vie pour instituer l'État séparé du Maharashtra au sein de l'Union indienne. Ce quartier, avec ses grandes banques et compagnies aériennes, constitue par tradition le centre des affaires de Mumbai.

Le **Maidan** **H**, à l'ouest de Hutatma Chowk, est un parc s'étirant de Colaba jusqu'à l'extrémité de M. G. Road. En face se dressent quelques-uns des plus beaux édifices de la ville. L'**Old Secretariat** et le **Public Works Department Secretariat** sur K. Baburao Patel Marg furent conçus et réalisés par le colonel Orel Henry St Clair Wilkins (1867-1874), dans un style haut victorien. Vous admirerez également l'**University Hall**, fondé par Sir Cowasjee Jehangir Readymoney, la Library et la **Rajabai Tower** **I**, tour de l'Horloge de style florentin achevée en 1878. Sur Vir Nariman Road, qui scinde le Maidan, l'imposant bâtiment en basalte bleu-gris avec des bandes blanches du **Western Railway Central Office** **J** (1890) dresse ses tours coiffées de dômes orientaux à la hauteur de Churchgate. À l'est de Hutatma Chowk, toujours sur Vir Nariman Road, la place **Horniman Circle** **K** est bordée d'élégants bâtiments en grès, et son jardin très bien entretenu. La **St Thomas' Cathedral** (1672-1718), au sud, abrite quelques magnifiques monuments à la gloire des colons britanniques. Au sud de la place, le principal quartier des finances, ramassé autour de **Dalal Street** **L**, accueille la Sensex (bourse). Le **Town Hall** (mairie), tout proche, renferme aujourd'hui l'Asiatic Society of Bombay.

La gare **Chatrapati Shivaji Terminus** **M** (CST, ancien Victoria Terminus, ou VT) jouxte le siège du **Central Railway**, autrefois appelé Great Indian Peninsular Railway, tous 2 installés dans le bâtiment néogothique victorien le plus impressionnant de Mumbai. Conçu par Frederick William Stevens entre 1878 et 1887 près de Nagar Chowk, il est bâti en grès jaune et granit, avec des décors en pierres polychromes et en basalte bleu-gris.

Autre chef-d'œuvre de Stevens, le **Municipal Corporation Building**, face au CST, se distingue notamment par son escalier central surmonté d'un

La petite communauté juive de Mumbai rend le culte dans 7 synagogues. Les Sassoon, une famille juive d'origine irakienne, ont beaucoup soutenu ses activités par des dons. La ville possède un Sassoon Dock –utilisé aujourd'hui par la flotte de pêche–, ainsi qu'une Sassoon Library.

CI-DESSOUS : dabbawalla en pleine activité, à la Churchgate Station.

dôme et ses arches en pointe dans les étages bordés d'arcades. Toujours près du CST, vous admirerez le **General Post Office** de George Wittet. Ce dernier a également laissé son empreinte dans le quartier de **Ballard Estate**, dont les bureaux rappellent certains édifices londoniens du XIXᵉ siècle.

Au nord du CST, sur Dr Dadabhai Naroji Road, le **Jyotiba Phule Market** , l'ancien Crawford Market réalisé par William Emerson (1865-1871), présente des bas-reliefs de John Lockwood Kipling, le père de l'écrivain. Dans ce lieu fascinant, vous trouverez pratiquement n'importe quel aliment.

À l'instar des Parsi et des Gujarati, les musulmans de la ville se sont mêlés aux habitants de ce creuset de cultures ; toutefois, dans certains quartiers vous distinguerez, et apprécierez, encore quelques-uns de leurs apports caractéristiques. Ainsi, sur **Mohammed Ali Road**, au nord de Jyotiba Phule Market, vous pourrez déguster à toute heure des *kabab* enroulés d'un *roti* (pain sans levain) ou des *jalebi* (sucreries chaudes). Non loin de là, la belle **Jama Masjid** , cible d'extrémistes hindous, reste placée sous la protection de gardes armés. Entre la mosquée et Lokmanya Tilak Road, le **Mangaldas Market**, un marché couvert, rassemble un labyrinthe de petits étals proposant un large éventail de tissus.

La **School of Art** , sur Lokmanya Tilak Road, date de la même période que le Crawford Market. Rudyard Kipling y naquit et y passa ses premières années. Sous la direction de son père, J. L. Kipling, principal de l'école, de nombreux artisans préparèrent panneaux sculptés et motifs destinés à orner les nouveaux bâtiments de Mumbai. Un peu plus bas, vous croiserez l'**Elphinstone High School** (1872), avec sa tour centrale et ses balcons couverts, et le **St Xavier's College** (1867), décoré de panneaux de Kipling père.

C'est à l'aube que la ville vous réserve l'un de ses spectacles les plus étonnants : des groupes se rassemblent, tout simplement pour rire. Lancés en 1995 par le Dr Madan Kataria, ces "Laughing Clubs" se proclament bénéfiques pour la santé...

CI-DESSOUS : circulation intense devant le CST.

Marine Drive

Cernée par la mer sur 3 côtés, Mumbai doit en grande partie son cachet à ses plages, ses promenades côtières et son littoral. Au-delà du centre se succèdent les stations balnéaires, jadis isolées, de **Juhu**, **Versova**, **Madh Island**, **Marve**, **Manori** et **Gorai**.

Marine Drive (ou Netaji Subhash Road) relie Malabar Hill aux quartiers du Fort et de Colaba. Depuis les Hanging Gardens (jardins suspendus), vous pourrez admirer un splendide panorama sur la ville, en particulier le soir, lorsque cette longue route gracieusement incurvée sur les contreforts du littoral est ponctuée par les lumières des lampadaires – un spectacle qui lui a d'ailleurs valu le surnom de "Queen Victoria's Necklace" (collier de la reine Victoria).

La large allée qui longe Marine Drive est prisée à tout moment de la journée par joggeurs et flâneurs. Pendant la mousson, les vagues agitées viennent s'y écraser, bien au-delà des parapets.

Marine Drive s'achève à **Nariman Point** , au sud. À l'extrémité du promontoire se trouve le **National Centre for the Performing Arts**, l'un des principaux centres culturels d'Inde, fondé par le Tata Trust en 1966. Il accueille expositions et spectacles de musique, de danse et de théâtre (www.tata.com/ncpa). Le soir, les promeneurs profitant de la brise envahissent **Chowpatti** , une plage de sable blanc à l'extrémité

Carte
p. 270

nord de Marine Drive, sur laquelle abondent des étals où vous n'aurez que l'embarras du choix entre de délicieux *bhelpuri*, des *kulfi* ou des glaces. Durant la fête de Ganesh Chaturthi, c'est là que convergent toutes les effigies du dieu éléphant, portées en procession depuis la ville, avant d'être immergées dans la mer. Dans le **Taraporevala Aquarium**, toujours sur Marine Drive, belle collection de poissons tropicaux (ouv. du mar. au sam. de 10h à 19h, le dim. de 10h à 20h).

Lieux saints

On dit souvent que l'argent reste une préoccupation majeure pour les habitants de Mumbai. Toutefois, ceux-ci n'en oublient pas pour autant les temples consacrés à leurs divinités – même si leurs visites visent souvent des fins tout aussi matérielles. Près du champ de course, se dresse un important sanctuaire dédié – de façon fort opportune – à Mahalaksmi, déesse de la richesse et de la prospérité. Nombre des citoyens de cette localité cosmopolite fréquentent des sanctuaires – de leur religion ou non. Certains jours précis de la semaine, des centaines de fidèles, toutes confessions confondues, font patiemment la queue pour déposer leurs offrandes dans quelque lieu sacré, comme le tombeau du saint musulman **Haji Ali ⓤ**, situé sur un îlot baigné par la marée, face au **Racecourse ⓥ** de Mahalaksmi, l'**église St Michael** de Mahim, à l'occasion des "neuvaines" du mercredi, ou encore, le mardi, le **Siddhivinayak Temple** de Prabhadevi. La fête de la Sainte-Marie, Bandra's Fair, qui met à l'honneur une représentation de la Vierge conservée dans le sanctuaire du **Mount Mary**, attire des milliers de pèlerins en quête d'aides et de faveurs, sans distinction de caste ni de croyance.

Les Gujarati forment l'essentiel de la population hindoue et parsi de la ville, notamment de sa communauté d'affaires. Au XVIIᵉ siècle, fuyant les persécutions de la Perse, quantité de Parsi migrèrent au Gujarat puis s'installèrent à Mumbai. Sur **Malabar Hill ⓦ**, ces zoroastriens bâtirent des temples du Feu et, à l'écart, une "tour du Silence" où, selon leur coutume, ils exposent les dépouilles de leurs défunts (*dokhura*) aux vautours (*voir p. 147*). Enterrement ou crémation leur sont interdits, car ils tiennent le feu et la terre pour sacrés. Ce site saint est privé et interdit aux visiteurs.

Les grottes d'Elephanta

Mumbai ne possède aucun monument antique ou médiéval mais, à une heure de bateau de la Gateway of India, vous découvrirez l'**Elephanta Island (Gharapuri) ⓧ** et son magnifique ensemble de temples rupestres (VIIᵉ-VIIIᵉ siècle) aux vastes galeries intérieures sculptées. N'en manquez pas la pièce maîtresse, une Trimurti colossale de 5 m de haut, buste à 3 visages représentant Shiva en tant que Créateur, Préservateur et Destructeur. Les Portugais baptisèrent l'île "Elephanta" en raison d'une imposante sculpture de pachyderme découverte dans l'une des galeries, et aujourd'hui installée dans le jardin du zoo de Mumbai.

À 40 km du Fort, près de Borivali, sur la ligne de banlieue de la Western Railway, n'hésitez pas à visiter, au cœur d'un parc national, les grottes bouddhiques de **Kanheri** (IIᵉ siècle), dont les gigantesques sculptures rivalisent avec celles d'Ajanta et d'Ellora, dans l'est du Maharashtra. ❑

Près des temples de Mahalaksmi et du tombeau d'Haji Ali s'étendent les extraordinaires dhobi ghat, sorte d'immense blanchisserie à ciel ouvert grouillant de monde. C'est ici qu'arrive, pour y être lavé à la main et séché en plein air, la plupart du linge de Mumbai.

CI-DESSOUS : préparation de *chai* à Sassoon Dock.

Carte
p. 278

Delhi

Carte
p. 278

LE MAHARASHTRA

*Loin de l'étouffante Mumbai, le Maharashtra regorge de stations
climatiques et de richesses historiques, comme ses temples
merveilleux creusés dans la roche et ses forteresses marathes.*

Mumbai, sa capitale, ne présente au voyageur qu'une seule facette du Maharashtra. Malgré ses importantes infrastructures industrielles, en effet, cet État reste, pour l'essentiel, rural, et, si Mumbai incarne l'Inde multiculturelle, le nationalisme continue de marquer en profondeur la politique marathe. Le mouvement Shiv Sena tire son nom d'un guerrier marathe du XVIIᵉ siècle ayant combattu l'empire moghol, Shivaji. De mèche avec le BJP (Parti nationaliste hindou pan-indien), le Shiv Sena reprend le message anti-impérialiste implicite véhiculé par ce héros, pour justifier la politique communautaire appliquée contre les nombreux musulmans de la ville. Pune affiche une fierté encore plus prononcée à l'égard de Shivaji – même si d'aucuns considèrent cette évocation incessante d'un illustre passé comme responsable d'un présent nettement moins glorieux… Quoi qu'il en soit, cet illustre passé nous a laissé en héritage de véritables trésors. Cinq villes constituent des bases idéales pour partir explorer la région : Pune, Kolhapur, Aurangabad, Nagpur et Nasik. Si vous deviez n'en choisir qu'une, optez pour Aurangabad, d'où vous pourrez découvrir les grottes d'Ajanta et d'Ellora, qui rivalisent de splendeur avec le Taj Mahal.

Nommée Poona par les Anglais, **Pune ❶** (à 170 km de Mumbai), ancienne capitale de l'empire marathe, a désormais retrouvé son nom d'origine. Lors de la

CI-DESSOUS :
fresque
bouddhique,
grottes d'Ajanta.

bataille de Koregaon en 1818, la Couronne s'en empara et la transforma d'après le modèle d'une ville de garnison, les habituelles zones de cantonnement dégagées contrastant avec l'animation du vieux quartier. Pune devint le foyer de nombreux mouvements hindous prônant la réforme sociale et, durant l'heure de gloire du brahmane Bal Gangadhar Tilak, l'épicentre du courant indépendantiste indien. Depuis, l'industrialisation a considérablement modifié son aspect.

Le **Raja Kelkar Museum** (ouv. de 8h30 à 18h ; entrée payante), qui abrite la riche collection privée de Dinkar Kelkar, mérite une visite. Ses 36 sections se concentrent sur l'art indien : portes sculptées de palais et de temples y côtoient poteries vieilles de 2 000 ans et miniatures du XVIIᵉ siècle. Ne manquez pas les intéressantes collections de casse-noix en cuivre – certains clairement érotiques – et de cadenas – dont un en forme de scorpion dont les pinces se verrouillent. On a du mal à imaginer que l'**Agha Khan Palace** (ouv. du lun. au ven. de 9h à 17h45 ; entrée payante), avec ses arcades et ses pelouses aérées soigneusement entretenues, ait pu servir de prison ; les Anglais y enfermèrent pourtant le Mahatma Gandhi, sa femme Kasturba et d'autres meneurs du parti du Congrès. Un mémorial a été érigé en l'honneur de Kasturba, morte sur les lieux. Au XVIIIᵉ siècle, Mahadji Scindia, l'un des princes marathes régnants, bâtit le **Shinde Chatri**, un petit temple en pierre noire dédié à Shiva. Son descendant, Madhavrao II, édifia en sa mémoire une annexe inspirée de l'architecture européenne méridionale, et non indienne, contrairement au Shinde Chatri. Ce contraste de styles atteste de l'importance du pouvoir assimilateur de la culture indienne. Le *samadhi* (mausolée) de Mahadji, qui se dresse de l'autre côté d'une cour, abrite son portrait en argent, coiffé d'un turban de couleur feu. Un panneau recommande aux visiteurs de ne pas ouvrir leur parapluie – geste considéré comme une insulte à la mémoire du prince.

Le palais de **Shanivarvada** fut érigé dans la vieille ville en 1736 pour les souverains de Peshwa qui succédèrent à l'empire de Shivaji. Seuls ses murs fortifiés, ses portes garnies de clous en cuivre, ses bassins aux lotus du XVIIIᵉ siècle et ses fondations élaborées ont survécu aux ravages d'un incendie en 1827 (ouv. de 8h à 18h30 ; entrée payante). Le **temple de Patalesvar** (VIIIᵉ siècle), taillé dans un rocher monumental, se situe au cœur de Pune. Aujourd'hui encore, les fidèles viennent s'y recueillir. Élevé au sommet d'une colline à la lisière de la ville, celui de **Parvati**, magnifique, servait de temple aux souverains de Peshwa. Un sanctuaire musulman, le **Qamarali Darvesh**, renferme une pierre sacrée censée se tenir en lévitation.

Forts et temples marathes

Simha Gad – "la forteresse du Lion" – trône sur une colline à 25 km de Pune. Il y a 300 ans environ, le général Tanaji Malsure, bras droit de Shivaji, escalada avec ses hommes ce précipice abrupt, s'aidant de cordes et de lézards géants entraînés pour l'occasion. Shivaji s'empara du fort, mais le général fut tué. Aujourd'hui, l'herbe recouvre la plupart des remparts.

Mahabaleswar ❷ et **Panchgani**, 2 stations climatiques à environ 100 km au sud de Pune, se prêtent à de belles promenades panoramiques. Les passionnés

NOTEZ-LE

L'une des meilleures façons de rallier Pune au départ de Mumbai consiste à prendre le "Deccan Queen", un train rapide qui traverse de splendides montagnes. Horaires : Mumbai CST-Pune 5h10-20h30 ; Pune-Mumbai CST 7h15-10h35.

CI-DESSOUS : visiteurs à Ajanta.

d'équitation seront également comblés. **Matheran ❸**, à 94 km à l'est de Mumbai, est interdite aux voitures. Vous aurez le choix entre grimper à pied la colline escarpée (20 km) ou prendre un train au départ de Neral (trajet 1h30).

Kolhapur ❹, à 395 km au sud de Mumbai, constitue l'un des principaux centres de pèlerinage du Maharashtra. Ses nombreux temples et *ghat* sur la rivière Panchganga lui ont valu le surnom de **Dakshina Kasi** (“Varanasi du Sud”). Le sanctuaire le plus révéré, **Mahalaksmi** (ou Ambabai), date du IXe siècle. À l'est de la ville, au centre d'une vaste étendue d'eau, se dresse **Kotiteerth**, un temple dédié à Mahadev.

Jadis capitale d'un État princier, Kolhapur compte encore quelques palais splendides, dont l'**Old Palace** (XVIIIe siècle) et le **New Palace** (XIXe siècle). La ville est renommée pour ses lutteurs – son stade accueille 20 000 spectateurs – et la production de *chappal* (sandales).

Panhala, 15 km plus loin, est connue pour avoir été le théâtre d'un siège désormais célèbre, au cours duquel Shivaji parvint à s'échapper. À 50 km de là, **Sangli**, elle aussi ancienne capitale d'une principauté, recèle un temple superbe.

Le Osho Commune, communauté fondée à Pune par le gourou new age Bhagwan Rajneesh en 1974, ouvre ses portes pour des visites guidées à 10h30 et 14h30.

Ratnagiri, à 125 km de Kolhapur, permet d'accéder aux plages du Konkan, au sud de Mumbai. Ratnagiri même possède aussi une plage agréable, mais elle doit surtout sa renommée à ses succulentes mangues Alphonso. En juillet et en août, le célèbre **sanctuaire de Vithal** à **Pandharpur** (200 km au nord-est) attire des pèlerins venus de tout le Maharashtra. À **Sholapur**, une ville animée spécialisée dans les textiles et située à 60 km à l'est de Pandharpur, vous admirerez un fort magnifique, ainsi qu'un temple entouré d'eau.

Carte
p. 278

À 370 km de Mumbai, **Aurangabad** ❺ baigne dans une atmosphère musulmane, avec son mausolée dédié à la begum de l'empereur moghol Aurangzeb, le **Bibi ka Maqbara**, pâle copie du Taj Mahal. Vous y découvrirez également un moulin à eau médiéval digne d'intérêt, le **Panchakki**, à proximité d'un sanctuaire musulman. À 3 km de Bibi ka Maqbara, vous pourrez visiter 12 grottes bouddhiques creusées entre le IIIᵉ et le XIᵉ siècle. Ne manquez pas les numéros 3, 6 et 7 (les plus intéressantes); prévoyez une lampe-torche.

La forteresse de **Daulatabad**, à 15 km d'Aurangabad au sommet d'une colline, fut souvent décrite comme imprenable (ouv. de 6h à 18h; entrée payante). Son site date du XIIᵉ siècle, mais ses 7 principaux murs de fortifications des XVᵉ et XVIᵉ siècles. Pour décourager les envahisseurs, les bâtisseurs avaient prévu de profondes douves tout autour, remplies de crocodiles et traversées par un unique pont en cuir, au bout duquel les attendait un ténébreux labyrinthe. Son sommet offre une vue spectaculaire. Dans les environs, vous découvrirez 2 sites sacrés: **Khuldabad**, simple sépulture de l'empereur Aurangzeb (1707), entourée de tombes de saints musulmans, et le temple hindou de **Ghrusnesvar** (VIIIᵉ siècle), centre de pèlerinage majeur près d'Ellora, qui abrite l'un des 12 *syambu jyotirlinga* ("*lingam* naturels de lumière").

Ajanta et Ellora

Les grottes d'**Ellora** ❻, à 25 km au nord-ouest d'Aurangabad (*voir encadré p. 280*), et les 30 grottes bouddhiques d'Ajanta, à 100 km au nord-est, comptent parmi les monuments les plus remarquables d'Inde.

Les grottes d'**Ajanta** ❼ (ouv. de 9h à 17h30; entrée payante) ont été découvertes par hasard au XIXᵉ siècle, ce qui explique qu'elles aient échappé aux déprédations des armées d'envahisseurs. Dans un souci de préservation, une flotte de bus "écologiques" conduit les visiteurs sur les lieux.

Leurs fresques et sculptures, exceptionnellement préservées, datent de la période qui suivit la mort du Bouddha: les prêtres, ressentant le besoin de représenter visuellement leurs enseignements, se mirent à exécuter quantité de peintures et gravures illustrant la vie du saint, entamant ainsi un processus qui conférait au bouddhisme une sensualité propre à l'hindouisme. Si vous êtes convaincu que la pensée bouddhique se résume à la négation des sens, cette imagerie voluptueuse ne manquera pas de vous surprendre.

Tout autant que les grottes elles-mêmes, le site – une gorge arborée, dans laquelle se jette une cascade, spectaculaire durant la mousson – enveloppe Ajanta d'un charme unique. Les grottes 1, 2, 10, 16 et 17, numérotées depuis l'entrée, sont particulièrement belles, mais sachez que toutes méritent le coup d'œil.

NOTEZ-LE

L'ITDC organise d'excellents circuits guidés d'Aurangabad à Ajanta et Ellora; certains incluent Daulatabad et ses sites. Le bus vient vous prendre à votre hôtel. Contactez:
ITDC
210 Labh Chambers,
Station Road,
Aurangabad,
tél. 0240 233 1143.

CI-DESSOUS : Ajanta.

Cı-ɒᴇssous : scènes du *Mahabharata* sculptées, temple de Kailasa à Ellora

Autres destinations

Située au centre géographique de l'Inde et dans le nord-est de l'État, **Nagpur** ❽ était la capitale de la branche des Bhosle sous le règne des Marathes. Sa gloire impériale revit chaque hiver, lorsque les "souverains" actuels – membres du Cabinet et représentants élus – quittent Mumbai pour y établir temporairement leur capitale. Nagpur est également connue pour ses cultures d'orangers.

Ramtek, à 40 km au nord de Nagpur, est ainsi nommée car Rama, incarnation populaire de Vishnu, s'y arrêta avec sa femme Sita et son frère Laksmana lorsqu'ils furent bannis d'Ayodhya.

Wardha, à 75 km de Nagpur, permet d'accéder aux villages de **Sevagram** et **Paunar**. Le Mahatma Gandhi habitait dans un ashram de Sevagram devenu aujourd'hui un lieu de pèlerinage. Quant à Paunar, il doit son renom à Acharya Vinoba Bhave – un disciple de Gandhi qui y vécut et y termina ses jours –, connu pour son mouvement *bhudan* ("don de terres"), qui incitait les propriétaires terriens à céder une partie de leurs domaines aux paysans sans terre. La réserve de gibier de **Nagzira**, à 115 km de Nagpur, couvre une forêt avec 2 réservoirs d'eau remplis toute l'année, où viennent s'abreuver les animaux sauvages.

Dans la forêt du **Navegaon National Park** ❾, à 135 km de Nagpur, s'étend un lac artificiel creusé au XVIIIᵉ siècle. À proximité, s'élève le sanctuaire dédié à son constructeur, qui a été déifié sous le nom de Kolasur Dev. **Chandrapur** ❿, à 160 km de Nagpur, possède un fort et plusieurs temples. De là, vous pourrez gagner **Tadoba**, la réserve la plus renommée du Maharashtra. Son lac regorgeant de crocodiles est tenu pour sacré par les Adivasi. L'itinéraire pour **Chikalda**, la station climatique de la région, à 220 km de Nagpur, traverse une jungle épaisse habitée par une faune abondante.

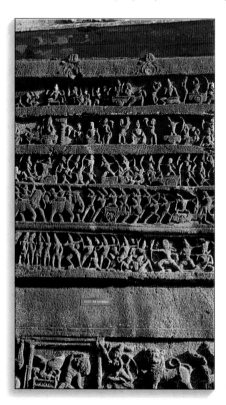

TEMPLES RUPESTRES D'ELLORA

Ellora (ouv. de 5h à 18h), à 25 km au nord-ouest d'Aurangabad, possède 34 temples rupestres aux représentations bouddhiques (grottes 1 à 12), hindoues brahmaniques (grottes 14 à 16) et jaïnes (grottes 30 et 32). Le terme de "temple rupestre" ne saurait cependant traduire la splendeur d'Ellora, dont les grottes furent creusées il y a 10 siècles : un tour de force comparable à celui de bâtir une cathédrale en la taillant entièrement dans la roche. Les ouvriers commençaient généralement par le sommet du temple, puis descendaient progressivement, s'épargnant ainsi le besoin de recourir aux échafaudages.

Chef-d'œuvre du site, le temple de Kailasa (entrée payante) – du nom de la montagne mythique où résident les dieux – déroule dans ses galeries plusieurs scènes des mythes shivaïtes. L'une d'entre elles représente la lutte éternelle entre les forces du Mal, incarnées par Ravana, et les forces du Bien, symbolisées par Shiva et Parvati. Si les sculptures d'Ellora émanent des 3 religions, elles présentent toutefois des structures souvent similaires, sans doute en raison des propriétés des formations rocheuses.

À l'intérieur, les différences sont manifestes : ascétisme pour les grottes jaïnes, richesse austère pour les bouddhiques, qui reflètent l'évolution du bouddhisme au IIᵉ siècle.

Nasik , ville sainte à 150 km au nord-est de Mumbai, se dresse sur les berges de la Godavari, vénérée par les hindous, comme en témoignent les 2 000 temples et nombreux *ghat* qui lui sont consacrés. La ville sert de théâtre à un épisode du *Ramayana* : le jeune frère de Rama, Laksmana, lassé des tentatives de la démone Surpanakha – qui voulait le persuader de l'épouser –, lui trancha le nez, qui tomba sur le site de l'actuelle Nasik. Depuis, un pèlerinage y est organisé tous les 12 ans, lors de la Kumbha Mela (appelée ici Sinhastha Mela). Plus précisément, l'épicentre des festivités se situe à **Trimbakesvar**, à 30 km de Nasik. Mieux vaut toutefois les observer à bonne distance (la Kumbha Mela de 2003 a fait plusieurs victimes, piétinées lors d'un mouvement de foule).

C'est là qu'un conflit aurait éclaté entre dieux et démons se disputant un pot de nectar. Dans la mêlée, le nectar se serait renversé et quelques gouttes seraient tombées à Trimbakesvar. La rivière Godavari, qui y coule, prend sa source dans la colline **Brahmagiri**. Dans l'imposant **temple** de la ville, aux sculptures splendides, remarquez l'un des *lingam* de Shiva.

C'est à **Shirdhi** , à 75 km de Nasik, que Sai Baba, un gourou musulman sanctifié par toutes les religions (notamment l'hindouisme) pour sa sagesse et ses pouvoirs miraculeux, vécut et s'éteignit, en 1918. Toute l'année, quantité de fidèles viennent s'y recueillir. L'actuel Sai Baba (réincarné) a fondé un ashram à Puttaparthi, dans l'Andhra Pradesh.

Le littoral

Mumbai étant dépourvue de belles plages, mieux vaut opter pour **Kihim**, à 136 km au sud de Mumbai, ou **Murud**, 80 km plus loin, un site magnifique avec un ancien palais et un fort érigé sur une île à 1 km au large. ❑

Carte p. 278

NOTEZ-LE

À Ganapatipule ⑬, 375 km au sud de Mumbai, sur une plage de rêve frangée de palmiers, se niche le temple de Swayambhu Ganapati. Il renferme la statue créée de façon miraculeuse de la "sentinelle occidentale".

CI-DESSOUS : pêcheuses à Arnala.

Carte
p. 284

Delhi

LE GUJARAT

Ses villes fortifiées, ses temples jaïns, ses lions – qui vivent protégés dans la Gir Reserve – et ses plages, font de cet État, pays natal du Mahatma Gandhi, un lieu de séjour à découvrir.

Au milieu du retentissant tumulte des vélos, *rickshaws*, voitures et chars à bœufs, juché sur une moto flanquée d'énormes bouteilles de lait, un Rabari – turban rouge flamboyant, boucles d'oreilles étincelantes et moustaches majestueuses – se faufile à travers les rues d'Ahmadabad. Chevauchant un moyen de transport moderne, mais vêtu de son costume traditionnel, ce membre de la communauté des vendeurs de lait symbolise à lui seul le Gujarat, où folklore et modernité se mêlent en un cocktail détonant.

Les vestiges archéologiques de Lothal, près de Dhandhuka, dans le district d'Ahmadabad, et ceux de Rozadi, dans le Saurashtra, font remonter l'histoire du Gujarat à l'époque de Harappa et Mohenjodaro, quelque 3 500 ans plus tôt. Les grandes épopées et le *Purana* racontent comment Krishna et son frère Balarama quittèrent Mathura pour s'installer à Kusathali (Dwarka) sur la côte ouest de cette région. "Gujarat" dérive du prakrit "Gujjaratta" ou "Gurjara Rastra" ("terre des Gurjara"). Peuple d'immigrés arrivés en Inde par les cols septentrionaux, les Gurjara se frayèrent un chemin à travers le Penjab, avant de s'installer, vers le Xᵉ siècle, sur les terres qui devaient prendre leur nom actuel.

Les Gujarati, excellents marins et marchands dotés d'un véritable esprit d'entreprise, ont engendré une classe moyenne aisée et très influente. Commerçants

CI-DESSOUS :
l'Indian Institute
of Management
d'Ahmadabad.

et artisans ont formé des guildes puissantes et l'accumulation de richesses reste encore une des valeurs clés de cet État. Le Gujarat couvre le Kutch – l'épicentre d'un séisme dévastateur en 2001 (*voir p. 286*) –, le Saurashtra et les territoires entre les rivières Banas et Damanganga, des zones fertiles où s'épanouissent blé, coton, arachide et bananiers. Sa frontière méridionale est vallonnée, et l'île de **Diu**, ancienne colonie portugaise, baigne dans une atmosphère de vacances.

Le Gujarat présente toutefois un autre visage, bien moins plaisant, comme le montre la popularité du BJP, le parti hindou nationaliste à la tête du gouvernement d'État, qui s'est tristement illustré lors des émeutes communautaires de 2002. Après une attaque terroriste sur un train de *kar sevak* (volontaires hindous) se rendant au site d'Ayodhya (*voir p. 101*), des groupes d'hindous sont descendus dans les rues d'Ahmadabad et d'autres grandes localités pour piller, chasser ou tuer les musulmans. Selon des témoignages, la police serait restée impassible, apportant même parfois son aide aux insurgés, d'où les suspicions de complicité planant sur les membres du BJP.

Mosquées, bazars et musées

Le règne du sultan Allauddin Khalji de Delhi vit la création du premier empire musulman d'Inde, dont le prospère royaume du Gujarat fut l'une des conquêtes initiales, en 1300. En 1411, Ahmad Shah I fonda **Ahmadabad ❶** sur le site de l'antique cité de Karnavati.

Aujourd'hui, belligérants, *rickshaws*, hôtels, boutiques, cinémas modernes ou encore zones surpeuplées et industrialisées sont autant de facettes de cette grande ville textile et commerciale d'Inde occidentale, coupée en 2 par la Sabarmati. Quatre ponts permettent de relier les vieux quartiers aux nouveaux faubourgs.

Par des rues bondées vous parviendrez à **Manek Chowk**, où des rangées de vendeurs de bijoux en argent et tissus imprimés, adossés contre des traversins d'un blanc immaculé, attendent le chaland. De vieilles *haveli* (maisons de ville) arborent à l'étage balcons, fenêtres et portes en bois sculpté ; les plus belles se dressent dans **Doshivada-ni-Pol**.

Ici, l'architecture indo-sarrasine mêle les styles hindou et musulman. Ne manquez pas la gracieuse **Sidi Saiyad's Mosque**, près de Relief Rd, le plus remarquable édifice en grès d'Ahmadabad, avec ses fenêtres géminées en pierre ajourée ornées d'un motif d'arbre aux feuilles de palme et vrilles incurvées. Les "minarets vibrants" des **mosquées Rajpur Bibi** à Gomtipur et **Sidi Bashir** à Kalipur – qui bougent lorsque l'on exerce une pression sur leurs murs intérieurs – retiendront également votre attention.

Les lois sur la prohibition interdisent officiellement toute vie nocturne à Ahmadabad (les étrangers qui le souhaitent se procureront une "licence d'alcool" lors de leur demande de visa), mais d'autres attraits compenseront ce "désagrément". Ainsi, à 15 minutes de la ville, sur la route principale pour Vadodara (Baroda), vous découvrirez l'**Ustensil Museum** (ouv. du lun. au sam. de 17h à 23h, le dim. de 10h à 13h et de 17h à 22h). Le musée, qui renferme une incroyable collection d'ustensiles de toutes les formes et tailles imaginables, est aménagé dans un bâtiment aux murs de

NOTEZ-LE
Sous l'Ellis Bridge, la berge de la rivière Sabarmati s'anime à l'occasion du Khanmasa Bazaar, le marché dominical d'Ahmadabad : un grand déballage de toutes sortes d'articles qui ne manqueront pas de vous surprendre.

CI-DESSOUS : fête villageoise.

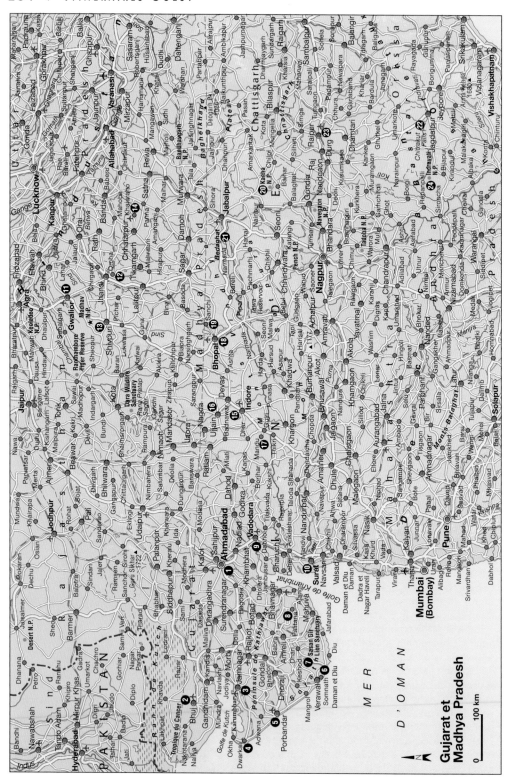

Gujarat et
Madhya Pradesh

0 _____ 100 km

Carte
p. 284

terre, avec son réservoir au centre, dégageant une atmosphère évocatrice du Gujarat d'antan. Pour clore la visite, offrez-vous un repas gujarati au **Vishala Restaurant** : dans de grands plats en cuivre, vous dégusterez des spécialités végétariennes accompagnées de beurre blanc tout frais, de jagré et de yaourt, au son de musiques traditionnelles ou devant un spectacle de marionnettes.

L'élégante architecture contemporaine d'Ahmadabad permet de mieux appréhender l'approche culturelle des Gujarati et leur sensibilité esthétique. L'**Indian Institute of Management** de Vastrapur forme les futurs dirigeants, dans des bâtiments conçus par Louis Kahn où angles et arches, associés à un savant jeu d'ombre et lumière, créent une véritable tension dramatique.

Une *haveli* abritant la Sarabhai Foundation, œuvre publique de bienfaisance, héberge également le **Calico Museum of Textiles** de Shahibag (ouv. du mar. au jeu. : textiles sacrés de 10h30 à 12h30, textiles séculiers de 14h45 à 16h45). Parmi les plus belles pièces de ses collections, remarquables et magnifiquement présentées, figurent de riches brocarts et de gracieuses broderies du Cachemire, du Gujarat et des États du Sud.

Hridey Kunj (ouv. de 8h30 à 18h30), l'ashram du Mahatma Gandhi à Sabarmati, investit un ensemble de bâtiments austères, mais splendides, au milieu des manguiers. C'est là que Gandhi développa sa forme de lutte politique fondée sur la non-violence. Le musée qui y a été bâti par le célèbre architecte indien Charles Correa rend sobrement hommage au Mahatma. Il expose, parmi d'autres effets personnels, le rouet de Gandhi, ainsi que des vêtements tissés par ses soins.

Située sur l'Ashram Rd, **Gujarat Vidyapith**, une université fondée par le Mahatma et dotée d'une importante collection d'ouvrages, regroupe un musée, un centre de recherche, ainsi que la Navjivan Press, qui détient les droits de reproduction des œuvres de Gandhi. À **Khadi Gramudyog Bhandar**, non loin de là, vous pourrez acheter étoffes *khadi* (tissées à la main) et autres articles d'artisanat.

À 17 km au nord d'Ahmadabad, vous admirerez **Adalaj Vava**, un puits du XVe siècle. Datant de l'apogée du style indo-sarrasin, cette merveille architecturale se compose de colonnes et linteaux de pierre décorés de motifs floraux et géométriques, disposés le long de marches menant à un puits rectangulaire. Au Gujarat, réservoirs et puits ont toujours été décorés.

Le **Sun Temple** de **Modhera**, à 3 heures de route au nord d'Ahmadabad, est l'un des plus beaux de tout le pays. Construit en 1026 sous le règne du roi Bhima (dynastie Solanki), sur une estrade près d'un bassin avec des marches en pierre, ce monument dédié au dieu Soleil, Surya, est orné de divinités et d'exquis motifs floraux et animaliers.

La broderie reste une tradition bien vivante du Gujarat. À l'origine, les fragments de miroir appliqués sur les vêtements étaient destinés à effrayer les bêtes sauvages.

CI-DESSOUS :
bavardage sur les marches d'une *haveli* (maison de ville) d'Ahmadabad.

Le Rann de Kutch

Avant de gagner Bhuj, un long trajet vous attend à travers le **Little Rann of Kutch**. Couvrant 8 750 km², le Kutch (prononcez "katch") est une région bordée par le golfe éponyme, l'océan Indien et le Rann de Kutch, un paysage unique qu'un certain Burnes décrit dans ses mémoires comme un "espace sans égal sur la planète". Le *rann* (du sanscrit *irina*, ou "terre inculte") est une étendue saline plane, dure et desséchée, où galopent quelques troupeaux d'hémiones, une espèce

d'ânes sauvages. Lorsque la chaleur estivale s'intensifie, la terre, durcie et boursouflée, miroite sous le sel, créant des mirages d'une blancheur aveuglante.

Le 26 janvier 2001, un séisme d'une magnitude de 7,9 sur l'échelle de Richter a frappé la région, rasant la superbe ville fortifiée de **Bhuj** ❷ et dévastant les villages alentour. Quelque 25 000 personnes auraient péri dans les secousses. Gouvernements et particuliers ont fourni une aide considérable et les travaux de reconstruction ont commencé, mais la tâche semble immense et nul ne sait quand elle s'achèvera. Reste à espérer que cet événement tragique permettra d'en finir avec les pratiques de promoteurs corrompus et de reconsidérer les techniques de construction traditionnelles. Les huttes ont en effet bien mieux survécu au séisme que les nombreux bâtiments récents en béton, bâtis en dépit de toute norme et réglementation. Le Kutch se remet à peine et les infrastructures touristiques restent rares.

Le temple côtier de Somnath fut pillé et détruit par Mahmud de Ghazni en 1026. L'édifice a partiellement été restauré dans le style de l'époque.

À la découverte du Saurashtra

Le vol, assuré par l'Indian Airlines, reliant Bhuj à Jamnagar au sud, par le golfe du Kutch, ne vous prendra que 13 minutes. Siège du district, **Jamnagar** ❸ est une ville fortifiée pourvue de plusieurs portes. Elle mêle quartiers anciens et nombreuses zones récentes, planifiées en 1914, où se succèdent systématiquement larges rues et places rectangulaires ou circulaires. Elle possède quelques filatures de coton et produit des tissus obtenus par la technique du batik. Le Kotho Bastion du **Lakhota Palace**, situé au milieu d'un bassin et accessible par un pont en pierre, logeait un millier de soldats ; aujourd'hui, il renferme un musée (ouv. du mar. au jeu. de 10h30 à 13h et de 15h à 17h30).

Ci-dessous : lion d'Asie, espèce menacée.

Lieu saint, **Dwarka** ❹ – fondée, selon la légende, par Krishna en personne il y a 5 000 ans – était un port prospère, à 137 km à l'ouest de Jamnagar. Le **temple de Dvarkadish**, sur la berge nord de Gomti Creek, affiche les traits architecturaux typiques des temples hindous antiques : un sanctuaire, une vaste galerie, une toiture soutenue par 60 colonnes de granit et de grès et une flèche conique de 50 m de hauteur. Remarquez la statue de Ganesh qui surmonte l'entrée et les décorations extérieures, très élaborées, contrastant avec la sobriété de l'intérieur.

Le berceau de Gandhi

Si vous vous intéressez à Gandhi, rendez-vous en pèlerinage à **Porbandar** ❺ (à 90 km), paisible ville côtière où le Mahatma vit le jour dans la demeure de ses ancêtres en 1869. Un profond sentiment de calme et de paix se dégage de cette maison, avec ses petites pièces, ses fenêtres à treillis et ses balcons sculptés.

Après avoir traversé Chorwad et Verawal par les routes tranquilles du littoral, vous atteindrez **Somnath** ❻, à 115 km de Porbandar, l'un des 12 sanctuaires de Shiva les plus sacrés d'Inde. Ce temple majestueux, baigné par la mer d'Oman, a été pillé à plusieurs reprises par des envahisseurs venus du nord et reconstruit successivement en or, argent, bois et pierres. Selon la légende, il aurait été érigé par Soma, le dieu Lune, en guise de pénitence et de révérence à Shiva, courroucé, qui lui avait jeté un mauvais sort. À proximité, un temple marque le lieu où la flèche d'un chasseur tua accidentellement Krishna. Au crépuscule, des cymbales retentissent pour indiquer l'heure de la prière.

Les lions de la forêt de Gir

Le **Sasan Gir Lion Sanctuary** ➐, à 40 km au nord de Somnath, reste l'une des dernières réserves de la planète accueillant des lions d'Asie dans leur habitat naturel. Ce sanctuaire compte parmi les premiers ayant pris des mesures pour les préserver. En 1900, le nabab de Junagadh avait invité le vice-roi des Indes Lord Curzon à un *shikar* (chasse) aux lions. Ce dernier accepta, mais un journal publia une lettre mettant en question l'opportunité de voir une personnalité contribuer à la disparition d'une espèce menacée. Non seulement Lord Curzon annula son *shikar*, mais il conseilla également au nabab de protéger les lions survivants, ce qu'il fit. Aujourd'hui, Gir constitue l'une des principales réserves de faune de l'Inde. Les majestueux lions de Gir présentent un toupillon plus abondant au bout de la queue, des touffes plus broussailleuses au niveau des genoux et une plus petite crinière que leurs cousins d'Afrique. Au début du XXᵉ siècle, il n'en restait que 100 ; aujourd'hui, l'on en recense plus de 250.

La ville des temples

Une visite à **Palitana** ➑, dans le district de Bhavanagar, vous permettra de boucler votre tour du Saurashtra. À 2 km, sur les 2 pics de la **Shatrunjaya Hill**, principal lieu de pèlerinage jaïn, vous découvrirez un fabuleux ensemble de 863 temples jaïns. Palitana accueille un marché fermier très animé.

Pour retourner vers Ahmadabad, empruntez le circuit passant par **Surendranagar** et **Wadhwan**. Les ancêtres des tailleurs de pierre de Wadhwan ont bâti Dwarka et Somnath. Aujourd'hui encore, des sculpteurs qualifiés vivent et travaillent aux environs du **Hawa Mahal**, un palais magnifiquement conçu mais inachevé, à la lisière de la ville. Chez les commerçants de Surendranagar vous trouverez quantité de broderies anciennes et d'objets originaires de tout le Saurashtra.

Le "couloir industriel" du Gujarat se déroule au sud d'Ahmadabad. Dans l'arrière-pays, s'étire une "ceinture" peuplée d'Adivasi, des communautés rurales dont la vie diffère fortement de celle des habitants vivant dans les villes commerçantes de la région.

Ancienne capitale de l'un des plus riches États princiers de l'Inde avant l'indépendance, **Vadodara** ➒ (ancienne Baroda) est aujourd'hui une ville industrielle. Plusieurs lieux y évoquent les maharajas d'antan, en particulier le **Lakshmi Vilas Palace**, jadis opulent, édifié vers la fin du XIXᵉ siècle, et le **Maharaja Fateh Singh Museum** (ouv. de juil. à mars de 10h à 17h30, d'avr. à juin de 16h à 19h), à proximité.

Premier poste avancé de la Compagnie anglaise des Indes orientales (1608), **Surat** ➓, sur la côte est du golfe de Khambat, se situait sur l'une des routes commerciales servant à l'acheminement de soies, broderies et épices. Malgré des influences parsi et musulmane, son architecture reste avant tout portugaise et britannique. Aujourd'hui, elle incarne le foyer de l'industrie du diamant et du *zari* (fil d'or). ❑

Carte p. 284

Porbandar, dans le Gujarat, est la ville natale du Mahatma Gandhi.

CI-DESSOUS : le Lakshmi Vilas Palace de Vadodara.

LE MADHYA PRADESH

Centre géographique de l'Inde, cette contrée regorge d'attraits : de ses villes fortifiées à ses tigres errant dans la jungle, en passant par ses temples, stupas et peintures rupestres.

Carte p. 284

S'étendant dans le centre de l'Inde, le Madhya Pradesh – littéralement "terre du centre" – consiste pour l'essentiel en collines et hauts plateaux entrecoupés de vallées profondes, dont les rivières se jettent à l'est dans le golfe du Bengale et à l'ouest dans la mer d'Oman. La plupart du couvert forestier de l'Inde se concentre ici, dont quelques essences à bois dur parmi les plus prisées de la planète : teck, sal, *hardwickia*, ébène d'Inde et bois de rose. Les bambous prolifèrent sur les collines, où poussent également de magnifiques arbres fruitiers et à fleurs. Les Mahadeo Hills, de la chaîne des Satpura, abritent tigres, panthères et gaurs, ainsi qu'un très grand nombre d'herbivores vivant dans la jungle.

Le Madhya Pradesh comprend plusieurs ethnies adivasi. Les plus nombreux, les Gond, répartis à travers la région, peuplent également l'État voisin du Chattisgarh. À l'ouest vivent les Bhil, une tribu de guerriers et chasseurs qui, jadis, avaient tenu en échec la puissante armée moghole. L'Est est dominé par les Oraon, aujourd'hui majoritairement chrétiens.

Ses habitants pratiquent de nombreuses activités artisanales, du tissage à Chanderi et Maheshwar à la fabrication de tapis à Vidisha, Mandsaur et Sarguja, sans oublier menuiserie, poterie, textiles imprimés et teints, métal ouvragé, sculpture sur bois et maroquinerie.

À GAUCHE : sculptures érotiques de Khajuraho. **CI-DESSOUS :** fillette adivasi du Kanha.

Voyage culinaire

Le Madhya Pradesh est bien desservi par avion depuis Delhi, Mumbai et Kolkata. Il existe des vols pour Gwalior, Bhopal, Indore, Jabalpur, Raipur et Khajuraho, et d'excellents trains sillonnent la région. N'hésitez pas à emprunter les routes qui, contournant les villages, vous feront traverser forêts et zones cultivées. La plupart des localités disposent d'installations hôtelières, sommaires mais correctes.

Les spécialités culinaires privilégient l'association farine-viande au nord et à l'ouest alors qu'au sud et à l'est, le riz et le poisson prévalent. Lait et préparations lactées abondent à Gwalior et Indore. À Bhopal on mitonne de savoureuses recettes à base de viande et de poisson ; *rogan josh* (très épicé), *korma*, *keema*, *biryani*, ainsi que *kabab* (*shami* et *sikh*), comptent parmi les plus succulentes. Le tout se déguste avec de fines tranches de *rumali roti*, ("pain mouchoir", pâte non levée) et des *shirmal*, miches plates au levain. Ne manquez pas de goûter le *bafla* (gâteau de blé) trempé dans du *ghi* (beurre clarifié) et savouré avec un bouillon de *dal* (lentilles), accompagné de *ladus* (boulettes de pâte sucrée) qui atténuent le feu des épices.

La meilleure période pour voyager se situe entre l'automne, assez doux, et le printemps, fin mars. D'avril à mi-juillet le climat est étouffant. Les mois de mousson (juillet, août et septembre) peuvent se révéler agréables.

Détail du palais peint de Man Mandir, l'un des nombreux édifices du puissant fort de Gwalior.

Joyaux du Nord

Fondée au VIIIᵉ siècle, la ville la plus septentrionale, **Gwalior ⓫**, qui doit son nom à l'ascète Gwalipa, est dominée par son impressionnante **forteresse** (ouv. de 6h à 19h ; entrée payante) perchée sur une colline. À l'extrémité nord de la citadelle, le **palais** rajpoute du raja Mansingh, érigé entre 1486 et 1516, a conservé la plupart de ses faïences bleues d'origine. Il renferme l'un des plus beaux musées de sculptures du pays (ouv. du sam. au jeu. de 10h à 17h). À la pointe méridionale se dresse le splendide **Teli-ka-Mandir**, le "temple des marchands d'huile", du VIIIᵉ siècle. Tout près, le **Gurdwara**, un temple sikh de construction récente, rend hommage au gourou Govind Singh (1595-1644), emprisonné dans le fort. La route abrupte menant à l'Urwahi Gate passe devant une série d'imposants reliefs jaïns (VIIᵉ-XVᵉ siècle). Des créneaux, près des **Sas Bahu**, deux temples richement décorés (XIᵉ siècle), la vue est éblouissante.

Le maharaja actuel, Jyotiraditya Rao Scindia, n'occupe qu'une partie du **Jai Vilas Palace** ; le reste abrite un musée (ouv. de 9h30 à 17h50 ; entrée payante) dont les collections hétéroclites alignent sculptures, tigres empaillés, miniatures et même un petit train de table en argent qui apportait liqueurs et cigares aux hôtes du maharaja. La salle d'audience, avec ses lustres immenses, mérite une visite.

C'est à Gwalior – centre musical réputé – que repose **Tansen**, grand musicien à la cour de l'empereur Akbar. Tous les ans en décembre, s'y déroule un festival de musique. Le tombeau de Tansen (XVIᵉ siècle) gît sur le domaine du grand **mausolée de Muhammad Ghaus** (gourou d'Akbar), de facture moghole.

Gwalior constitue une bonne base pour partir visiter deux des sites les plus emblématiques du Madhya Pradesh : Orcha et Shivpuri. **Orcha ⓬**, ville médiévale sise à 120 km de Gwalior, ne semble guère avoir changé depuis ses origines (XVIᵉ-XVIIᵉ siècle). Elle fut fondée au XVIᵉ siècle par Rudra Pratap, roi des Bundela, sur les berges de l'étincelante **rivière Betwa**. Ses murailles, temples et palais se dessinent dans un paysage gracieusement vallonné. Leur architecture mêle les styles hindou traditionnel, indo-sarrasin, hybride, et moghol, richement décoré. De l'autre côté des eaux bleutées de la Betwa vous aurez une vue magnifique sur les époustouflants *chatri* (cénotaphes), avec les collines vertes en toile de fond.

Ancienne capitale estivale des maharajas de Gwalior, **Shivpuri ⓭** se situe à quelque 100 km de celle-ci, sur le plateau des monts Vindhya. Son paysage verdoyant diffère nettement de celui de la plaine gangétique. Le **Madhav National Park**, au cœur duquel s'étendent les lacs **Sakhia Sagar** et **Madhav Sagar**, abrite de nombreux animaux. Le cerf y côtoie la *chinkara* (gazelle indienne), le sambhar, le nilgaut, l'antilope indienne, le muntjac et le tétracère. Chiens sauvages et ours lippus font parfois des apparitions. Les oiseaux y abondent, en particulier les

LES TEMPLES DE KHAJURAHO

L'ensemble de temples de **Khajuraho ⓮**, dans le nord du Madhya Pradesh, constitue l'un des plus beaux sites de l'État. En seulement un siècle – de 950 à 1050 –, ce modeste village a connu, grâce à la dynastie Chandela, un épanouissement architectural sans égal, avec l'édification de 85 temples. Aujourd'hui, il n'en reste que 22. Leur conception particulière guide l'œil du visiteur depuis le niveau inférieur jusqu'aux cieux ultimes, Kailasa. Frises et sculptures délicates, représentant le souverain qui inspira ces œuvres, reflètent le génie de leurs auteurs.

La renommée de Khajuraho est due à l'attrait sensuel de ses sculptures érotiques, qui ne constituent pourtant qu'une part infime de sa richesse. D'une manière générale, les sculptures dépeignent la vie quotidienne des habitants et de la cour aux Xᵉ et XIᵉ siècles, une succession de scènes qui culmine dans le sanctuaire intérieur. L'enclos ouest comprend les temples principaux (ouv. du lever au coucher du soleil ; entrée payante). L'Archaeological Museum (ouv. du sam. au jeu. de 10h à 17h) se trouve à proximité.

Essayez de faire coïncider votre passage avec le festival de danse annuel qui a lieu en mars : durant 10 jours, les plus grands artistes indiens se produisent sur le podium du temple principal, Khandariya Mahadev.

paons, présents par centaines. L'outarde à tête noire, une espèce menacée et désormais dûment protégée, a trouvé refuge dans le **Karera Bird Sanctuary**, tout proche, tandis que dans les lacs pullulent les crocodiles des marais.

Carte p. 284

Indore et Ujjain

Dans l'Ouest, sur le plateau de Malwa couvert de champs de coton, s'étend **Indore** ⓰, ville majeure et pôle industriel en plein essor. **Devas**, à sa périphérie, est passée à la postérité grâce à l'ouvrage *The Hill of Devi* de l'écrivain anglais E. M. Forster. Sur cette terre sacrée se dressent deux des 12 *jyotirlinga* (*lingam* naturels) : l'un dans le **Mahakalesvar Temple** à **Ujjain** ⓰, à 60 km d'Indore, et l'autre dans le **Mandhata** d'**Omkaresvar**, deux hauts lieux de l'hindouisme, comparables à Varanasi. Tous les 12 ans, Ujjain organise une Kumbha Mela, ou "grande foire", appelée "Simhastha" dans la région. Elle se déplace tous les trois ans entre Ujjain – baignée par la **Sipra** –, Allahabad, Haridwar – toutes deux sur le Gange – et Nasik, sur la Godavari. Selon la légende, dieux et *asura* (démons) se seraient affrontés 12 jours durant pour s'arracher le *kumbh* (pot) d'*amrit*, le nectar de l'immortalité, issu du barattage de l'océan de lait. Au cours de leur lutte, quatre gouttes seraient tombées sur les quatre sites des Kumbha Mela, qui attirent des millions d'hindous chaque année. Ujjain est également connue pour ses textiles imprimés au moyen de blocs de teck enduits de teintures végétales. Vous verrez des *chipa* – teinturiers – à l'œuvre à **Bherugarh**.

Ville forteresse

L'accès à **Mandu** ⓱, capitale du sultanat de Malwa, à 90 km d'Indore, se fait par les plaines de Dhar ou le col de Manpur. En apercevant Mandu pour la première

Les "Dak bungalows", gérés par le gouvernement, proposent un hébergement simple et propre. Prévenu un peu à l'avance, leur *khansama* (cuisinier et gardien) vous fournira un repas chaud et savoureux.

CI-DESSOUS :
le Kandariya Mahadev Temple, à Khajuraho.

fois, vous serez impressionné par sa situation : cette cité fortifiée – la plus vaste
du monde, avec 75 km de murs d'enceinte – se détache à l'horizon derrière une
profonde ravine arborée traversée d'un pont étroit. La **Bhangi Gate**, un redoutable bastion défensif, s'ouvre sur un ensemble de lacs, futaies, jardins et palais.
Le **Jahaz Mahal** (palais du Bateau) flotte sur une étendue d'eau, tandis que le
Hindola Mahal (palais Oscillant) semble se balancer dans la brise.

À Mandu, vous visiterez la **Jama Masjid**, à l'acoustique si parfaite qu'un
simple murmure depuis la chaire parvient distinctement jusqu'à l'angle le plus
éloigné de sa vaste salle, et le **Nikanth Temple**, monument perpétuel à la tolérance de l'empereur Akbar.

Le réservoir de **Reva Kund**, tout proche, contiendrait de l'eau provenant de la
Narmada, qui s'écoule à 90 km de là. La légende raconte que le sultan Baz Bahadur rencontra sa future femme, la reine Rupmati, sur ses rives lors d'une partie de
chasse. Il l'épousa contre la promesse d'amener la Narmada à Mandu. Reva
Kund serait donc la concrétisation de ce serment. Le sultan fit construire un palais
pour lui-même et, plus haut, au bord de l'escarpement, un pavillon pour Rupmati,
d'où elle admirait le fil argenté du fleuve à l'horizon. Un dénivelé de 600 m
sépare le pavillon des plaines de Nimar en contrebas.

Bhopal, la capitale

Étagée sur 7 collines au milieu de trois lacs, **Bhopal** ⑱ a été le théâtre d'une
catastrophe qui l'a rendue tristement célèbre dans le monde entier : en 1984, une
fuite de gaz dans une usine de pesticides de la multinationale américaine Union
Carbide toucha des centaines de milliers de personnes et fit plus de 2 000 morts.
Bhopal reste toutefois l'un des principaux centres artistiques et culturels du pays ;

on pourrait passer des journées entières dans ses galeries, musées, théâtres et bibliothèques. Conçu par l'architecte indien Charles Correa, son fabuleux centre artistique **Bharat Bhavan** renferme les collections du **Museum of Adivasi Art** (ouv. du mar. au dim., de fév. à oct. de 14h à 20h, de nov. à janv. de 13h à 19h), ainsi que les belles sculptures de l'**Archaeological Museum** et du **Birla Museum**. La ville fut fondée au Xᵉ siècle par le raja Bhoj. Les ruines du **Bhojpur Temple** témoignent de la grandeur de ce souverain, tout comme ce qui reste du lac artificiel Tal, qui couvrait jadis 600 km², et dont la destruction par le sultan Hosang Shah de Malwa, au XVᵉ siècle, modifia le climat de la région. Aujourd'hui, ses industries lui confèrent un certain dynamisme, même si l'essentiel de ses activités se rattache à son rôle de capitale de l'État.

Sites antiques

À **Bhimbethka**, à 30 km de là, les archéologues ont découvert plus de 500 grottes décorées de peintures rupestres néolithiques. Cinq périodes y ont été identifiées, depuis le paléolithique supérieur au début du Moyen Âge. À 46 km de Bhopal, **Sanchi** ⑲, célèbre lieu de pèlerinage bouddhiste, est renommée pour son stupa colossal contenant les reliques de Gautama Bouddha et ses délicates sculptures sur pierre jaune. Au nord-est de la ville se dressent **Vidisha** et **Udaygir** (8 km), **Gyaraspur** (50 km) – berceau de la civilisation mauryenne –, ainsi que les falaises qui arrêtèrent jadis la conquête grecque. Une superbe sculpture de *salbhanjika* (gardien des dieux) y est conservée.

Les prairies du Kanha National Park regorgent de cerfs tachetés, tandis que la jungle offre un refuge aux tigres.

Au sud de Bhopal s'étend la patrie de Kipling, traversée par la **Narmada** qui y relie la chaîne des Satpura aux monts Vindhya. Ce fleuve, l'un des principaux du pays, est aujourd'hui intégré à l'un des plus ambitieux projets hydroélectriques du monde. La construction de barrages et le déplacement subséquent de population – maigrement indemnisée pour la perte de ses terres – ont provoqué de virulentes protestations de la part de groupes locaux, ainsi qu'un tollé sur la scène internationale.

CI-DESSOUS : un entelle.

Le **Kanha National Park**, et la réserve, encore plus vaste, de **Bandhavgarh** constituent sans doute les principales attractions du Madhya Pradesh, avec leurs *maidan* (prairies) verdoyantes où s'ébattent des troupeaux de cerfs. Outre quelques tigres, la jungle fourmille de léopards, ours et chats sauvages. Certaines espèces abondent, dont le cerf tacheté (plus de 17 000). Si le tigre se conduit en roi, il ne règne pas pour autant en maître sur le gaur (bœuf sauvage indien) et fera même un large détour pour éviter ce bovidé occupé à paître. Dans le parc de Kanha vit le barasingha (*Duvaceli branderi*), un cerf des marais à 12 cornes qui, menacé d'extinction, a été sauvé par le grand naturaliste et administrateur M. K. S. Ranjitsinhji.

Ne manquez pas **Pachmarhi**, dans les Satpura, à 210 km au sud-est de Bhopal – très prisé des randonneurs, alpinistes et amoureux de la nature –, et **Bedaghat** ㉑, à 22 km de Jabalpur, où la Narmada s'écoule dans une gorge de 5 km, entre de gigantesques falaises de marbre blanc – spectaculaires les nuits de pleine lune – avant de se jeter dans les **Dhuandhar Falls** ("cascades de fumée") en contrebas. ❑

Carte p. 284

Carte
p. 284

LE CHATTISGARH

Terre des "36 forts", ou encore des "Chedi", ce tout récent État de l'Union indienne s'enorgueillit de posséder l'une des forêts les plus vastes et les mieux préservées du pays.

Avec ses collines en rang serré et ses forêts primitives, le Chattisgarh, l'un des plus récents États de l'Inde (créé en novembre 2000), en couvre la partie sans doute la moins connue et la moins urbanisée. La vallée de Kanger englobe la plus vaste réserve de biosphère nationale, avec une nature parfaitement intacte. Ne manquez pas les **chutes Tirathgarh**, véritable dentelle d'écume, dévalant les monts sur 250 m avant de disparaître dans les **grottes** calcaires de **Kotamsar**, tapissées de stalactites et stalagmites. Vous pourrez admirer d'autres cascades impressionnantes, les **Chitrakut Falls** ❷, sur l'Indravati à Bastar. La région de Bastar, où vit le mainate des collines, capable d'imiter les voix humaines, est la patrie des Maria Corne d'Auroch – une tribu gond dont vous découvrirez danses et tambours à l'occasion de fêtes.

Le couvert forestier, qui s'étire sur 44 % des terres de l'État (12 % de la forêt indienne), dissimule quelques-uns des gisements minéraux les plus abondants de la planète, dont l'exploitation a d'ailleurs commencé – un signe de bien mauvais augure pour l'environnement de la région. Mines, gigantesques centrales électriques, aciéries, usines d'aluminium et fonderies de cuivre, déjà présentes, ne profitent guère aux populations adivasi locales. D'autant plus que la plupart de ces industries ont été privatisées ou sont en passe de l'être.

CI-DESSOUS : buffle d'eau sauvage.

Raipur

La capitale du Chattisgarh, **Raipur** ❷, sert de plaque tournante pour les moyens de transport de la région. Aujourd'hui largement industrialisée, cette ville en rapide expansion aurait été fondée par le roi de Kalchuri, Ram Chandra, vers la fin du XIVe siècle, mais un peuplement semble y avoir existé depuis le IXe siècle. Parmi ses monuments dignes d'intérêt figurent les vestiges d'une forteresse et un temple du XVIIe siècle.

À environ 80 km de Raipur s'étend l'important site de **Sirpur**, mentionné dès le Ve siècle. Des fouilles y ont mis au jour de nombreux temples antiques et 2 monastères bouddhistes. Deux sanctuaires majeurs se dressent encore sur les lieux : Laksmana, rare exemple de construction en brique, et Gandesesvara, somptueusement décoré.

L'Indravati National Park

L'**Indravati National Park and Tiger Reserve** ❷ constitue l'un des principaux attraits de l'État. Fondé en 1978 et intégré au Project Tiger depuis 1982, ce parc arrosé par la rivière Indravati fait partie d'une vaste ceinture forestière s'étendant à travers le centre de l'Inde. Son importance n'est pas exagérée : il abrite sans doute la seule population viable de buffles sauvages du centre de l'Inde et constitue un refuge potentiel pour le cerf des marais de Kanha. Dans ses forêts se mêlent généralement arbres à feuilles caduques, tecks et vastes bosquets de bambous, aux côtés de larges prairies où gambadent des troupeaux de chitals. Sambar, nilgaut, antilope indienne, ours lippu, léopard et jackal comptent parmi ses autres pensionnaires. L'été pouvant être étouffant (jusqu'à 49 °C), privilégiez plutôt la période entre janvier et avril.

Une immense variété

Les Adivasi constituent environ un tiers de la population du Chattisgarh. Les plus nombreux, les Gond – qui régnaient sur la majeure partie du centre de l'Inde et devaient donner leur nom au **Gondwana** –, peuplaient les monts Satpura et Kymore ; leurs branches principales, les Maria et les Muria, vivent dans le Bastar. Également nombreux, les Oraon, cibles majeures des missionnaires, sont aujourd'hui presque tous catholiques.

Les Adivasi du Chattisgarh ont conservé leur identité et leurs coutumes, et ce en partie grâce aux gouvernements de l'État qui, jusqu'à présent, ont su interagir avec tact. Leur art ne se limite pas aux objets en bois et bambou, mais s'étend également au coulage de métal à cloche de Bastar et aux sculptures en argile.

Vous trouverez de l'artisanat de qualité à travers tout l'État, des objets domestiques et agricoles en bambou aux superbes bijoux mêlant métal, perles, porcelaines et plumes. La sculpture sur bois est très répandue, comme le prouvent les délicats motifs qui ornent plafonds, portes et linteaux. Quant aux peintures au mur et au sol, elles témoignent d'une véritable dextérité, en particulier les *pithora* exécutées lors des cérémonies traditionnelles ponctuant les étapes marquantes de la vie d'un individu, telles que mariage et naissance ; elles représentent souvent des chevaux, dont le sacrifice était jadis considéré de bon augure. ❑

NOTEZ-LE

C'est au sommet d'une colline à Rajnandgaon, dans le sud du Chattisgarh, que se situe le Ma Bambesvari Temple, à 480 m au-dessus de la ville, accessible par un téléphérique.

CI-DESSOUS :

transport du bois de chauffe, à Bastar.

GOA

Carte p. 298

La cohabitation entre Indiens et Portugais – et par là même entre hindouisme et christianisme – a façonné l'identité de ce minuscule État de la côte ouest, ancien fief de l'empire oriental portugais.

L e 25 novembre 1510, après la victoire d'Afonso de Albuquerque sur Yusuf Adilshah, sultan de Bijapur, à l'issue d'un âpre combat sur le fleuve Mandovi, les Portugais s'emparèrent de l'État de Goa et assirent leur influence sur la région 4 siècles durant. Venus en quête d'épices, ils s'installèrent à Goa et en firent le centre de leur empire oriental.

Niché entre la chaîne des Ghats occidentaux et la mer d'Oman, ce territoire retiré de 3 500 km² seulement, au milieu de la côte ouest, est couvert de collines vert émeraude tapissées de jaquiers, manguiers et anacardiers, sillonné de cours d'eau et bordé sur des kilomètres par des plages inondées de soleil. Un tableau idyllique complété par un climat chaud et alanguissant, ainsi qu'une population chaleureuse et accueillante.

Tourné vers l'indépendance et le XXᵉ siècle, le pays en oublia cette enclave au cœur de l'Asie du Sud, protégée par ses frontières naturelles et ses cloîtres de l'ère coloniale, et Goa resta une colonie portugaise suspendue dans une torpeur nostalgique. Tout changea en 1961, lorsque Nehru, déçu par l'inaction du gouvernement portugais, envoya ses troupes libérer l'État.

À GAUCHE : marais salants. **CI-DESSOUS :** jeune et belle Goanaise.

L'héritage ibérique

La situation a beaucoup évolué depuis l'intégration de Goa dans l'Union indienne. Toutefois, vous pourrez encore y trouver de paisibles localités aux demeures ibériques, déguster du *feni* – boisson locale tonique à base de noix de cajou – dans quelque petite *taverna* (bar), écouter du *mando* (chanson traditionnelle) ainsi que des accords de guitare mêlés au clapotis des vagues, et vous faire dorer sur le sable ambré de ses plages merveilleuses.

Une atmosphère presque méditerranéenne baigne souvent les villages côtiers au milieu des cocotiers et les villes aux toitures de tuiles rouges et aux ruelles étroites. Sur le front de mer, des pêcheurs aux visages burinés attrapent maquereaux, requins, crabes, homards et crevettes. On en oublierait presque que la majorité de la population de Goa est hindoue, en particulier les dimanches et jours de fête lorsque ses églises baroques se remplissent d'Indiennes en tenue européenne et mantilles de dentelle, et d'Indiens en costume noir.

La capitale

Panaji (Panjim) **❶**, la capitale de Goa, sur la rive sud du Mandovi, est centrée autour d'un ensemble imposant : l'**église de l'Immaculée-Conception**, précédée de la place de l'Église, **Largo da Igreja**. Un escalier éclatant à balustrade blanche souligne les proportions de la façade baroque de l'église, qui domine la place.

Vous pourrez louer motos, mobylettes et vélos. La moto-taxi demeure le moyen de transport le plus pratique et usité.

Édifiées en 1541, ses tours jumelles annonçaient l'approche de la "patrie" aux marins achevant leur long périple depuis Lisbonne.

Panaji possède plusieurs places bordées de maisons surplombant de larges rues ; la plupart – aux teintes jaune pâle, vert ou rose vif et aux ornements blancs ou de couleurs contrastées – arborent des portes-fenêtres s'ouvrant sur des balcons en fer forgé.

Derrière l'église, l'ancien quartier résidentiel de **Fontainhas** – délicieusement suranné avec ses étroites allées pavées se faufilant entre des maisons accolées aux toits de tuiles, balcons saillants et colonnes sculptées – ne déparerait pas dans une ville provinciale du Portugal ou d'Espagne. Pétarades des deux-roues et bavardages joyeux résonnent dans les ruelles sinueuses, où le temps ne manque jamais pour prendre un verre ou discuter. Au moment de la sieste, les boutiques ferment et la ville tout entière sombre dans un sommeil réparateur pendant quelques heures.

Face au fleuve, sur le large boulevard côtier, se succèdent quelques établissements publics, dont le **Secrétariat**, construit en 1615 par les Portugais sur le site du Palacio Idalcao – palais du sultan de Bijapur, Yusuf Adil Khan, surnommé "Idalcan" par les Lusitaniens. Cet édifice, qui se distingue par ses nombreux volets, servit autrefois de résidence au vice-roi. Le quai où accoste le catamaran de Mumbai (service des Samudra Link Ferries, www.sam-link.com) s'étend au-delà du **Largo da Palacio** (place du palais).

Campal, le boulevard côtier, est l'un des lieux les plus pittoresques de Panaji. Au loin se détachent les remparts de l'**Aguada Fort** (reconverti en prison), jadis l'un des principaux bastions dominant l'entrée du Mandovi, avec ses entrepôts de poudre, ses casernes, son église et son phare.

CI-DESSOUS :
marché aux buffles, Mapusa.

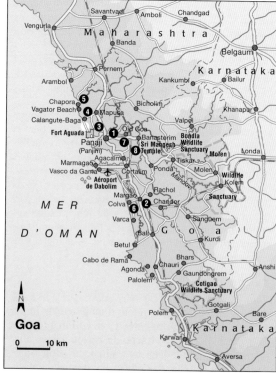

Localités et villages goanais

Deuxième ville de Goa et principal pôle commercial, **Margao** ❷ se situe à 27 km au sud de Panaji. Là, au cœur du district de Salcete, l'un des plus fertiles, plusieurs familles d'éminents propriétaires terriens ont fait construire des maisons en ville et à la campagne.

Goa compte d'autres localités : **Vasco da Gama** (à 20 km au nord-ouest de Margao), en passe de devenir un centre industriel, **Marmagoa** (4 km plus à l'ouest), port de Goa et havre naturel ravissant, ou encore **Mapusa** (13 km au nord de Panaji), un bourg traditionnel. Mais c'est dans les villages et régions périphériques que se manifeste la véritable culture goanaise.

Les maisons villageoises de Goa s'organisent autour d'une cour centrale, généralement plantée de bananiers. Leur architecture mêle éléments indiens et style italien, très en vogue en Europe il y a 2 siècles. Autour de la cour, une véranda ouverte donne sur des salles spacieuses décorées de meubles en bois de rose délicatement sculpté, miroirs ornés, chandeliers et une profusion de porcelaines bleues et blanches. Certaines des plus vastes demeures bénéficient d'une chapelle privée. Les maisons, en latérite rouge, arborent traditionnellement des fenêtres non pas en verre, mais constituées de petits rectangles translucides en coquilles d'huîtres.

Églises et carnavals

En vous promenant dans les villages de Goa, vous ne manquerez pas de remarquer l'empreinte laissée par plus de 4 siècles de catholicisme – les Portugais étaient venus en conquérants, mais aussi en missionnaires. Églises immaculées, croix et petits sanctuaires (XVIe-XVIIe siècle, surtout), gothiques et baroques, dominent chaque bourg, trônent en haut des collines ou surplombent les rivières.

Le National Institute of Water Sports (Sundial Apartments, A. S. Rd, Altinho, Panaji ; tél. 0832 243 6550 ; http://niws.nic.in) vous fournira de précieux renseignements sur la plongée, la voile et la planche à voile à Goa.

CI-DESSOUS : Betim, près de Panaji.

CI-DESSOUS :
l'église Saint-
François-d'Assise,
dans Old Goa.

Lors des fêtes des saints patrons – chaque village en a un –, toute la population se rassemble pour escorter prêtres et fidèles transportant en procession l'effigie abondamment décorée de son protecteur, tandis que s'élèvent prières et litanies chantées ou récitées, au son d'un violon ou, parfois, d'une fanfare. Une foire clôt généralement les réjouissances, avec, à la clé, étals d'objets divers et variés, et en-cas à base de haricots mungo, noix de cajou et de coco, ou sucre jaggery.

Le christianisme s'étant intimement mélangé aux traditions religieuses anté-rieures, ces cérémonies s'accompagnent souvent de musiques et de danses. Lors du carnaval de Goa, comparable au Mardi Gras à Rio, villes et villages se laissent aller à la fête 3 jours durant, avec mascarades de rues et *feni* coulant à flots.

Beach Culture

Tel un galon doré bordant un pan de tissu aigue-marine, les étendues de sable ambré baignées par cette portion de mer d'Oman se succèdent sur une centaine de kilomètres et comptent parmi les plus belles plages du monde. À 10 km à l'ouest de Panaji, **Fort Aguada** ❸ n'est pas loin des luxueuses stations de la plage de **Sinquerim** ou des établissements meilleur marché de **Candolim**, para-dis des sports aquatiques, dont le jet ski et le parapente. Au nord, à 6 km de Fort Aguada, le large éventail de complexes balnéaires, restaurants et boutiques de **Calangute-Baga** ❹ s'adresse aux touristes occidentaux. Ce long feston de plages jalonné de paillotes – repaires privilégiés des colporteurs – s'achève à Baga, à l'embouchure d'un petit cours d'eau. Sur l'autre rive vous trouverez quelques cafés et des chambres bon marché. Vous pourrez louer transats et parasols direc-tement sur la plage, et même bénéficier d'un massage. Pour savourer de délicieux fruits de mer frais, rendez-vous au **Fiesta**, d'où vous aurez une belle vue.

SAINT FRANÇOIS XAVIER, VOYAGEUR INVÉTÉRÉ

La dernière fois que la dépouille d'un saint chrétien fut exposée dans la Basílica do Bom Jesus de Old Goa, il a fallu que des fidèles en profitent pour en dérober des frag-ments ! Saint François Xavier (1506-1552), infatigable mis-sionnaire jésuite, avec quelque 30 000 convertis à son actif, ne cessa donc pas de voyager même après sa mort : ainsi, l'un de ses avant-bras fut envoyé à Rome, tandis qu'un os de sa main droite finissait dans un reliquaire japonais.

Ce précédent plutôt macabre eut lieu en 1554 lors-qu'une Portugaise pieuse sectionna d'un coup de dent un orteil du saint tout en lui baisant les pieds, pour le ramener – dissimulé dans sa bouche – à Lisbonne. L'orteil se révéla si efficace que la croyance populaire à l'égard des pouvoirs guérisseurs du saint s'amplifia. Une tradition fut alors ins-taurée : tous les 10 ans au cours d'une procession, ses reliques sont transportées de la Basílica do Bom Jesus à la Sé de Old Goa. La prochaine est prévue en 2014.

Le tombeau du saint, don du grand-duc de Toscane, vient d'Italie. En albâtre et marbre, avec incrustations de pierres semi-précieuses, il comporte des panneaux de bronze dépeignant des scènes de sa vie. La basilique qui l'abrite est le plus bel exemple d'architecture baroque en Inde.

Carte
p. 298

Un chemin à flanc de falaise longeant l'océan vous mènera à **Anjuna Beach**, également accessible par la route, à 4 km au nord de Calangute. Prisé des hippies dans les années 1960, ce ravissant front de mer aux eaux paisibles frangées de cocotiers est le lieu rêvé pour se baigner – sauf l'après-midi, lorsque les touristes indiens viennent en groupe observer les "étrangers nus", et le mercredi, jour d'un marché aux puces très animé. Les cafés nichés au milieu des arbres vous promettent des soirées festives.

Au-delà d'Anjuna s'étendent les plages de sable immaculé de **Vagator**, adossées à une zone résidentielle agrémentée d'anciennes villas lusitaniennes. Pour profiter d'une vue superbe sur le littoral, grimpez jusqu'aux ruines du fort portugais de **Chapora ❺**, un village de chantiers navals donnant sur un vaste estuaire, avec cafés et chambres à louer. Dans le bourg d'**Arambol**, vous aurez l'agréable surprise de trouver un lac d'eau douce bordé de bosquets denses – un bon but d'excursion pour la journée (accès par la route ou par ferry).

Avec sa frange de sable gris argenté courant sur 25 km jusqu'à Cabo de Rama, **Colva ❻**, au sud de Panaji, est un site qui a tout d'une carte postale. Des complexes hôteliers de luxe y ont d'ailleurs poussé à vue d'œil, mais la plage ne sera plus jamais comme avant. **Benaulim**, à 2 km au sud, offre un front de mer plus plaisant, non loin du village de pêcheurs de Varca. Mais c'est à 40 km au sud, dans le district de **Canacona**, que la côte rocheuse recèle des plages superbes, telles que **Palolem**, désormais tournée vers le tourisme. **Agonda**, réputée pour ses vagues, conviendra aux nageurs avertis, et **Polem** aux amateurs de dauphins.

Les plages de Goa, en particulier Anjuna – avec leur cortège de substances illicites et de haut-parleurs diffusant les derniers tubes à la mode –, restent les lieux de prédilection de clubbers et autres noctambules. Mais, s'il y a peu, la fête bat-

Chaque mercredi, le vaste et pittoresque marché aux puces d'Anjuna, véritable attraction, propose artisanat régional, breloques new age et plats cuisinés à emporter.

CI-DESSOUS : jeux sur la plage de Vagator.

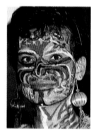

*Goanais au visage
peint.*

tait son plein sans limites, la police goanaise restreint désormais les rassemblements et a décrété la fermeture des lieux publics à 22h.

"Goa dorée"

Aucune visite de Goa ne serait complète sans celle de la Goa Doirada ("Goa dorée"), la "Rome de l'Orient" du XVIᵉ siècle. L'accès par la mer – à l'instar des Portugais –, puis par la **Viceregal Arch** reste la meilleure façon de pénétrer dans **Old Goa ❼**, qui se caractérisait jadis par ses églises magnifiques, ses édifices somptueux, ses demeures imposantes et ses larges artères.

La **Sé** (cathédrale Sainte-Catherine) reste l'un des plus majestueux monuments de l'époque. Achevée en 1619, cette église, la plus vaste d'Asie du Sud, constitue un exemple grandiose d'architecture Renaissance. Son allée centrale, longue de 80 m, débouche sur un autel doré richement sculpté, l'un des plus admirables du pays. Ses fonts baptismaux – peut-être un récipient d'origine hindoue – auraient servi au saint patron de Goa, François Xavier, qui convertit quantité d'habitants de la ville après son arrivée en 1542.

Dans le périmètre de la cathédrale, orientée dans la direction opposée, l'église Saint-François-d'Assise arbore un plafond en stuc et une profusion de sculptures.

Près du quai du ferry, on distingue le dôme central et les 2 beffrois de l'**église Saint-Cajetan**. Elle fut dessinée par un architecte italien sur le modèle de la basilique Saint-Pierre de Rome, mais à une échelle bien plus petite. Également près de la rive, la **chapelle Sainte-Catherine** occupe le site de la plus âpre bataille que connut Goa, lors de sa conquête par Albuquerque en 1510.

Sur **Monte Santo** (colline sainte), à quelques minutes de marche de la basilique, se dresse une tour impressionnante, seul vestige d'une structure voûtée

Carte p. 298

jadis splendide appartenant à l'**église du couvent des Augustins**. Le **couvent Sainte-Monique**, près des ruines, formait autrefois l'un des plus grands couvents de l'empire portugais.

Après avoir dépassé les arcs-boutants du couvent, vous découvrirez, sur une butte herbeuse à la limite d'une falaise escarpée, la silhouette de **Notre-Dame-du-Rosaire**, l'une des premières églises de Goa. Elle renferme la tombe en albâtre de Dona Caterina, épouse du dixième vice-roi et première Portugaise à avoir tenté le difficile périple vers l'Inde.

Le littoral ne compte pratiquement aucun sanctuaire hindou : les conversions forcées, au fil des ans, s'accompagnèrent de la destruction des temples, remplacés par des églises. Les fidèles déterminés à préserver leur foi retirèrent leurs divinités des sanctuaires et s'enfuirent vers l'intérieur des terres, dans les montagnes de l'Est, où vous découvrirez des temples hindous. Parmi les plus fréquentés de Goa figurent ceux de **Sri Mangesh** ❽ – dédié à Shiva –, **Shanta-Durga** – dédié à la déesse Parvati – et **Nagesh**. Ils sont situés à 22 km à l'est de Panaji, près de Ponda, et pourvus d'intérieurs baroques et de *dipmal* – tours élaborées avec lanterne – à plusieurs niveaux, typiques de la région.

Des changements considérables sont venus secouer la torpeur de Goa. Son intégration à l'Inde a permis d'acheminer l'eau et l'électricité jusque dans les villages, d'établir la communication avec le monde extérieur et d'attirer les touristes occidentaux. L'afflux de travailleurs a contribué à fragiliser l'équilibre économique et favorisé l'émergence d'une nouvelle culture. C'est pourquoi les habitants redoutent que la fusion avec le reste du pays ne prive la région de sa véritable identité. Malgré cela, Goa a su conserver ce fascinant mélange de peuples et de coutumes qui la caractérise. ❑

La ville de Old Goa était si somptueuse au XVIIᵉ siècle que le dicton prétendait : "Quem vin Goa excuse de ver Lisboa" ("Quiconque a vu Goa n'a pas besoin de voir Lisbonne").

Ci-dessous : le Sri Mangesh Temple, près de Ponda.

Le Sud

*Temples aux tours élancées, théâtre dansé et éléphants
caparaçonnés symbolisent cette région tropicale.*

S itués à la hauteur du tropique du Cancer, les quatre États du Sud
indien et les îles Lakshadweep (Laquedives), à l'ouest, baignent
dans une chaleur voluptueuse – qui explique peut-être le rythme
plus langoureux qu'ailleurs dans le pays. La noix de coco est omniprésente : des cocotiers élancés aux chutneys à base de coco qui adoucissent les currys, en passant par l'huile pour faire briller les cheveux.
Les Indiennes du Sud parent leur coiffure de fleurs de jasmin parfumées, et les habitants ornent l'entrée des temples et habitations de
décorations faites en pétales et riz écrasé ou coloré. Le riz est également la base de l'alimentation et se dévore en quantités gargan-
tuesques, cuit dans des feuilles de bananier. Le café sucré, qui l'em-
porte généralement sur le *chai*, se verse à bout de bras, d'un geste
théâtral entraînant la formation d'une mousse délicate.

Les fascicules d'apprentissage de l'hindi ne vous seront pas d'une
grande utilité, car la plupart des langues méridionales sont d'origine
dravidienne. Les polyglottes s'essaieront au telugu à Hyderabad, au
kannada à Bangalore, au tamil à Chennai et au malayalam à Kochi ;
toutefois, au plus grand soulagement des voyageurs, la plupart des
habitants comprennent l'anglais – l'une des langues officielles –, qui
permet d'ailleurs la communication entre les politiciens locaux peu
enclins à parler hindi, symbole de la domination du Nord.

Le Sud se caractérise par ses vastes plaines du Deccan, ses forêts
humides en gradins dans les Ghats et ses deux longues bandes
côtières. Les temples offrent un spectacle très pittoresque, avec leur
cime abrupte et leurs divinités aux couleurs vives. Des traces de pig-
ments ont été retrouvées sur d'anciens sanctuaires en pierre sculptée,
qui arboraient autrefois le même style de peintures. Les églises abondent dans le Sud où, au XVIᵉ siècle, le missionnaire jésuite François
Xavier fut surpris de trouver une communauté chrétienne florissante,
vouée à l'apôtre saint Thomas.

Si le Kerala est renommé pour ses éléphants et sa tradition d'arts
martiaux, la dextérité des artisans musulmans et la splendeur du
Golconda Fort font la réputation d'Hyderabad, porte d'accès au sud
de l'Inde – une magnificence que surpasserait presque la cité abandonnée d'Hampi, au Karnataka. À Bangalore, la ville la plus progressiste
d'Inde, les hommes se rassemblent dans les pubs, tandis que Chennai
(l'ancienne Madras) reste attachée à son héritage de musique, de danse
et de commerce. Bien qu'ayant conservé tout son charme, le Sud se
débarrasse peu à peu de son image de contrée féerique pour devenir
le moteur des nouvelles technologies et du développement de logiciels,
industries qui prospèrent désormais en Inde. ❑

Pages précédentes : *gopuram* (tour-portail) du Kumbesvara Temple, aux sculptures
et peintures foisonnantes, Kumbakonam (Tamil Nadu).
À gauche : les superbes *backwaters* du Kerala.

CHENNAI (MADRAS)

Située sur le littoral sablonneux du Sud-Est, l'ancienne Madras est aujourd'hui l'une des quatre métropoles du pays. Capitale du Tamil Nadu, elle demeure le bastion de la culture tamoule.

Carte
p. 310

Q uatrième ville de l'Inde avec ses 6,4 millions d'habitants, Chennai s'étire du nord au sud le long de la côte sud-est, à la pointe septentrionale du Tamil Nadu. Porte d'accès au sud de l'Inde, elle dispose de bonnes liaisons avec les autres régions du pays, le Sri Lanka, le Myanmar (Birmanie) et l'Asie de l'Est.

Chennai s'est étendue vers le nord et l'ouest, abritant désormais édifices coloniaux et industries diverses, notamment une usine de wagons et une autre de vélos et voitures. Son expansion rapide sollicite fortement les infrastructures urbaines, en particulier ses réserves en eau car les pénuries sont fréquentes. Elle est traversée par plusieurs rivières et canaux, dont la Cooum et l'Adyar ; sur les berges de ce dernier se dressent quelques bâtiments magnifiques, tels que le Madras Club, le Madras Boat Club, le Chettinad Palace et la Theosophical Society.

Au royaume des *dosa* et du théâtre dansé

Le climat de Chennai oscille entre chaud, très chaud et étouffant… Seules les moussons du nord-ouest et du sud apportent respectivement en juin et juillet, puis en décembre et janvier, un peu de fraîcheur. Palmiers et casuarinas ornent le littoral d'où souffle une agréable brise marine qui s'infiltre jusque dans les terres. Les eaux de Chennai se prêtent moins à la baignade que la mer d'Oman,

À GAUCHE : devant le marché aux fruits à Chennai.
CI-DESSOUS : un *pujari* dans le temple de Kapalesvara, Mylapore.

mais ses étendues de sable font la joie des pique-niqueurs et des militants politiques qui s'y rassemblent. Si vous avez envie de plage, privilégiez l'aube ou le crépuscule. À la nuit tombée, le spectacle est également superbe, lorsque les eaux sombres scintillent sous les lumières des bateaux de pêche.

Chennai vous permettra de découvrir pleinement la culture, la cuisine et les coutumes du Tamil Nadu, dont elle est la capitale. Vous y dégusterez de savoureux plats végétariens ("*meals*") : riz bouilli, curry de lentilles et petites portions de légumes. Croustillants *dosa* frits et *idli* fumants sont désormais des symboles de cet État. Le tamoul, parlé généralement à toute allure, est une langue ancienne, dont la richesse de la littérature n'a d'égale que celle de son théâtre, ses musiques et ses danses traditionnels.

Portés tant à la maison que pour les sorties ou lors de cérémonies religieuses, les saris de Kanchipuram, en soie et coton, associent des couleurs lumineuses et contrastées. Les femmes brahmanes d'un certain âge revêtent ces étoffes de 9 m à la manière d'antan, passant l'une des extrémités entre les jambes et l'autre par-dessus leur épaule. Les hommes s'habillent d'un *lungi* ou d'un *dhoti*, long tissu semblable à un sarong attaché à la taille qui pend jusqu'aux chevilles. Mariages et processions religieuses vous offriront l'occasion d'admirer l'assortiment étincelant de bijoux en or (22 carats) dont se pare la population.

La réalisation de films pour le marché tamoul constitue une activité économique florissante.

Chennai surprend par ses contrastes. Elle compte en effet une importante population chrétienne et une communauté anglo-indienne qui, bien qu'intégrée à la société locale, se distingue sur les plans religieux et culturel.

Héritière de la Compagnie anglaise des Indes orientales, puis du Raj, Chennai reste d'une certaine manière un bastion conservateur, tout en étant, à la fois, la Bollywood du Sud et le fief incontesté de la culture tamoule. Zones résidentielles paisibles et jardins méticuleusement entretenus y côtoient de gigantesques affiches chamarrées dépeignant héros et héroïnes de cinéma sur fond de paillettes. Et, comme si tout cela ne suffisait pas, Chennai se libère peu à peu de son image traditionnelle et accueille désormais de prospères entreprises spécialisées dans l'informatique, des centres commerciaux climatisés flambant neufs, ainsi que l'une des scènes nocturnes les plus animées du pays.

L'industrie cinématographique tamoule produit des films de qualité, ayant recours à la même formule gagnante que Bollywood : un savant mélange de légendes, mythes, thèmes historiques et sociaux, servis avec une bonne dose de *glamour*. Les chansons de film, en particulier celles d'A. R. Rahman, plaisent

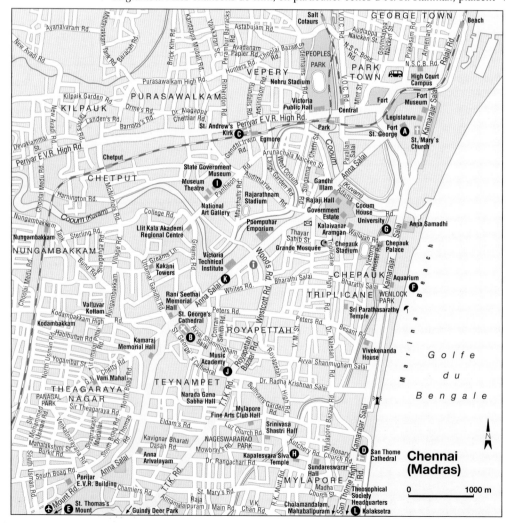

dans tout le pays. Quant aux vedettes tamoules, loin de se cantonner à la gloire que leur offre le grand écran, elles investissent aussi la scène politique de l'État.

Carte p. 310

Le centre-ville

C'est dans l'ancienne Madras que la Compagnie anglaise des Indes orientales établit l'un de ses premiers centres d'influence en Inde. Contrairement à Mumbai et Kolkata, Chennai ne possède pas de port naturel. La jetée actuelle date du XIXᵉ siècle. Son **Fort St George** Ⓐ, dont la construction a débuté vers 1640, s'est étendu au fil des siècles, malgré les attaques fréquentes des troupes indiennes et françaises. Aujourd'hui, son périmètre couvre le Tamil Nadu Government **Secretariat** et la **Legislative Assembly**. Ses murs, enduits de *chunam* de Madras – un mélange de chaux et coquillages broyés, caractéristique de l'architecture de la Compagnie – renvoient un éclat étincelant.

Parmi les bâtiments qui se dressent dans le fort, rappelons la **St Mary's Church**, le plus intéressant : ce monument britannique, le plus ancien en bon état de conservation, est la première église anglicane d'Asie (1680). L'intérieur, blanchi à la chaux, présente des panneaux de bois richement sculptés. C'est ici que Robert Clive, vainqueur de la bataille de Plassey (1759) – marquant le début de la souveraineté britannique en Inde –, célébra ses noces, en 1753.

Le **Fort St George Museum** (ouv. du sam. au jeu. de 10h à 17h ; entrée payante) expose monnaies, armements, photos et livres portant sur les débuts de la Compagnie des Indes et la période coloniale. Ne quittez pas le fort sans avoir vu l'**Old Government House** et le **Banqueting Hall** (Rajaji Hall), aménagé pour les divertissements officiels du gouverneur à l'époque de Clive. Leur style s'inspire de l'Antiquité grecque et romaine, avec colonnes doriques, corinthiennes et toscanes, ainsi qu'entablements et frises.

Deux églises sont encore ouvertes au culte à Chennai : la **St George's Cathedral** Ⓑ et la **St Andrew's Kirk** Ⓒ. Cette dernière, construite par James Gibbs, rappelle St Martin-in-the-Fields à Londres. Avec ses flèches élancées et ses piliers en façade, elle s'inscrit parmi les monuments marquants de la ville. Quant à St George's Cathedral, conçue par le capitaine James Caldwell et Thomas Fiott de Havillard, puis consacrée en 1816, elle mérite également une visite.

La **San Thome Cathedral** Ⓓ, sur Main Beach Road, est dédiée à l'apôtre saint Thomas, martyrisé sur le **St Thomas's Mount** Ⓔ, et dont les reliques furent enchâssées dans l'église. Érigée au XVIᵉ siècle, San Thome a évolué au fil des ans.

Le siège de la **Theosophical Society** (ouv. du lun. au ven. de 8h30 à 11h30 et de 14h à 17h), sur la berge de l'Adyar au sud du quartier de Mylapore, abrite une vaste bibliothèque d'ouvrages religieux ; dans ses jardins se dresse un banian tentaculaire, réputé comme l'un des plus grands de tout le pays.

Avant que le tsunami de 2004 ne dévaste la côte, la **Marina** Ⓕ formait un large ruban de sable de 13 km de long. Le raz-de-marée a entraîné au large la majeure partie du sable, laissant place à des dépôts de vase. Sur ce lieu de promenade très fréquenté, plus de 200 personnes ont péri ; sur le littoral, de nombreux cargos et bateaux de pêche ont été détruits ou endom-

"L'usine de glace" sur Marina Beach, près de l'ancienne université, fut construite en 1842 pour entreposer la glace provenant d'Amérique. Plus tard, elle fut transformée en pension pour veuves.

CI-DESSOUS : San Thome Cathedral.

Plaque devant la Theosophical Society (1882) – un symbole chargé de sens. Cette bibliothèque agrémentée d'un jardin constitue un précieux havre de paix au cœur de l'animation de la ville.

CI-DESSOUS : bijoux traditionnels du Tamil Nadu.

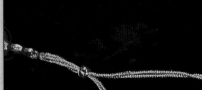

magés. La municipalité a désormais achevé une grande partie du nettoyage et commencé à réaménager le front de mer en créant des pelouses et en plantant des arbres. Face à la plage se dressent le **Presidency College** (XIXe siècle) et la **Senate House** of the **University** ●. Le complexe de l'université et son domaine constituent des exemples remarquables de ce style indo-musulman qui caractérise les édifices publics indiens construits à la fin du XIXe siècle. Plus au nord, vous admirerez d'autres bâtiments, tels qu'Egmore Railway Station, Chennai Medical College, Ripon Building et Victoria Public Hall.

Mylapore, l'un des quartiers les plus intéressants, abrite un réservoir, un marché et d'anciennes maisons de brahmanes. Dans le bazar, en soirée, vous verrez des foules de fidèles se rendant au **Kapalesvara Siva Temple** ●. Le **Krisna Parathasarathy Temple** se dresse sur Triplicane High Road.

Le quartier doit sa renommée à ses bijoutiers, spécialisés dans la fabrication de parures en plaqué or pour danseurs : leur technique consiste à plonger des bijoux en argent dans une solution d'or, puis à insérer un papier de mousseline rose vif dans des rainures prémoulées, avant de recouvrir le tout d'une pierre rose pâle. Le résultat final imite les modèles traditionnels en or incrustés de rubis, utilisés pour la danse classique indienne. Sur la tête, juste au-dessus des fleurs qui ornent leurs cheveux, les danseuses portent un *rakodi*, flanqué d'un soleil et d'une lune stylisés. Elles parent leurs oreilles d'une chaîne, d'un pendentif et d'un support pour le lobe. Un collier avec un médaillon en forme de demi-lune (*padakkam*) suspendu à une longue chaîne orne leur cou, tandis qu'un lourd bracelet, le *vanki*, enserre leur avant-bras. Une large ceinture décorative, ou *odyanan*, parachève le costume et, pour ajouter une touche dorée, une parure (*sarpam*) est parfois insérée dans leurs longues nattes.

Art et culture

Le **State Government Museum** ● (ouv. du sam. au jeu. de 9h30 à 17h ; entrée payante ; www.chennaimuseum.org), fondé en 1846, recèle l'une des plus belles collections du pays, notamment de précieuses sculptures d'Amaravati (Andhra Pradesh) de la période bouddhique (IIe siècle), avec médaillons et panneaux sculptés blanchis à la chaux relatant la vie du Bouddha. Une galerie présente de magnifiques bronzes Chola (IXe-XIIIe siècle) – certains hauts d'à peine 4 cm, d'autres de plus de 50 cm –, à l'iconographie élaborée. Ne manquez pas les pièces maîtresses du musée : Shiva, Durga et Ganapati dansants, ainsi que le célèbre groupe figurant Rama, Laksmana et Sita.

La **Music Academy** ●, la plus renommée de toutes les **sabha** (salles de concert) municipales, réserve à un auditoire averti des spectacles d'éminents artistes de musique carnatique ou de *bharata-natyam* (*voir p. 116*). Dans d'autres établissements, tels que le **Krishna Gana Sabha**, plus particulièrement pendant le Chennai Festival (déc.-janv.), vous assisterez aux représentations de quelques-uns des danseurs du sud de l'Inde et des musiciens carnatiques les plus doués. Le **Sangita Vadyalaya** (759 Anna Salai, derrière le Tamil Nadu Handicrafts Centre) abrite une collection d'instruments de musique digne d'intérêt (ouv. du lun. au ven. de 9h30 à 17h).

Sur **Anna Salai** (ancienne Mount Road), la principale artère commerçante, vous trouverez **Higginbotham's**, l'une des meilleures librairies du pays. Sachez que Chennai est réputée pour ses grands magasins vendant au mètre de la soie pour saris, foulards, ainsi qu'étoffes pour costumes et robes. Parmi les nombreux *emporia* d'État sur Anna Salai figurent les boutiques **Co-optex**, bien approvisionnées en tissus, et **Poompuhar** (Government Handicrafts Emporium), où vous pourrez acheter de jolis bronzes. Au carrefour d'Anna Salai et Binny Road, le centre commercial – climatisé – Spencer Plaza regroupe plusieurs boutiques.

Les environs

Kalaksetra , l'académie de musique et de danse fondée par Rukmini Devi, la grande danseuse indienne, se situe au sud, sur la route littorale, vers Mahabalipuram. Les efforts de cette dernière pour rétablir, sur une scène, les danses de temple ont donné le jour à des interprètes d'une grande qualité, et les spectacles proposés méritent le déplacement. Sur la même artère, **Cholamandalam**, le village des artistes, organise expositions, lectures de poésies et autres activités. À Muttukkadu, à 28 km de Chennai, le musée exemplaire de **DakshinaChitra** (ouv. du mer. au lun. de 10h à 18h ; entrée payante ; www.dakshinachitra.org), voué à la conservation et la promotion des arts traditionnels, abrite plusieurs exemples bien préservés d'architecture villageoise du sud.

Parmi les attractions en plein air des environs de Chennai figurent le **Guindy Deer Park** – où les antilopes indiennes côtoient cerfs tachetés et singes – et le **Snake Park**, seul reptilarium notable dans tout le pays, inauguré par l'herpétologue Romulus Whitaker ; celui-ci souhaitait initier les visiteurs aux différentes espèces de serpents indiens afin d'empêcher leur massacre inconsidéré. ❑

Carte p. 310

NOTEZ-LE

Hallo ! Madras vous fournira d'amples informations sur la ville et des renseignements pour poursuivre votre voyage. Pour les spectacles de danse, contactez l'office de tourisme, 154 Anna Salai (tél. 044 2852 4295).

CI-DESSOUS : Marina Beach, à Chennai.

Carte
p. 316

Delhi

LE TAMIL NADU

*Ses temples extraordinaires, représentatifs de l'architecture du Sud,
ne constituent que l'un des atouts de cet État, qui s'étend des dunes
de la côte de Coromandel, à l'est, aux monts Nilgiri, à l'ouest.*

Si l'on voulait décrire, au-delà des clichés, la culture du Tamil Nadu
contemporain on parlerait de "chaleur". Tout y est haut en couleur : sa cuisine, sa musique et même son café. À chaque rue, une affiche de film
gigantesque aux acteurs virevoltants s'étale sous vos yeux, tandis que l'arôme de
café fraîchement torréfié titille constamment vos narines. Pourtant, les tour operators touristiques préfèrent donner un aperçu "brahmanique", bien plus lisse, de
la culture locale, privilégiant temples anciens, danses et musiques carnatiques et
thali végétariens peu épicés.

Les circuits débutent habituellement à **Chennai ❶**, ville idéale pour assister à
une représentation de *bharata-natyam*, interprétation actuelle de l'une des plus
anciennes danses traditionnelles d'Asie du Sud. Jadis, les artistes provenaient
d'une communauté de danseuses de temple extrêmement qualifiées, les *devadasi*
ou "servantes de Dieu" ; aujourd'hui, la plupart de ses interprètes sont issues
d'une classe moyenne urbaine pour qui *bharata-natyam* et musique carnatique
représentent un formidable moyen de promotion sociale. Lors du Chennai Festival (mi-décembre à début janvier), d'éminents danseurs classiques et chanteurs
indiens se produisent devant le public le plus exigeant du pays. Dans un autre
registre, ne manquez pas de goûter à la cuisine d'un "restaurant militaire", nom

CI-DESSOUS :
instruction
religieuse
au temple
de Minakshi,
à Madurai.

communément donné aux établissements non végétariens : elle vous ôtera l'idée que l'Inde du Sud ne sert que des *thali* végétariens peu relevés. Agneau, caille, crabe, assaisonnés d'épices variées et de lichen, constituent la base de la cuisine piquante du Chettinad ; cette région du sud-est du Tamil Nadu est également connue pour ses belles demeures, aux boiseries sculptées dans du teck birman.

Le littoral du Tamil Nadu s'étend jusqu'à Kanniyakumari (cap Comorin), à l'extrémité méridionale de l'Inde. Les vagues gigantesques du tsunami qui a frappé l'Asie du Sud-Est fin 2004 ont sévèrement touché cette côte, faisant plus de 8 000 victimes – dont quelque 6 000 habitants des localités de pêche proches de Nagapattinam – et causant de véritables ravages, même si les dégâts les plus visibles ont été réparés. Les principaux sites touristiques – dont le Shore Temple de Mamallapuram et Pondichéry –, largement épargnés, ont rouvert peu après la catastrophe, de concert avec les hôtels et restaurants des environs.

Politique et vedettes de cinéma

Les temples du Tamil Nadu abritent encore des brahmanes traditionnels, vêtus d'un *dhoti* blanc, le front orné de marques caractéristiques, le crâne à moitié rasé avec une longue mèche dans le dos divisée en tresses, et un fil sacré bien en évidence sur la poitrine nue. Bien qu'étant une communauté minoritaire, ils continuent d'exercer une grande influence dans les affaires nationales et internationales.

Après l'indépendance, en réaction à des siècles de pouvoir brahmanique, un mouvement pan-dravidien anti-brahmane, clamant que ces prêtres symbolisaient la domination du Nord et la "sanscritisation" continue de la culture dravidienne, a pris une certaine ampleur (débouchant même sur la réinterprétation d'épopées comme le *Ramayana*, où Rama passe alors pour l'oppresseur de Ravanna, de carnation foncée). En 1967, un parti défenseur des basses castes, le DMK (Dravida Munetra Kazhagam), gagna du pouvoir sous C. N. Annadurai, bras droit de Periyar E. V. Ramaswamy. Le DMK était un parti dissident du DK (Dravida Kazhagam, "Sud indien") de Ramaswamy, qui militait pour l'indépendance. Dix ans plus tard, la vedette de cinéma M. G. Ramachandran (connu sous ses initiales, MGR) devint Ministre principal, à la tête de la faction AIADMK (All India Anna Dravida Munetra Kazhagam) jouissant d'un important soutien. À sa mort, l'actrice Jayalitha Jayaram, son ancienne compagne, lui succéda. Accusée de corruption, elle fut rejetée par l'électorat en 1996. Continuant de bénéficier d'une base de sympathisants loyaux, elle entra au Parlement et mena son parti à la coalition avec le BJP (Bharatiya Janata Party) en 1998. Les relations se détériorèrent rapidement et, lorsqu'elle retira son soutien au BJP, le gouvernement central s'effondra. Jayalitha Jayaram est actuellement au pouvoir dans le Tamil Nadu, mais son parti, l'AIADMK, a été battu à plate couture par son rival, le DMK de M. Karunanidi, lors des élections générales de 2004.

La langue, au cœur du mouvement pan-dravidien, reste un élément vital de la politique tamoule. La nouvelle de l'adoption de l'hindi comme langue nationale (autre manifestation de l'"arrogance" du Nord) a soulevé un tollé dans le Sud, et son imposition officielle déclenche encore des émeutes occasionnelles.

Le tamoul, la langue la plus ancienne encore utilisée en Inde, possède une tradition écrite remontant au moins au IIIe siècle av. J.-C. La grammaire de Tolkappiyam constitue la plus ancienne œuvre connue, et le Tirukkural (Ier siècle av. J.-C.) du poète Tiruvalluvar le plus célèbre des premiers manuscrits littéraires.

CI-DESSOUS : sculptures à Mamallapuram, dépeignant l'ascèse d'Arjuna.

Temples tamouls

Le splendide temple d'Adikesavaperumal se dresse à Sriperumbudur (à 60 km au sud-ouest de Chennai), le berceau du penseur hindou Ramanuja (XIIᵉ siècle). C'est ici que Rajiv Gandhi fut assassiné en 1991.

Après Chennai, nombre de visiteurs optent pour un tour des temples de l'État. À 50 km au sud, **Mamallapuram** ❷ (Mahabalipuram) est sans conteste le plus célèbre site archéologique de l'Inde du Sud. Il compte 3 types de temples – aménagés dans des grottes, excavés dans des blocs de pierre monolithes, maçonnés – ainsi que de nombreuses sculptures monumentales. Dans les années 1960, sa belle plage a fait de Mamallapuram une destination touristique courue et ce site classé au patrimoine mondial dépare hélas désormais avec hôtels et restaurants bon marché. Un festival de danse s'y déroule en décembre et janvier.

Mamallapuram, resté un centre actif de la sculpture sur pierre, accueille la School of Sculpture, gérée par le gouvernement. Après avoir admiré l'immense bas-relief de *La Descente du Gange* (ou *L'Ascèse d'Arjuna*, selon les interprétations) et ses représentations d'animaux, très réalistes, ne manquez pas, pius au sud, le **Shore Temple** (temple du Rivage, VIIᵉ siècle). Dédié à la fois à Shiva et Vishnu, ce temple Pallava passe pour le plus ancien temple en pierre maçonné du Sud. Sa conception – en particulier ses tours – a influencé celle des autres temples

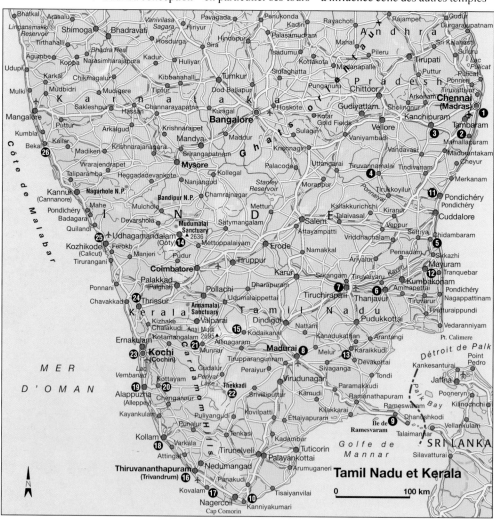

Tamil Nadu et Kerala

de la région. Plus loin sur la côte, vous admirerez 5 *ratha* ("chars"), taillés chacun dans un bloc de pierre monolithe. Ces sanctuaires du VIIᵉ siècle arborent des sculptures exquises. Les amateurs d'architecture visiteront également Kanchipuram, Tiruvannamalai, Chidambaram, Thanjavur et Tiruvarur, Tiruchirapalli et Srirangam, ainsi que Madurai plus au sud, autant de localités aux caractéristiques distinctes, mais ayant toutes des points communs. Ainsi, les processions y sont invariablement accompagnées par des musiques retentissantes – considérées de bon augure ; les orchestres de temples comportent un *nagasvaram*, long hautbois aux notes perçantes, et un *tavil*, tambour à 2 faces, frappé à gauche par une baguette et à droite par des "dés à coudre" en plâtre enfilés sur les doigts. Lors de ces fêtes, les temples baignent dans un capiteux parfum d'encens, jasmin et souci, tandis que les milliers de mules empilées devant les *gopuram* témoignent de la présence d'une foule de pèlerins se pressant pour apercevoir l'idole portée sur un palanquin. Au Tamil Nadu, l'accès au sanctuaire intérieur est souvent interdit aux non-hindous ; mais ils peuvent cependant circuler dans le reste du complexe.

Mamallapuram permet de suivre l'évolution de l'architecture des temples dans le sud de l'Inde. Ses structures rupestres datent du règne des Pallava (VIᵉ-IXᵉ siècle), souverains d'un royaume centré autour de **Kanchipuram ❸**, à 70 km au nord-ouest. Les *ratha* de Mamallapuram présentent les premières caractéristiques, répandues depuis, des temples de la région, telles que *garbagriha* (maison-matrice, "saint des saints") surmontées de *vimana* (tour-sanctuaire). À Kanchipuram, le magnifique temple **Kailasanatha**, érigé par les Pallava, possède une cour et un *vimana* élevé couronnant le sanctuaire intérieur. Ses représentations de Shiva, accompagné de son épouse et d'animaux mythiques (*yali*), servirent de modèles aux sculpteurs de l'époque. Le temple le plus grand, **Ekambaresvara**, dédié à Shiva, est connu pour son *mandapam* (salle hypostyle servant de vestibule ou de dépendance) à "1 000 colonnes". Renommés pour leur habileté, les tisseurs de soie de la ville confectionnent des modèles raffinés aux couleurs variées.

Tiruvannamalai ❹ qui, à 100 km à l'ouest de Chennai, accueille sur plus de 10 ha un très vaste ensemble de temples, est l'un des sites les plus sacrés du sud de l'Inde. Le sanctuaire intérieur – partie la plus ancienne – date du XIᵉ siècle, mais son immense *gopuram* (tour-portail) remonte à l'époque des Vijayanagar (XIVᵉ-XVIᵉ siècle).

Le temple de **Chidambaram ❺**, capitale chola du Xᵉ au XIVᵉ siècle, est dédié à Nataraja (Shiva dansant). Il est placé sous la responsabilité exclusive de la communauté des brahmanes Diksitar, reconnaissables à leur touffe de cheveux sur le front.

À **Thanjavur ❻** (260 km au sud-ouest de Chennai), ancienne capitale chola nichée dans les rizières du delta de la Kaveri, le temple de **Brihadesvara** domine le paysage. Construit au Xᵉ siècle par Rajaraja Iᵉʳ, il arbore un *vimana* de plus de 60 m – le plus haut du pays – et des *gopuram*. Les temples chola ultérieurs possèdent en outre sanctuaires auxiliaires et vastes *mandapam*. Non loin de Thanjavur se trouve **Tiruvarur**, berceau de la "trinité" des compositeurs carnatiques : Tyagaraja, Muttusvami Diksitar et Syama Sastri.

Carte
p. 316

*Le fort de Gingee,
vieux de 6 siècles,
se situe entre
Tiruvannamalai
et la côte. Étagé
sur 3 collines, ce site
rempli de charme,
fondé par
les souverains
Vijayanagar au
XVᵉ siècle, comporte
plusieurs temples,
une mosquée
et un palais.*

CI-DESSOUS :
sculpteur à l'œuvre.

Quelques siècles plus tard, à **Srirangam** près de Tiruchirapalli, les souverains de Vijayanagar marquèrent de leur empreinte **Sriranganathasvami**, dédié à Vishnu. Les temples servant alors à davantage d'événements de la vie sociale, les bâtisseurs ajoutèrent des *mandapam* (pavillons) à 1 000 colonnes pour les mariages, des *gopuram* plus élevés et des réservoirs d'eau. Outre Srirangam, **Tiruchirapalli** ❼ mérite le déplacement pour son fort (ouv. de 6h à 20h), taillé dans un rocher à 90 m de hauteur – d'où vous aurez une vue splendide – qui comporte des temples rupestres du VIIe siècle. Le temple de Tayumanasvami, coiffé d'un *vimana* doré, est accessible par un escalier de 437 marches.

À **Madurai** ❽, à 150 km au sud de Tirucharapalli, vous découvrirez un autre temple datant des Vijayanagar : celui de **Minakshi Sundaresvara**, dédié à la déesse éponyme et épouse de Shiva. Réputé le plus imposant du pays, il arbore 4 *gopuram* ornés de sculptures chamarrées spectaculaires et s'élançant vers le ciel. Son *mandapam*, chargé d'œuvres d'art, présente d'innombrables piliers richement sculptés. Vous admirerez également une statue monolithique de Ganapati, ainsi qu'un réservoir où se serait baigné le dieu Indra.

À 150 km au sud-est de Madurai, sur l'**île de Ramesvaram** ❾, coupée du continent par un cyclone au XVe siècle, **Ramalingesvara**, l'un des temples les plus sacrés du pays, aurait reçu la visite de Rama venu adorer Shiva après avoir conquis Lanka. Fuyez les haut-parleurs diffusant les chants de dévotion et attrapez un bus pour les confins de l'île, afin de prendre un bain sacré à **Danushkodi**, sans lequel tout pèlerinage à Varanasi serait incomplet ! Parcourez à pied les 3 km du retour jusqu'à l'arrêt de bus, à travers les magnifiques dunes de sable. Avant d'être ravagée par un cyclone en 1964, la ville constituait un port prospère entre l'Inde et le Sri Lanka, distant de 20 km de l'autre côté du golfe de Mannar.

PONDICHÉRY

Pondichéry se situe sur la côte de Coromandel, à 150 km au sud de Chennai. Placée sous l'autorité française au milieu du XVIIIe siècle, elle revint à l'Inde en 1954. À l'origine, un canal la divisait en 2, avec d'un côté la **Ville Blanche** et de l'autre la **Ville Noire**, réservée à la population indienne. Autour du Government Park, jadis au cœur de Pondichéry, se trouve aujourd'hui le **Raj Nivas** (résidence du lieutenant gouverneur) et d'autres édifices officiels. L'**église du Sacré-Cœur**, de style gothique, se dresse près de la gare ferroviaire. L'ancien quartier français est constitué de rues pavées, et le front de mer rappelle celui de Nice.

À 10 km de là s'étend la ville nouvelle d'**Auroville** et **Sri Aurobindo Ashram**, fondé par le philosophe éponyme, qui joua un rôle actif dans le mouvement indien pour l'indépendance. Les enseignements de Sri Aurobindo (1872-1950), perpétués par sa compagne française, Mirra Alfassa, "la Mère", inspirèrent Auroville, conçue comme une ville modèle par l'architecte Roger Auger.

Près de Pondichéry, sur le site d'**Arikamedu**, les archéologues ont mis au jour un site gréco-romain datant du début de la période chrétienne, indiquant de florissants échanges de mousselines teintes et d'épices avec les Romains.

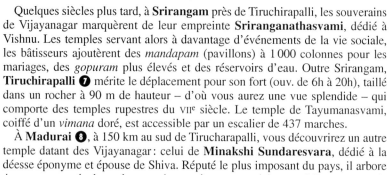

Très appréciée des touristes indiens, **Kanniyakumari** ❿ (cap Comorin), ville de pèlerinage dédiée à la déesse Kumari, occupe l'extrémité la plus méridionale de l'Inde, où se rejoignent l'océan Indien, le golfe du Bengale et la mer d'Oman. En avril, vous pourrez y admirer en même temps le soleil et la pleine lune.

Carte p. 316

Enclaves sur le littoral

La côte du Tamil Nadu baigne dans des influences variées. Ancien comptoir français, **Pondichéry** ⓫ (*voir encadré ci-contre*) est considérée à des fins administratives comme un territoire de l'Union, bien qu'elle revendique un statut d'État à part entière. Outre Le Club – sans doute le meilleur restaurant français du pays –, vous trouverez ici des conducteurs de *rickshaw* francophones et une bonne cuisine vietnamienne, ainsi que la meilleure eau minérale de l'Inde et la promenade de front de mer la plus agréable. En 1968, Mirra Alfassa, peintre d'origine française et compagne spirituelle du philosophe bengali Sri Aurobindo, fonda la communauté new age d'Auroville, à proximité. La ville, constituée d'agréables logements expérimentaux, tourne autour de Matri Mandir, un immense centre de méditation (inachevé). Les visiteurs désireux d'en apprendre davantage sur Auroville peuvent séjourner sur place et participer, bénévolement, à des projets de développement.

De fréquents trains express desservent les principaux centres du Tamil Nadu.

La côte du Tamil Nadu compte d'autres colonies européennes moins connues. Les plus aventureux découvriront ce qu'il reste de l'ancien peuplement danois de **Tranquebar** ⓬, à 100 km au sud de Pondichéry, avec son ancienne porte ornée d'un blason, face à la mer. Un mémorial consacré aux premiers missionnaires protestants en Inde mentionne Bartholomew Ziegenbalg et Heinrich Plutschau. Sur la droite, le **Dansborg Fort** surplombe une plage déserte.

CI-DESSOUS : les temples de Kanchipuram.

*Kochadai, au nord
de Madurai, possède
un sanctuaire dédié
à la divinité tamoule
du village, Ayyannar.
En mars, les pèlerins
portent en procession
son effigie à travers
la ville.*

Le Chettinad

Sur la plaine côtière entre Tiruchirapalli et Madurai s'étend la région du **Chettinad**, patrie des Chettiar, célèbres marchands, dont les villages ancestraux – aujourd'hui en partie désertés – regroupent quelques-unes des plus belles demeures du Sud. Au XIXᵉ siècle, ces "banquiers" du sud de l'Inde dépensaient leurs immenses fortunes en or, bijoux et, de manière plus spectaculaire, à se faire bâtir de superbes maisons. Celles-ci renferment des piliers, sculptés dans le teck, le clavalier à cœur jaune ou le granit, des portes en teck aux sculptures foisonnantes et des sols en marbre italien. Les murs, d'un blanc étincelant, sont recouverts d'un enduit à base de chaux, blanc d'œuf et myrobalan. **Karaikkudi** ⑬, principal village de la région, et **Kanadukathan**, tout proche, conservent quelques-unes des habitations les plus somptueuses. Après l'indépendance, la fortune de la communauté déclinant, les moyens vinrent à manquer pour entretenir ces luxueuses demeures, aujourd'hui pour la plupart inhabitées. Néanmoins, les Chettiar ont laissé en héritage leur cuisine à base de viande poivrée, assaisonnée de fruits séchés et d'épices rares.

Stations climatiques

Les hauteurs du Tamil Nadu recèlent quelques vestiges du colonialisme britannique. Vous accéderez à **Coonoor**, **Wellington** et **Ooty** ⑭ (Udhagamandalam), jadis paisibles villégiatures dans les monts Nilgiri – qui font partie des Ghats occidentaux –, par un vieux train à vapeur. Cette ligne, à écartement étroit, inaugurée en 1899, grimpe un dénivelé abrupt de 2 190 m dans la forêt, franchissant 31 ponts et 16 tunnels. Le train démarre à Mettupalayam, mais les touristes partent généralement de **Coimbatore**, une localité industrielle où vous

Carte
p. 316

trouverez facilement à vous loger. Devenue une station climatique appréciée, le développement touristique d'Ooty nuit à son charme colonial, dont l'**Oota-camund Club**, l'un des derniers bastions du *suet pudding* – gâteau à base de farine et graisse de bœuf –, constitue le meilleur exemple. Toutefois, climat et paysage compensent ces désagréments.

À **Kodaikanal** ⓭, la plus agréable de toutes les stations d'été, dans les monts Palani, vous bénéficierez depuis les Pillar Rocks, 3 aiguilles de granit, d'une vue étonnante sur les plaines en contrebas. **Yercaud**, dans les monts Shevaroy, est sans doute la station la moins fréquentée.

Les Adivasi, habitants d'origine des Nilgiri, ont été dépossédés, notamment les Kota et les Toda, de leurs terres par les Britanniques – et les gouvernements indiens successifs ont d'ailleurs perpétué ces pratiques. S'ils ont retrouvé quelques-uns de leurs domaines, leur mode de vie traditionnel est toujours menacé et nombre de leurs coutumes ont disparu.

Réserves naturelles

Le Tamil Nadu, délimité par les Ghats occidentaux et orientaux, ainsi que par la côte de Coromandel, couvre encore quelques poches de jungle naturelle, marécages côtiers et îles coralliennes où prospèrent animaux terrestres et oiseaux. À **Vedanthangla** et **Point Calimere**, à 315 km au sud de Chennai sur la rive, quantité de migrateurs se rassemblent durant la mousson d'hiver. Outre de rares tigres, **Mudumalai**, sur les contreforts des Nilgiri, à 67 km au nord-ouest d'Ooty, abrite de nombreux gaurs et éléphants sauvages. L'**Annamalai Sanctuary**, à 70 km au nord-ouest de Kodaikanal, regroupe des macaques à queue de lion. Sur place, vous vous procurerez facilement une autorisation pour pénétrer dans ces parcs, mais mieux vaut réserver vos hébergement, randonnée à dos d'éléphant et 4x4.

Les réserves moins connues – nécessitant une autorisation spéciale du gouvernement – vous offriront la chance extraordinaire d'observer des espèces rares. Vous pourrez, notamment, voir le dugong, en voie de disparition, dans le **Mannar Marine Park**, constitué de 21 îles coralliennes inhabitées de basse altitude dans le golfe de Mannar. Une abondante faune aquatique colonise les récifs coralliens, tandis qu'une centaine de variétés d'algues et d'herbes verdissent les profondeurs de la mer. Seul le Chief Conservator of Forests à Chennai peut accorder l'autorisation de débarquer sur ces îles – réservée en principe strictement aux professionnels. Depuis peu, les autorités se montrent préoccupées par l'équilibre écologique de l'archipel, qui semble s'enfoncer dans la mer, peut-être suite à l'extraction illégale de sable.

Le **Mukurti Sanctuary**, sur les Nilgiri, rassemble des tahrs, une espèce menacée de chèvre des montagnes, et quelques tigres. L'accès y est réglementé et la demande d'autorisation, à formuler auprès de la Nilgiri Wildlife Association d'Ooty, peut nécessiter quelques jours. Le superbe paysage fait alterner crevasses tapissées de forêt tropicale humide (*shola*) et prairies. L'altitude du parc (1 800 m), qui lui confère un climat tempéré, convient à de nombreuses espèces de flore tropicale. ❑

Peut-être aurez-vous la chance d'assister à une représentation de théâtre dansé traditionnel tamoul, le terukkuttu *(littéralement "théâtre de rue"). Certains thèmes, notamment l'histoire populaire de Draupadi, proviennent du* Mahabharata *(voir p. 87).*

CI-DESSOUS :
jeune Tamoule.

Carte
p. 316

Delhi

LE KERALA

*Évoluant entre mythes antiques et réalité de la politique moderne,
le Kerala déploie un superbe paysage verdoyant, creuset
de légendes, histoires, cultures et traditions séculaires.*

L orsque Bhadrakali, déesse de la guerre, dut élire domicile sur Terre, elle choisit le Kerala, dans la pointe sud-ouest de l'Inde ; depuis, le *thattakkam* – sorte de paroisse – est placé sous sa juridiction divine.

Selon la légende, le Kerala aurait émergé de la mer d'Oman lorsque Parsurama, incarnation de Vishnu, y lança sa puissante hache d'armes. Toutefois, l'État qui couvre ce territoire fertile ne date que de 1956. Il intègre 3 régions de locuteurs malayalam : Malabar et 2 anciens États princiers, Cochin et Travancore.

Les attraits du Kerala se concentrent dans les Cardamom Hills et sur la côte de Malabar, entre ses 41 rivières et ses verdoyantes plantations de tecks, poivriers et hévéas arrosés par 2 moussons annuelles. Son paysage luxuriant reste dominé par les silhouettes élégantes des cocotiers, exploités de façon intensive, l'État possédant une industrie prospère de fibres de coco. Des plantations de café s'étendent sur les contreforts des Ghats occidentaux, cédant la place, en altitude, aux théiers, tandis que dans le Sud se succèdent des hectares entiers de caoutchouc. La noix d'arec – autre culture majeure, destinée au marché de l'Inde du Nord – se développe sur de gracieux palmiers.

La côte de Malabar produit le poivre le plus prisé au monde, au point que la moitié de l'Europe s'affronta jadis afin d'en contrôler les réserves. On cultive également cardamome, noix de cajou et bananiers. Les rizières des plaines fertiles donnent 2 à 3 récoltes annuelles. Consommé presque à chaque repas, le riz du Kerala, savoureux, subit une légère cuisson avant le décorticage, donnant un grain caractéristique, plat et tacheté de rouge, riche en vitamine D.

CI-DESSOUS :
cortège
d'éléphants à
Thiruvananthapuram.

Valeurs modernes

Le Kerala se fit remarquer dans l'Inde contemporaine lorsque, aux premières élections de l'État en 1957, il forma un gouvernement communiste démocratiquement élu – un précédent mondial –, destitué de manière controversée par le Congrès de Delhi sous la pression d'Indira Gandhi. Le CPI/ML (Communist Party of India/Marxist-Leninist) retrouva vite le pouvoir avec un très large soutien, sous la direction du grand E. M. S. Namboodiripad, promoteur de réformes agraires, pédagogiques et sanitaires radicales. Depuis, bien que pourvu des plus maigres ressources naturelles du pays, le Kerala enregistre la répartition de terres la plus équitable de l'Union, une alphabétisation presque totale et un faible niveau de pauvreté.

Cette alphabétisation massive – également due aux politiques éducatives avisées des souverains successifs de Travancore –, couplée à de faibles opportunités d'emploi, incite les habitants à chercher une activité professionnelle ailleurs en Inde ou dans les États du Golfe. Ces derniers accueillent de nombreux travailleurs du Kerala, qui envoient l'essentiel de ce qu'ils gagnent à leur famille. D'où la prolifération dans la région de "maisons du Golfe", d'étonnants édifices construits en béton au mépris du climat et de l'environnement. Des localités telles que Chavakad sont ainsi devenues des "Dubaï miniatures".

Traditionnellement, les femmes occupent une place importante dans la société du Kerala. Chez les brahmanes nambudiri et les Nair, qui pratiquaient l'héritage matrilinéaire, elles dirigeaient le domaine familial. Si ce système a largement disparu, le taux d'alphabétisation élevé leur donne encore un certain pouvoir et, en tout cas, une plus grande liberté que leurs consœurs des autres États indiens.

Parmi les écrivains, poètes et musiciens indiens de langue malayalam, signalons le diplomate K. P. S. Menon, devenu écrivain, la romancière Arundhati Roy, le poète Vallathol Narayana Menon, qui a redonné vie au *kathakali* et fondé la Kalamandalam School de Cheruthuruthy, ou encore Chembai Vaidyanatha Bhagavatar, célèbre chanteur de musique carnatique.

En août, Alappuzha accueille le Nehru Trophy annuel, une course de snakeboats (longues pirogues éffilées) manœuvrés par plus d'une centaine de rameurs, sous les clameurs enthousiastes de la foule.

Harmonie religieuse

Le Kerala regroupe de nombreuses castes et communautés religieuses différentes, chacune dotée de ses propres coutumes, rites et traditions. Cela explique peut-être la tolérance religieuse du Kerala, épargné par les violences communautaires qui troublent d'autres régions de l'Union.

L'hindouisme du Kerala gravite autour de 2 pôles : le culte d'un ensemble complexe de déesses et les traditions sanscritiques des principaux temples. Celui de **Chottanikkara**, près de Kochi, attire un nombre croissant de pèlerins en quête de protection contre les esprits malfaisants, et les longs clous en fer plantés dans un arbre immense, près du sanctuaire de la déesse, témoignent du

CI-DESSOUS : temple de Sri Ananthapad-manbhasvami, Thiruvananthapuram.

*L'application
du maquillage
et des perruques
des danseurs
de kathakali, avant
la représentation, est
un spectacle en soi.
Ne le manquez pas !*

succès des exorcismes. Ces pratiques locales contrastent avec les rites exclusivement brahmaniques du temple de Sri Padmanabhasvamy à Thiruvananthapuram, ceux du Vadakkunatha de Shiva à Thrissur (Trichur) et ceux du temple de Krishna à Guruvayur.

Saint Thomas aurait fondé le premier culte chrétien, d'origine syrienne, en l'an 50. La présence des disciples de Mahomet au Kerala est également ancienne. Derrière la façade moderne en béton grossier de la **mosquée de Kodungallur** (la première en Inde) se cache un intérieur respirant la fraîcheur et la sérénité de l'édifice d'origine, bâti sur une terre offerte jadis par le souverain hindou Kodungallur. Une attitude de tolérance également adoptée par le raja de Cochin, qui accueillit au XVIe siècle les juifs fuyant les persécutions des Portugais de Goa. Cette communauté, fortement restreinte depuis sa récente émigration vers Israël, a toutefois conservé une splendide synagogue à Kochi.

Toutes ces différences se mélangeant fréquemment, peut-être verrez-vous un politicien marxiste se prosterner devant un sanctuaire hindou, un musulman participer à une fête de temple ou un chrétien faire un pèlerinage hindou. Les cars affichent indifféremment des symboles des 3 religions. Quant à saint Georges, réputé protéger des morsures de serpent, il jouit d'une grande popularité au sein des 3 communautés.

Arts du spectacle et festivals

Le Kerala possède une tradition théâtrale extraordinairement riche, allant du *kutiyattam* (drame sanscrit), au *mohiniattam* (danse lyrique) en passant par le *krishnattam*, plein de ferveur spirituelle. Mais c'est dans le *kathakali* que le spectacle atteint des sommets. Tous ces folklores ont en commun d'émaner de la foi de leurs protagonistes et, malgré une mise en scène théâtrale, s'apparentent moins à des représentations qu'à des actes de dévotion. Les *theyyam* de Malabar illustrent bien ce phénomène : leurs interprètes – midieux, mi-acteurs –, vêtus de costumes fantastiques, dansent devant les sanctuaires, possédés par l'esprit et le pouvoir de leurs divinités dravidiennes. Tenues et maquillages jouent un rôle majeur ; n'hésitez pas à arriver bien avant un spectacle de *kathakali*, pour voir les comédiens se transformer à mesure qu'ils appliquent leurs fards lumineux, revêtent leurs masques et endossent leurs costumes – des jupons ornés pouvant peser jusqu'à 35 kg.

Rituels, cérémonies et fêtes se font rares durant la mousson (juin à août). L'entrée des sanctuaires du Kerala est généralement réservée aux hindous, mais le grand public peut assister aux fêtes des temples.

Dans le centre du Kerala, les éléphants confèrent un faste royal aux événements. Peu de spectacles peuvent rivaliser avec celui d'une trentaine de pachydermes caparaçonnés debout devant le Vadakkunathan Temple de Thrissur, à l'occasion du Thrissur Pooram. Les fêtes de temples s'accompagnent invariablement de musique traditionnelle : ne manquez pas les *panchavadyam* (littéralement "5 instruments"), formation de tambours et trompettes escortant les processions, les *cenda melam*, orchestres de percussions tonitruantes jouées par des virtuoses, ou bien les *tyampaka*, ensemble de tambours.

Carte
p. 316

Le sud du Kerala

Ancien siège des maharajas de Travancore, **Thiruvananthapuram** ⑯ (Trivan-drum), la capitale animée du Kerala, regorge d'attraits. Édifiée sur 7 collines, la ville est dominée par le temple de **Sri Ananthapadmanabhasvami** (accès réservé aux hindous), dédié à Vishnu. Il fut construit par les maharajas, dont la résidence, le **Puttan Malika Palace** (ouv. de 8h30 à 17h30, fermé pour le déjeuner), abrite encore l'héritage. Leur ancien palais, situé à **Padmanabhapuram** (63 km au sud ; ouv. du mar. au dim. de 9h à 17h ; entrée payante) dans l'actuel Tamil Nadu, constitue un but de visite intéressant pour la journée. Dans les salles ornées de sculptures, des panneaux en mica renvoient une lumière féerique, tandis que l'air s'infiltrant dans les cours intérieures rafraîchit l'ensemble de l'édifice. Un imposant lit royal – une simple dalle de granit – trône sur le sol luisant recouvert d'un enduit noir à base de blanc d'œuf et de coquilles de noix de coco brûlées.

Le **Napier Museum**, dans un extraordinaire édifice indo-sarrasin conçu par Robert Fellowes Chisolm pour Lord Napier en 1880, conserve bijoux, ivoires, bronzes chola et sculptures sur bois du Kerala. Non loin de là, la **Shri Chitra Art Gallery** (ouv. du dim. au mar., le mer. après-midi et le jeu. de 9h à 17h) expose huiles du raja Ravi Varma et miniatures de qualité. Tous 2, ainsi que le Museum of Natural History, occupent le domaine du **Botanical Garden and Zoo** (ouv. du mar. au dim. de 9h à 16h45), au nord du centre-ville. Le même ticket donne accès aux musées et au jardin.

Plusieurs instituts de yoga présentent des démonstrations de *kalaripayattu*, sorte d'art martial, entre 6h30 et 20h. À la **Margi Kathakali School** (West Fort), vous pourrez assister à des cours de *kathakali* et vous renseigner sur les spectacles.

Les principaux marchés de la ville se situent dans les ruelles étroites d'East Fort, face à l'ancienne cité fortifiée.

Ci-dessous :
sur les *backwaters* du Kerala.

CI-DESSOUS :
en route pour
le marché.

Les plages

Parmi les superbes plages du Kerala, **Kovalam** ⑰, la plus connue, à 16 km au sud de Thiruvananthapuram, est pourvue de nombreux équipements. Si la station affiche une ambiance touristique, la vie dans l'arrière-pays rural et les localités de pêcheurs est tout aussi paisible qu'ailleurs dans la campagne du Kerala.

Après un bain tonifiant dans les vagues agitées, un massage ayurvédique à base d'huiles de plantes – réputé particulièrement efficace à l'arrivée de la mousson début juin – vous relaxera (adressez-vous aux masseurs, sur la berge).

Varkala, un agréable village à 54 km au nord de Trivandrum, possède une belle plage de sable adossée à des falaises. Méfiez-vous des lignes et filets que les pêcheurs retirent de la mer au crépuscule.

Les *backwaters*

Port de noix de cajou à 20 km au nord de Varkala, **Kollam** ⑱ (Quilon) constitue la voie d'accès sud aux *backwaters*. Vous y découvrirez un réseau d'étroits canaux et de vastes lacs que les habitants empruntent pour se rendre, à coups de pagaie, vers leurs activités quotidiennes. Contrairement au littoral occidental balayé par les vagues de la mer d'Oman, ici tout n'est que calme et tranquillité. Des embarcations en tous genres, à perche ou à voile, naviguent sur ces voies d'eau vert émeraude protégées par la voûte des palmiers. De part et d'autre se succèdent des rangées bien nettes de bungalows, laissant la voie libre aux gigantesques tas de fibres de coco et aux amas de filets de pêche chinois, dont les lumières attirent les crevettes à la tombée de la nuit. Là où les canaux s'élargissent, vous apercevrez quelque villageois, dans l'eau jusqu'au cou, attrapant avec les orteils les poissons sur la vase, avant de les lancer dans des pots en terre flottant à proximité.

Explorez en bateau les pittoresques *backwaters* entre Kollam et **Alappuzha** ⑲ (Alleppey). Deux compagnies proposent des croisières ; celles du Water Transport Department, géré par l'État, sont plus lentes que celles de l'Alleppey Tourism (le trajet peut durer 8 heures, selon l'itinéraire). À **Karunagapalli**, vous découvrirez des *kettuvallam* ("bateaux liés") construits à l'aide de planches de *Cryptocarya glaucescens* attachées avec des cordes en fibres de coco. Vous pourrez louer ces embarcations, avec auvent en rotin, pour une croisière de 2 jours. La progression se révèle souvent plus lente que par la route : les canaux, étonnamment peu profonds par endroits, sont en outre souvent obstrués par les nénuphars et lentilles d'eau.

À l'intérieur des terres, après **Kottayam** ⑳, une ville chrétienne animée, les routes grimpent vers les Ghats occidentaux. En janvier, les adeptes du dieu Aiyappan, très honoré dans le sud de l'Inde, rejoignent à pied le temple de **Sabrimala** ; vous remarquerez ces fidèles – des hommes pour l'essentiel, car seules les jeunes filles et les femmes ménopausées sont autorisées à faire ce pèlerinage – vêtus de noir et portant des colliers de perles (*tulsi*).

Dans les Ghats près de **Munnar** ㉑, des jardins de théiers minutieusement taillés, les plus élevés du Kerala (1 800 m), forment un paysage magnifique. La réserve naturelle de **Thekkadi** ㉒ (Periyar) doit sa renommée à ses troupeaux d'éléphants sauvages.

Carte p. 316

Kochi

D'Alleppey vous pourrez gagner **Kochi** ㉓ (Cochin) par la mer, mais le trafic maritime vers cette base navale étant particulièrement important, beaucoup privilégient la route ou le train. Des ferrys relient les îles de **Willingdon, Bolgatty, Gundu** et **Vypeen** à Fort Cochin et Matancherry sur la péninsule méridionale, ainsi qu'à **Ernakulum**, sur le continent. Les marchands sémites du Yémen et de Babylone importaient jadis à Kochi dattes et huile d'olive en échange de paons et aromates. Aujourd'hui, c'est un port majeur pour le commerce des épices, et ses *godowns* (entrepôts) aux effluves piquants fourmillent encore d'activité.

Colonie millénaire, **Jew Town** continue de prospérer grâce à ses boutiques d'antiquités et d'épices. Sa petite synagogue – au sol recouvert de carreaux bleus et blancs de Canton, tous différents – accueille encore une communauté juive, certes de plus en plus restreinte, la plupart des familles étant parties pour Israël.

Le **Matancherry Palace** de Kochi (ouv. du sam. au jeu. de 10h à 17h), édifié par les Portugais et restauré par les Hollandais (qui le rebaptisèrent Dutch Palace), présente une architecture typique du Kerala et recèle des fresques du XVIIe siècle, aux peintures splendides, relatant des épisodes des épopées indiennes.

Arabes, Phéniciens, Chinois, Romains et Grecs qui commercèrent dans ce port ont laissé peu de traces. L'élégance fanée des églises et entrepôts d'époque coloniale évoque le souvenir des colons portugais, hollandais et britanniques. Quelques dauphins s'ébattent parfois près des bateaux dans l'entrée du port. Du côté des filets de pêche chinois, dans de petites paillotes face à la mer, vous dégusterez du poisson frais cuisiné devant vous.

Éléphants, tigres, bisons, léopards et singes sont au rendez-vous dans le Periyar Game Sanctuary, à 80 km de Kottayam, autour du Periyar Lake.

Le nord du Kerala

En remontant la côte vers le nord depuis Kochi, vous arriverez à **Thrissur** ㉔, sortie pour le **Palakkad Gap** (Palghat) et point le plus bas des Ghats occidentaux.

Thrissur possède l'un des principaux temples du Kerala, **Vadakkunnatham**, qui aurait été fondé par Parasurama. Un petit Musée archéologique (ouv. du mar. au dim. de 9h à 15h), sur Town Hall Rd, renferme quelques exemples intéressants d'art des temples. **Guruvayur**, à 30 km de Thrissur, se targue de posséder le sanctuaire le plus révéré du Kerala, dédié à Krishna, ainsi que des peintres de temple fort habiles. Il n'est malheureusement accessible qu'aux hindous.

Connue des Phéniciens et des Grecs anciens, qui y pratiquaient le commerce des épices, **Kozhikode** ㉕ (Calicut), sur la côte, possède encore un port prospère et la majeure partie de la ville reste consacrée au commerce. Le **Palassi Raja Museum** (ouv. du mar. au dim. de 10h à 12h30 et 14h30 à 17h) et les **Krishna Menon Art Gallery and Museum** (ouv. de 10h à 12h30 et de 14h30 à 17h) – du nom d'un homme politique du Kerala en vue après l'indépendance – abritent des collections dignes d'intérêt.

C'est à **Kappad**, à 16 km de Kozhikode, que, en 1498, Vasco da Gama débarqua pour la première fois en Inde. Plus au nord, après l'enclave française de Mahe et l'agréable ville côtière de Kannur (Cannanore), se dresse le joli fort de Tipu Sultan, qui surplombe la plage de **Bekal** ㉖. ❏

CI-DESSOUS :
maquillage élaboré d'un danseur de *teyattam*, dans le nord du Kerala.

Carte ci-dessous

LES LAKSHADWEEP (ÎLES LAQUEDIVES)

Un chapelet d'îles coralliennes, dont quelques-unes seulement habitées, s'égrène au milieu d'une mer cristalline frangée de plages de sable blanc ponctuées de cocotiers.

Éparpillées au large du Kerala, à quelque 220 miles nautiques de Kochi (Cochin), les îles Lakshadweep se caractérisent, telles les Maldives plus au Sud, par des plages coralliennes de sable blanc ourlées de palmiers et baignées de lagons cristallins. Leur nom proviendrait de la fausse estimation faite par les anciens navigateurs qui étaient convaincus d'avoir découvert pas moins de 100 000 (1 *lakh*) îles et atolls. En réalité, l'archipel n'en compte que 22 – un chiffre variable selon les méthodes de recensement – dont 11 seulement sont peuplées d'environ 60 000 âmes. Sur le plan culturel, les habitants de Minicoy présentent de nombreux points communs avec ceux des Maldives.

La plupart des îliens proviennent du Kerala ; hindous d'origine, comme l'attestent les systèmes de castes et succession matrilinéaire en vigueur, ils sont majoritairement musulmans depuis l'introduction de l'islam sunnite par Hazrat Ubaidullah au VIIᵉ siècle. Leur dialecte dérive du malayalam, sauf chez les habitants de Minicoy, qui parlent le mahl (la langue des Maldives). Outre un peu de production laitière et d'élevage de volailles, l'exploitation de la noix de coco et la pêche représentent les activités principales.

CI-DESSOUS :
la plage
de Bangaram.

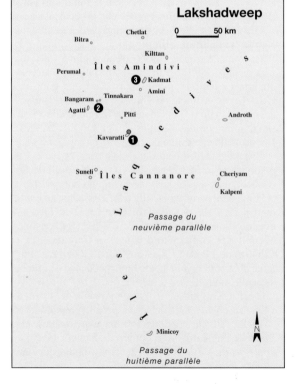

Ces îles, qui comptent parmi les rares intactes dans l'océan Indien, présentent un environnement extrêmement fragile, et l'accès aux touristes autres qu'indiens se limite officiellement aux îles de Bangaram et Kadmat (*voir* Notez-le, *ci-contre*). Les séjours dans le complexe balnéaire proche de l'aéroport d'Agatti sont parfois autorisés. Le transfert d'Agatti à Bangaram et Kadmat se fait par bateau.

Kavaratti ❶ est la capitale de l'archipel. Sa mosquée, Ujra, construite en bois flotté, présente un plafond délicatement sculpté. L'île de Kalpeni jouit d'un lagon magnifique parsemé de 3 îlots déserts, Tilakkam, Pitti et Cheriyam ; aménagée pour le tourisme local, elle propose équipements pour sports aquatiques et hébergements en huttes. Vous y devinerez encore les traces d'une violente tempête qui la dévasta en 1847. Sur Minicoy – l'île la plus méridionale, pourvue d'un phare massif construit par les Britanniques au XIXᵉ siècle –, la pêche et la mise en conserve du thon constituent les principales industries.

Agatti, **Bangaram ❷** et **Kadmat ❸** accueillent les touristes étrangers. La première héberge le seul aéroport de l'archipel, où un avion de l'Indian Airlines (20 places) assure la liaison avec Kochi et Goa. Bangaram ou Kadmat, 2 îles désertes aux lagons de rêve, ne sont qu'à 2 heures de bateau. Dauphins, marsouins, poissons volants, ainsi que tortues vertes et tortues carets, vous escorteront dans cette sortie au-delà des récifs. À l'intérieur des lagons, une immense variété de coraux et plus d'un millier d'espèces marines vous attendent, dont tortues, requins inoffensifs et raies manta figurent parmi les plus spectaculaires. Peut-être ici aussi verrez-vous des dauphins.

Des bateaux à fond vitré et la plongée, avec tuba ou bouteilles, vous feront admirer la faune de très près. Si vous envisagez de plonger, pensez à demander un certificat médical à votre médecin traitant. ❑

NOTEZ-LE

Vous devrez réserver auprès des deux voyagistes suivants, qui proposent aussi des forfaits plongée. Pour Bangaram Island Resort, contactez CGH Earth, tél. 00 91 484 266 8221, www.cghearth.com ; pour Kadmat, adressez-vous à Lacadives, tél. 00 91 484 311 9494, www.lacadives.com

CI-DESSOUS :

arrivée du bateau d'Agatti dans le lagon de Bangaram.

LE KARNATAKA

Sa côte de sable blanc étincelant, les ruines saisissantes d'Hampi et l'opulence du palais de Mysore comptent parmi les nombreux atouts de cet État du sud-ouest de l'Inde.

Carte p. 332

Créé en 1956 à partir de l'ancien État de Mysore et rebaptisé en 1973, le Karnataka couvre un seizième du territoire indien et compte 53 millions d'habitants. Ses paysages varient selon les régions. À l'ouest, le long de la mer d'Oman, s'étire une bande côtière étroite et fertile, arrosée par plusieurs rivières débordant durant la mousson, de juillet à septembre. Cette plaine s'adosse aux Ghats occidentaux, dont les pentes humides sont tapissées d'une fine ceinture de forêt tropicale renommée pour ses tecks, bois de rose et bambous. Ces sommets empêchent les nuages de mousson de pénétrer plus à l'est, dans le plateau du Deccan, au sol volcanique, sombre et aride. Dans le Sud-Ouest, le district de Kodagu voit se succéder collines et vallées, tandis que dans le sud des Ghats éléphants et gaurs sillonnent des forêts denses et luxuriantes, dont le silence est régulièrement rompu par le bavardage des entelles à longue queue. La région figure parmi les plus humides de l'Inde.

La Sharavati forme 4 cataractes, les **Jog Falls ❶**, un site très spectaculaire et fréquenté en hiver, l'été, le flux se réduisant à un simple filet. L'organisation écologique Honnemardu, à proximité, propose des sports nautiques.

À GAUCHE : forêt défrichée pour les cultures. **CI-DESSOUS :** sculptures du temple de Channakesvara, à Belur.

Peuples et cultures

Les peuples du Karnataka se révèlent aussi variés que son territoire. Les habitants du Nord, Lingayat pour l'essentiel, sont des fidèles de Basavanna, érudit et réformateur hindou du XIIᵉ siècle qui diffusa son message par le biais d'une prose rythmée, les *vachana* ; au sud, les Vokkaliga, une riche communauté rurale domine l'ancien État princier du Mysore. Aujourd'hui encore, leur rivalité persiste et influence la politique du Karnataka.

Le littoral est peuplé de pêcheurs dont les ancêtres commerçaient jadis avec la Mésopotamie, la Perse et la Grèce. À Mangalore, c'est l'influence lusitanienne qui prime, avec sa communauté chrétienne et ses églises du XVIᵉ siècle. Chikmanglur, sur la frontière du Kerala, constitue une importante région de culture de caféiers. Les Adivasi se regroupent essentiellement dans le Nord et l'Ouest. Enfin, les Coorg de la région du Kodagu possèdent une culture bien distincte.

La langue principale, le kannada, a nourri une littérature – prose et poésie – dont l'ancienneté est attestée par les premiers *Kavirajamarga* classiques (IXᵉ siècle) et les inscriptions kannada du Vᵉ siècle.

Le théâtre traditionnel karnatique, le *bayalata*, dansé, puise son inspiration dans les épopées hindoues et revêt plusieurs formes. Le *yakshagana* en est la version la plus célèbre. À Dharwad, dans une école d'État, vous assisterez à des spectacles de *yakshagana* et admirerez les danseurs dans leurs costumes chamarrés.

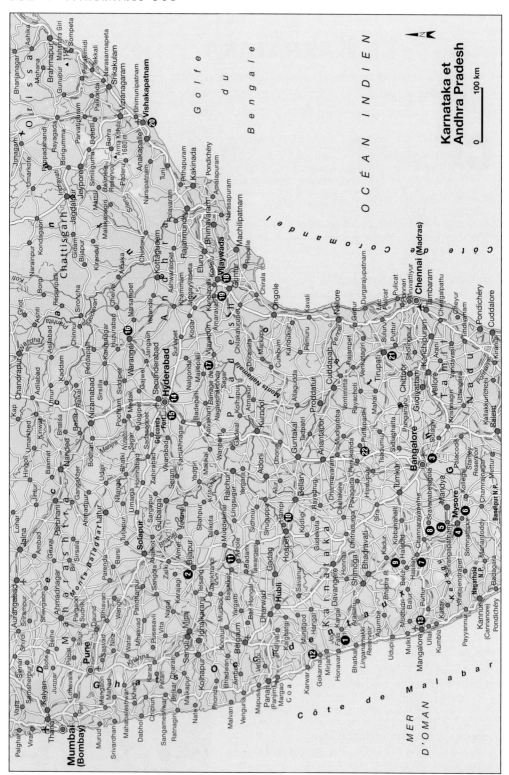

Karnataka et
Andhra Pradesh

Parmi les arts traditionnels, tissus de soie, sculptures sur bois de santal et ivoire, *bidri* de Bidar et carreaux en argile rouge de Mangalore sont les plus réputés.

Carte p. 332

Une table riche et variée

En plus des *dosa* habituels du sud de l'Inde – qui auraient été inventés à Udipi –, des *idli* et autres *thali*, la cuisine du Karnataka propose également de savoureux *bisi bele bath*, plats de riz aux lentilles, épices et tamarin, des *upittu*, préparés à base de farine de blé, copeaux de noix de coco, piments verts et citron, ainsi que des *hoalige*, sortes de crêpes fourrées de mélasse et copeaux de noix de coco, ou de copra et de sucre, ou encore de mélasse et de *dal*. L'État compte un large éventail d'arbres fruitiers, dont l'anacardier. Avec ses noix, les Indiens produisent le *feni*, une boisson forte rappelant la vodka.

Femmes lors de la fête de Sivaratri, à Bangalore.

Regard vers le passé

Les souverains bouddhistes, hindous et musulmans qui dominèrent successivement la région ont laissé derrière eux de véritables merveilles architecturales. Le premier empereur indien, Chandragupta Maurya, se serait converti au jaïnisme au IVe siècle av. J.-C. à **Sravanabelagola**.

Aux Chalukya hindous (VI-VIIIe siècle) ont succédé les Rashtrakuta puis les Hoysala de Vijayanagar, qui établirent la capitale de leur vaste empire à **Hampi**, dans le Centre-Est. Au XVIIIe siècle, lors de la bataille de **Srirangapatnam** (1799), Hyder Ali et son fils Tipu Sultan furent vaincus par les Anglais, qui restaurèrent les anciens rajas Wodiyar de Mysore aux postes de gouverneurs. Aujourd'hui, le gouvernement de l'État se réunit au Vidhana Soudha de **Bangalore**, la capitale.

Dans le nord, le royaume de **Bijapur ❷** fut fondé par Yusuf Adil Shah, né à Constantinople en 1443. Ses successeurs devaient embellir la ville de mosquées splendides rivalisant avec les plus beaux monuments musulmans du monde entier. **Gol Gumbaz**, le remarquable mausolée d'Adil Shah (XVIIe siècle), possède l'une des plus vastes coupoles de la planète. À **Gulbarga** subsistent les vestiges d'un fort de plusieurs hectares, bâti par le raja Gulchand et complété par Allauddin Bahmani, fondateur du royaume éponyme. La citadelle comprend la **mosquée Jami**, avec une zone bâtie de 35 000 m², sur le modèle de la mosquée de Cordoue en Espagne ; dans cet édifice à l'acoustique parfaite, les arches intérieures et les piliers sont conçus et disposés de façon à ce que l'on puisse voir la chaire, où que l'on soit placé.

CI-DESSOUS : le Maharaja's Palace, à Mysore.

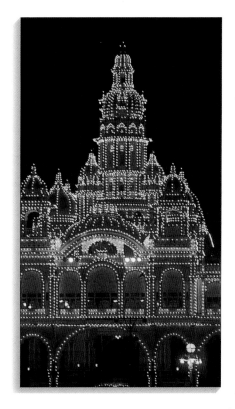

Bangalore

La capitale du Karnataka, **Bangalore ❸** – de Bengala Uru, "village des haricots" –, fut fondée en 1531 par un chef de clan, Kempegowda. Il édifia une citadelle en terre, fortifiée et agrandie par Hyder Ali et Tipu Sultan. Ville de garnison agréable, avec parcs et jardins, à l'époque du Raj, Bangalore est devenue, après l'indépendance, un centre de recherches en sciences et technologies. L'implantation d'une industrie de services et conseils en informatique a attiré une main-d'œuvre venue de toute l'Inde, et Bangalore, avec ses quelque 4 millions d'habitants, s'est rapidement transformée en une cité moderne, surpeuplée et encombrée.

*Le maharaja
de Mysore ouvre
une partie de son
palais au public.*

CI-DESSOUS :
cônes de poudre
kum-kum en vente
à Bangalore.

Si Bangalore, nœud de communications majeur, manque cruellement d'attraits touristiques, vous y trouverez un large éventail d'hébergements, d'excellents restaurants et pubs, notamment aux environs de M. G. Road, Brigade Road et St Mark's Road. **Commercial Street**, parfaite pour le shopping de vêtements et bijoux, contraste avec le pittoresque **marché de primeurs**, sur Avenue Road, ainsi qu'avec les ruelles étroites et les bazars du vieux quartier.

Parmi ses quelques sites intéressants figurent des édifices publics tels que le **Vidhana Soudha** (Secretariat and State Legislature), haut de 46 m, dans la partie nord-ouest de Cubbon Park, qui s'illumine les week-ends et jours fériés. Les bâtiments gothiques rouges de la **High Court** et la **State Central Public Library** se dressent en bordure du paisible **Cubbon Park** (1 200 ha), aménagé par le vice-roi britannique en 1864.

Autre oasis, dans le sud de la ville, les **Lalbagh Botanical Gardens** (ouv. de l'aube au coucher du soleil), dessinés par Tipu Sultan et Hyder Ali au XVIIIᵉ siècle, s'étendent sur 97 ha. Les 1 854 espèces que recèle ce jardin botanique forment la plus importante collection de plantes tropicales et subtropicales rares de tout le pays. Vous y verrez des arbres d'Iran, d'Afghanistan et d'Europe, ainsi qu'une serre semblable au Crystal Palace de Londres. En janvier et en août, Lalbagh accueille des expositions florales.

Le **palais de Tipu Sultan**, sur Avenue Road au sud-ouest du marché, abrite aujourd'hui un musée. Non loin de là se trouvent les vestiges du fort du souverain, sur le site de la citadelle d'origine construite par Kempegowda. Bangalore est réputée pour son vaste choix de divertissements – étonnant pour une ville de sa taille –, dont ses cinémas, qui projettent des films dans des langues du Sud. **Le Plaza** sur M. G. Road et le **Galaxy** sur Residency Road proposent des films

anglais en avant-première. Cette ville universitaire organise par ailleurs plusieurs festivals musicaux où se produisent des groupes de rock locaux.

Le Karnataka State Tourism Development Corporation (KSTDC) de Badami House, N. R. Square, propose des visites de la ville, ainsi que des excursions au **Bannarghatta National Park** (safari et ferme aux serpents ; ouv. du mer. au lun.), à 21 km au sud, et au **Sai Baba Ashram** à 20 km à l'est de Whitefield. Ce bureau du tourisme publie par ailleurs un bon plan de la ville.

Carte p. 332

L'État princier de Mysore

Capitale d'un ancien État princier, **Mysore ❹** est aujourd'hui une ville animée, à 139 km au sud-ouest de Bangalore. La saison hivernale constitue la meilleure période pour s'y rendre, en particulier octobre, lorsqu'on y célèbre la fête de *divali* dans un faste royal : le maharaja conduit à travers la ville un cortège somptueux, avec éléphants et chevaux d'apparat au milieu des fleurs et fumées d'encens. Le **Mysore Palace** s'illumine le soir durant les 10 jours que durent les festivités.

Digne d'un conte de fées, l'ancien palais du maharaja Wodiyar (ouv. de 10h30 à 17h30 ; entrée payante), immense édifice de style indo-sarrasin, fut construit à grands frais par un architecte anglais en 1912. L'intérieur présente un étonnant mélange de piliers striés, vitraux colorés, portes sculptées (dont une en argent massif) et mosaïques au sol. Si le maharaja actuel en occupe encore une section, la majeure partie du palais – notamment une galerie d'art, un petit musée et quelques temples éparpillés sur le domaine – est ouverte à la visite.

La **Sri Jayachamarajendra Art Gallery** (ouv. de 8h à 17h), dans le Jagan-mohan Palace à l'ouest du Mysore Palace, renferme des peintures du XIXᵉ siècle, comme celles du raja Ravi Varma, et des œuvres traditionnelles à la feuille d'or

Sur une colline à Sravanabelagola, au nord de Mysore, se dresse une statue en granit de Gomatesvara (17 m), sculptée au Xᵉ siècle.

CI-DESSOUS : l'effigie colossale du saint jaïn Gomatesvara, recouverte de curcuma lors de la fête de Mastakabhiseka.

DIVERTISSEMENTS TRADITIONNELS

Passer une nuit à la belle étoile sur une natte pour assister à un spectacle de ***bayalata***, théâtre dansé et joué en plein air, traditionnel du Karnataka, est une expérience absolument unique. Les représentations, qui relatent les exploits des héros d'épopées indiennes, durent parfois du début de la soirée jusqu'à l'aube ; elles mêlent musique, danse et théâtre dans une atmosphère bon enfant, au milieu de "connaisseurs" qui ne demandent qu'à partager leur savoir avec vous.

Lorsque les champs sont inondés, ne manquez pas la ***kambala*** (course de buffles), très appréciée au Karnataka. Cet événement annuel organisé dans les rizières met en compétition des couples de buffles guidés par un homme, dans une ambiance électrique. Avant le départ, l'homme, accroché à une solide planche en bois attelée aux animaux, ne remue pas un seul muscle, seules quelques mèches de cheveux bougent dans le vent. Puis il bondit brusquement, tenant son fouet bien haut, tandis que les animaux se précipitent en beuglant, leurs sabots brassant l'eau boueuse et soulevant une écume dans l'air chaud, les yeux blancs exorbités et menaçants. À l'occasion de ces courses les paris vont bon train et mettent en jeu des sommes substantielles.

typiques de Mysore. La **St Philomena's Church** (années 1930), l'une des églises les plus vastes de l'Inde, de style néogothique, arbore de superbes vitraux.

Dans le quartier central de Sayaji Rao Road vous trouverez de quoi vous restaurer, ainsi que des boutiques de soie et d'objets en bois de santal, qui font la réputation de la ville. D'ici, une agréable promenade vous conduira au **Devaraja Market**, avec ses étals de fleurs, fruits, encens et épices.

Le chemin qui mène sur Chamundi Hill, surmontée par le **temple de Chamundesvari**, protectrice de la ville et de la famille royale, offre une vue magnifique. Admirez notamment une immense statue de Nandi, le taureau de Shiva.

Environs de Mysore

À **Srirangapatnam ❺**, l'ancienne capitale de Tipu Sultan (14 km de Mysore), se dressent les vestiges du fort et de **Daria Daulat** (1784) – son palais d'été, à l'intérieur bien préservé – au milieu d'un jardin. **Somnathpur ❻**, près de Srirangapatnam, possède un temple hoysala splendide en forme d'étoile qui remonte au XIIIe siècle et dont les murs sont recouverts de fresques.

Dans le sud du Karnataka s'étendent 2 des plus belles réserves du pays, fréquentées par d'immenses troupeaux d'éléphants sauvages, des gaurs, ainsi que par des tigres : **Nagarhole**, à 93 km au sud-ouest de Mysore, et **Bandipur National Parks**, plus facilement accessible, à 80 km au sud. Ancienne réserve de chasse des maharajas, Bandipur, dans le prolongement de la réserve de Mudumalai (Tamil Nadu), fait désormais partie du Project Tiger.

Hassan ❼ (à 118 km au nord-ouest de Mysore) constitue un bon point de départ pour explorer d'autres sites, dont **Sravanabelagola ❽**, centre de pèlerinage jaïn, et les temples hoysala de **Belur** et d'**Halebid ❾**, aux sculptures exquises.

La dynastie Chalukya, à l'origine des temples d'Aihole, Patadakal et Badami, régna de l'an 547 à l'an 753. Ces temples rupestres constituent les premiers exemples de ce qui deviendra le style distinct du nord et du sud de l'Inde.

CI-DESSOUS :
transport de noix de coco à travers un champ de tournesols, près d'Halebid.

Hampi

Dans le nord du Karnataka, sur les berges de la Tungabadhra près d'**Hospet**, s'étend **Hampi ⑩**. Cette ville abandonnée fut la capitale du grand empire de Vijayanagar à partir du XIVᵉ siècle et constitue l'un des sites archéologiques les plus fascinants du pays (Vittala Temple : ouv. de 8h à 16h ; Royal Enclosure : ouv. de 6h à 18h ; entrée payante). Avant sa destruction à l'issue de la bataille de Talikota (1565), Hampi – qui atteignit à une époque un demi-million d'habitants – tirait ses fabuleuses richesses du commerce des épices et du coton. Ses nombreux temples et palais sont classés au Patrimoine mondial. Pensez au vélo pour explorer ce site extraordinaire, parsemé de ruines et d'immenses blocs de pierre.

Ne manquez pas le **Vittala Temple**, aux détails sculptés remarquables, ainsi que le **Royal Enclosure** (ville royale), qui abrite les restes du **Lotus Mahal** et les salles voûtées des **Elephant Stables** (Étable des éléphants).

Réputé être le berceau de l'architecture des temples hindous, **Aihole ⑪**, à 100 km au nord d'Hampi, regroupe 125 temples. Les 10 grands sanctuaires de **Patadakal**, tout proche, sont également classés au Patrimoine mondial. Enfin, la **forteresse de Badami** et ses **temples rupestres**, situés à 25 km au sud-ouest d'Aihole, méritent une visite.

Shiva dansant sur le temple hoysala d'Halebid.

Le littoral

De **Karwar** au nord à **Ullal** au sud, la route côtière (NH 17), adossée aux contreforts des Ghats, se déroule de façon spectaculaire tout au long d'un ruban de sable blanc. Renommée pour ses temples, **Gokarna ⑫** est une ville de pèlerinage mais ses plages reculées commencent à attirer les touristes de Goa. D'**Udipi**, dans le sud, vous pourrez gagner **Mangalore ⑬**, une agréable localité sur la côte. ❑

CI-DESSOUS : char en pierre, parmi les vestiges d'Hampi.

L'ANDHRA PRADESH

Carte p. 332

Nombre de civilisations antiques ont laissé leur empreinte dans cet État de la côte est, où temples, palais et forts en ruine, véritables trésors d'architecture, parsèment le paysage.

L'Andhra Pradesh, l'une des terres les plus anciennes d'Asie du Sud au plan géologique, présente des paysages saisissants : hauts plateaux rocailleux et vallées fluviales fertiles, bordés d'une longue bande littorale à l'est –, dont l'exploration reste difficile. La rigueur du climat – chaud et sec la majeure partie de l'année, ponctué de déluges durant les mois de mousson – fait des ravages ; ainsi, la mousson de l'an 2000 a provoqué l'une des inondations les plus graves de ces 50 dernières années, et lors des étés 2002 et 2003, particulièrement étouffants, les gens mouraient dans la rue. Les cyclones, qui frappent souvent les zones côtières en mai, octobre et novembre, paralysent les transports. Quant au tsunami de 2004, il a touché le littoral de basse altitude, faisant une centaine de victimes – pour la plupart dans les districts de Nellore, Prakasam et Krishna. L'État actuel de l'Andhra Pradesh – le premier formé sur une base linguistique, après moult agitations – date de 1956 ; il regroupe les régions de la présidence de Madras parlant telugu et les anciens territoires de l'État princier d'Hyderabad. Bouddhisme, hindouisme et islam s'y sont développés, comme en témoignent leurs architectures respectives. Des chroniques d'Ashoka (IIIe siècle av. J.-C.) font référence à un peuple appelé "Andhra". Par la suite, les Satyavana, protecteurs du bouddhisme, régnèrent depuis Amaravati. Plus récemment, des voix se sont élevées pour appeler à la création d'un État séparé, le Telengana, rassemblant les régions pauvres du Nord qui se sentent souvent délaissées par les hommes politiques du littoral et du Sud.

À GAUCHE : femme lambadi, à Hyderabad. **CI-DESSOUS :** la noix de coco, importante culture du sud de l'Inde.

La culture des Andhra

Le telugu, langue principale de l'État, possède une riche littérature que vous entendrez dans les *padyam*, prose récitée d'une voix sonore et ondulante évoquant la vie rurale, les coutumes et les fêtes. Le *kuchipudi*, théâtre dansé originaire du delta de la Krishna et de la Godavari, proviendrait du théâtre traditionnel *yaksha-gana*. Dans l'Andhra, d'habiles artisans produisent des sculptures sur bois ; ceux de Kondapalli, près de Vijaywada, confectionnent figurines et jouets chamarrés. À Bidar, vous admirerez des *bidri*, incrustations en argent ou en or sur du métal mat noir, décorant narguilés, vases, boîtes et bijoux. Les tisseurs, qui utilisent des métiers et des techniques de teintures spécifiques, sont renommés pour leurs riches brocarts, ikats, soieries et *himru* (mélange de soie et coton). La cuisine d'Andhra est célèbre pour ses "meals" à base de currys très relevés accompagnés de riz ou *paratha*. Celle d'Hyderabad (*nawabi*), d'origine moghole, s'est adaptée aux goûts des souverains locaux. Parmi ses spécialités figurent de délicieux *biryani* parfumés, savoureux kebabs, *halim* (mélange épicé de blé et mouton), *bhaghere baingan* (aubergines) et *mirch ka salan* (curry vert).

Hyderabad

Capitale de l'Andhra Pradesh et cinquième ville de l'Inde, **Hyderabad**
compte près de 5 millions d'habitants. Une grave pénurie d'eau, ajoutée au sur-
peuplement de **Golconda** ⑮, à 11 km à l'ouest, conduisit en 1591 Mohammed
Quli – de la dynastie des Qutb Shahi – à construire cette nouvelle capitale sur les
berges de la Musi. En 1687, l'empereur moghol Aurangzeb renversa cette dynastie et nomma vice-roi son ancien général. Après la mort d'Aurangzeb, Asaf Jahi
établit un État indépendant et fonda la dynastie des nizams d'Hyderabad, qui
régna jusqu'en 1949. Le septième et dernier nizam, Osman Ali Khan (1911-
1950), était connu pour ses excentricités et son immense richesse réputée prove-
nir des diamants et pierres précieuses extraits près de Golconda, centre mondial
du diamant au XVIIe siècle. À l'indépendance en 1947, il exprima le souhait de
s'unir au Pakistan, une position qu'il parvint à maintenir jusqu'en 1949, lorsque
des émeutes fournirent à l'armée indienne un prétexte pour envahir la ville. Cette
ancienne cité d'art, agréable et cosmopolite, est aujourd'hui séparée de sa localité satellite, Secunderabad, par le **Hussain Sagar Lake**. Pôle commercial, industriel et routier, Hyderabad est aussi un centre de transformation de perles destinées au Moyen-Orient, au Japon et à la Chine. Considérée comme le bastion de
l'islam en Inde du Sud, elle possède par ailleurs la plus imposante statue du
Bouddha du monde, trônant au milieu du lac.

L'artère principale, Mahatma Gandhi Road, traverse le cœur d'Hyderabad, *via*
la zone commerçante des environs d'Abids Circle et le Tank Bund (promenade
appréciée, en surplomb du lac), jusqu'à Secunderabad. L'ancienne cité fortifiée
abrite le fleuron de la ville, le **Charminar** (littéralement "4 tours") : une magnifique arche rectangulaire soutenue par 4 tours de 56 m construite en 1591 pour

WORSHIPPING THE TRISUL EMBLEM
ON A FIERY PILLAR.

From a bas-relief at Amaravati.

LE GOLCONDA FORT

Jadis imprenable, le gigantesque Golconda Fort, sur une
colline de granit escarpée à 11 km à l'ouest d'Hyderabad, fut construit par la dynastie Qutb Shahi (XVIe-
XVIIe siècle). Il constitua leur fief jusqu'en 1590, année où
le roi s'installa à Hyderabad, puis, au XVIIe siècle, sous le
dernier souverain Qutb, servit de rempart contre les
attaques mogholes. D'immenses murailles jalonnées de
87 bastions et 8 portes pourvues de pointes destinées à
refouler les éléphants entouraient la citadelle.

Les vestiges des palais et des jardins donnent une idée
de la splendeur passée du fort, réputé pour son acoustique
remarquable, son ingénieux réseau d'eau chaude et froide,
sa climatisation naturelle et ses bains turcs. Diamants et
rubis ornaient les murs du Queen's Palace, dont la fontaine
en cuivre était remplie d'eau de rose. Du Durbar Hall, à
3 niveaux, les souverains surveillaient leur royaume. Golconda se visite facilement en une journée (empruntez bus
ou *auto-rickshaw*). N'oubliez pas chapeau et crème solaire.
Un spectacle son et lumière en anglais a lieu le mer. et
le dim., de nov. à fév. à 18h30 et de mars à oct. à 19h.

Les tombeaux des familles royales, à quelques pas de
Balahisar Gate, méritent également une visite (ouv. du sam.
au jeu. de 9h à 16h30 ; entrée payante).

marquer la fin d'une épidémie de peste. Elle est recouverte d'un stuc en marbre broyé, farine de pois et jaune d'œuf. Le deuxième étage abrite une petite mosquée où les enfants des souverains étudiaient le Coran. Non loin de là se dresse la Mecca Masjid en granit noir ; l'argile rouge de certaines briques, sur l'arche centrale, proviendrait de La Mecque. Tout autour du Charminar s'étendent des bazars anciens aux ruelles pavées, jalonnés de minuscules échoppes d'épices, tabac, céréales, huiles parfumées et spécialités d'Hyderabad (comme le raisin Anabshahi, sans pépins). Le **marché aux perles** propose toutes sortes de perles, vendues au poids ou montées en bijoux. Dans d'autres ruelles, vous trouverez des filigranes d'argent, artisanat adivasi, bracelets *lac*, brocarts, jouets en bois de santal, objets en cuivre et *bidri*. À l'est de Lad Bazaar s'étend un complexe rectangulaire de palais édifiés par les nizams. Parmi les autres sites dignes d'intérêt figurent les paisibles **Public Gardens**, qui accueillent l'**Archaeological Museum** (ouv. du lun. au sam. de 10h30 à 17h), modeste mais bien tenu, ainsi qu'une **Gallery of Modern Art**. Le **Nehru Zoological Park** (ouv. du mar. au dim. de 9h à 18h ; entrée payante), qui couvre plus de 120 ha, passe pour l'un des meilleurs zoos du pays (*voir p. 173*), avec ses jardins paysagers, son large éventail d'animaux, notamment d'oiseaux, son aquarium et son musée d'histoire naturelle. Pour admirer le coucher du soleil, rendez-vous sur la **Kala Pahad** (montagne Noire), surmontée du temple de **Birla Venkatesvara**. Le **Planétarium** de la colline adjacente, Naubat Pahad, propose régulièrement des séances en anglais.

Excursions au départ d'Hyderabad

Saris en soie et ikats tissés font la renommée du village de **Pochampalli**, à l'est d'Hyderabad. À 150 km au nord-est, **Warangal** , capitale des hindous Kaka-

Carte
p. 332

NOTEZ-LE

Rabindra Bharati Indoor Theatre, Lalit Kala Thonaram et Max Mueller Bhavan, à Hyderabad, ainsi que Kala Bhavan, à Secunderabad organisent des spectacles culturels. Consultez les journaux locaux pour connaître les programmes.

CI-DESSOUS :
le Golconda Fort et les tombeaux des Qutb Shahi.

Les jours de fête ont lieu des spectacles mettant en scène d'immenses marionnettes confectionnées en peau de chèvre.

À GAUCHE :
fidèle dans le temple de Tirupati.
À DROITE :
fête de Pongal.

tiya (XIIe et XIIIe siècle), était renommée pour son fort (aujourd'hui abandonné) en briques et boue, protégé par 2 enceintes et 1 douve. Quelques temples de Shiva de style chalukya se dressent sur les hauteurs de Warangal et ses environs.

Le barrage de **Nagarjunakonda Sagar ⓱**, à 166 km au sud, mérite également une visite. Construit en 1960, ce réservoir submergea toute une vallée. L'ancien sommet d'une colline haute de 200 m est donc aujourd'hui une île, sur laquelle un musée regroupe d'importants monuments bouddhiques reconstitués. Trois bateaux par jour la desservent au départ de Vijayapuri, et le trajet dure 1 heure. **Pochram**, à 180 km au nord-ouest, couvre un lac superbe et une réserve naturelle ; la cathédrale à flèche néogothique de **Medak**, à proximité, fut construite pour la communauté chrétienne entre 1914 et 1924.

Le grand stupa

Sur les berges de la Krishna, à 240 km à l'est d'Hyderabad, s'étend **Vijaywada ⓲**, cité antique où se rendit jadis le voyageur chinois Hieun Tsang. Deux sanctuaires jaïns, d'autres rupestres, ainsi que le **temple de Kanakadurga**, divinité protectrice de la ville, sont autant de témoignages de son passé. Devenue une ville animée, Vijaywada sert de base aux visiteurs se rendant à **Amaravati ⓳** (30 km à l'ouest) ; sur ce site bouddhique subsistent les vestiges d'un grand stupa vieux de 2 000 ans, richement orné de sculptures illustrant la vie du Bouddha. En contrebas d'une colline surmontée d'un fort en ruine, le village de **Kondapalli**, à 25 km au nord, est renommé pour ses objets et figurines peintes confectionnés à partir d'une espèce locale de cèdre blanc. Dans la ville côtière de **Machilipatnam** – intéressant but d'excursion, à 70 km à l'est –, vous observerez le processus d'impression sur tissu *kalamkari*, à l'aide d'un *kalam* (stylet) et de blocs de bois.

Carte
p. 332

La côte nord-est

Vishakapatnam ❷⓿, sur la côte nord-est de l'Andhra Pradesh, constitue le quatrième port d'Inde. À proximité, **Waltair**, station balnéaire bâtie par les Anglais, jouit d'une vue magnifique et a conservé ses avenues ombragées et charmants bungalows. De là, vous pourrez parcourir le littoral jusqu'aux plages de **Rishikonda** (10 km) ou de **Bhimunipatnam** (24 km), ex-colonie hollandaise.

Les Kailasa Hills, à l'ouest de la ville, recèlent un temple hindou construit dans le style de l'Orissa (XIIIᵉ siècle) et des sources chaudes à **Simhachalam**. Une sortie de 70 km à l'intérieur des terres vous mènera aux **Borra Caves**, grottes nichées dans des collines calcaires regorgeant de stalactites et stalagmites féeriques, d'où vous gagnerez rapidement la **vallée d'Araku**, à la limite de l'Orissa, peuplée d'Adivasi.

Les sites de pèlerinage du Sud

Tirupati ❷⓵, au pied de la Tirumala Hill, où se dresse le **Venkatesvara Temple**, constitue l'un des sites de pèlerinage les plus fréquentés du monde – et l'un des plus riches. L'administration du temple emploie quelque 16 000 personnes s'occupant des 60 000 à 70 000 pèlerins quotidiens venus pour le *darsan* (vision de la divinité). Beaucoup se rasent la tête en signe de vœu ou de remerciement ; leurs cheveux servent à la confection de perruques, vendues sur place ou exportées. Le temple est ouvert aux non-hindous, qui doivent signer un formulaire attestant leur foi en Dieu et leur respect à l'égard du règlement du temple. La route escarpée qui gravit la colline – pas moins de 57 virages en épingle ! – est déconseillée à ceux qui ont le cœur sensible. En bordure du Karnataka, **Puttuparthi** ❷⓶, berceau du chef spirituel controversé Sai Baba, accueille son ashram. ❏

Le temple de Tirumala organise des darsan toute la journée. Les pèlerins peuvent prendre un bracelet en papier indiquant leur horaire de passage ou payer pour un "darsan spécial", sorte de coupe-file.

CI-DESSOUS : piments séchés, omniprésents dans la cuisine de la région. **PAGE SUIVANTE :** éléphant orné de peintures.

SOMMAIRE

Connaître l'Inde

Le pays

Superficie 3 287 590 km².
Capitale New Delhi.
Ville principale Mumbai (plus de 16 millions d'habitants).
Point culminant Kanchenjunga, au Sikkim (8 586 m).
Population 1,095 milliard au recensement de 2006, représentant environ 16 % de la population mondiale. Il y a 88 millions de personnes en plus depuis le dernier recensement de 2001. Le taux d'alphabétisation se monte à 65 %.
Langues principales Hindi (langue maternelle de plus de 360 millions de locuteurs), telugu, bengali, marathi, tamoul et le ourdou.
Religions principales Hindouisme (80 %), islam (11 %), christianisme (2 %), sikhisme (2 %), jaïnisme et bouddhisme.
Fuseau horaire L'Inde avance de 5 heures 30 par rapport à l'heure GMT.
Devise La roupie indienne (INR), 1 € = 58, 98 INR ; 1 INR = 0,0169 €.
Poids et mesures Le système métrique est utilisé uniformément en Inde. Les métaux précieux, notamment l'or, se vendent souvent au *tola* (11,5 g), la mesure traditionnelle. Le poids des pierres précieuses se mesure en carats (0,2 g). Les investissements financiers et les habitants se comptent habituellement en *lakh* (100 000) et *crore* (100 *lakh* ou 10 millions).
Électricité 220 V CA, 50 Hz (parfois courant continu ; vérifiez avant d'utiliser vos appareils). Les prises présentent généralement 2 fiches (avec, là encore, des variations). Prévoyez un adaptateur pour les appareils provenant d'Angleterre, d'Irlande et d'Asie australe, et un transformateur pour ceux des États-Unis et du Canada.
Indicatifs téléphoniques Pour appeler l'Inde de l'étranger, composez l'indicatif international, suivi du *91* pour l'Inde, du code local sans le *0* initial, puis du numéro de votre correspondant. Faites précéder les anciens numéros indiens d'un *2*.

Géographie

L'Inde couvre une latitude de 8 à 36° nord, et une longitude de 68 à 97° est. Cernée par la mer d'Oman à l'ouest, le golfe du Bengale à l'est et l'océan indien au sud, elle partage ses frontières terrestres avec le Pakistan, la Chine, le Népal, le Bhoutan, la Birmanie (Myanmar) et le Bangladesh. Le pays comte 7 régions principales : Himalaya, plaine indo-gangétique, hauts plateaux du centre, plateau du Deccan, Ghats occidentaux, Ghats orientaux, ainsi que mers et îles limitrophes (*voir également p. 19*).

Noms des villes

Certains noms de villes, jadis anglicisés, ont été modifiés, notamment ceux figurant ci-dessous :

Alleppey	Alappuzha
Badagara	Vadakara
Baroda	Vadodara
Bombay	Mumbai
Calcutta	Kolkata
Calicut	Kozhikode
Cannanore	Kannur
Changanacherry	Changanassery
Cochin	Kochi
Cap Comorin	Kanniyakumari
Madras	Chennai
Mahabalipuram	Mamallapuram
Mercara	Madikeri
Ooty	Udhagamandalam
Palghat	Palakkad
Panaji	Panjim
Quilon	Kollam
Sulthan Battery	Sulthanbathery
Tanjore	Thanjavur
Tellicherry	Thalassery
Trichur	Thrissur
Trichy	Thiruchirappalli
Trivandrum	Thiruvanathapuram

Climat

Le climat de l'Inde varie, des neiges éternelles de l'Himalaya aux températures tropicales de la côte, en passant par les influences continentales de l'intérieur des terres, sans oublier les nombreuses fluctuations régionales et saisonnières. D'une manière générale, mieux vaut s'y rendre après la mousson du sud-ouest.

La période allant d'octobre à mars – la plus fraîche sur la péninsule indienne – est aussi la plus agréable. En hiver, ciel bleu et soleil éclatant prédominent dans la plupart des régions. Certaines zones du Sud et de l'Est connaissent de brefs épisodes de pluie dus à la mousson du nord-est, tandis que neige et verglas bloquent souvent l'accès à extrême nord.

En été, d'avril à juin, la majeure partie du pays présente un climat chaud et sec, plus humide sur le littoral. Le Cachemire et les stations climatiques de l'Himachal Pradesh et de l'Uttar Pradesh sont magnifiques à cette époque de l'année.

La mousson du sud-ouest, qui s'installe sur la côte ouest vers la fin mai, apporte un peu de répit après la chaleur ; elle traverse le pays de juin à juillet, entraînant dans son sillage des précipitations variables, avant de s'éloigner fin septembre. À cette époque, le nord-est de l'Inde – l'une des régions les plus humides du monde – enregistre de fortes averses.

Zones protégées et à accès limité

D'une manière générale, le pays est ouvert au tourisme, à l'exception des frontières stratégiques (en particulier Chine et Pakistan), quelques régions du Nord-Est et certaines îles.
Les îles Andaman et Nicobar
Les touristes peuvent se rendre seuls à Port Blair, Havelock Islands, Long Island, Neil Island, Jooly Buoy, South et North Cinque, Red Skin Island, ainsi que sur l'île de Middle Andaman (sauf dans les réserves). Toutes les îles du Mahatma Gandhi Marine National Park, sauf Boat, Holoday, Twin Islands et Pluto Islands, nécessitent une autorisation spéciale de l'Union Territory Administration. Mount Harriet, Mayabunder, Diglipur, Rangat, Ross Island, Brother Island, Sister Island et Barren Island sont accessibles uniquement pour la journée.
Arunachal Pradesh Itanagar, Ziro, Along, Passighat, Deporijo Miao, Namdapha, Tipi Sejusa (Puki), Bhalukpong et Bomdilla-Tawang sont ouverts aux visiteurs, tout comme les itinéraires de trekking suivants : Passighat-Jengging-Yingkiong, Bhalukpong-Bomdilla-Tawang, Roing-Mayodila-Anini et Tezu-Hayuling. Les touristes doivent faire partie d'un circuit proposé par un organisme reconnu (accès refusé aux voyageurs seuls). La visite ne peut excéder 10 jours.
Lakshadweep Les touristes étrangers ne peuvent visiter qu'à Bangaram et Kadmat. Kavaratti peut servir pour le transit.
Manipur Les étrangers sont autorisés à visiter les zones suivantes pour une durée maximale de 6 jours, en groupe de 4 au minimum : Loktak Lake, Imphal, Moirang INA Memorial, Keibul Lamjao Deer Sanctuary, Waithak Lake et Khongjom War Memorial.
Mizoram Vairangre, Thingdawl et Aizawl sont uniquement accessibles aux touristes voyageant en groupe avec un organisme reconnu, et ce pour un maximum de 10 jours.

Températures et pluviométrie

		Jan.	Fév.	Mars	Avr.	Mai	Juin	Juil.	Août	Sept	Oct.	Nov.	Déc.
Agra	Max/min °C	22/7	26/10	32/16	38/22	42/27	41/29	35/27	33/26	33/25	33/19	29/12	24/8
	Précipitations mm	16	9	11	5	10	60	210	263	151	23	2	4
Ahmadabad	Max/min °C	29/12	31/15	36/19	40/23	41/26	38/27	33/26	32/25	33/24	36/21	33/16	30/13
	Précipitations mm	4	0	1	2	5	100	316	213	163	13	5	1
Bangalore	Max/min °C	28/15	31/16	33/19	34/21	33/21	30/20	28/19	29/19	28/19	28/19	27/17	27/15
	Précipitations mm	4	14	6	37	119	65	93	95	129	195	46	16
Bhopal	Max/min °C	26/10	29/13	34/17	38/21	41/26	37/25	30/23	29/23	30/22	31/18	29/13	26/11
	Précipitations mm	17	5	10	3	11	137	499	308	232	37	15	7
Bhubaneshwar	Max/min °C	29/16	32/19	35/22	38/26	38/27	35/26	31/25	31/25	31/25	31/23	29/18	28/16
	Précipitations mm	12	25	17	12	61	223	301	336	305	266	51	3
Chandigarh	Max/min °C	20/7	23/9	29/14	34/19	38/24	39/26	34/24	33/23	33/22	31/17	27/10	22/7
	Précipitations mm	56	25	26	10	13	62	277	263	226	82	5	18
Chennai	Max/min °C	29/20	31/21	33/23	35/23	38/28	37/28	35/26	35/25	34/25	32/24	29/23	28/21
	Précipitations mm	24	7	15	15	52	53	83	124	118	267	309	139
Darjeeling	Max/min °C	9/3	11/4	15/8	18/11	19/13	19/15	20/15	20/15	20/15	19/11	15/7	12/4
	Précipitations mm	22	27	52	109	187	522	713	573	419	116	14	5
Delhi	Max/min °C	21/7	24/10	30/15	36/21	41/27	40/29	35/27	34/26	34/25	35/19	29/12	23/8
	Précipitations mm	25	22	17	7	8	65	211	173	150	31	1	5
Guwahati	Max/min °C	23/10	27/12	30/16	32/20	31/23	32/25	32/26	32/26	30/25	27/22	25/17	27/12
	Précipitations mm	17	9	73	136	276	351	373	294	190	86	8	7
Hyderabad	Max/min °C	29/15	31/17	35/20	37/24	39/26	34/24	30/22	29/22	30/22	30/20	29/16	28/13
	Précipitations mm	2	11	13	24	30	107	165	147	163	71	25	5
Jaipur	Max/min °C	22/8	25/11	31/15	37/21	41/26	39/27	34/26	32/24	33/23	33/18	29/12	24/9
	Précipitations mm	14	8	9	4	10	54	193	239	90	19	3	4
Jaisalmer	Max/min °C	24/8	28/11	33/17	38/21	42/25	41/27	38/27	36/25	36/25	36/20	31/13	26/9
	Précipitations mm	2	1	3	1	5	7	89	86	14	1	5	2
Kolkata	Max/min °C	26/12	29/15	34/20	36/24	36/26	34/26	32/26	32/26	32/26	31/24	29/18	27/13
	Précipitations mm	13	22	30	50	135	263	320	318	253	134	29	4
Leh	Max/min °C	-3/-14	1/-12	6/-6	12/-1	17/3	21/7	25/10	24/10	21/5	14/-1	8/-7	2/-11
	Précipitations mm	12	9	12	7	7	4	16	20	12	7	3	8
Lucknow	Max/min °C	23/9	26/11	33/16	38/22	41/27	39/28	34/27	33/26	33/23	33/20	29/13	25/9
	Précipitations mm	25	17	9	6	12	94	299	302	182	40	1	6
Mumbai	Max/min °C	31/16	32/17	33/20	33/24	33/26	32/26	30/25	29/24	30/24	32/23	33/20	32/18
	Précipitations mm	0	1	0	0	20	647	945	660	309	117	7	1
Nagpur	Max/min °C	29/13	33/15	36/19	40/24	43/28	38/27	31/24	30/24	31/23	32/20	30/14	29/12
	Précipitations mm	15	2	25	20	10	174	351	277	181	62	9	2
Panaji	Max/min °C	31/19	32/20	32/23	33/25	33/27	31/25	29/24	29/24	29/24	31/23	33/22	33/21
	Précipitations mm	2	0	4	17	18	580	892	341	277	122	20	37
Patna	Max/min °C	24/11	26/13	33/19	38/23	39/26	37/27	33/27	32/27	32/26	32/23	29/16	25/12
	Précipitations mm	21	20	7	8	28	139	266	307	243	63	6	2
Pune	Max/min °C	31/12	33/13	36/17	38/21	37/23	32/23	28/22	28/21	29/21	32/19	31/15	30/12
	Précipitations mm	2	0	3	18	35	103	187	106	127	92	37	5
Simla	Max/min °C	9/2	10/3	14/7	19/11	23/15	24/16	21/16	20/15	20/14	18/10	15/7	11/4
	Précipitations mm	65	48	58	38	54	147	415	385	195	45	7	24
Tiruvanantha-puram	Max/min °C	31/22	32/23	33/24	32/25	31/25	29/24	29/23	29/22	30/23	30/23	30/23	31/23
	Précipitations mm	20	20	43	122	249	331	215	164	123	271	207	73
Varanasi	Max/min °C	23/9	37/11	33/17	39/22	41/27	39/28	33/26	32/26	32/25	32/21	29/13	25/9
	Précipitations mm	23	8	14	1	8	102	346	240	261	38	15	2

Les touristes peuvent se rendre seuls à **Nagaland** Kohima, Mon, Phek, Tuensang et Zunheboto, munis d'une autorisation de 10 jours (prorogeable). **Sikkim** Gangtok, Rumtek, Phodong, Pemayangtse Khecepen et Tashiding sont ouverts aux visiteurs. Une autorisation est demandée pour Zongri (ouest du Sikkim), Tsangu (est du Sikkim), Mangan, Tong, Singhik, Chungthang, Lachung et Yumthang.

Gouvernement

La fédération de l'Union indienne comprend 28 États et 7 territoires, dont celui de la capitale nationale, Delhi. Chaque État et certains territoires possèdent leur propre assemblée législative et leur gouvernement, à la tête duquel siège un ministre principal. Le gouvernement central (fédéral) est dirigé par un Premier ministre et un Conseil des ministres (cabinet) responsable des 2 chambres parlementaires : le Lok Sabha (Conseil du peuple) et le Rajya Sabha (conseil des États). Le Lok Sabha comprend 543 membres élus par le peuple (droit de vote accordé aux adultes) – 530 sièges pour les États, 13 pour les territoires de l'Union –, ainsi que 2 membres nommés, soit un total de 545 membres.

Le Rajya Sabha est un organe de 245 membres élus au suffrage indirect pour 6 ans (un tiers renouvelable tous les 2 ans). Le président est nommé pour un mandat de 5 ans par un collège électoral, composé de membres du parlement et des assemblées d'État. Chaque État possède sa propre assemblée et assume un certain nombre de fonctions administratives dans les domaines tels que santé, éducation, forêts ou transports (sauf voies ferrées).

Les élections, habituellement organisées tous les cinq ans, peuvent être avancées dans certains cas. Depuis l'indépendance, en 1947, l'Inde a connu 14 élections générales. Elle compte de nombreux partis, dont 6 nationaux : Bahujan Samaj Party (BSP), Bharatiya Janata (BJP), Parti communiste d'Inde (CPI), Parti communiste (marxiste) d'Inde (CPI[M]), Congrès national indien (INC), et Parti du Congrès nationaliste (NCP).

Les élections générales de 2004 ont suscité le principal bouleversement politique de l'Inde depuis son indépendance : l'Alliance démocratique nationale (NDA) au pouvoir, dirigée par le BJP, a subi une véritable défaite face au Congrès et aux partis de gauche. Nombre d'observateurs politiques postulaient que l'Alliance remporterait les suffrages, soutenue par la classe

moyenne de plus en plus aisée. Or, l'électorat a rejeté ce parti largement associé aux discordes communautaires et qui privilégiait l'économie néolibérale. La dirigeante du Congrès, Sonia Gandhi, a décliné le poste de Premier ministre, laissant cette fonction à Manmohan Singh – premier sikh du pays à l'occuper. Les négociations avec le Pakistan à propos du Cachemire – amorcées par le NDA – semblent se poursuivre.

Économie

L'impressionnant essor économique de l'Inde figure parmi les plus rapides du monde. Entre 1996 et 2006, le taux de croissance annuel dépasse les 7 %, en 2006, le PIB atteint les 8,5 % et les salaires ont augmenté plus rapidement dans la dernière décennie que dans toute l'histoire du pays. L'Inde se place à présent dans le top 15 des pays industrialisés.

Si l'agriculture emploie environ 60 % de la main-d'œuvre et l'industrie 12 %, les services – en constante hausse – représentent 28 % des emplois et la plus forte source de produit économique. Parmi les services, la sous-traitance occupe une large part : 80 à 90 % de la sous-traitance mondiale est produite en Inde. Selon les experts, ce secteur devrait générer plus de 10 millions d'emplois d'ici 2011. Le pays, et plus particulièrement Bangalore, attire les industries d'innovation et de technologie.

La population rurale représente quelque 72 % des Indiens. On compte 27 villes de plus de 1 million d'habitants. Le grand Mumbai – métropole principale – totalise 25 millions de résidants.

Malgré l'orientation agraire de l'économie, le NDA a fortement négligé les fermiers durant son mandat, avec des mesures privilégiant l'industrie des services et des technologies de l'information, favorables à la classe moyenne urbaine. Le faible niveau des exportations est dû en partie à l'important volume de la consommation interne. La production de céréales en particulier a réalisé des avancées spectaculaires, et l'Inde est devenue un pays exportateur dans ce domaine.

Il n'en demeure pas moins que plus de 25 % (contre 35 % en 1996) de la population vit au-dessous du seuil de pauvreté, gagnant moins de 1 $US par jour ; et que seuls 64 % des villages ont l'électricité. Toutefois, le gouvernement s'est donné jusqu'en 2012 pour atteindre son programme "power for all" (droit à l'énergie). L'Inde dispose d'une demi-douzaine de centrales nucléaires et trois autres sont en cours de cosntruction.

Préparatifs

Offices de tourisme

Le ministère du Tourisme dispose d'un bon site Internet (www.tourismofindia.com ou www.india-tourism.com), qui propose quantité d'informations utiles (visas, sites touristiques, voyagistes…).
France
11-13, bd Haussmann, 75009 Paris
Tél. 33 (0)1 45 23 30 45
Fax 33 (0)1 45 23 33 45
Canada
60 Bloor Street West, Suite 1003,
Toronto, Ontario M4 W3 B8,
Tél. 1 (416) 962 3787/8
Fax 1 (416) 962 6279

Ambassades

Belgique
217, chaussée de Vleurgat 1050
Bruxelles
Tél. 32 (0)2 640 91 40
Fax 32 (0)2 648 96 38
Canada
High Commission of India
10 Springfield Road, Ottawa, Ontario
KIM IC9
Tél. 1 (613) 744-3751/3
Fax 1 (613) 744-0913
www.hciottawa.ca
Consulat
2, Bloor Street East, Suite 500 ; Bloor
Street West, Toronto, Ontario, M4 W3 E2
Tél. 1 (416) 960-4831
Fax 1 (416) 960-9812
France
Ambassade
15, rue Alfred-Dehodencq 75016 Paris
Tél. 33 (0)1 40 50 70 70
Fax 33 (0)1 40 50 09 96
www.amb-inde.fr
Consulat
20-22, rue Albéric-Magnard 75016 Paris
Tél. 33 (0)1 40 50 71 71
Fax 33 (0)1 40 50 09 96
Suisse
Ambassade
45, Effingerstrasse 3008 Berne
Tél. 41 (0)31 382 31 11
Fax 41 (0)31 382 26 87
Consulat
9-11, rue du Valais 1202 Genève
Tél. 41 (0)22 906 86 76
Fax. 41 (0)22 731 54 71

Formalités

Pour se rendre en Inde le visa est obligatoire. Demandez-le auprès de l'ambassade ou la haute commission de votre pays de résidence. Optez pour un visa à entrées multiples, qui vous permettra de visiter un pays limitrophe. Les visas touristiques, quelle que soit la nationalité du demandeur, sont valables 6 mois à compter de la date d'émission (et non d'entrée).

Les visas touristiques ne sont pas prorogeables : vous devrez quitter l'Inde, puis y rentrer avec un autre visa obtenu – parfois difficilement – dans un pays limitrophe. Hommes d'affaires et étudiants peuvent bénéficier d'un visa de 5 ans. L'accès à certaines régions nécessite une autorisation spéciale, et d'autres sont interdites aux étrangers (voir "Zones protégées et à accès limité", p. 346).

Pour les séjours de plus de 180 jours, avant de quitter l'Inde vous devrez vous procurer gratuitement un certificat de dédouanement auprès de la division étrangère du département des impôts sur le revenu (représentée dans chaque ville). Emportez les reçus des banques, prouvant que vous avez changé des devises de manière légale.

Vaccins

Aucun vaccin n'est obligatoire pour pénétrer sur le territoire indien, mais il est fortement conseillé de se faire immuniser contre la typhoïde (protection pour 3 ans avec le Typhim Vi), l'hépatite A (immunité d'un an avec l'Havrix, puis de 10 ans avec un rappel au bout de 6 mois), la polio (rappel tous les 5 ans) et le tétanos (rappel tous les 10 ans). Peut-être devrez-vous fournir la preuve de votre vaccination contre la fièvre jaune si vous arrivez d'une zone infectée. Parmi les autres vaccins possibles, notamment en cas de long séjour, figurent ceux contre la méningite, la rage et l'encéphalite japonaise B. Il n'existe aucune immunisation contre la dengue, qui peut s'attraper en Inde ; la seule protection consiste à éviter les piqûres (voir également "Malaria" sous la rubrique "Santé", p. 355).

Douanes

Vous aurez à remplir un formulaire de déclaration dans l'avion, puis emprunterez, selon leur cas, la file rouge ou verte. Pour le débarquement, conservez le bordereau de douane dans votre passeport. Les touristes rencontrent rarement des problèmes. Il arrive que les employés des douanes examinent rapidement une valise au hasard.

ARTICLES PROHIBÉS

Il s'agit de certaines plantes et substances pharmaceutiques, de l'or et de l'argent, ainsi que des pièces n'étant plus en vigueur. Renseignez-vous auprès des autorités compétentes. À l'aéroport de Delhi, tous les bagages enregistrés sont passés aux rayons X avant d'arriver dans la zone de retrait du hall d'arrivée.

IMPORTATIONS DÉTAXÉES

Vous avez droit à 200 cigarettes (ou 50 cigares), 0,95 l d'alcool, un appareil photo avec 5 pellicules et une quantité raisonnable d'effets personnels, dont jumelles, ordinateur portable, appareils enregistreurs, etc.

Vous devez déclarer ou répertorier équipement professionnel et articles de valeur à votre arrivée, et vous engager à les ressortir du territoire ; à votre départ, vous présenterez la liste et les articles concernés. Cette formalité pouvant être longue, prévoyez suffisamment de temps à l'arrivée et au départ. Pour les bagages non accompagnés ou égarés par la compagnie, veillez à obtenir un certificat de débarquement de la douane à l'arrivée.

EXPORTATIONS

Les exportations d'antiquités (articles de plus d'un siècle), de produits à base d'animaux et de bijoux de plus de 2 000 INR (en or) ou 10 000 INR (autres matières) sont interdites. En cas de doute sur l'ancienneté d'un article, contactez le bureau de l'Archaeological Survey of India de Delhi, Mumbai, Kolkata ou Chennai.

DÉCLARATION DE DEVISES

À l'heure actuelle, si vous introduisez plus de 10 000 $US (8 000 € env.) en espèces dans le pays, vous devrez remplir un formulaire de déclaration à la douane lors de votre arrivée.

Argent

Auparavant, il fallait consigner tout change de devise étrangère sur un formulaire de déclaration ou conserver les reçus légaux en guise de preuve. Aujourd'hui, si les règles se sont assouplies, certains prestataires ou hôtels insistent pour appliquer cette procédure. Pour être exonérés de l'impôt sur le revenu (formulaire à retirer auprès de la Foreign Section de the Income Tax Department de Delhi, Mumbai, Kolkata ou Chennai), les visiteurs séjournant plus de 180 jours en Inde doivent présenter les preuves d'encaissement de leurs chèques de voyage ou du change de leurs devises, et justifier qu'ils peuvent subvenir à leurs besoins.

La monnaie indienne est basée sur le système décimal ; 100 paise équivalent à une roupie. Il existe des pièces de 1, 2, 5, 10, 20, 25 et 50 paise, et des billets de 10, 20, 50, 100 et 500 roupies. L'importation et l'exportation de roupies indiennes sont interdites. Le taux de change fluctue par rapport aux autres devises.

Hôtels, restaurants, grands magasins, emporia pour touristes et compagnies aériennes acceptent de plus en plus les cartes de crédit – si possible émises par un organisme connu (American Express, Access/ MasterCard ou Visa). Certaines banques délivrent désormais des roupies sur présentation de la carte Visa, tout comme les agences Amex contre présentation de la carte. Plus pratiques, les nombreux DAB des banques internationales présents un peu partout acceptent de plus en plus toute une gamme de cartes.

Par contre, évitez d'emporter des Traveller's cheques. Leur échange étant compliqué et la commission élevée, ils n'en valent, à présent, plus la peine.

Tour operators

GÉNÉRALISTES

Belgique

Nouvelles Frontières
www.nouvelles-frontières.be
(voir plus bas, sous "France")
Best Tours
www.best-tours.com
Séjours libres avec de nombreuses propositions d'excursions. Circuits au Triangle d'Or, au Rajasthan et en Inde du Nord. Présent en France, Belgique et Luxembourg.

France

Amplitudes
20, rempart Saint-Étienne 31000 Toulouse
Tél. 33 (0)5 67 31 70 10
5, boulevard Vincent-Auriol 31170 Tournefeuille
Tél. 33 (0)5 61 07 05 05
93, avenue du Maréchal-de-Lattre-de Tassigny 81000 Albi
Tél. 33 (0)5 63 38 08 10
contact@amplitudes.com
www.amplitudes.com
Circuits individuels sur l'ensemble du territoire indien ("De la côte de Coromandel au Kerala", "Rajasthan, pays des princes", "L'Inde himalayenne"…), séjours balnéaires, de remise en forme.

Ariane Tours
5, square Dunois 75013 Paris
Tél. 33 (0)1 45 86 88 66
bureau@ariane-tours.com
www.ariane-tours.com
Voyages et circuits organisés dans
le Rajasthan et la vallée du Gange.

Arts et Vie
251, rue de Vaugirard 75015 Paris
Tél. 33 (0)1 40 43 20 21
27, cours André-Philippe BP2142
69603 Villeurbanne Cedex
Tél. 33 (0)4 72 69 97 77
32, rue Alsace-Lorraine
38000 Grenoble
Tél. 33 (0)4 76 86 62 70
9, boulevard de Louvain
13008 Marseille
Tél. 33 (0)4 91 80 89 60
45, rue Clément-Roassal
06000 Nice
Tél. 33 (0)4 93 88 78 18
www.artsetvie.com
Circuits organisés dans la région
d'Himachal Pradesh, en Inde du Nord,
dans la vallée de Katmandou, le golfe
du Bengale et la vallée de Katmandou.

Asie-online.com
www.asie-online.com
Spécialiste des voyages en Asie qui
propose des itinéraires en individuel,
des séjours découverte ou des voyages
sur mesure.

Atrium Travels Tours
113, rue du Faubourg-Poissonnière
75009 Paris
Tél. 33 (0)1 56 02 62 52
info@atriumtravels.com
www.atriumtravels.com
Circuits organisés dans toutes
les régions de l'Inde.

Expedia.fr
www.expedia.fr
Séjours clé en main à organiser soi-
même et à des prix compétitifs.

Jet tours
Tél. 0825 30 20 10
38, avenue de l'Opéra 75002 Paris
Tél. 33 (0)1 47 42 06 92
www.jettours.com
Circuits et auto tours standards ou
à la carte dans l'Inde du Nord.

Kuoni
22, rue du Sec-Arembault 59800 Lille
Tél. 33 (0)3 20 15 20 20
14, rue de la Barre 69002 Lyon
Tél. 33 (0)4 78 42 57 51
5, rue Mabillon 75006 Paris
Tél. 33 (0)1 53 10 50 30
www.kuoni.fr
Circuits et séjours thématiques :
"Palais du Rajasthan", "Essences
du Kerala", "De Delhi à Katmandou",
"Toute l'Inde du Nord", "Terre et
peuples du Rajasthan", "La Danse
de Shiva", "L'Inde des seigneurs"…

Nouvelles Frontières
www.nouvelles-frontieres.fr
Circuits : "Rajasthan et Gujarat",
"Palais et villes fantômes de l'Inde",

"Inde du Sud et Sri Lanka : au pays des
Ramayana", "L'Inde des Rajpoutes"…
Opodo.fr
www.opodo.fr
Du vol sec au voyage tout compris à
prévoir jusqu'à la dernière minute.

Terra Incognita
CP 701
36, quai Arloing 69256 Lyon Cedex 09
Tél. 33 (0)4 72 53 24 90
ti@terra-incognita.fr
www.terra-incognita.fr
Séjours, avec ou sans thème :
"De Bénarès à l'Orissa", "Éveil des
sens", "Jungles et arts sacrés",
"Magie du Rajasthan"…

Terre entière
10, rue de Mézières 75006 Paris
Tél. 33 (0)1 44 39 03 03
info@terrentiere.com
www.terreentiere.com
Circuits culturels, possibilité
d'organiser des circuits sur mesure
pour des groupes à partir de 15 pers.

Terrien
1, quai de Turenne BP 20324
44003 Nantes Cedex 1
Tél. 33 (0)2 40 47 93 25
Circuits au Rajasthan et Inde du Sud.

Voyageurs du monde
Tél. 0892 23 76 76
fmazuir@vdm.com
www.vdm.com
Voyages en individuel sur mesure dans
toute l'Inde et dans l'Himalaya.

Inde

Eholidaysindia
Indovision Tours Pvt. Ltd.
1, DDA Commercial Plaza, Nanak Pura
Moti Bagh-2, New-Delhi - 110021
Tél. 91 (0)11 2687 3322 ou
91 (0)11 2687 4411
info@eholidaysindia.com
Voyages organisés dans toutes
les régions de l'Inde et du Népal.

Sanskriti Tours Private Limited
195 Vasant Apartments, Vasant Vihar
New Delhi 110057
Tél./fax 91 (0)11 2614 6620
tarun@voyageinde.com
www.voyageinde.com
Agence francophone proposant des
circuits standards et sur mesure.

Tour Passion
G-16, LSC-2, I.P. Extension, Patparganj
Delhi 110092
Tél. 91 (0)11 5528 1052
reveindien@yahoo.fr
www.rajasthanvoyage.com
Ce tour-opérateur francophone installé
à Delhi organise des circuits standards
ou sur mesure.

SPÉCIALISTES

Belgique

Zig-Zag
SFERA Tours
Rue Grétry, 22 1000 Bruxelles
Tél. 32 (0)2 223 49 48
(voir plus bas, sous "France")

Continents insolites
Rue César-Franck 44A, B 1050
Bruxelles
Tél. 32 (0)2 218 24 84
www.atalante.fr
Randonnée et trekking dans le Sikkim,
Nanda Devi ; le Garwhal ou la région
du Gange-Rajasthan.

France

Atalante
CP701, 36, quai Arloing 69256 Lyon
Tél. 33 (0)4 72 53 24 85
5, rue du Sommerard 75005 Paris
Tél. 33 (0)1 55 42 81 00
www.atalante.fr
Randonnée et trekking dans le Sikkim,
Nanda Devi ; le Garwhal ou la région
du Gange-Rajasthan.

Fleuves du monde
28, bd de la Bastille 75012 Paris
Tél. 33 (0)1 44 32 12 85
www.fleuves-du-monde.com
info@terre-voyage.com
Croisières sur des embarcations
traditionnelles du Kerala, en Inde
du Sud.

Nomade Aventure
40, rue de la Montagne-Sainte-
Geneviève 75005 Paris
Tél. 0826 100 326
43, rue Peyrolières 31000 Toulouse
Tél. 33 (0)5 61 55 49 22
info@nomade-aventure.com
www.nomade-aventure.com

Cartes et plans

Les bonnes cartes de l'Inde sont
difficiles à trouver. Pour des raisons
de sécurité, le gouvernement interdit
la vente de cartes détaillées pour
les régions frontalières, notamment
l'intégralité du littoral ; celles en vente
ne peuvent pas être exportées.

Chez vous, vous trouverez des
cartes fiables, telles que celles
de l'Asie du Sud de Bartholomew
(1/4 000 000), de Lascelles
(même échelle) et de Nelles Verlag.

Les offices du tourisme fournissent
des plans de ville (échelle
supérieure). La société Survey of
India (Janpath Barracks A, New Delhi
110 001) publie également cartes
des États et plans de villes.

Nous vous recommandons par
ailleurs les plans de ville Eicher, fort
détaillés, et le guide Eicher sur Delhi,
disponibles sur place en librairie.

Nombre de ces cartes sont
disponibles sur www.indiamapstore.com

Spécialiste des randonnées à pied, à cheval ou à vélo, propose une randonnée à cheval au Rajasthan et des treks dans tout le pays.

Tamera
26, rue du Bœuf
69005 Lyon
Tél. 33 (0)4 78 37 88 88
tamera@tamera.fr
www.tamera.fr
Randonnées loin des sentiers battus : "Du Cachemire au Ladakh", "Nagaland : chez les anciens chasseurs de têtes des confins tibéto-birmans de l'Inde", "Arunachal : confins tibéto-birmans de l'Inde".

Terres d'Aventure
6, rue Saint-Victor
75005 Paris
Tél. 33 (0)1 43 25 69 37
www.terdav.com
Spécialiste du voyage à pied tous niveaux, avec ou sans accompagnateur, en Inde du Sud.

Tirawa
2, rue Claude-Martin
73026 Chambéry Cedex
Tél. 33 (0)4 79 33 76 33
Infos@tirawa.com
www.tirawa.com
Ce tour operator, qui s'adresse aux trekkers et à tous ceux qui souhaitent avoir un contact direct avec la nature et les habitants du pays visité, propose plusieurs vols pour Delhi au départ de Paris, Lyon, Nice, Strasbourg, Toulouse, Genève, et des circuits en petits groupes : "Ladakh et Nubra", "Monastères du Ladakh", "De la Markha au Rupshu", "Grande traversée du Zanskar", "Garwhal Himal", "Sikkim et Kangchenjunga"...

Zig-Zag
6, rue Georgin 88000 Épinal
Tél. 33 (0)3 29 64 63 63
36, rue des Carmes 54000 Nancy
Tél. 33 (0)3 83 30 64 64
54, rue de Dunkerque 75009 Paris
Tél. 33 (0)1 42 85 13 93
Informations@zig-zag.tm.fr
www.zig-zag.tm.fr
Circuits de randonnée au Rajasthan, dont un "Spécial Pushkar" pendant la foire de Pushkar (novembre).

Suisse

Equinoxe
Ch. des Épinettes, 6
1007 Lausanne
Tél. 41 (0)21 671 60 00
www.equinoxe.ch
info@equinoxe.ch
Circuits culturels au Rajasthan, dans les plaines du Gange et en Inde du Sud.

Se rendre en Inde

Confirmez absolument vos réservations sur tous les vols pour l'étranger au

Sites Internet utiles

Généralistes
www.inde-en-ligne.com
www.couleur-indienne.net
www.indeaparis.com
www.pondichery.com
www.india-fr.com
http://in.indiatimes.com
www.mapsofindia.com

Arts et culture
www.musicinindianonline.com
www.bollywoodworld.com

Sites de l'office de tourisme indien
www.tourismofindia.com, www.india-tourism.com

Sites des offices de tourisme d'État
Îles Andaman et Nicobar
http://tourism.andaman.nic.in
Andhra Pradesh
www.aptourism.com
Arunachal Pradesh
www.arunachaltourism.com
Assam
www.assamtourism.org
Bengale-Occidental
www.wbtourism.com
Bihar
http://bihar.nic.in
Chandigarh
www.citco.nic.in
Chattisgarh
http://cgtourism.nic.in
Daman and Diu
http://daman.nic.in
Delhi
http://delhitourism.nic.in
Goa
www.goatourism.org
Gujarat
www.gujarattourism.com
Haryana
http://htc.nic.in

Himachal Pradesh
http://himachaltourism.nic.in
Jammu-et-Cachemire
www.jktourism.org
Jharkhand
http://jharkhand.nic.in
Karnataka
http://kstdc.nic.in
Kerala
www.keralatourism.org
Lakshadweep
http://lakshadweep.nic.in
Madhya Pradesh
www.mptourism.com
Maharashtra
www.mtdcindia.com
Manipur
http://manipur.nic.in
Meghalaya
www.meghalayatourism.com
Mizoram
http://mizoram.nic.in
Nagaland
www.nagalandtourism.com
Orissa
www.orissa-tourism.com
Pondichéry
www.tourisminpondicherry.com
Punjab
http://punjabgovt.nic.in
Rajasthan
www.rajasthantourism.gov.in
Sikkim
http://sikkim.nic.in
Tamil Nadu
www.tamilnadutourism.org
Tripura
http://tripura.nic.in
Uttar Pradesh
www.up-tourism.com
Uttaranchal
www.uttaranchaltourism.gov.in

moins 72 heures avant votre départ, en particulier en haute saison, car la plupart des compagnies pratiquent la surréservation.

Les procédures de sécurité pouvant être longues et tatillonnes, prévoyez au moins 2 heures pour l'enregistrement.

La taxe d'aéroport ou de port maritime, facturée au départ, est payable avant l'enregistrement – demandez le montant à votre compagnie lors de la réservation. Vérifiez que le nom de votre porteur en partance pour l'étranger figure bien sur le reçu.

Les détenteurs d'une autorisation d'entrée doivent se procurer un avis de sortie auprès des bureaux où ils sont enregistrés.

Si votre séjour dépasse 180 jours, demandez un certificat d'exonération d'impôt sur le revenu à la Foreign Section of the Income Tax Department de Delhi, Mumbai, Kolkata ou Chennai.

PAR AVION

L'immense majorité des touristes arrivent en Inde par avion. Les aéroports de Mumbai et Delhi constituent les principaux points d'entrée ; quelques vols internationaux en provenance d'Europe atterrissent à Kolkata, Bangalore et Chennai. Les autres aéroports internationaux sont Ahmadabad, Thiruvananthapuram, Hyderabad et Dabolin.

Outre la compagnie nationale Air India (www.airindia.com), d'autres proposent des également des vols réguliers au départ de l'Europe : Air France (www.airindia.com), British Airways (www.ba.com), Emirates (www.emirates.com), Finnair (www.finnair.com), Jet Airways (www.jetairwayscom), KLM (www.klm.com), Lufthansa (www.lufthansa.com), Swiss (www.swiss.com) et Virgin Atlantic (www.virgin-atlantic.com)

Agra, Varanasi, Kanpur, Patna,

Kozhikode et Kochi – qui ne constituent pas des aéroports internationaux à proprement parler – disposent de services limités en matière de liaisons internationales, de douanes et d'immigration. Agra accueille les charters en provenance du Royaume-Uni. Des vols quotidiens depuis Katmandou (Népal) arrivent à Varanasi, Kanpur et Patna, qui assurent des correspondances pour Delhi. Kozhikode et Kochi proposent des vols pour les pays du Golfe.

En basse saison, les compagnies pratiquent des tarifs préférentiels ; renseignez-vous. Après l'achat de votre billet, confirmez votre réservation largement à l'avance.

Notez-le Pour les vols vers/depuis l'Inde, présentez-vous très tôt, car les avions sont généralement bondés et en surréservation. Les longs courriers atterrissent souvent entre 0h et 6h.

Les 4 principaux aéroports connaissent des améliorations constantes. Ils disposent de consignes à bagages, et vous trouverez porteurs et taxis titulaires d'une licence. Les halls d'arrivée et de départ de Delhi, Mumbai, Kolkata et Chennai abritent des boutiques hors taxes. Les banques (ouv. 24 h/24), effectuent du change.

EN BATEAU

Quelques bateaux de touristes jettent, certes, l'ancre dans les ports de Cochin et Mumbai ; toutefois, l'Inde ne figure pas sur les circuits de croisière courants. Certains cargos acceptent des passagers et proposent un hébergement excellent. Great Eastern Shipping (www.greatship.com), Lloyd Triestino (www.lloydtriestino.it) et Shipping Corporation of India (www.shipindia.com) disposent de voiliers à destination de Mumbai, Kolkata et Chennai.

PAR VOIE TERRESTRE

Il est théoriquement possible de rallier l'Inde en train depuis Paris. La première étape vous conduit à Istanbul via Vienne et Sofija ; puis un train hebdomadaire vous amènera à Téhéran d'où vous rejoindrez Quetta à la frontière pakistanaise. Le dernier tronçon de voie ferroviaire entre Kerman et Zahedan, côté Iran, est en cours d'achèvement.

Les services terrestres ont repris entre l'Inde et le Pakistan. Le train reliant Lahore (Pakistan) à Delhi passe la frontière à Wagah-Attari. Le Samjhota Express dessert Delhi depuis Lahore, *via* Amritsar (départ 11h lun. et jeu. ; présentez-vous à 8h). Un bus direct relie Lahore à Delhi (départ 6h mar., mer., ven. et sam. devant le Faletti's Hotel sur Egerton Road).

Taxe de départ

Pour les vols internationaux, vous devrez vous acquitter d'une taxe de départ de 750 INR (550 INR pour les pays SAARC voisins). Elle est théoriquement incluse dans votre billet, mais mieux vaut vérifier auprès de votre compagnie ou de votre voyagiste.

La frontière népalaise est ouverte uniquement pour les non-Indiens et Népalais aux postes de Birgani/Raxhal, de Bairwa et de Kakarbitta/Naxalbari.

Dans votre valise

Dans le sud de l'Inde, ainsi que dans le Nord en été, évitez le synthétique. Vous trouverez facilement sur place chemises en coton, chemisiers et jupes bon marché. Emportez vos propres sous-vêtements (en particulier soutien-gorge) et maillots de bain.

En hiver, pulls – un léger et un plus épais – et blouson ou anorak vous seront indispensables, en particulier dans le Nord, qui enregistre de considérables amplitudes thermiques diurnes. Des vêtements plus légers conviendront pour le Sud et la côte. Prévoyez des chaussures confortables.

Les femmes éviteront chemisiers sans manches, minijupes, shorts et robes suggestives ; elles se pareront – recommandation de toute façon précieuse sous le soleil indien – d'un *shalwar kamiz* (ou *churidar*), longue tunique portée sur un pantalon large.

Si vous vous éloignez des villes principales et des grands hôtels, prévoyez : sac de couchage, oreiller, trousse de secours, crème solaire, écran total (pour la montagne), foulard ou chapeau, cosmétiques et tampons, moustiquaire et bonde universelle.

Souscrivez à une bonne assurance de voyage, qui vous couvrira en cas de désagrément. Faites une photocopie de la police et conservez-la à part.

Photographies

Dans toutes les grandes villes, vous trouverez des pellicules en couleurs, et des boutiques pour développer et tirer vos photos numériques ou argentiques. Seules les grandes métropoles vendent des pellicules pour diapositives ; mieux vaut emporter les vôtres.

Faites vérifier votre appareil avant le départ : sur place, rares sont les magasins fournissant un service de réparation rapide et fiable.

La photographie de régions adivasi, zones à accès, installations militaires, ouvrages publics, aéroports et frontières est strictement réglementée.

Sur place

OFFICES DE TOURISME

Ci-dessous, offices de tourisme du gouvernement dans les grandes villes.

Agra
191 The Mall
Tél. 222 6368

Ahmadabad
H.K. House, Ashram Road
Tél. 2658 9172

Aurangabad
Krishna Vilas, Station Road
Tél. 233 1217

Bangalore
K.F.C. Building, 48 Church Street
Tél. 2558 5417

Bhubaneshwar
B-21 B.J.B. Nagar
Tél. 243 2203

Chennai
154 Anna Salai
Tél. 2846 1459
Fax 2846 0193

Delhi
88 Janpath
Tél. 2332 0008
Fax 2332 0109
Aéroport national
Tél. 2567 5296
Aéroport international
Tél. 2569 1171

Guwahati
G.L.P. Complex, G.S. Road
Tél. 254 7407

Hyderabad/Secunderabad
30-60-140, 2nd Floor Netaji Bhawan,
Liberty Road
Tél. 2326 1360
Fax 2326 1362

Jaipur
State Hotel, Khasa Kothi
Tél./fax 237 2200

Kochi/Ernakulam
Willingdon Island, Kochi
Tél. 266 8352

Kolkata
4 Shakespeare Sarani
Tél. 2282 1402
Fax 2282 3521
Aéroport national
Tél. 2511 8299

Lucknow
P3 Nawal Kishore Road, Chitrahar
Building
Tél. 2228 349
Fax 2221 776

Mumbai
123 Maharishi Karve Marg
(face à la Churchgate)
Tél. 2203 3144
Fax 2201 4496
Aéroport national
Tél. 2615 6920
Aéroport international
Tél. 2832 5331
Panaji
Communidade Building, Church Square
Tél. 222 3412
Patna
Sudama Palace, Kankar Bagh Road
Tél./fax 234 5776
Port Blair
VIP Road, Junglighat P.O.
Tél./fax 233 006
Thiruvananthapuram
ParkView
Tél. 232 2517
Aéroport
Tél. 245 1498
Varanasi
15b The Mall
Tél. 250 1784

Ambassades et consulats

Chennai

Consulat honoraire de France
Shri Vishwavandita, 19 Poes Garden
Tél. 2499 02 01 code 044
Consulat du Canada,
Chamber 2, Business Centre
The Residency Towers, Thyagara Road
Tél. 2815 1445
Fax 2815 7029

Delhi

Ambassade de France
2/50 E Shantipath, Chanakyapuri
New Delhi
Tél. 2419 61 00
Fax 2419 61 19
www.france-in-india.org
Ambassade de Belgique
50 N Shantipath, Chanakyapuri
New Delhi
Tél. 2688 98 51
Fax 2688 58 21
www.diplomatie.be/newdelhi
Ambassade de Suisse
Nyaya Marg, Chanakyapuri, New Delhi
Tél. 2687 8372
Fax 2687 3093
Canadian High Commission
7-8 Shantipath, Chanakyapuri, New Delhi
Tél. 2687 6500, www.dfait-maeci.gc.ca

Kolkata

Consulat honoraire de France
Shri Ram Garden, 15 Belvedere Road
Tél. 2230 4571 ou 2230 4572
Fax 2248 76 69
Consulat du Canada
C/o R.P.G. Enterprises, Duncan House,
31 Netaji Subhas Road
Tél. 2242 6820 ou 2242 6821

Mumbai

Consulat général de France
Hoechst House, 7e étage, Nariman
Point (jouxte le N.C.P.A)
Tél. 5669 4000
Fax 5669 4066
www.consulfrance-bombay.org
Consulat de Belgique
11 M. L. Dahanukar Marg,
Carmichael Road
Tél. 2497 4302
Fax 2495 0420
Consulat de Suisse
102 Maker Chamber IV, 10e étage, 222
Jamnalal Bajaj Marg, Nariman Point
Tél. 2288 4563/64/65
Fax 2285 6566
Consulat du Canada
41-2 Maker Chamber VI, Jamnalal Bajaj
Marg, 220 Nariman Point
Tél. 2287 6027/30 ou 2287 5479

Pondichéry

Consulat général de France
2, rue de la Marine
Tél. 2334 174/058
Fax 2335 594
www.consulfrance-pondichery.org

Horaires d'ouverture

Institutions publiques

Horaires officiels : 9h30–18h du lun. au ven., mais mieux vaut miser sur la période 10h-17h – et compter avec la longue pause déjeuner.

Bureaux de poste

Ouv. de 10h à 16h30 du lun. au ven., et jusqu'à 12h sam. Dans la plupart des grandes villes, la poste centrale ouvre jusqu'à 18h30 en semaine, 16h30 le samedi, et parfois 12h le dimanche. Les principaux bureaux de télégramme ouvrent 24h/24.

Boutiques

Ouv. de 10h à 19h ; certains magasins ferment pour le déjeuner. Bien que le dimanche soit officiellement jour de repos, dans les principales villes les jours de fermeture sont échelonnés selon les quartiers, si bien que vous trouverez toujours quelques zones commerçantes ouvertes.

Restaurants

Ouv. généralement jusqu'à 23h. Quelques clubs et discothèques ferment bien plus tard. Les cafés des hôtels ouvrent 24h/24.

Banques

La plupart des banques étrangères et indiennes nationalisées (dont la State Bank, la principale) ouvrent de 10h à 14h en semaine, et de 10h à 12h le samedi. Certaines agences fonctionnent le soir, d'autres également

Jours fériés

L'Inde compte de nombreuses fêtes, mais seules les suivantes sont considérées comme des jours fériés.
26 janvier Fête de la République
15 août Fête de l'Indépendance
2 octobre anniversaire du Mahatma Gandhi
25 décembre Noël
Voir également Les fêtes annuelles, p. 109.

le dimanche (avec fermeture un jour de la semaine) et d'autres encore n'ouvrent qu'entre 9h et 13h. Dans les villes principales, de nombreux établissements possèdent des DAB (24h/24) souvent gardés, pratiques et sûrs. Toutes les banques ferment les jours fériés, le 30 juin et le 31 décembre, et la plupart pour les fêtes officielles.

Médias

Journaux et magazines

Avec son grand nombre de quotidiens anglophones et ses quelques centaines de journaux en langues indiennes, la presse locale couvre tant les événements nationaux qu'internationaux.

Parmi les quotidiens anglophones les plus connus figurent *Times of India*, *The Indian Express*, *The Hindu* (axé sur les régions sud, mais vivement recommandé) et *The Hindustan Times* (tous disponibles sur Internet), tous les quotidiens ont une édition du dimanche. Les principaux quotidiens de Delhi sont l'*Asian Age* (développements politiques) et *The Pioneer*, auquel ont contribué Kipling et Churchill.

India Today, *Outlook* et *Frontline* (également en ligne) comptent parmi les meilleurs magazines d'information. D'excellentes revues généralistes sont publiées, comme *Sanctuary* (spécialisée dans l'histoire naturelle du Sud asiatique), ainsi que des magazines de voyages dont *Outlook Traveller* et *Indian Today Travel Plus*, qui fournissent des informations à jour sur les circuits dans le pays et les événements culturels locaux.

À Mumbai et Delhi circulent quelques journaux étrangers (avec 24h de retard) et magazines internationaux.

Il existe plusieurs magazines en anglais (*Society*, *Bombay*, *First City*), et des revues sur le cinéma, la ville (*First City*, *Delhi Diary* et *Hallo! Madras*) et féminines (*Femina*, les éditions indiennes de *Cosmopolitan*, *Elle*, etc.).

Télévision et radio

Doordarshan, la société de télévision publique, émet des programmes en anglais, hindi et langues régionales. En général, les informations en anglais sont diffusées à 7h50 et 21h30 (avec des variations selon les États).

La télévision par satellite, captée presque partout (jusqu'à 50 chaînes), inclut le réseau de Star TV, avec BBC World Service et MTV. La chaîne d'informations NDTV (24h/24) offre une bonne couverture des informations et de la politique indienne. Parmi les autres prestataires figurent Channel V (chaîne de musique locale pour la jeunesse), Zee TV (en hindi), et quelques chaînes diffusant sport, séries et feuilletons américains, ainsi que films anglophones.

All India Radio (AIR) émet sur courtes et moyennes ondes, ainsi qu'en FM (VHF) à Delhi, Mumbai et Chennai ; les fréquences varient (renseignez-vous à votre hôtel).

Télécommunications

Poste

Dans la plupart des régions, les services postaux internes se révèlent efficaces. Mieux vaut remettre le courrier au guichet pour qu'il soit immédiatement affranchi, plutôt que de le déposer dans une boîte aux lettres. Les timbres indiens adhèrent mal : servez-vous de la *gum* (colle) disponible au bureau de poste.

Envoyer un colis en recommandé à l'étranger est un processus long et compliqué. Les paquets doivent généralement être enveloppés dans du tissu avant d'être cachetés (service proposé à l'extérieur de la plupart des principaux bureaux de poste). Il faut ensuite remplir 2 formulaires de déclaration en douane. Une fois la pesée effectuée et les timbres collés, vérifiez que le colis est affranchi et attendez le reçu d'enregistrement (les marchandises importantes ou de valeur doivent être enregistrées).

Nombre de boutiques se chargent de l'envoi des marchandises, mais mieux vaut ne se fier qu'aux emporia du gouvernement.

D'une manière générale, la poste restante fonctionne bien, mais vérifiez que votre nom est écrit lisiblement. La plupart des villes ne possèdent qu'un seul bureau de poste principal, mais sachez qu'il y a souvent confusion entre Delhi et New Delhi.

Courrier express

La plupart des principaux services de messagerie internationaux ont conclu des accords de représentation avec des compagnies indiennes. DHL, Skypak et IML opèrent sous leur propre nom ; Federal Express utilise le logo

Cordonniers et tailleurs

En Inde, le recyclage et la réparation du moindre objet est monnaie courante. Si vos chaussures ou sacs avaient besoin d'être réparés, vous trouverez un peu partout des *chappal-wallah* (cordonniers), assis sur le bord de la route, avec leurs outils disposés dans une caisse en bois. Pour une somme dérisoire, ils redonneront forme à n'importe quelle paire de chaussures (méfiez-vous, en revanche, des cireurs des environs de Connaught Place, à New Delhi : ils jettent des excréments sur les souliers des passants à leur insu, puis leur proposent de les nettoyer pour un prix exorbitant).

Blue Dart. Ces sociétés, qui ont ouvert des agences dans les grandes villes, proposent leurs services pour l'étranger, mais aussi à l'intérieur du pays. **Remarque** Le service Speedpost du gouvernement effectue des envois rapides à des prix comparables.

Internet

Toutes les grandes villes, ainsi que quelques localités plus modestes, possèdent cybercafés ou équivalents, pour surfer et envoyer des messages. La facturation se fait généralement à la minute ou à l'heure ; comptez environ 60 Rps/h. **Reliance** et **Sify**, proposent des abonnements valables dans leurs cafés, présents dans la majorité des grandes villes.

Téléphone

Le système téléphonique indien s'améliore constamment. Il vous permet de passer des appels internationaux dans la plupart des régions du monde, directement ou par un opérateur. Les appels depuis les hôtels sont parfois hors de prix, les majorations pouvant atteindre 300 % ; consultez les tarifs à l'avance. Les Indiens utilisent énormément les téléphones portables ; selon votre opérateur, il se peut que le vôtre fonctionne sur place.

Vous trouverez quantité de boutiques privées permettant de téléphoner à l'étranger directement, rapidement et simplement ; elles affichent les acronymes STD (interurbain) et ISD (pour l'international). Certaines ouvrent 24h/24. Les appels nationaux et internationaux s'y effectuent sans opérateur. Pour l'étranger, composez l'indicatif international (*00*), celui du pays concerné (*32* pour la Belgique, *1* pour le Canada, *33* pour la France, *41* pour la Suisse), l'indicatif régional éventuel sans le *0* initial, puis

le numéro de votre correspondant sans le *0* initial. Certaines cabines disposent d'un écran numérique indiquant durée et prix pendant l'appel. Les tarifs sont analogues à ceux des centres de télécommunications officiels.

Les numéros de téléphone indiens comportent désormais 10 chiffres (dont l'indicatif de la ville, moins le *0* initial). L'immense majorité débute par un *2*, et, si vous appelez un ancien numéro (à 8 chiffres), faites-le précéder d'un *2*. Les indicatifs des villes sont signalés sous la rubrique "Où loger".

De n'importe quel téléphone, il est possible d'utiliser le service "Home country direct" pour le Canada et plusieurs autres pays, qui permet de passer un appel en PCV ou à l'aide d'une carte de crédit, *via* un opérateur.

La plupart des boutiques de téléphone privées et grands hôtels possèdent un fax.

Les tailleurs indiens, extrêmement habiles, vous confectionneront une tenue complète en un tour de main. Ils réalisent des copies correctes de la mode occidentale, mais se montrent plus adroits dans la confection de "chemises sari" *(shalwar kamiz)*. L'achat d'un tissu reste l'un des plus grands plaisirs d'un voyage en Inde ; si vous souhaitez le faire coudre, la plupart des boutiques vous conseilleront un bon tailleur.

Les couturiers réparent également les vêtements, même déchirés, et – opération tout aussi utile – les sacs à dos sur le point de rendre l'âme.

Religion

Rares sont les villes d'Inde dépourvues d'église, mosquée ou temple hindou, et la plupart des grandes localités possèdent des *gurdwara* sikhs. Vous trouverez plusieurs synagogues à Mumbai, 2 à Calcutta, ainsi qu'une à New Delhi et Puné. Votre hôtel vous fournira des renseignements sur l'institution religieuse qui vous intéresse.

Santé

Médicaments et traitements

Pour les problèmes mineurs, emportez une trousse de secours contenant notamment anti-diarrhéique, antibiotiques divers, aspirine et aiguilles stériles ; prévoyez éventuellement des médicaments contre les infections de gorge et les allergies. N'oubliez pas vos traitements habituels, tampons, garnitures, ainsi que contraceptifs et préservatifs, parfois difficiles à trouver.

Ajoutez pansements, crème antiseptique et tablettes purificatrices pour l'eau. Pour éviter les infections, nettoyez et désinfectez immédiatement toute coupure, même superficielle. Sur place, vous trouverez des préparations réhydratantes en poudre (telles que Vijay Electrolyte), contenant sels minéraux et dextrose, à dissoudre dans l'eau – un complément idéal, notamment en été ou en cas de diarrhée – ; une solution de substitution consiste à mélanger une cuillerée à café de sel et une de sucre dans 500 ml d'eau.

Eau

En Inde, de nombreuses sources d'eau, contaminées, provoquent des maladies chez les voyageurs non immunisés contre les bactéries, telles que la giardiase. Les bouteilles d'eau, pas toujours fiables, sont en outre fort nuisibles pour l'environnement (une gigantesque montagne de plastique est en train de se former dans le pays). Emportez votre propre bouteille (comme celle de la société suisse Sigg, résistante et hygiénique) : sur place, vous la remplirez d'eau potable (si possible bouillie) et, lorsque vous n'en trouverez pas, un filtre portatif se révélera fort utile. Les meilleurs sont ceux de Katadyn (www.katadyn.com).

Malaria

Cette maladie transmise par l'anophèle (moustique) est très grave et potentiellement mortelle. En Inde, il existe 2 souches courantes, *P. falciparum* et *P. vivax*. Les symptômes, qui s'apparentent à ceux d'une forte grippe (fièvre, diarrhée et/ou douleurs musculaires, tremblements), peuvent apparaître jusqu'à un an après le départ de la zone infectée. En cas de doute, consultez un médecin au plus vite.

La prophylaxie se révèle indispensable pour toutes les régions, sauf au-delà de 2 500 m. La protection habituelle pour l'Inde consiste en l'association de proguanil (Paludrine®) chaque jour et de chloroquine (Avoclar®, Nivaquine®) une fois par semaine.

Votre pharmacien vous renseignera sur les dosages corrects (généralement 200 mg de proguanil/jour et 300 mg de chloroquine/semaine). À l'heure actuelle, il s'agit du seul traitement possible en cas de grossesse. Néanmoins, cette association n'est efficace qu'à 70 % au mieux et les avis médicaux évoluent parfois rapidement. La méfloquine (Lariam®) – autre traitement hebdomadaire possible –

ne convient pas aux sujets épileptiques ou souffrant de dépression, et de nombreuses données empiriques mettent en évidence de graves effets secondaires à long terme (même si, selon le corps médical, ceux-ci ne se rencontrent pas avec l'association proguanil/chloroquine). Tout autre traitement médical se révèle inefficace contre les 2 souches.

La protection la meilleure – elle est radicale – consiste à éviter les piqûres : dormez sous une moustiquaire imprégnée de perméthrine, couvrez-vous le soir et utilisez un répulsif efficace contre les insectes, tel que DEET (diéthyltoluamide). Par ailleurs, les tortillons fumigènes, en vente sur place, sont également efficaces.

Mycoses

Miliaire Elle apparaît souvent en raison d'une transpiration excessive. Essayez de garder la peau sèche, utilisez du talc et portez des vêtements larges en coton.
Infections fongiques Courantes, notamment durant la mousson, elles se traitent par l'exposition au soleil et/ou l'application de crème Caneston®.

Diarrhées

Turista Souvent provoquée par une légère intoxication alimentaire, elle peut être évitée si vous respectez quelques précautions : à votre arrivée, reposez-vous le premier jour et ne mangez qu'une nourriture simple, tels que plats végétariens bien cuits, *thali* du Sud et fruits pelés. La consommation de plats carnés trop riches (cuisinés à grand renfort d'huile et d'épices) entraîne souvent des problèmes d'estomac surtout si vous manquez de repos et ne laissez pas à votre organisme le temps de s'acclimater.

Buvez beaucoup (boissons bouillies ou eau filtrée uniquement). En cas de doute, tenez-vous-en à l'eau gazeuse ou minérale et aux boissons gazeuses des marques les plus courantes. Évitez les glaçons, généralement faits avec de l'eau non bouillie. Tous les aliments doivent être cuits et consommés chauds. Fuyez les salades et pelez toujours les fruits.

Dans tous les cas de diarrhées, y compris de dysenterie et de giardiase (*voir ci-dessous*), mieux vaut éviter les médicaments tels que lopéramide (Imodium®) et atropine (Lomotil®), qui empêchent l'organisme de se débarrasser des infections. N'y recourez que si vous vous déplacez. En matière de diarrhées et/ou de vomissements, le plus important consiste à se réhydrater, si possible avec une solution spécifique à base de sels minéraux.

Dysenterie et giardiase Formes plus graves d'affections intestinales à traiter absolument, elles se caractérisent par des diarrhées se prolongeant plus de 2 jours.

La dysenterie se manifeste par des diarrhées teintées de mucus et de sang, d'importantes crampes d'estomac et des vomissements. La dysenterie bacillaire évolue rapidement et s'accompagne généralement de fièvre. Elle disparaît parfois toute seule, mais le traitement habituel consiste en 2 doses quotidiennes de 500 mg de ciprofloxacin ou de tétracycline pendant 5 jours. Évitez le chloramphenicol, puissant antibiotique doué de dangereux effets secondaires. En cas de dysenterie amibienne, qui évolue plus lentement et endommage irrémédiablement les intestins, un traitement se révèle indispensable. Si vous avec des doutes, consultez si possible un médecin ou prenez 400 mg de métronidazole (Flagyl®) pendant les repas, 3 fois/jour pendant une semaine. Ce traitement interdit la consommation d'alcool.

Affection similaire provoquée par un parasite, la giardiase ne se manifeste qu'au bout d'un certain temps, à l'instar de la dysenterie amibienne. Ses symptômes incluent diarrhée très liquide et nauséabonde, ballonnements, nausées et crampes d'estomac. Une giardiase non traitée réapparaîtra ; le traitement est identique à celui de la dysenterie amibienne.

Mal des montagnes

Il peut survenir au-delà de 2 500 m. Essoufflement, palpitations, maux de tête, insomnie et perte d'appétit doivent vous alerter. Un repos total permet habituellement de s'acclimater au bout de 48 heures. Continuez absolument à boire suffisamment (au moins 4 à 6 l de liquide par jour).

En cas d'indisposition modérée, l'inhalation de quelques bouffées d'oxygène dans un filtre peut entraîner un soulagement immédiat. Étourdissements, nausées, vomissements, convulsions, forte soif, somnolence, troubles de la vision, faiblesse ou difficultés d'audition indiquent une crise grave, provoquée par une ascension trop rapide ou à une altitude trop élevée.

Le seul traitement consiste à redescendre à une altitude inférieure sur-le-champ. En l'absence de traitement, le manque d'oxygène peut endommager durablement les poumons. Prévoyez quelques jours d'acclimatation avant de tenter une nouvelle ascension par paliers. Dans les cas très sérieux, outre une

descente immédiate, la prise de
250 mg d'actazolamide 2 fois/jours
pendant 3 jours peut être efficace.
Le fait que vous n'ayez jamais souffert
du mal des montagnes lors de voyages
précédents ne vous met pas à l'abri
des risques : cette affection peut
frapper n'importe qui, même les
personnes en bonne santé.

À haute altitude, 2 autres affections
très graves, voire mortelles, peuvent
toucher les alpinistes : les œdèmes
pulmonaires et cérébraux. Dans le
premier cas, les poumons
se remplissent de liquide (provoquant
toux avec écume, comportement
incohérent et fatigue) ; le seul
traitement consiste à redescendre
immédiatement. Le second entraîne
une tumescence du cerveau (avec
maux de tête, hallucinations et
désorientation, puis coma) ; descendre
sur-le-champ peut éviter la mort.
L'absorption de 4 mg de
dexaméthasone 3 fois/jour entraîne
une diminution du gonflement ;
toutefois, ce médicament fort puissant
n'est à administrer que sous
surveillance médicale ou en cas
d'extrême urgence.

Affections liées au soleil

Le caractère pernicieux d'un coup
de soleil est désormais bien connu.
Couvrez-vous et appliquez une crème
solaire à haut indice de protection,
même par temps nuageux. Si les effets
du soleil semblent évidents dans les
plaines et régions tropicales d'Inde,
soyez vigilants en montagne
également, où la raréfaction de
l'oxygène rend les rayons plus nocifs
malgré l'impression de fraîcheur.
Une exposition prolongée peut
entraîner les 2 affections suivantes.
Insolation Fréquente, elle se
manifeste par une respiration faible,
un pouls rapide et une certaine pâleur,
souvent accompagnés de crampes
de jambes, maux de tête ou nausées.

La température corporelle reste
normale. Pour éviter de perdre
connaissance, allongez-vous au frais
et buvez de l'eau mélangée à des sels
réhydratants ou du sel de table.
Coup de chaleur Plus grave, il survient
surtout sous les climats chauds et
humides – bébés et personnes âgées
sont les plus exposés. Fièvre subite,
sécheresse cutanée, idées confuses
et évanouissement en constituent les
symptômes.

Transportez rapidement le malade
dans une pièce fraîche, retirez-lui
ses vêtements et couvrez-le d'un drap
humide ou de serviettes trempées
dans l'eau froide. Appelez un médecin
et éventez constamment le malade
jusqu'à ce que sa température
redescende à 38°C.

HÔPITAUX

Lors d'une urgence, pensez à appeler
dans un premier temps **East West
Rescue** (*38 Golf Links, New Delhi,
tél. 011-2469 8865* ; www.eastwestrescue.
com). Précédés d'une excellente
réputation, ils sont opérationnels
dans tout le pays.

Delhi

**All India Institute of Medical
Sciences, Ansari Nagar**
Tél. 2686 4851
Kripalani Hospital, Panchkuin Road
Tél. 2336 3788
**Safdarjang General Hospital, Sri
Aurobindo Marg**
Tél. 2616 5060

Hyderabad/Secunderabad

General Hospital, Nampally
Tél. 2234 344
Newciti, Secunderabad
Tél. 2780 5961

Kolkata

Birla Heart Research Centre
1-1 National Library Avenue
Tél. 2479 2980
**Medical College Hospital, 88 College
Street**
Tél. 2241 1891

Mumbai

Prince Ali Khan Hospital, Nesbit Road
Tél. 2375 4343

Sécurité

D'une manière générale, l'Inde est
un pays sûr pour faire du tourisme.
Toutefois, un étranger reste une cible
privilégiée pour les voleurs et
pickpockets. Prenez les précautions
habituelles : placez argent, cartes de
crédit, objets de valeur et passeport
dans une ceinture porte-monnaie ou
une bourse attachée avec un cordon
autour du cou (dans les lieux bondés,
mettez votre main dessus – cette
mesure vous évitera bien des tracas).
Ne laissez pas vos effets
personnels sans surveillance,
en particulier sur les plages.
Pour vos bagages, achetez (sur place)
un cadenas solide. À l'instar des
voyageurs indiens, attachez vos sacs
aux couchettes des trains ou sièges
des bus. Surveillez de près vos
bagages, notamment lors du
chargement et du déchargement.

L'utilisation frauduleuse des cartes
de crédit constitue un risque potentiel ;
dans les boutiques et restaurants,
veillez à ce que le paiement s'effectue
sous vos yeux.

Dans un autre sac que celui
contenant vos espèces et papiers
d'identité, conservez photocopie du

passeport et du visa, numéro et reçu
des chèques de voyage, détails du
billet d'avion, références de la police
d'assurance et numéro de téléphone
pour la déclaration des sinistres, ainsi
qu'un peu d'argent pour les urgences.
Signalez immédiatement tout vol à
un poste de police (la procédure peut
prendre des heures ; soyez patient).

Enfants

Les Indiens adorent les enfants,
avec qui ils se montrent tolérants
et indulgents ; vous pourrez donc
facilement voyager en Inde avec votre
progéniture, qui appréciera tout autant
que vous paysages et environnement
sonore. Toutefois, les enfants sont
particulièrement exposés aux risques
liés à la chaleur, l'eau non potable et
une alimentation inhabituelle servie
avec piment et autres
assaisonnements. En cas de diarrhée,
des sels réhydratants sont
indispensables. Tenez vos enfants
à l'écart des animaux errants,
notamment chiens et singes. Pour
parer à tout danger, faites-les vacciner
contre la rage. Vous trouverez
difficilement couches jetables et lieux
pour changer les bébés. Emportez
une réserve de couches ou envisagez
les changes lavables. N'oubliez pas
matelas à langer et talc auquel votre
petit est habitué. Un porte-bébé est
une bonne solution pour les circuits,
marches et randonnées.

Femmes seules

L'*Eve-teasing* est un euphémisme
indien pour désigner le harcèlement
sexuel. Les femmes doivent prendre
les précautions d'usage : faire attention
dans les transports publics locaux aux
heures de pointe (attouchements divers
à redouter au milieu des foules) et
éviter les vêtements révélant jambes,
bras et décolleté (le *shalwar kamiz* est
idéal, et un châle sera pratique pour
vous couvrir en cas de besoin).

Les agressions sexuelles graves,
plutôt rares, peuvent se produire dans
des zones touristiques fréquentées,
comme au Rajasthan ; le cas échéant,
appelez les passants à l'aide.
À savoir Il existe des files et salles
d'attente réservées aux femmes dans
les gares routières et ferroviaires, ainsi
que des compartiments spéciaux dans
les trains.

Homosexuels

Pour beaucoup d'Indiens,
l'homosexualité reste un sujet tabou.
Les relations sexuelles entre hommes
sont passibles de longues peines de
prison et le racolage dans la rue est

considéré comme une atteinte à l'ordre public. Aucune loi similaire n'existe pour les femmes homosexuelles. L'intolérance à cet égard reste la norme, mais la situation tend à évoluer et les droits des homosexuels commencent à faire l'objet de débats, notamment grâce aux films *Fire* de Deepa Mehta (1998) – qui traite d'une relation sentimentale entre 2 femmes mariées – et *Girlfriend* (2004). Les attaques perpétrées par la droite religieuse contre les cinémas diffusant ces films ont suscité des manifestations de protestation dans les rues des grandes villes. Quoi qu'il en soit, les voyageurs homosexuels doivent rester discrets et éviter (à l'instar des couples hétérosexuels) toute démonstration d'affection en public. Par contre, le fait que 2 hommes ou 2 femmes partagent la même chambre d'hôtel n'a rien de suspect. Les hommes trouveront davantage de renseignements sur les sites Internet http://webbingsystem.com/humsafar et www.gaybombay.org ; et les femmes contacteront **Sangini** (www.sanganii.org), qui milite pour les droits de la femme et des lesbiennes.

Handicapés

Si l'Inde compte de nombreux handicapés, installations pour chaises roulantes et toilettes aménagées restent fort rares. Les routes regorgent de nids-de-poule, et les bordures de trottoir sont souvent élevées et dépourvues de rampes. Entre rues jalonnées de mendiants et escaliers abrupts, les personnes ayant des difficultés à marcher rencontreront de nombreux obstacles. En revanche, les Indiens vous aideront volontiers à entrer et sortir des bus ou voitures et à monter ou descendre les escaliers. Taxis et *rickshaws* sont bon marché et, en échange d'un petit pourboire, le chauffeur vous apportera son assistance. Une autre solution consiste à louer un guide pour vous seconder ou à partir avec une personne de compagnie rémunérée.

Certains voyagistes proposent des formules pour handicapés ; pour plus de renseignements, contactez un organisme d'aide aux handicapés.

Savoir-vivre

Lieux de culte Les visiteurs sont généralement libres de flâner, voire d'assister aux rites religieux. Avant de pénétrer dans un temple, une mosquée ou un *gurdwara* (temple sikh) – tout comme chez un particulier – il est impératif de retirer ses chaussures. Certains lieux de culte fournissent

des couvre-chaussures pour un prix modique et les chaussettes sont généralement autorisées. Une tenue décente est obligatoire. Dans les temples sikhs, couvrez-vous la tête. Dans les mosquées, les femmes éviteront d'avoir les bras nus et porteront des robes longues.

Dans un temple, n'introduisez pas d'article en cuir quel qu'il soit : cela pourrait passer pour un outrage. Faites le tour du temple toujours dans le sens d'une aiguille d'une montre et, en sortant, il est d'usage de laisser une petite obole dans la boîte prévue à cet effet (*hundi*).

Photos Elles sont souvent interdites dans les sanctuaires intérieurs. Avant d'utiliser votre appareil, procurez-vous une autorisation.

Vie sociale Le *namaskaram* – la forme de salutation indienne, consistant à joindre les paumes – sera fort apprécié, même si les hommes, en particulier les citadins, n'hésitent pas à serrer la main de leurs homologues.

La liberté des relations entre hommes et femmes, habituelle en Occident, peut heurter la plupart des Indiennes ; il convient d'éviter les contacts physiques. Les hommes ne serreront donc pas la main d'une Indienne (à moins qu'elle ne le propose). En privé, les visiteurs seront reçus comme des invités d'honneur. Les Indiens comprendront et accepteront parfaitement que vous ne soyez pas familiarisés avec leurs habitudes. Si vous mangez avec les doigts, n'utilisez que la main droite.

Diriger la plante des pieds vers quelqu'un passe pour un signe de mépris. Ne désignez rien avec votre index, mais utilisez votre main tendue ou votre menton.

Tabac Le gouvernement central a approuvé une loi interdisant la cigarette dans les lieux publics, désormais adoptée par la plupart des gouvernements d'État.

Pourboire

En fonction du service rendu et du type d'établissement, comptez 2 à 10 INR.
Restaurants Généralement 10 à 15 % de l'addition. Les grands hôtels facturent déjà un supplément de 10 % pour le service. Il est donc facultatif.
Taxis et triporteurs 10 %, ou la monnaie de la course.
Porteurs Dans les gares ferroviaires, prévoyez environ 2 INR par bagage. À l'aéroport, ajoutez 1 INR par sac.
Domestiques Si vous avez séjourné chez un particulier, assurez-vous que votre hôte n'a pas d'objection à ce que vous laissiez un pourboire à ses domestiques (par exemple à un chauffeur).

Se déplacer

À l'arrivée

Après la douane, porteurs et chauffeurs de taxi assaillent généralement les voyageurs. Choisissez votre porteur une fois pour toutes. Vous paierez une somme fixe par bagage avant de quitter le terminal, à laquelle vous ajouterez un pourboire de 5 INR une fois vos sacs chargés dans le taxi ou le bus. D'éventuels employés d'une agence de voyage ou amis vous attendront dehors.

Certains grands hôtels proposent des navettes gratuites ; la société publique EATS (Ex-Serviceman's Transport Service) gère des bus à Delhi, Mumbai et Kolkata, avec arrêt dans les hôtels et les principaux sites entre l'aéroport et le centre-ville. Il existe également des services officiels de taxis et bus prépayés.

Aéroports internationaux

IGI (New Delhi)
Direction *tél. 011- 2569 6179*
Terminal 1A *tél. 011-2569 6150*
Terminal 1B *tél. 011-2567 5315*
International Airport Mumbai
Direction *tél. 022-2838 7046*
Terminal 1A *tél. 022-2615 6400*
Terminal 1B *tél. 0222615 6500*
International Airport Kolkata
Direction *tél. 033-2232 0561*
International Airport Chennai
Direction *tél. 044-2552 9172*

En avion

Indian Airlines (www.indianairlines.com) – à ne pas confondre avec Air India – couvre l'un des plus vastes réseaux intérieurs du monde. En haute saison (sept.-mars), mieux vaut s'y prendre à l'avance, car les vols sont la plupart du temps bondés. Le concept de low-cost est peut-être nouveau en Inde, mais, avec un croissance de 20 % par an jusqu'en 2012, le pays ratrappe vite son retard.

Indian Airlines, qui assure un service en vol tout à fait correct, présente un bon bilan en matière de sécurité et pratique des tarifs souvent inférieurs à d'autres compagnies pour des distances similaires. Le poids des bagages autorisé est de 20 kg par adulte (30 kg en classe affaires).

Les frais d'annulation sont extrêmement élevés pour les billets achetés sur place, mais inexistants pour les tronçons intérieurs des billets internationaux.

Les formules Discover India (valable pour 21 jours de voyage à travers le pays) et Tour India Scheme (14 jours, limité à 6 coupons de vol), toutes deux fort avantageuses, s'achètent à l'étranger ou en Inde (dans ce dernier cas, vous devrez payer en devises étrangères). Pour plus d'informations, contactez votre voyagiste ou une agence d'Air India à l'étranger.

Air India (www.airindia.com) assure des liaisons intérieures entre Mumbai et Delhi, Kolkata, Chennai et Bangalore. Parmi les low-costs nationaux, notez Air Deccan (www.airdeccan.net), Jet Airways (www.jetairways.com) – particulièrement réputée –, Air Sahara (www.airsahara.net), King Fisher (www.flykingfisher.com), Spice Jet (www.spicejet.com), Air India Express (www.airindiaexpress.in), IndiGo (http://book.goindigo.in).

COMPAGNIES AÉRIENNES INTÉRIEURES

Agra

Indian Airlines
Tél. 236 0948
Fax 226 3116
Renseignements sur les vols
Tél. 230 1180

Ahmadabad

Indian Airlines
Tél. 2550 3061
Jet Airways
Tél. 2754 3304 ou 2754 3310
Aéroport
Tél. 2286 8307 ou 2286 6540

Aurangabad

Indian Airlines
Tél. 2483 392
Fax 2485 012
Renseignements sur les vols
Tél. 2485 421

Bangalore

Indian Airlines
Karnataka State Housing Board Building, Kaveri Bhavan, K.G. Road
Tél. 141
Renseignements sur les vols (répondeur)
Tél. 142
Fax 2227 6334 ou 2527 1234
Jet Airways
Tél. 2227 6620 ou 2555 0856
Aéroport
Tél. 2526 6898
Air Sahara
Unit G2, Churchgate

35 Church Street
Tél. 2558 4457 ou 2558 3897
Fax 2558 4137
Aéroport
Tél. 2526 2531 ou 2527 0665
Fax 2526 2531

Bhubaneshwar

Indian Airlines
Tél. 2530 533
Fax 2530 380
Renseignements sur les vols
Tél. 2534 084

Chennai

Indian Airlines
Main Booking Office (agence de réservation principale)
Tél. 2855 5200 ou 2855 5201
Fax 2855 5208 ou 2855 3039
Marshalls Road
Tél. 2855 5204
Meenambakkam Airport
Tél. 2234 3131
Jet Airways
En ville
Tél. 2855 5353 ou 2620 9622
Aéroport
Tél. 2234 0215 ou 2234 6557
Sahara Indian Airlines
45 Lokesh Towers, 18 Koddambakkam High Road
Tél. 2827 2027 ou 2827 1961
Fax 2828 3180
Aéroport
Tél. 2234 3644 ou 2234 3643
Fax 2233 0056

Delhi

Indian Airlines
Malhotra Building, F Block
Connaught Place
Tél. 2371 9168 ou 2331 0517
Main Booking Office (agence de réservation principale)
Safdarjang Airport
Tél. 2462 4332
Ouv. 24h/24.
Réservations :
Tél. 2462 0566 ou 2463 1337
Arrivée/départ des vols :
Tél. 2301 4433
Jet Airways
Jetair House, 13 Community Centre
Yusuf Sarani
Tél. 2652 3345 ou 2685 3700
Fax 2651 4996
Aéroport
Tél. 2566 3404
Air Sahara
14 Kasturba Gandhi Marg
Tél. 2332 6851
Fax 2566 5362 ou 2566 2312

Guwahati

Indian Airlines
Tél. 2564 420
Fax 2564 400
Renseignements sur les vols
Tél. 2840 401

Horaires trains et avions

Horaires et tarifs de l'Indian Airlines et l'Indian Railways figurent sur leurs excellents sites Internet (http://indian-airlines.nic.in, www.indianrailways.gov.in, www.indianrail.gov.in et www.irctc.co.in) ; vous les trouverez également dans les agences de voyage, ainsi qu'aux comptoirs d'information des principaux aéroports et gares ferroviaires. Un magazine de voyage local, *Travel Links*, publie les horaires d'avion et de train.

Chaque compagnie ferroviaire régionale imprime son propre horaire en hindi, anglais et langue régionale. Enfin, vous pouvez consulter le mensuel *Indian Bradshaw*, qui répertorie tous les services du pays, ou *Trains At A Glance*, concis mais exhaustif.

Hyderabad/Secunderabad

Indian Airlines
Opp. Ravindra Bharti, Saifabad
Tél. 2329 9333
Fax 2789 6222
Jet Airways
En ville :
Tél. 2330 1222
Aéroport
Tél. 2784 2851

Jaipur

Indian Airlines
Tél. 274 3324
Fax 274 3407
Renseignements sur les vols
Tél. 274 3500
Jet Airways
Tél. 236 0763 ou 237 0594
Aéroport
Tél. 255 1733
Air Sahara
203 Shalimar Complex, face à l'église, M.I. Road
Tél. 237 7637 ou 236 5741
Fax 236 7808
Aéroport
Tél. 2553 525

Kochi/Ernakulam

Indian Airlines
Tél. 2352 065
Fax 2380 131
Renseignements sur les vols
Tél. 2353 826
Jet Airways
Tél. 2369 212 ou 2369 423
Aéroport
Tél. 2666 509 ou 2668 659

Kolkata

Indian Airlines
Airlines House,
39 Chittranjan Avenue
Tél. 2236 6869
Fax 2225 6957

Aéroport (24h/24)
Tél. 2511 9638
Jet Airways
Tél. 2229 0740 ou 2229 2214
Aéroport
Tél. 2511 6623 ou 2511 6624
Air Sahara
2a Shakespeare Sarani
Tél. 2282 0786 ou 2282 0811
Fax 2240 7098
Aéroport
Tél. 2511 9545 ou 2551 8787
Fax 2511 8442

Lucknow

Indian Airlines
Hotel Clarks
Tél. 222 0927
Fax 222 6623
Renseignements sur les vols
Tél. 243 6132
Jet Airways
Tél. 223 9612/4
Aéroport
Tél. 243 4009/10
Air Sahara
7 Kapoorthala Complex
Sahara Tower, Aliganj
Tél. 232 3126 ou 232 3795
Fax 237 2742
Aéroport
Tél. 243 6188
Fax 243 7771

Mumbai

Indian Airlines
1st Floor, Air India Building,
Nariman Point
Tél. 2287 6161
Fax 2283 0832
Aéroport (24h/24)
Tél. 2611 4433 ou 2611 6633
Jet Airways
Tél. 2285 5788 ou 2283 7570
Aéroport
Tél. 2615 6666
Réservations
Tél. 2570 3838
Air Sahara
Unit 7, Ground Floor, Tulsiani
Chambers, Nariman Point
Tél. 2283 5671 ou 2283 0752
Fax 2287 0076

Aéroport
Tél. 2611 9375 ou 2611 9402
Fax 2611 9600

Patna

Indian Airlines
Tél. 222 2554
Fax 222 7310
Informations sur les vols
Tél. 222 3199

Port Blair

Indian Airlines
Tél. 230 949
Fax 231 483

Thiruvananthapuram

Indian Airlines
Mascot Square
Tél. 231 4781
Fax 231 6271
Jet Airways
Tél. 232 8864 ou 232 1018
Aéroport
Tél. 250 0710 ou 250 0860

Varanasi

Indian Airlines
Mintt House Motel, Cantonment
Tél. 234 3746
Fax 234 8637
Renseignements sur les vols :
Tél. 234 5959

En bateau

Hormis les ferrys circulant sur les fleuves, en Inde les navettes par bateau sont rares. Des services relient les îles Andaman à Kolkata, Chennai et Vishakapatnam, ainsi que ces villes entre elles. Samudra Link Ferries (www.sam-link.com) gère un catamaran entre Mumbai et Goa. Le Kerala dispose d'un système régulier de bateaux pour passagers, et il existe plusieurs navettes entre Alappuzha et Kollam (anciennes Alleppey et Quilon), dont un circuit très prisé sur les *backwaters*. Depuis Kochi, vous pourrez prendre un bateau pour les îles Lakshadweep (voir http://lakport.nic.in).

Formulaires de réservation

Pour acheter un billet, vous devrez remplir un *Reservation Requisition Form*, disponible aux guichets du bureau des réservations. Ce formulaire est en langue locale au recto et en anglais au verso. Outre les informations habituelles, telles que point de départ, destination et date du voyage, vous devez également connaître les renseignements suivants.
• Le numéro et le nom du train.
• La classe choisie, avec couchette (pour les voyages de nuit et trajets entre 21h et 6h) ou siège.
• Couchette inférieure, intermédiaire ou supérieure. Cette dernière, utilisable toute la journée, est un bon choix ; les 2 autres ne peuvent servir pour dormir qu'entre 21h et 6h.
Les étrangers doivent également inscrire leur numéro de passeport dans la colonne intitulée Concession Travel Authority Number (numéro nécessaire si le billet fait partie du quota réservé aux touristes).

En train

Sûr et confortable, le train est également le transport de loin le plus pratique pour parcourir le pays. Les trains circulent lentement par rapport aux critères occidentaux : si vous êtes pressé, privilégiez les express.
L'Indian Railways propose les classes suivantes (par ordre de prix décroissants).
Première classe climatisée (*first class AC*) : très confortable ; cabines de 4 couchettes, avec verrou.
Climatisé, 2 niveaux (*AC II tier*) : compartiments de 6 couchettes, avec rideaux permettant de s'isoler.
Climatisé, 3 niveaux (*AC III tier*) : compartiments de 9 couchettes, celles du milieu se repliant lorsqu'elle n'est pas utilisée.
Wagon climatisé avec sièges (*AC chair car*).
Première classe (*first class*, malheureusement rare) : non climatisée, avec ventilateurs au plafond ; cabines de 4 couchettes, avec verrou, plus une cabine de 2 couchettes au milieu de chaque wagon.
Classe couchette (*sleeper class*) : compartiments de 9 couchettes avec ventilateurs au plafond.
Seconde classe (*second class*) : sans réservation ; sièges durs uniquement (pas de couchette).
La réservation est nécessaire pour toutes les classes, sauf la seconde.

Tarifs de l'Indrail Pass en dollars US

	First Class AC		Classes clim. et FC sans clim.		Sleeper Class	
	Adulte	Enfant	Adulte	Enfant	Adulte	Enfant
Demi-journée	57	29	26	13	11	6
1 jour	95	47	43	22	19	10
2 jours	160	80	70	35	30	15
4 jours	220	110	110	55	50	25
7 jours	270	135	135	68	80	40
15 jours	370	185	185	95	90	45
21 jours	396	198	198	99	100	50
30 jours	495	248	248	126	125	65
60 jours	800	400	400	200	185	95
90 jours	1060	530	530	265	235	120

En été, mieux vaut opter pour la climatisation. Lorsque le temps est plus frais, la première classe se révèle un excellent choix, car vous pourrez admirer le paysage derrière la vitre (contrairement aux classes climatisées, avec fenêtres en verre fumé).

Pensez à réserver à l'avance. Plus de 400 gares disposent désormais de comptoirs informatisés très efficaces, vendant des billets pour n'importe quel itinéraire. Les réservations peuvent se faire jusqu'à 60 jours à l'avance ; attention, en cas d'annulation vous devrez vous acquitter d'une pénalité. Les principales gares des grandes villes possèdent des comptoirs pour touristes, avec personnel anglophone, ce qui permet de diminuer l'attente pour les étrangers et les Indiens non résidents ; le paiement s'effectue en livres sterling ou dollars américains (chèques de voyage ou espèces). Si vous ne pouvez pas réserver, sachez qu'il existe un quota de places pour touristes dans certains trains. Une autre solution consiste à prendre un billet sur liste d'attente ou – plus sûr – à faire une réservation contre annulation (RAC) : l'employé vous renseignera sur cette possibilité. Sur les trains Tatkal (indiqués par un "T" dans les horaires), un certain nombre de sièges sont ouverts à la réservation un jour à l'avance, contre un supplément. Depuis l'étranger, vous pouvez réserver auprès de représentants de l'Indian Railways jusqu'à 6 mois à l'avance.

Les offices du tourisme des centres de réservation ferroviaire sont pratiques pour réserver et planifier un itinéraire. Vous en trouverez à New Delhi (tél. 2334 6804), Mumbai Churchgate, Kolkata Fairlie Place, Chennai Central et dans d'autres villes touristiques, comme Varanasi et Jaipur.

Indrail Pass Accessible aux étrangers et Indiens non résidents, il est payable en devises étrangères, réduit le temps d'attente pour une réservation et se révèle bon marché si vous envisagez de voyager presque chaque jour (non valable sur le Palace on Wheels et le Royal Orient). Les différentes formules s'échelonnent de 12 heures à 90 jours. En Inde, il s'achète dans les Railway Central Reservations Offices de Chennai, Kolkata, Mumbai Central, Mumbai CST et New Delhi.

N'oubliez pas de vérifier de quelle gare part votre train et prévoyez au moins une heure pour trouver siège ou couchette. La liste des passagers, avec compartiment et numéro des sièges et couchettes attribués, est affichée sur le quai et les wagons une heure avant le départ. Le chef de gare et le contrôleur pourront vous aider.

Réseaux ferroviaires

Le réseau de l'Indian Railways se divise en zones régionales. Pour chacune d'entre elles, un site vous renseignera sur les lignes et les horaires.
Central Railway
www.centralrailwayonline.com
East Central Railway
www.ecr.indianrail.gov.in
East Coast Railway
www.eastcoastrailway.gov.in
Eastern Railway
www.easternrailway.gov.in
Konkan Railway
www.konkanrailway.com
North Central Railway
http://10.102.2.21
Northeastern Railway
www.ner.railnetl.gov.in
Northeast frontier Railway
www.nfr.railnet.gov.in
Northern Railway
www.uttarrailway.com
Northwestern Railway
www.northwesternrailway.com
South Central Railway
www.scrailway.gov.in
South East Central Railway
www.secr.gov.in
Southeastern Railway
www.serailway.com
Southern Railway
www.srailway.com
Southwestern Railway
www.southwesternrailway.org
West Central Railway
www.westcentralrailway.com
Western Railway
www.westernrailwayindia.com

Le préposé au wagon s'occupe de la commande des repas. Dans les trains Shatabdi et Rajdhani, le tarif inclut nourriture, boissons et en-cas. En première classe climatisée et en classes climatisées à 2 et 3 niveaux, la literie comporte 2 draps, un oreiller et une couverture. En première classe, le préposé vous la fournira pour 20 INR. Théoriquement, les passagers doivent contacter le chef de gare avant le départ, mais il y a des draps supplémentaires à disposition. En classe couchette, il est judicieux d'emporter un sac de couchage.

Plus de 1 000 gares disposent de chambres de repos, généralement bondées, le premier arrivé étant le premier servi. Les salles d'attente pour la première classe renferment des divans pour les passagers munis de leur propre literie. Les gares de New Delhi et Howrah comportent un Rail Yatri Niwas avec chambres pour les passagers en transit (réservations possibles). La plupart des gares possèdent des consignes où vous

pourrez laisser vos bagages (cadenassés) ; ne perdez pas le ticket et consultez les horaires d'ouverture pour récupérer vos affaires.

Enfin, les grandes gares proposent des services de taxi et/ou auto-rickshaw prépayés.

Sites Internet

Informations générales
www.indianrailways.gov.in
Horaires, tarifs, votre billet
www.indianrail.gov.in
Acheter un billet en ligne
Dans certaines villes, l'envoi ou la livraison des billets est possible.
www.irctc.co.in
Informations pratiques, liens utiles
www.raildwar.com
Indian railways Fan Club
www.irfca.gov
National Rail Museum
www.railmuseum.org

TRAINS SPÉCIAUX

L'Indian Railways possède 2 "trains royaux" traversant le Rajasthan et le Gujarat, avec wagons de luxe et service de restauration à bord. La compagnie propose également l'excellente excursion Fairy Queen jusqu'à Sariska. Réservez à l'avance.

Le Royal Orient

Ce train de luxe climatisé, remis à neuf et circulant sur des voies d'1 m de large, utilise les anciens wagons du Palace on Wheels ; chacun possède mini-bar, kitchenette et toilettes occidentales. Partant de Delhi Cantonment Station (à 15h les mercredis), le train met 6 jours pour traverser Chittaurgarh, Udaipur, Mehsana, Ahmadabad, Sasangir (réserve naturelle), Ahmadpur, Mandvi, Palitana, Sakhraj, Ranakpur et Jaipur, avant de revenir à Delhi le 6h le mercredi suivant. Ce service fonctionne entre septembre et avril. Une cabine de 2 couchettes coûte entre 125 et 170 €/nuit. À l'étranger, certains voyageurs se chargent des réservations. En Inde, contactez : **The Senior Manager, Tourism Corporation of Gujarat Limited**, 2nd Floor, A-6, State Emporium Building, Baba Kharak Singh Marg, New Delhi 110001, tél. (011) 2336 4724, fax (011) 2373 4015. www.indianrail.gov.in/royalorient.html

Palace on Wheels

Nombre des voies du Rajasthan présentant désormais un écartement large, ce train de 14 wagons (ancien Royal Train) a été pourvu d'un nouveau matériel roulant. Il quitte Delhi à 18h30 le mercredi (sept.-avr.), puis s'arrête à Jaipur, Bharatpur, Chittaurgarh, Udaipur, Sawai Madhopur, Jaisalmer,

Jodhpur, Bharatpur et Agra, avant de revenir à Delhi le 8e jour. Une cabine double revient à 350 €/nuit entre octobre et mars, et 295 € de septembre à avril. Contactez : **The Senior Manager, Palace on Wheels, Tourist Reception Centre,** *Bikaner House, Pandara Road, New Delhi 110 011, tél. 2381 884, fax 2382 823,* www.palaceonwheels.net. Depuis l'étranger, vous pouvez également réserver votre voyage auprès de certains voyagistes.

Fairy Queen

Cette excursion de 3 jours s'effectue à bord du plus ancien train à vapeur du monde. Quittant la gare de Delhi à 10h, il vous emmènera jusqu'au Sariska Palace près d'Alwar. Vous passerez le jour suivant dans la Sariska Tiger Reserve, avant de repartir pour Delhi le lendemain matin (arrivée à 18h45). Contactez : *The International Tourist Bureau, New Delhi Railway Station, tél. (011) 2340 5156, Fax 2334 3050.*

Viceroy of India

Une traversée de l'Inde qui vous emmènera de Mumbai à Kolkata – ou l'inverse – en 15 jours. Ce voyage, à bord de luxueux trains, dont un à vapeur, vous fera découvrir des paysages spectaculaires, des sites mémorables comme le Taj Mahal, des parcs nationaux et les villes de Jaipur, Agra, Delhi, Bharatour, Varanasi, Siiguri et Darjeeling. Contactez : *Train de Luxe.com, tél. 0800 48 465 (Belgique), 8668 735 717 (Canada), 0800 941 094 (France), 08000 0007 (Suisse).*

Les trains de montagne

L'Inde possède plusieurs charmants "trains miniatures" reliant les plaines à certaines stations climatiques. Il s'agit notamment de ceux circulant sur les voies à écartement étroit pour Udhagamandalam (Ooty) dans les Nilgiri, des services New Jalpaiguri-Darjeeling et Neral-Matheran (près de Mumbai), ainsi que de la ligne à écartement large de Kalka à Simla (Himalayan Queen).

En car

Un vaste réseau de bus bien développé sillonne pratiquement les moindres régions du pays. Les gares ferroviaires constituent les plaques tournantes pour les services locaux et régionaux. Des véhicules bruyants et vétustes relient certaines destinations les plus rurales, mais un nombre croissant d'express "deluxe" climatisés circulent sur les grands axes.
Ces itinéraires sont généralement desservis par des cars pourvus

d'équipement vidéo ; si vous n'avez pas encore fréquenté de cinéma indien, un voyage nocturne en bus vous initiera en fanfare aux films hindis et régionaux.
Dans de nombreuses régions – notamment l'Himalaya –, le bus constitue le seul moyen de transport public, et parfois le plus pratique (par exemple entre Agra et Jaipur).
Vous pourrez réserver sur de nombreux itinéraires, même locaux. Les bagages voyagent généralement sur le toit ; cadenassez-les et jetez-y un coup d'œil à chaque arrêt.
Presque toutes les villes proposent un service de bus (excellent à Mumbai, correct à Chennai et Kolkata, et en amélioration constante à Delhi) ; toutefois, abstenez-vous d'emprunter ces bus municipaux aux heures de pointe, lorsqu'ils sont horriblement bondés.
Dans la plupart des villes, privilégiez taxis et triporteurs ("auto-*rickshaws*").

Sites des transports routiers

Les services de cars de chaque état est géré par un directeur des Transports. Certains disposent d'un site Internet trè utile, sur lequel vous trouverez les informations générales et tous les horaires.
Andhra Pradesh
www.apsrtc.net
Assam
www.assamtransport.com
Gujarat
www.gujaratsrtc.com
Himachal Pradesh
www.himachal.nic.in/hrtc
Karnataka
www.ksrtc.org
Kerala
www.keralasrtc.com
Rajasthan
www.rsrtc.org
Tamil Nadu
www.tn.gov.in/transport/stu.htm
Uttar Pradesh
www.upsrtc.com

En voiture et taxi

Vous pourrez réserver une voiture avec chauffeur pour environ 16,5 €/jour auprès des offices du tourisme, hôtels, sociétés de location locales ou agences Hertz, Budget et Europcar.
Il existe des taxis avec ou sans climatisation (moins chers et parfois plus confortables). Le prix de la course varie, de 325 INR (pour 8 heures et 80 km) à 450 INR (véhicule climatisé). Le chauffeur compte un supplément au kilomètre pour les sorties hors agglomération – de 2,30 à 3 INR/km dans les plaines, et de 6 INR/km en montagne –, ainsi qu'une majoration de 100 INR/nuit. Agences de voyage et hôtels proposent des formules de visite

qui, outre le taxi, incluent assistance, guides et hébergement en hôtel.
Les taxis locaux (noirs à toit jaune) possèdent un compteur ; toutefois, en raison des hausses constantes du prix de l'essence, la course atteint souvent un prix supérieur à celui indiqué. Le cas échéant, le taxi doit le spécifier clairement, à l'aide d'une carte sur le compteur indiquant la surtaxe pouvant légitimement être facturée.
Si vous prenez un taxi ou un bus à l'aéroport pour vous rendre en ville, mieux vaut changer des devises dans le hall d'arrivée. À Delhi, Mumbai et Bangalore, la police de la circulation fait appliquer un système de paiement préalable pour les taxis urbains, ce qui vous épargnera l'angoisse de voir un chauffeur peu scrupuleux emprunter un itinéraire plus long ou tenter de vous imposer une majoration. Ailleurs, renseignez-vous au comptoir d'information sur le tarif normal pour votre destination, et assurez-vous que le compteur est à zéro avant de monter dans le taxi. Vous pourrez partager un taxi, même pour des destinations différentes (mais dans un même quartier). Dans certaines villes, par exemple Mumbai, les chauffeurs possèdent un tableau des tarifs, permettant de connaître le prix à payer selon le montant indiqué par le compteur ; ils appliquent généralement une majoration de 10 % entre 23h et 6h, et de 1 à 2 INR/bagage.
La course en triporteur est souvent inférieure de moitié à celle en taxi. Là encore, n'oubliez pas de vérifier que le compteur indique le tarif minimum.

CONDUIRE EN INDE

Si vous envisagez de conduire en Inde, le meilleur conseil que nous puissions vous donner est de vous abstenir : les routes peuvent être embouteillées et dangereuses, et les conducteurs suivent quantité de règles pour le moins officieuses. Il est donc plus avisé et meilleur marché de louer une voiture ou de prendre un taxi.
Si vous devez absolument conduire, vous aurez besoin de votre permis, d'une assurance en responsabilité civile, d'un permis international et des papiers du véhicule. Vous obtiendrez des renseignements sur les conditions de circulation auprès des associations automobiles nationales et d'État, qui publient régulièrement cartes régionales, informations générales et itinéraires détaillés :
Automobile Association of Upper India (AAUI)
C-8 Institutional Area, South of IIT New Delhi 110001
Tél. (11) 2696 5397
www.aaui.org

Western India Automobile Association
Lalji Narainji Memorial Building
76 Vir Nariman Road, Mumbai
Tél. 2204 1085 ou 2204 7032
www.wiaaindia.com
**Automobile Association
of Eastern India**
13 Promothosh Barna Sarani, Kolkata
Tél. 2475 5131
**Automobile Association of Southern
India**
187 Anna Salai, Chennai
Tél. 2852 1162
www.aasindia.in
UP Automobile Association
*32-A Mahatma Gandhi Marg,
Allahabad*
Tél. 260 0332

En "rickshaw"

Typiquement indien, le *rickshaw*
constitue le moyen le plus pratique pour
se déplacer en ville. Il en existe 3 sortes :
cyclo-pousse (à 3 roues, muni d'un siège
pour 2 passagers), triporteur motorisé ou
"auto" (à Delhi, ces triporteurs ont été
transformés pour fonctionner au GPL) et,
seulement dans le centre de Kolkata,
rickshaw tiré à bras d'homme. Ce
moyen peut déplaire, mais sachez qu'il
joue un rôle essentiel durant la mousson,
lorsque les rues sont inondées et que les
autres *rickshaws* ne fonctionnent pas.
À l'instar des taxis, les auto-
rickshaws sont tenus d'utiliser un
compteur. Insistez pour que ce dernier
fonctionne et, dans le cas contraire,
descendez. Les tarifs fluctuent, avec
notamment des suppléments nocturnes.
Le conducteur doit vous présenter une
carte les répertoriant. Dans les lieux
touristiques, aux heures de pointe et par
mauvais temps, vous ne parviendrez pas
toujours à persuader le conducteur de
faire fonctionner le compteur. Proposez
alors 5 INR en sus du prix ; s'il refuse,
vous devrez négocier la course. Après
quelque temps dans le pays, vous saurez
quel tarif est acceptable, compte tenu du
fait qu'en tant qu'étranger relativement
aisé, vous êtes supposé payer un peu
plus.
Dans de nombreuses villes, les
conducteurs proposent aux touristes de
leur montrer les sites en une journée
pour un prix fixe, ce qui peut être
pratique et, si vous savez marchander,
bon marché. Auparavant, convenez bien
du prix et des destinations proposées.
Dans certains lieux, tels que les rues
bondées d'Old Delhi, le cyclo-pousse se
révèle plus pratique. Négociez le tarif
avant le départ.
Bon à savoir Les *rickshaws* étant
interdits dans le centre de Mumbai, les
seules solutions consistent à utiliser le
réseau de bus, bien développé, ou les
taxis (tarifs raisonnables).

Se loger

Hébergement

L'Inde propose une gamme complète
d'hébergements, du très bon marché
à l'extrêmement cher et luxueux ;
entre ces 2 extrêmes, vous trouverez
quelques établissements ravissants. Les
5-étoiles des chaînes locales, superbes,
pratiquent des tarifs en conséquence :
comptez plus de 150 €/nuit. Les
établissements les plus typiques sont les
petits hôtels aux installations simples,
mais généralement propres et bon
marché, bénéficiant parfois d'un cadre
plaisant. Demandez à voir la chambre
avant de vous engager et pensez à
négocier une réduction, en particulier
hors saison.
Outre les hôtels de luxe, d'affaires et
bon marché, l'Inde dispose d'un réseau
croissant de Heritage Hotels (*voir p.
380*).

Liste des hôtels

ÎLES ANDAMAN
Port Blair (03192)

Jagannath Guest House
Moulana Azad Road
Phoenix Bay, Port Blair
Tél. 232 148
Situation agréable et centrale. Personnel
accueillant. Chambres bien tenues. **$**
Youth Hostel
Près de Netaji Stadium, Port Blair
Tél. 232 459
Fax 232 637
Petit établissement sommaire à
des tarifs imbattables. **$**
Hornbill Nest
À 1 km au nord de Corbyn's Cove
Tél. 246 042 ou 244 449
Fax 233 161
Vastes pavillons impeccables, perchés
sur une colline en bordure du littoral.
Repas sur commande. **$$**
ANTDC Megapode Nest
Haddo
Tél. 232 076 ou 232 207
Réservation
Tél. 233 659
Fax 232 076
Grand choix de chambres et pavillons

climatisés jouissant d'une vue superbe,
au milieu d'un jardin. Cuisine excellente.
$$$
Hotel Sinclair's Bay View
South Point, Port Blair
Tél. 228 159 ou 227 937
Fax 227 824
www.sinclairshotels.com
Hôtel de standing, sur une falaise
en surplomb de la mer, avec une vue
splendide. Restaurant de poissons et
crustacés ; bar. **$$$$**
Peerless Resort
Corbyn's Cove, P.O. Box 21, Port Blair
Tél. 229 311
Fax 229 263
wwwpeerlesshotels.com
Large éventail de chambres et pavillons
douillets, nichés au cœur d'une
magnifique végétation tropicale face à
une plage de sable blanc. Restaurant,
bar et centre de plongée. **$$$$$**

ANDHRA PRADESH
Hyderabad-Secunderabad (040)

Parklane
115 Park Lane, Secunderabad
Tél. 2784 0466
Fax 2784 0599
Spacieux et impeccable, avec chambres
climatisées ou non. **$$**
Hotel Sai Prakash
Station Road, Nampally, Hyderabad
Tél. 2461 1726
Fax 2461 3355
www.hotelsaiprakash.com
Excellent choix, à proximité de la gare,
cet hôtel propose des chambres propres
et soignées donnant sur une vaste cour
intérieure, ainsi que 2 très bons
restaurants, le Sukhasaghra (végétarien)
et le Rich'n'Famous (spécialités mughlai).
$$
Baseraa
9/1-167/8 Sarojini Devi Road
Secunderabad
Tél. 2770 3200
Fax 2770 4745
www.baseraa.com
Chambres climatisées irréprochables et
restaurants excellents. **$$$-$$$$**
Amrutha Castle
5/9-16, Saifabad (face au Secrétariat)
Hyderabad
Tél. 5563 3888
Fax 5582 8222
www.amruthacastle.com
Cet hôtel aux allures de château bavarois
très "kitsch" comporte chambres
agréables et équipements complets,
dont une piscine de plein air (au 5e
niveau). **$$$**
The Residency
5/8/231-2 Public Garden Road
Hyderabad
Tél. 3061 6161
Fax 2320 4040
www.theresidency-hyd.com

Hôtel confortable, luxueux et plutôt onéreux, proche de la gare d'Hyderabad, avec son restaurant Venue fort prisé, bar et café. **$$$**

Taj Krishna
Road n° 1, Banjara Hills, Hyderabad
Tél. 5566 2323
Fax 5566 1313
www.tajhotels.com
Ce magnifique établissement rénové se confond avec le paysage, au milieu des rochers et des cascades.
Les chambres dégagent toutefois cette atmosphère impersonnelle commune à tout hôtel d'affaires de classe internationale. **$$$$$**

Taj Residency
Road n° 1, Banjara Hills, Hyderabad
Tél. 2339 3939
Fax 2339 2684
Situé près du Krishna, avec vue sur le lac, cet autre établissement de la chaîne Taj affiche un faste analogue au précédent. **$$$$$**

Tirupati (0877)

Hotel Bhimas Paradise
33-7 Renigunta Road
Tél. 223 7271 ou 223 7276
Fax 223 7277
www.hotelbhimas.com
Établissement bien tenu – à ne pas confondre avec ceux du groupe Bhimas Deluxe –, proposant chambres spacieuses, restaurant et piscine. **$$**

Bhimas Deluxe
34-38 G. Car Street
Tél. 222 5521
Fax 222 5471
www.thirupathbhimashotels.com
Charmant et soigné, géré par un personnel sympathique et serviable, tout près de la gare ferroviaire. Excellent restaurant végétarien (Maya) au sous-sol. Recommandé. **$$**

Hotel Bliss
Près de Ramanuja Circle
Renigunta Road
Tél. 223 7770 ou 223 7776
Fax 223 7774
Chambres propres et modernes, avec salle de bains. Deux restaurants. **$$**

Bhimas Residency
Renigunta Road
Tél. 223 7376
Fax 223 7373
Les propriétaires du Bhimas Deluxe dirigent également ce nouvel hôtel haut de gamme, conforme aux critères habituels de la chaîne. **$$-$$$**

Vijayawada (0866)

Sree Lakshmi Vilas Modern Cafe
Besant Road, Govenorpet
Tél. 257 2525
Établissement central. Chambres avec ou sans salle de bains. Bonne cuisine végétarienne. **$**

Hotel Raj Towers
Congress Office Road, Governorpet

Tél. 257 1311 ou 257 1318
Fax 556 1714
Chambres climatisées, modernes et bien tenues. Bon rapport qualité-prix. Deux restaurants servant entre autres des plats végétariens. **$-$$**

Vishakhapatnam (0891)

Railway Retiring Rooms (chambres de la gare)
Doubles correctes et bon marché, ainsi qu'un dortoir réservé aux hommes. **$**

Hotel Meghalaya
10-4-15 Ram Nagar
Asilmetta Junction
Tél. 275 5141 ou 275 5145
Fax 275 5824
www.hotelmeghalaya.com
Établissement accueillant qui dispose d'un large éventail de chambres (climatisées ou non) et d'un bon restaurant végétarien (le Vaishali). **$$**

The Park
Beach Road
Tél. 275 4488
Fax 275 4181
www.theparkhotels.com
Agréables chambres récentes avec vue sur la mer. Deux restaurants, piscine et accès direct à la plage. **$$$$$**

Taj Residency
Beach Road
Tél. 256 7756
Fax 256 4370
www.tajhotels.com
L'hôtel le plus raffiné de la ville, avec 2 restaurants et une piscine. Toutes les chambres s'ouvrent sur la mer. **$$$$$**

ASSAM
Guwahati (0361)

Ananda Lodge
M. Nehru Road
Tél. 2254 4832
Chambres très bon marché, mais exiguës, aménagées autour d'une cour agréable. **$**

Railway Retiring Rooms
Quelques chambres et un dortoir. **$**

Tourist Lodge
Station Road
Tél. 254 4475
Chambres spartiates, mais bien situées, gérées par l'ATDC. **$**

Bellevue
M.G. Road
Tél. 254 0847
Fax 254 0848
Chambres spacieuses et savoureux restaurant sur le fleuve, enveloppés d'une atmosphère paisible dans un décor suranné. Vue superbe. **$$$**

Dynasty
S.S. Road, Lakhtokia
Tél. 251 0496 ou 251 0499
Fax 252 2112
www.hoteldynastyindia.com

Situé dans le quartier de Fancy Bazaar, cet hôtel confortable a 2 restaurants, qui servent respectivement spécialités chinoises et mughlai. **$$$**

Nandan
G.S. Road, Paltan Bazaar
Tél. 252 1476/8 ou 254 0855
Fax 254 2634
Grand hôtel faisant face aux bureaux de l'Indian Airlines, avec chambres confortables, bar et 2 restaurants, dont le succulent Utsav. **$$$**

Hotel Brahmaputra Ashok
M.G. Road
Tél. 260 2281 ou 260 2284
Fax 260 2289
Hôtel engageant géré par le gouvernement, en bordure du fleuve. Chambres spacieuses (certaines donnant sur l'eau) et restaurant renommé. **$$$$**

Kaziranga National Park (03776)

Aranya Tourist Lodge
Réservations
Tourist Information Officer
Kaziranga national Park
Golaghat, Assam
Tél. 266 2423
www.assamtourism.org
Chambres simples et propres, toutes avec salle de bains. Personnel attentionné ; bon restaurant. **$-$$**

Wild Grass
Kaziranga 785 109
Tél. 266 2085
www.oldassam.com
Plantées dans un magnifique parc, les jolies tentes et cabanes du Wild Grass offrent un confort simple. Très bonne cuisine. Activités danse et musique. **$$$**

BIHAR
Bodhgaya (0631)

Daijokyo Buddhist House
Au nord de la statue du Bouddha
Tél. 220 0747
Fax 220 0407
La préférence est donnée aux pèlerins japonais et aux groupes en voyage organisé, mais vous pouvez tenter de réserver une chambre en téléphonant. Restaurant japonais recommandé. **$-$$**

Root Institute
Près du temple thaïlandais
www.rootinstitute.com

Ce centre de méditation bouddhique, propose un hébergement en chalets ou dortoirs et sert une excellente cuisine végétarienne. **$$**

Lotus Nikko Hotel
Tél. 220 0700
www.lotusnikkohotels.com
À l'est du musée d'Archéologie, le Lotus baigne dans une ambiance agréable. Le restaurant concocte de savoureuses recettes. **$$$$**

Patna (0612)

Amar
Fraser Road
Tél. 222 4157
Chambres plaisantes, bien que simples, avec salle de bains. **$-$$**

Hotel Samrat International
Fraser Road
Tél. 222 0560 ou 222 0567
Fax 222 6386
www.samrat.allhere.com
Chambres (certaines climatisées) avec salle de bains, et 2 restaurants. **$$**

Maurya Patna
Au sud de Gandhi Maidan
Tél. 220 3040
www.maurya.com
Meilleur hôtel de Patna (pratiquant toutefois les tarifs les plus élevés), avec chambres satisfaisantes, piscine et restaurants. **$$$$**

Pataliputra Ashok
Beer Chand Patel Path
Tél. 222 6270 ou 222 6275
Fax 222 3467 ou 222 4207
Cet établissement tenu par l'ITDC dispose de chambres confortables, d'une piscine et d'un restaurant de qualité. **$$$$**

CHENNAI (044)

Youth Hostel
2nd Avenue, Indiranagar, Adyar
Tél. 2442 0233
Hébergement propre et paisible, pour une somme extrêmement modique. **$**

Hotel Mount Heera
287 M.K.N. Road, Alandur
Tél. 2234 9563 ou 2233 0832
Fax 2233 1236
Cet hôtel bruyant, près de l'aéroport, vous dépannera si votre vol décolle à l'aube. Tarifs comprenant la course en taxi jusqu'aux aérogares. **$-$$**

Hotel Himalaya
54 Triplicane High Road, Triplicane
Tél. 2854 7522
Fax 2831 808
Bon hôtel central, avec chambres impeccables pourvues d'une salle de bains. Personnel accueillant et serviable. Recommandé. **$$**

Hotel Kanchi
28 Ethiraj Salai, Egmore
Tél. 2827 1100
Fax 2827 2928
www.hotelkanchi.com

Bien qu'accusant leur âge, les vastes chambres lumineuses ont conservé un certain charme. Vous pourrez choisir entre succulentes spécialités du Sud dans le restaurant en contrebas ou délicieux plats du Nord dans le Geetham (sur le toit). **$$**

Hotel New Woodlands
72-5 Dr Radhakrishnan Road, Mylapore
Tél. 2811 3111
Fax 2811 0460
www.newwoodlands.com
Le restaurant végétarien et les chambres propres et spacieuses de ce vaste hôtel lui valent une grande popularité. Réservez à l'avance. **$$**

Hotel Pandian
9 Kennet Lane, Egmore
Tél. 2819 1010/2819 2020
Fax 2819 3030
www.hotelpandian.com
Chambres non climatisées avec vue magnifique, ou climatisées et très fraîches, mais sombres. Restaurant (le Raj) servant une cuisine appétissante, cabines téléphoniques (STD) et personnel sympathique. Pratique pour gagner Egmore Station. **$$**

YWCA International Guest House
1086 E.V.R. Periyar High Road
Tél. 2532 4234
Fax 2532 4263
ywcaigh@indiainfo.com
Auberge sûre installée derrière les bureaux du quotidien *Daily Thandi*. Chambres avec salle de bains (certaines climatisées) et emplacements de camping. Petit-déjeuner inclus dans le prix ; comptez 20 INR supplémentaires sur la carte de membre temporaire. Conseillée. **$$**

Residency
49 G.N. Chetty Road, T. Nagar
Tél. 2825 3434
Fax 2825 0085
www.theresidency.com
Large éventail de chambres d'un bon rapport qualité-prix. Réservez à l'avance. **$$$**

Ambassador Pallava
53 Monteith Road
Tél. 2855 4476 ou 2855 4068
Fax 2855 4492
www.ambassadorindia.com
Hôtel d'affaires, attirant également les touristes en raison de son emplacement pratique, près d'Anna Salai et du musée. Piscine, salon de beauté et restaurants corrects. **$$$$$**

Taj Connemara
2 Binny Road
Tél. 5500 0000
Fax 5500 0555
www.tajhotels.com
Figurant parmi les plus grands hôtels de l'Inde – aux côtés du Taj de Mumbai –, cet établissement aménagé dans un édifice Art déco jouit d'une réputation méritée. Par rapport au Coromandel, il présente un excellent

rapport qualité-prix (comptez 150 €/nuit en chambre standard) et possède des restaurants réputés, dont le Raintree, en plein air, et le Verandah, idéal pour un savoureux déjeuner (buffet) ou un thé l'après-midi. **$$$$$**

Taj Coromandel
37 M.G. Road, Nungambakkam
Tél. 2827 2827
Fax 2825 7104
www.tajhotels.com
Un service parfait, un cadre luxueux et des prix en conséquence (220 € et plus). Quatre excellents restaurants, dont le Southern Spice, spécialisé dans les mets d'Inde du Sud. **$$$$$**

The Trident
1-24 G.S.T. Road
Tél. 2234 4747
Fax 2234 6699
www.tridenthotels.com
Hôtel élégant et moderne, à proximité de l'aéroport, faisant partie de la chaîne Oberoi. Personnel efficace. Café très agréable. **$$$$$**

DAMAN ET DIU

Daman (0260)

Hotel Gurukripa
Seaface Road
Tél. 225 5046 ou 225 0227
Fax 225 5631
www.hotelgurukripa.com
Meilleur hôtel de la ville, le Gurukripa propose chambres correctes, jardin de toit, bar et restaurant (fruits de mer, *tandoori* et spécialités chinoises). **$$**

Hotel Sovereign
Seaface Road
Tél. 225 5023 ou 225 0236
Fax 225 5631
Les propriétaires du Gurukripa gèrent également ce vaste établissement bien tenu (même site Internet) près de la plage, aux tarifs un peu plus avantageux. Le restaurant végétarien mitonne d'excellents *thali* gujarati. **$$**

Diu (02875)

Jay Shankar
Jallandar Beach
Tél. 252 424
L'excellent restaurant de poisson compense la simplicité des chambres. **$**

Hotel Prince
Rua do Bazar
Tél. 252 265
Chambres propres, elles aussi avec balcons. Restaurant au choix limité. **$**

Ankur
Estrada Lacerda
Tél. 252 388
Chambres spacieuses et impeccables, certaines climatisées. **$-$$**

Hotel Samrat
Collectorate Road
Tél. 252 354

Le meilleur hôtel de la ville proprement dite. Chambres climatisées avec balcon et restaurant de qualité. **$-$$**

Kohinoor
Fofrara, Fudam
Tél. 252 209 ou 253 575
Fax 252 613
Piscine et restaurant figurent parmi les installations appréciables de cet hôtel moderne, à 2 km de Diu Town. **$$$**

DELHI (011)

Major's Den
2314 Lakshmi Narain Street, Paharganj, New Delhi
Tél. 2358 4163
Établissement sûr et bien tenu, pourvu de chambres climatisées et propres, avec salle de bains. Le meilleur rapport qualité-prix de Paharganj. **$**

Hotel New City Palace
726 Jama Masjid, Delhi
Tél. 2328 9923
Derrière la mosquée d'Old Delhi, dans le même bâtiment que la poste, chambres climatisées sommaires, mais soignées et pourvues d'une salle de bains. Celles en façade jouissent d'une vue magnifique sur la mosquée. **$**

Master Paying Guest House
R-500 New Rajendar Nagar
Tél. 2874 1089
www.master-guesthouse.com
Un couple très gentil tient cette pension disposant de 4 chambres impeccables. Agréable zone de repos commune, avec télévision et bibliothèque constituée par les hôtes de passage. **$$**

Metropolis Tourist Home
1634 Main Bazaar, Paharganj
Tél. 2358 5766
Mieux vaut, généralement, éviter Paharganj ; toutefois, vous trouverez ici l'un des meilleurs hôtels-restaurants du quartier, avec des chambres propres et douillettes (eau chaude). **$$**

Naari
Tél. 2613 8316
sangini97@hotmail.com
Dans le sud de Delhi, une pension pour femmes, qui garantit aux voyageuses un hébergement sûr, niché au milieu d'un jardin plaisant. Le personnel prépare les repas et organise des circuits. Téléphonez pour réserver et savoir comment vous y rendre. Recommandée. **$$**

Rail Yatri Niwas
Ajmeri Gate, New Delhi Railway Station
Tél. 2323 3484 ou 2323 3561
Chambres correctes et dortoirs pour les voyageurs en possession d'un billet de train non utilisé (3 jours maximum). Attention depuis sa privatisation, les services ont été dramatiquement réduits : il n'y a plus d'eau courante, ni même de couvertures. **$$**

Youth Hostel
5 Naya Marg, Chanakyapuri
New Delhi
Tél. 2611 6285
Fax 2611 3469
www.yhaindia.com
Dans l'agréable quartier des ambassades, un établissement moderne et d'un bon rapport qualité-prix, réservé aux membres (l'Inde comporte un vaste réseau d'auberges de jeunesse, auquel vous pouvez adhérer avant votre départ). **$$**

YWCA International Guest House
10 Sansad Marg, New Delhi
Tél. 2336 1561
Fax 2334 1763
www.ywcaindia.org
Auberge bien tenue et sûre, dans un quartier pratique. Le prix des chambres climatisées, impeccables, avec salle de bains comprend le petit-déjeuner, servi dans l'excellent restaurant adjacent (Ten). Cabine téléphonique STD, et agence de voyage efficace. **$$**

Hotel Broadway
4-15a Asaf Ali Road, Delhi
Tél. 2327 3821
Fax 2326 9966
www.oldworldhospitality.com
Établissement pittoresque, d'un bon rapport qualité-prix, à un emplacement pratique, près des sites touristiques d'Old Delhi. Service appréciable, chambres impeccables et restaurant délicieux (le Chor Bizarre). **$$$**

Hotel Fifty Five
H-55 Connaught Place, New Delhi
Tél. 2332 1244 ou 2332 1278
Fax 2332 0769
Chambres propres, climatisées, avec salle de bains, légèrement surévaluées, mais dans un quartier central. **$$$**

LaSagrita
14 Sunder Nagar
Tél. 2435 9541
Fax 2435 6956
www.lasagrita.com
Non loin du zoo, dans une zone résidentielle. Lits confortables et eau chaude. Personnel charmant, bonne cuisine assez bon marché. Dans le quartier commerçant tout proche, vous trouverez un restaurant végétarien, une confiserie et des boutiques d'antiquités. Recommandé. **$$$**

Jukaso Inn Downtown
L-1 Connaught Place, New Delhi
Tél. 2341 5450
Fax 2341 4448
Hôtel central au-dessus du Nirula. Chambres climatisées alliant propreté, confort et modernité. **$$$-$$$$**

Hotel Marina
G-59 Connaught Place, New Delhi
Tél. 2332 4658
Fax 2332 8609
Hôtel bien établi, avec chambres douillettes, café engageant et bonne agence de voyage. **$$$$**

Gamme des prix

Les prix s'entendent pour une chambre double en haute saison.
$ moins de 800 INR
$$ de 800 à 1 700 INR
$$$ de 1700 à 2 700 INR
$$$$ de 2 700 à 3 700 INR
$$$$$ plus de 3 700 INR

Nirula's Hotel
L-Block Connaught Circus, New Delhi
Tél. 4151 7070
Fax 2341 8957
www.nirula.com
Fort d'une réputation solide, ce petit hôtel propose des chambres climatisées, propres et confortables, ainsi que 2 restaurants et un glacier un peu vieillots, mais toujours très courus. Réservez à l'avance. **$$$$**

The Ambassador Hotel
Subramaniam Bharti Marg
Tél. 2463 2600
Fax 2463 2252
www.tajhotels.com
Près du Khan Market, cet établissement suranné de la chaîne Taj se révèle très confortable et moins tape-à-l'œil que le Taj Mahal ou le Taj Palace. **$$$$$**

Ashok Hotel
50 b Chanakyapuri, New Delhi
Tél. 2611 0101
Fax 2687 3216
www.theashokgroup.com
Cet immense et fastueux édifice de style moghol propose tout un choix de restaurants (spécialités coréennes, libanaises, françaises et indiennes) et de luxueuses prestations. **$$$$$**

The Claridges
12 Aurangzeb Road
New Delhi
Tél. 4133 5133
www.claridges.com
Au cœur même de Delhi, vous séjournerez dans un élégant cadre suranné et profiterez de prestations excellentes – mais onéreuses. Bons restaurants d'Inde du Nord (laissez-vous tenter par le *tandoori* du Corbett ou les mets penjabi du Dhaba). **$$$$$**

Hotel Diplomat
9 Sardar Patel Marg, Chanakyapuri
New Delhi
Tél. 2301 0204
Fax 2301 8605
diplomat@nda.vsnl.net.in
Niché dans un séduisant jardin, cet hôtel paisible, avec chambres élégantes et modernes dotées de vastes fenêtres, jouit d'une grande popularité. Mieux vaut réserver. **$$$$$**

Imperial Hotel
1 Janpath, New Delhi
Tél. 2334 1234
Fax 2334 2255
www.theimperialindia.com

Summum de l'hôtellerie à New Delhi, cet établissement de 1933 était le seul figurant sur les plans de Lutyen. Derrière les gigantesques palmiers flanquant l'allée de l'entrée se cachent une piscine, des chambres ornées de gravures (collection personnelle du propriétaire), ainsi qu'un restaurant (Spice Route) comptant parmi les plus renommés de la ville. **$$$$$**

The Maidens Hotel
7 Sham Nath Marg, Delhi
Tél. 2397 5464
Fax 2398 0771
www.maidenshotel.com
Situé dans Old Delhi, ce bâtiment majestueux – inauguré en 1903 – est l'adresse de prédilection des gros bonnets de passage. Vous apprécierez les chambres vastes et le service attentionné, pour un prix relativement raisonnable. Le restaurant Curzon Room prépare d'excellentes spécialités de la période du Raj. **$$$$$**

The Manor
77 Friends Colony (West), New Delhi
Tél. 2692 5151
Fax 2692 2299
www.themanordelhi.com
Comble de l'élégance et du charme à Delhi, il ne compte que 16 petites chambres et immenses suites, toutes ravissantes, entièrement rénovées avec des matériaux naturels et pourvues d'une merveilleuse salle de bains. Si votre bourse vous le permet, ne cherchez pas plus loin ! **$$$$$**

The Oberoi
Dr Zakir Hussain Marg, New Delhi
Tél. 2436 3030
Fax 2436 0484
www.oberoihotels.com
L'un des hôtels les plus confortables de Delhi, élégant, sélect et onéreux, renfermant d'excellents restaurants, dont La Rochelle (français) et Taipan (chinois). **$$$$$**

Taj Mahal
1 Mansingh Road, New Delhi
Tél. 2302 6162
Fax 2302 6070
www.tajhotels.com
Hôtel phare du Taj Group, plus luxueux que jamais depuis sa rénovation, le Taj Mahal est avant tout destiné aux hommes d'affaires, comme le montrent ses atouts et installations diverses. Parmi ses atouts figurent ses 2 excellents restaurants (l'Haveli et le House of Ming). **$$$$$**

Uppal's Orchid
National Highway 8, New Delhi
Tél. 2506 1515
Fax 2506 1516
www.uppalsorchidhotel.com
Cet "hôtel écologique", près de l'aéroport international, s'adresse à une clientèle d'affaires, mais vous apprécierez sa piscine, merveilleuse, et son large éventail d'établissements

pour boire un verre et se restaurer (pour en savoir plus sur le lien entre écologie et luxe 5 étoiles, consultez son site web...). **$$$$$**

GOA

Anjuna (0832)

Anjuna Beach Resort
De Mello Waddo
Tél. 227 4499
Port. 98221 76753
fabjoe@sancharnet.in
Chambres douillettes (certaines climatisées), avec salle de bains et balcon donnant sur le jardin. Restaurant de plein air avec toiture en feuilles de palmier. Réductions avantageuses en basse saison. **$$**

Palacete Rodrigues
Mazal Waddo (près d'Oxford Stores)
Tél. 227 3358
www.palaceterodrigues.com
Charmante demeure portugaise traditionnelle regorgeant de meubles anciens, avec une agréable véranda dans le jardin invitant au repos. **$$**

White Negro Beach Resort
Près de St Antony Chapel
Tél. 227 3326
dsouzawhitenegro@rediffmail.com
Chambres impeccables, sûres et bien tenues, s'ouvrant sur un agréable jardin. Proximité de la plage et restaurant savoureux (servant toutes sortes de poissons) contribuent aux attraits de cet établissement. **$$**

Grandpa's Inn
Gaun Waddo, Anjuna
Tél. 227 3270 ou 227 3271
Fax 226 2031
www.granpasinn.com
Hôtel accueillant et soigné, pourvu d'un bon restaurant. Les chambres ouvrent sur une cour débordant de fleurs. **$$$**

Laguna Anjuna
De Mello Waddo
Tél. 227 4305
www.lagunaanjuna.com
Conçu par l'éminent architecte Dean D'Cruz, ce complexe balnéaire comporte de spacieuses villas toutes différentes, nichées au milieu des palmiers, et une magnifique piscine au cœur d'un jardin luxuriant. Les prix baissent considérablement pendant la mousson. **$$$$$**

Arpora (0832)

Nilaya Hermitage
À 3 km à l'intérieur des terres
Tél. 227 6793
Fax 227 6792
www.nilayahermitage.com
Le plus sélect Nilaya Hermitage propose 12 chambres au design unique, dans un bâtiment aux formes étonnantes d'inspiration New Age, avec une magnifique piscine en façade.

Les tarifs, très élevés à Noël, diminuent de moitié en basse saison. **$$$$$**

Baga (0832)

Jimi's Tepee Village
National Highway 599, Baga Hill
Fax 227 6124
goa@bay-watch.com
Ses confortables tipis (simples et doubles) et sa cabane dans les arbres installés dans un cadre tranquille, s'inscrivent dans la droite ligne du passé hippie de Goa.
Ouv. de nov. à mars. **$**

Alida
Saunta Waddo, Baga Road
Tél. 227 6835
Fax 227 6285
Hôtel paisible, chambres agréables avec vérandas, décor ravissant. **$$**

Ronil Royale
Baga Road
Tél. 227 6183
www.ronilroyalegoa.com
Hôtel soigné, à proximité de la plage, chambres propres avec balcon et restaurant correct. **$$**

Bhagwan Mahavir (0832)

GTDC Dudhsagar Resort
Tél. 261 2238
Bien placé, près du Bhagwan Mahavir Wildlife Sanctuary, cet agréable hébergement du gouvernement dispose d'un restaurant et de chambres d'un bon rapport qualité-prix. **$$**

Benaulim (0834)

Carina
Vas Waddo
Tél. 277 0413
Fax 277 0414
www.carinabeachresort.com
Chambres calmes en surplomb du jardin, possédant toutes une salle de bains avec eau chauffée par panneaux solaires. Cours de cuisine goanaise proposés par le chef cuisinier. **$$$**

Palm Grove Cottages
Tamdi Marti, Vas Waddo
Tél. 272 2533
Établissement propre et agréable dans un cadre verdoyant ravissant. Savoureux poissons et plats de Goa. **$$**

Bogmalo Beach (0832)

Coconut Creek Resort
Bimmut
Tél. 255 6100

Chambres élégantes et bien tenues, dans une paisible palmeraie avec belle piscine et bon restaurant. **$$$$**

Calangute (0832)

CoCo Banana
1/195 Umta Waddo
Tél. 227 6478
Fax 227 9068
Des propriétaires serviables louent des cabanons propres et confortables, au milieu d'un jardin. **$$**

Kerkar Retreat
Gaura Waddo
Tél. 227 6017
Fax 227 6509
www.subodhkerkar.com
Six chambres sobres et spacieuses, avec balcon et salle de bains. Petite galerie d'art (le propriétaire est lui-même un artiste) et restaurant. **$$-$$$**

Villa Goesa
Cobra Waddo
Tél. 227 7535
Fax 227 6182
Prisé des voyageurs d'Europe du Nord, cet hôtel tranquille propose des chambres assez simples, avec balcon surplombant la pelouse et la piscine, ainsi qu'un restaurant correct. **$$$**

Concha
Umta Waddo
Tél. 227 6056
Fax 227 7555
Établissement élégant au charme colonial et verdoyant, certaines des *cosy* chambres avec balcon. **$$$$**

Pousada Tauma
Porba Waddo
Tél. 227 9061
Fax 227 9064
www.pousada-tauma.com
Hors de prix, mais ravissantes, les 12 suites personnalisées de ce havre de paix sont aménagées autour d'une piscine dans un cadre magnifique. Traitements ayurvédiques et restaurant délicieux complètent le tableau. **$$$$$**

Candolim (0832)

Casa Seashell
Fort Aguada Road
Tél. 247 9879
Bien placé, avec piscine et vastes chambres propres, dotées d'une salle de bains moderne, cet établissement jouit d'un restaurant réputé pour sa cuisine de la mer. **$$**

Xavier Beach Resort
Fort Aguada Road
Tél. 247 9489
Fax 247 9911
www.goacom.com/hotels/xavier
Chambres douillettes avec vue sur la mer, d'un excellent rapport qualité-prix. Bon restaurant et bar sur le toit. **$$**

Costa Nicola
Vaddi Waddo
Tél. 227 6343
Fax 227 7343

Villa soignée, au style portugais désuet, dans un joli jardin avec piscine. Certaines chambres ont un balcon (préférez celles de l'ancien bâtiment). **$$$**

Cavelossim (0834)

Dona Sa Maria
Tamborim Waddo
Tél. 274 5290
Fax 274 5673
www.donasamaria.com
Petit hôtel accueillant au personnel serviable. Chambres sommaires, mais propres, bon restaurant (La Afra) et piscine dans un cadre paisible. **$$$**

Dona Sylvia
Tél. (0832) 243 4703
Fax (0832) 222 9966
www.donasylvia.com
Complexe balnéaire dans un très beau domaine avec une immense piscine. Vastes chambres (3 nuits min). Le prix inclut des repas plutôt insipides. **$$$$$**

Colva (0834)

Penthouse Beach Resort
Tél. 273 1030
Fax 273 3737
En plein centre-ville, de coquettes villas entourant une piscine, au milieu de palmiers verdoyants. **$**

Vailankanni Cottages
Tél. 273 7747
Large éventail de chambres avec salle de bains, toujours dans le centre, sur l'artère principale. **$**

Colmar Beach Resort
Tél. 272 1253
Cet hôtel prisé propose un choix de villas et chambres agréables avec salle de bains, climatisées ou non, dans un petit jardin. Réductions avantageuses en basse saison. **$$**

Silver Sands Hotel
Tél. 272 1645
Fax 273 5816
Autre hôtel central, proposant sports aquatiques et bon restaurant. **$$**

Dona Paula (0832)

Dona Paula Beach Resort
Tél. 222 7955
Fax 222 1371
www.opescador.com
Près de la plage, des chambres sommaires, mais aérées, donnant sur la pelouse (et certaines sur la mer). **$$**

Prainha Cottages
Tél. 245 3881
Fax 245 3884
www.prainha.com
De jolies chambres en cottages, bien entretenues, au décor traditionnel, près d'une plage isolée. **$$-$$$**

Kankon (0832)

Hotel Molyma
Kindlebaga
Tél. 264 3028
Fax 264 3081

À 2 km de Chaudi, hôtel moderne avec chambres spacieuses à un prix très correct. Bons repas végétariens au Canacona Palace Udupi Hotel, non loin du carrefour. **$$-$$$**

Majorda Beach (0832)

Majorda Beach Resort
Tél. 668 1111
Fax 288 1124
www.majordabeachresort.com
Immense complexe tape-à-l'œil, près de la plage, avec quelques villas de luxe, 3 restaurants et d'agréables jardins. Réductions avantageuses en basse saison. **$$$$$**

Mandrem (0832)

River Cat Villa
438/1 Junasa Waddo
Tél. 224 7928
www.villarivercat.com
Aménagé par un artiste local sur la berge d'une rivière tranquille, ce lieu très agréable dispose de chambres plaisantes, avec salle de bains, et une véranda invitant à la paresse. **$$**

Mapusa (0834)

Vilena
Feira Baixa
Tél. 226 3115
La meilleure option dans la catégorie petit budget. Chambres propres, dont certaines climatisées. **$**

Satyaheera
Face aux Municipal Gardens
Tél. 226 2849
Central, avec suites confortables et restaurant de qualité. **$$**

Margao (0834)

Woodlands
Miguel Loyola Furtado Road
Tél. 272 0374
Fax 273 8732
Propreté et confort en font une adresse très appréciée. Mieux vaut réserver. **$**

Nanutel
Padre Miranda Road
Tél. 270 0901
Fax 273 3175
nanutelmrg@nanuindia.com
Pas vraiment de charme mais des chambres climatisées et bien tenues. Un bon choix, à proximité de la gare. **$$**

Palolem (0834)

Cozy Nook
Tél. 264 3550
Jolies maisonnettes face à la mer, bien situées, au nord de la plage de Palolem. Succulentes spécialités de Goa. **$**

Palolem Beach Resort
Tél. 264 3054
Établissement plaisant, proposant des tentes pour 2 et quelques chambres avec salle de bains commune. Restaurant parfois bruyant. **$**

Bhakti Kutir
Tél. 264 3472
Fax 264 5211
www.bhaktikutir.com
Ce complexe écologique comporte
20 cottages bâtis en matériaux locaux.
Salle de bains en plein air, au sol
tapissé de coquillages et décorées de
plantes. Savoureux plats occidentaux.
$$-$$$

Panaji (0832)

Panjim Inn and Panjim Pousada
E-212, 31 Janeiro Road
Tél. 243 5628
Fax 222 8136
www.panjiminn.com
Deux vieilles maisons de ville – une
demeure portugaise du xixᵉ siècle et
un manoir hindou des années 1930 –,
reconverties en hôtel, décorées avec
meubles d'époque. La *chowk* (cour
intérieure) de la Pousada est sublime.
Expositions d'art de Goa. **$$-$$$**
Nova Goa
Dr A.B. Road
Tél. 222 6231
Fax 222 4958
www.hotelnovagoa.com
Central, moderne et bien équipé
(restaurant et piscine) – mais un peu
quelconque. **$$$**
Mandovi
D.B. Marg
Tél. 242 6270
Fax 222 5451
www.hotelmandovigoa.com
Ce grand hôtel d'affaires renferme des
chambres confortables – certaines en
surplomb de la Mandovi –, d'un rapport
qualité-prix étonnamment intéressant.
Restaurants savoureux, librairie. **$$$$**

Ponda (0832)

President
Belgaum Road
Tél. 231 2287
Suites sommaires, mais propres et
spacieuses (certaines climatisées),
à un prix correct. **$**
Hotel Atish
Farmagudi, à 2 km de Ponda
Tél. 233 5382
Fax 233 5249
www.hotelatish.com
Hôtel imposant, à la sortie de Ponda.
Chambres climatisées, piscine et
restaurant satisfaisant. **$$**

Siolim (0832)

Siolim House
Face à Wadi Chapel, Siolim, Bardez
Tél. 227 2138
Fax 227 2941
www.siolimhouse.com
Cette demeure 3 fois centenaire,
restaurée à l'aide de matériaux
traditionnels, arbore panneaux vitrés
en nacre et murs chaulés ornés de
coquillages. Pas de climatisation. **$$$$**

Sinquerim (0832)

Marbella Guest House
Tél. 227 9551
Fax 227 6509
Restaurée de manière inventive, cette
villa de 6 chambres (avec salle de
bains) se niche dans la coline au-
dessus de la plage Sinquerim.
Réservez à l'avance. **$$$$$**
Whispering Palms Beach Resort
Sinquerim Beach
Tél. 247 9140
www.whisperingpalms.com
Complexe balnéaire gigantesque,
pourvu de piscine et restaurants
(dont l'Aahaata : délicieuses recettes
indiennes). Chambres spacieuses
et soignées, avec balcon et salle
de bains. **$$$-$$$$**
The Aquada Hermitage
Sinquerim, Bardez
*Tél. 247 9123 (Beach Resort et
Holiday Village), 227 6201 (Hermitage)*
www.tajhotels.com
Ce complexe de luxe compte 3 hôtels
du Taj Group entièrement climatisés.
Sélect et onéreux, l'Hermitage comporte
des villas isolées conçues pour les
chefs d'État. Le Beach Resort, dans une
forteresse du xvıᵉ siècle, et les cottages
"traditionnels" de l'Holiday Village
affichent des prix légèrement inférieurs.
$$$$$

Tiracol (0832)

Tiracol Fort Heritage
Tél./fax 226 8258
www.nilayahermitage.com
Cette forteresse réaménagée jouit
d'une vue superbe sur le littoral.
Chambres douillettes et calmes, et
suites à l'étage supérieur, installées
autour de la cour. Restaurant plein
de charme. **$$$$$**

Vagator (0832)

Bethany Inn
Tél. 227 3731
www.bethanyinn.com
Chambres impeccables, avec salle
de bains et réfrigérateurs. Meilleure
adresse bon marché. **$$**
Leoney Resort
Ozram Beach Road
Tél. 227 3634
Fax 227 4914
Complexe bien situé, regroupant
16 chambres climatisées, propres
et sûres, et 3 cottages nichés autour
d'une piscine. **$$$**

Vainguinim Beach (0832)

Cidade de Goa
Tél. 245 4545
www.cidadedegoa.com
Cette station huppée, bien placée,
comprend 2 piscines, une plage isolée
et une "Academy of Culinary
Education", qui laisse augurer
de savoureux repas. **$$$$$**

Varca (0832)

Club Mahindra Varca Beach Resort
Varca Beach, Salcette
Tél. 274 4555
www.mhril.com
Espace et bien-être vous attendent
dans les appartements de ce complexe
moderne et bien tenu. Activités variées
(idéales pour les enfants), cuisine de
qualité et piscine superbe. **$$$$**

Vasco da Gama (0834)

Annapurna
Dattatreya Deshpande Road
Tél. 251 3375
Les voyageurs à petit budget
apprécieront ici la propreté des
chambres et dégusteront spécialités
végétariennes du Sud et du Nord. **$**
Hotel La Paz Gardens
Swatantra Path
Tél. 251 2121
Fax 251 3302
www.hotellapazgardens.com
Meilleur hôtel de la ville, spacieux, avec
restaurants et bar. **$$-$$$**

GUJARAT
Ahmadabad (079)

Embassy
*Vasant Chowk (derrière la Bank of
Maharashtra) Lal Darwaza Bus Depot*
Tél. 2550 7273
Bon hôtel avec chambres douillettes
avec eau chaude (certaines
climatisées) et service d'étage. **$$**
Goodnight
Dr Tankaria Road, Lal Darwaza
Tél. 2550 6997
Chambres irréprochables (climatisées
ou non), avec salle de bains.
Restaurant gujarati très correct. **$$**
The House of Mangaldas Girdhardas
Face à la Sidi Sayid Mosque
Tél. 2550 6945
www.houseofmg.com
Installé dans une *haveli* du xxᵉ siècle,
cet hôtel abrite de superbes chambres,
dotées de ravissants lits drapés dans
des moustiquaires. Le Agashiye
mitonne une excellente cuisine gujarati,
et le pittoresque Green House sert
de savoureux en-cas. **$$$$-$$$$$**
Taj Residency Ummed
International Airport Circle, Hansol
Tél. 666 1234
www.tajhotels.com

Cet hôtel prisé – l'un des meilleurs d'Ahmadabad – vous promet confort et installations à la hauteur d'un 5-étoiles. Chambres séduisantes et restaurant excellent. **$$$$$**

Bhavnagar (0278)

Blue Hill
Face au Pill Garden
Tél. 242 6951
Fax 242 7313
bluehill@ad1.vsnl.net.in
Hôtel agréable et personnel efficace. Chambres climatisées, terrasse sur le toit et bons restaurants, le Gokul (plats gujarati végétariens) et le Nilgiri (spécialités du Nord). **$$**

Vrindavan
Darbargadh
Tél. 251 9149
Dans un quartier central, des chambres propres et bon marché, certaines climatisées, aménagées dans l'une des ailes d'un ancien palais. **$$**

Nilambag Palace
Tél. 242 4241
Fax 242 8072
nilambag@ad1.vsnl.net.in
Ancien palais royal de 1859, transformé en charmant Heritage Hotel. Vastes chambres confortables et climatisées, jardins superbes et piscine. **$$$$$**

Gondal (02825)

The Riverside Palace and Orchard
Gondal
Tél. 220 002
Fax 223 332
ssibal@ad1.vsnl.net.in
Idéalement situé pour partir à la découverte des environs, ce palais royal reconverti, avec mobilier anglais d'époque, vous promet élégance et service personnalisé. Vous pourrez même loger dans le somptueux wagon du maharaja. Les propriétaires dirigent également le Heritage Hotel Dil Bahar (un ancien manoir de chasse) à Bhavnagar. **$$$$$**

Vadodara (0265)

Green
R.C. Dutt Road
Tél. 233 6111
Dans une demeure ancienne, un établissement propre et bon marché. Atmosphère agréable. **$**

Express Hotel
R.C. Dutt Road
Tél. 233 0960
Fax 233 0980
www.expressworld.com
Hôtel bien tenu et accueillant, avec belles chambres modernes à un prix étonnamment raisonnable, et restaurant au décor traditionnel (excellente cuisine gujarati). **$$-$$$**

HIMACHAL PRADESH

Dalhousie (01899)

Youth Hostel
Près de l'arrêt de bus
Tél. 242 189
Fax 240 929
www.yhaindia.com
Bon hébergement peu onéreux, avec repas. Réservation conseillée. **$**

Alps Holiday Resort
Khajjiar Road, Bakrota Hills
Tél. 240 775
Fax 242 840
Hôtel moderne aux chambres confortables, agrémenté d'un restaurant et d'installations sportives. Panorama spectaculaire. **$$-$$$**

Aroma-n-Claire
Court Road
Tél. 242 199
Ce gigantesque hôtel suranné au charme indéniable loue des chambres plutôt sommaires, mais jouissant parfois d'une vue magnifique. Restaurant et petite bibliothèque. **$$-$$$**

Grand View Hotel
The Mall
Tél. 242 823
Fax 240 609
Suites convenables, bien qu'un peu défraîchies, et bar très correct. **$$-$$$**

Hotel Mount View
Club Road
Tél. 242 120
Fax 240 741
www.hotelmountview.com
Installé dans un édifice de style victorien, cet hôtel – l'un des meilleurs de la ville – dispose de chambres douillettes et soignées. **$$$**

Dharamsala (01892)

Om
McLeod Ganj (près de l'arrêt de bus)
Tél. 221 313
Quelques chambres avec douche, d'une propreté irréprochable. Petit restaurant de qualité et panorama saisissant. **$**

HPTDC Bhagsu
South End, Mcleod Ganj
Tél. 221 091
Pension du gouvernement proposant des chambres agréables avec salle de bains et eau chaude. **$$**

HPTDC Dhauladar
Kotwali Bazaar (près de l'arrêt de bus)
Lower Dharamsala
Tél. 224 926
Fax 224 212
Chambres vastes avec salle de bains (eau chaude) et balcon. Vue splendide de la terrasse du restaurant. **$$**

Surya Resorts
South End, McLeod Ganj
Tél. 221 418
Fax 221 868
www.suryaresorts.com

Chambres spacieuses, modernes et confortables bénéficiant pour la plupart d'une vue magnifique. Personnel affable. Délicieuses spécialités dans le restaurant adjacent. **$$**

Hotel Tibet
Bhagsu Road, Mcleod Ganj
Tél. 221 587
Fax 221 425
Prisé des visiteurs pour son savoureux restaurant et sa vue plongeante sur la vallée, cet hôtel pratique des tarifs abordables. Mieux vaut réserver. **$$**

Glenmoor Cottages
Mall Road, McLeod Ganj
Tél. 221 010
Fax 221 021
www.glenmoorcottages.com
Vous serez séduit par le cadre paisible et enchanteur de ces cottages meublés, au cœur de la forêt. Repas disponibles sur demande. **$$$**

Chonor House
Mcleod Ganj
(près de Thekchen Choeling)
Tél. 221 006
Fax 221 468
www.norbulingka.org
Intégré au Norbulingka Institute – qui dirige aussi le Norling Guest House de Lower Dharamsala (www.tibet.org/norling) –, cet hôtel tranquille et confortable, orné de peintures murales tibétaines, est prisé des célébrités de passage. Bon restaurant tibétain. Réservation indispensable. **$$$**

Kangra (01894)

Taragarh Palace Hotel
Taragarh
Tél. 242 034
www.taragarh.com
Ancien palais du maharaja du Cachemire datant des années 1930, cet édifice dispose de 16 chambres agréables avec mobilier d'époque, d'un bon restaurant et d'une piscine nichée dans un jardin ravissant. **$$$$$**

Kasauli (01793)

Gian
P.O. Road
Tél. 272 244
Chambres agréables, propres, bien entretenues et bon marché. **$**

HPTDC Ros Common
Lower Mall
Tél. 272 005
Le meilleur hôtel-restaurant de la ville. Chambres avec salle de bains et eau chaude dans un cadre enchanteur. Mieux vaut réserver. **$$**

Kullu (01902)

Madhu Chandrika
Lower Dhalpur
Tél. 224 395
Fax 222 720
Chambres et dortoirs corrects pour petits budgets, près de l'arrêt de bus. **$**

Shobla
Dhalpur
Tél. 222 800
Hôtel accueillant en surplomb de la rivière, avec chambres spacieuses et restaurant engageant. **$$**

HPTDC Hotel Sarvari
Extrémité sud de la ville
Tél. 222 471
Idéal pour établir sa base en ville. Chambres propres – certaines plutôt spacieuses – et agréable, restaurant bon marché, le tout complété d'une vue saisissante (l'HPTDC dirige également le Silver Moon de Shastrinagar, à 2 km de Kullu). **$$**

Apple Valley Resort
Village Mohal, National Highway
Tél. 224 115
Fax 224 116
www.applevalleyresorts.com
Ces cottages modernes et confortables, couplés à un restaurant satisfaisant, se dressent sur les rives de la Beas à 6 km de Kullu. Lieu prisé des amateurs de rafting, qui peuvent pratiquer ce sport sur la Beas. **$$$**

Span Resorts
P.O. Katrain, National Highway
Tél. 240 138
Fax 240 140
http://spanresorts.com
Outre ses cottages avec chambres douillettes, dans un cadre paisible et isolé, à 12 km de Kullu, ce complexe propose des activités variées (notamment du yoga) et une cuisine succulente. **$$$$-$$$$$**

Manali (01902)

HPTDC Hotel Beas
En direction de Vashisht (sur la berge du fleuve)
Tél. 252 832
Chambres engageantes et bien entretenues, d'un excellent rapport qualité-prix, dans un décor magnifique. Restauration possible. **$-$$**

HPTDC Hotel Rohtang Manalsu
The Mall
Tél. 252 332
Dans un cadre ravissant, en direction du Hadimba Temple. Vastes chambres paisibles ouvrant sur la vallée. **$-$$**

HPTDC Hotel Kunzam
Centre-ville
Tél. 253 197
Hôtel récent, géré par le gouvernement, dans le centre de Manali. Chambres modernes et confortables avec salle de bains et eau chaude. **$$**

Johnson's Lodge
Circuit House Road
Tél. 253 023
www.johnsonslodge.0catch.com
Au milieu d'un verger, des cottages bien tenus, équipés de coin cuisine. Possibilité de se restaurer dans le Johnson's Cafe, adjacent. **$$-$$$**

John Banon's Hotel
Manali Orchards
Tél. 252 335
Fax 252 392
Pension à la réputation solide, louant des chambres correctes avec vue superbe. Plats raffinés. **$$$-$$$$**

Ambassador Resort
Sunny Side, Chadiyari
Tél. 252 235
Fax 252 173
www.ambassadorresorts.com
Sur la rive orientale de la Beas, un hôtel confortable et bien conçu, chambres très satisfaisantes et panorama superbe. Spécialités indiennes et chinoises. **$$$$**

Banon Resorts
New Hope Orchards
Tél. 253 026
www.banonreortsbanali.com
Paisible complexe disposant de chambres élégantes et modernes au cœur d'un jardin ravissant. Excellent restaurant avec vue sur les montagnes. **$$$$-$$$$$**

HPTDC Log Huts & Hamta Cottages
Old Manali Road
Tél. 252 407
Dans un cadre paisible, de spacieuses huttes et villas confortables – bien qu'un peu désuètes –, avec salon, cuisine et salle de bains. **$$$$$**

Simla (0177)

YMCA
The Ridge
Tél. 225 2375
Fax 221 1016
Vastes chambres surannées avec salle de bains commune, généralement prise d'assaut. Salle à manger. **$**

YWCA
Constantia
Tél. 220 3081
Auberge bien située et souvent bondée (réservez à l'avance). Chambres propres et bon marché. Conseillée. **$**

Hotel Dalziel
The Mall
Tél. 265 2394
Fax 265 1504
delziel@sancharnet.in
Hôtel correct : chambres acceptables, pourvues d'une salle de bains avec eau chaude. Savoureuses spécialités indiennes. **$-$$**

Hotel Shingar
The Mall
Tél. 225 2881
Fax 225 2998
stylco@sancharnet.in
Chambres impeccables et restaurant satisfaisant : une bonne adresse, à proximité du funiculaire. **$$**

Hotel Combermere
The Mall (en face du funiculaire)
Tél. 265 1246
Fax 265 2251
www.hotelcombermere.com

Près du centre-ville, de belles chambres confortables et modernes. Personnel accueillant et empressé. **$$$$-$$$$$**

Chapslee House
Lakkar Bazaar
Tél. 280 2542
Fax 265 8663
www.chapslee.com
Véritable institution à Simla, cette demeure majestueuse renferme des suites magnifiques, avec meubles et antiquités d'époque. Cuisine exquise. N'oubliez pas de réserver. **$$$$$**

Oberoi Cecil
Chaura Maidan
Tél. 280 4848
Fax 281 1024
www.oberoicecil.com
Autre établissement phare de Simla, cet élégant hôtel de luxe dispose d'une piscine de rêve, d'un restaurant et de chambres bien équipées offrant un superbe panorama. **$$$$$**

Wildflower Hall
Mashroba, Charabra
Tél. 264 8585
Fax 264 8686
www.oberoiwildflowerhall.com
Ce fabuleux complexe hôtelier perché sur une colline servit autrefois de résidence à Lord Kitchener. Sa vue époustouflante et ses luxueuses installations – dont une station thermale de renommée mondiale – en font l'un des établissements les plus raffinés du pays. **$$$$$**

JHARKHAND

Ranchi (0651)

Railway Hotel
Tél. 220 8048
www.indianrailways.gov.in
Hôtel bien tenu, dirigé par l'Indian Railways, dans un agréable édifice ancien. Chambres propres (certaines climatisées) et bon restaurant. Un excellent choix. **$$**

KARNATAKA

Bandipur National Park (08229)

Hotel Mayura Prakruti
Melkamanahalli
Tél. 233 001
www.karnatakatourism.org
Peut-être sommaire mais l'une des meilleures option à proximité du parc. Chalets convenables et bon restaurant en plein air. **$**

Bandipur Safari Lodge
Mysore-Ooty Road, Melkamanahalli
Tél. 633 001
www.junglelodges.com
Hébergement sommaire dans des constructions modernes (pas d'air climatisé) à proximité de l'entrée du

parc. Personnel avisé et bons safaris en 4x4. Recommandé. **$$$**

Country Club Bush Betta
Mangala
Tél. 236 090
www.countryclubindia.net
Ce club hôtel dispose de 60 chambres et d'une grande piscine. Quoiqu'un peu loin de l'entrée du parc, il est idéal pour les familles. **$$$-$$$$**

Bangalore (080)

YHA
65/2 Millers Road
Benson Town Cantonment
Tél. 2354 0849
bangalore_youthhostel@yahoo.co.in
Chambres propres, climatisées ou non, et dortoir très bon marché. Réservez. **$**

Ajantha
22A Mahatma Gandhi Road
Tél./fax 2558 4321
bagilthay@vsnl.com
Bien placé, doté d'agréables chambres spacieuses (certaines climatisées), et d'un restaurant (savoureux mets végétariens de l'Inde du Sud). **$-$$**

Kamat Yatri Nivas
4 1st Cross
Gandhinagar
Tél. 2226 0088
Fax 2228 1070
kamat@blr.vsnl.net.in
Situé vers la gare ferroviaire, cet hôtel récent pratique des tarifs modérés. Le restaurant (4e étage) concocte d'excellents plats végétariens du nord du Karnataka. **$$**

Highgates Hotel
33 Church Street
Tél. 2559 7172
Fax 2559 7799
Hôtel central et bien entretenu, avec chambres climatisées et confortables. Petit-déjeuner inclus dans le prix. Recommandé. **$$$**

Hotel Infantry Court
66 Infantry Road
Tél. 2559 1800
Fax 2559 6890
hotelic@vsnl.com
Établissement moderne, confortable et central : l'un des meilleurs rapports qualité-prix de Bangalore. Petit-déjeuner inclus – mais attention aux suppléments cachés. **$$$**

Niligiri's Nest
171 Brigade Road
Tél. 2558 8401
Fax 2558 2853
nilgrisnest@vsnl.net
Autre hôtel central. Vastes chambres propres climatisées et restaurant. **$$$**

Woodlands Hotel
5 Raja Ram Mohan Roy Road
Tél. 2222 5111
Fax 2223 6963
wood@bgl.vsnl.net.in
Hôtel bien établi, dans un bâtiment

massif mais attrayant. Chambres d'un bon rapport qualité-prix et restaurant correct. **$$$**

The Oberoi
37-9 Mahatma Gandhi Road
Tél. 2558 5858
Fax 2558 5960
www.oberoibangalore.com
Dans de superbes jardins, des chambres et suites pourvues d'une zone de repos en surplomb de la verdure. Onéreux mais luxueux. **$$$$$**

The Park
14/7 Mahatma Gandhi Road
Tél. 2559 4666
Fax 2559 4029
www.theparkhotels.com
Summum du raffinement, cet hôtel moderne dispose de chambres lumineuses et élégantes, ainsi que d'un excellent restaurant, le Monsoon. **$$$$$**

The Taj West End
55 Race Course Road
Tél. 5660 5660
Fax 5660 5700
www.tajhotels.com
Ce magnifique établissement ancien entouré de jardins est le 5-étoiles le plus attrayant de Bangalore. Chambres s'ouvrant sur la pelouse et restaurants de qualité. Le Taj Group gère aussi 2 hôtels d'affaires du centre-ville : le Taj Residency sur M.G. Road, et le Gateway Hotel sur Residency Road. **$$$$$**

Gokarna (08386)

KSTDC Hotel Mayura Samudra
Tél. 256 236
Chambres propres et spacieuses – certes un peu isolées –, situées dans un ravissant jardin. Restaurant (choix de plats plutôt restreint). **$**

Hassan (08172)

Vaishnavi Lodging
Harsha Mahal Road
Tél. 267 413
Hébergement bon marché, dans un bâtiment propre et spacieux. Restaurant végétarien. **$**

Southern Star Hassan
B.M. Road
Tél. 251 816
Fax 268 916
www.ushashriramhotels.com
Chambres propres et soignées, climatisées pour la plupart. Des tarifs légèrement supérieurs à la moyenne sont compensés par l'amabilité et l'empressement du personnel. **$$**

Hotel Suvarna Regency
97 B.M. Road
Tél. 264 006
Fax 263 822
Confortables chambres climatisées récentes, à un prix imbattable, et restaurant de spécialités indiennes. **$$**

Hampi Bazaar (08394)

Shanti Lodge
Près du Virupaksha Temple
Tél. 241 568
Chambres impeccables – mais la salle de bains est commune – sur 2 niveaux, s'ouvrant sur une cour intérieure ombragée. **$**

Hotel Mayura Bhuvaneshwari
Kamalapur
Tél. 241 574
www.kstdc.nic.in
Bien qu'un peu éloignées d'Hampi, ces chambres (climatisées ou non) restent d'un bon rapport qualité-prix. Délicieuse cuisine. **$-$$**

Hospet (08394)

Hotel Malligi
6/143 Jambunath Road
Tél. 228 101
www.malligihotels.com
Hôtel un peu survalué, mais toujours prisé, près de M.G. Road, avec bar, restaurant et belle piscine (payante pour les non résidents). **$-$$$$**

Hotel Priyadarshini
V-45 Station Road
Tél. 228 838
Fax 24709
priyainn@vsnl.com
Chambres climatisées avec balcon, personnel sympathique, et restaurant en jardin donnant sur les champs de cannes à sucre et les rizières. Eau chaude de 6h30 à 9h30. **$$**

Hotel Shivananda
College Road
(à côté de l'arrêt de bus KSRTC)
Tél. 220 700
Chambres propres avec salle de bains, à des tarifs raisonnables. Eau chaude de 6h à 9h. Petit restaurant. **$$**

Mangalore (0824)

KSTDC Maurya Netravati
Kadri Hills
Tél. 221 1192
Impeccables chambres spacieuses et cuisine correcte. Un excellent rapport qualité-prix. **$-$$**

Hotel Poonja International
K.S. Rao Road
Tél. 244 0171
Fax 244 1081
www.hotelpoonjainternational.com
Chambres propres et bien entretenues, dans un vaste bâtiment moderne, à un tarif très intéressant. Plats délicieux. **$$**

Manjarun Hotel
Old Port Road, Bunder
Tél. 566 0420
Fax 566 0585
www.tajhotels.com
Un peu à la sortie de la ville, cet établissement moderne du Taj Group englobe chambres confortables d'un bon rapport qualité-prix – dont certaines s'ouvrent sur la mer –, piscine et restaurant de spécialités indiennes et occidentales. **$$$**

Mysore (0821)

KSTDC Mayura Hoysala & Yatrinivas
2 Jhansi Lakshmibai Road
Tél. 242 5349
Chambres spacieuses d'un excellent rapport qualité-prix, bar-restaurant et ravissants jardins. Le Yatrinivas (*tél. 242 3492*), voisin, dispose d'un dortoir très bon marché. **$**

Hotel Ritz
Bangalore-Nilgiri Road
Tél. 242 2668
Fax 242 9082
Petit hôtel plein de cachet. Tout juste 4 chambres desservies par un balcon (moustiquaire et salle de bains avec eau chaude), avec espace pour les repas. Bon restaurant en contrebas. Adresse prisée (réservez). **$**

The Viceroy
Sri Harsha Road
Tél. 242 4001
Fax 243 3391
Hôtel propre et moderne avec chambres bien équipées. Délicieuses recettes d'Inde du Nord dans le restaurant adjacent (The Pavilion). **$$**

Green Hotel
Chittaranjan Palace
2270 Vinoba Road
Jayalakshmipuram
Tél. 525 5002
Fax 251 6139
www.greenhotelindia.com
Ce ravissant palais doté d'un jardin, à la sortie de la ville, a opéré une reconversion réussie, dans le cadre d'un projet encourageant le tourisme tout en privilégiant économie d'énergie et égalité des chances pour l'emploi. Attrayantes chambres bon marché et cuisine succulente : un établissement chaleureusement recommandé. **$$$$-$$$$$**

ITDC Lalitha Mahal Palace Hotel
Siddhartha Nagar
Tél. 247 0470
Fax 247 0555
www.theashokgroup.com
Chambres véritablement royales, avec superbe salle de bains d'époque, dans un édifice néoclassique surmonté d'une coupole modelée sur celle de la cathédrale Saint-Paul. Le service vous ravira et le restaurant au décor bleu vous impressionnera, tout comme l'agréable piscine et le jardin. **$$$$$**

Nagarhole

Forest Department Cottages
Réservations :
Conservator of Forests, Kodagu Circle
Aranya Bhavan, Madikeri 571 201
Karnataka
Tél. (08272) 225 708
www.karnatakatourism.org
Hébergement sommaire, chambres simples et propres, restauration possible via la location de 4x4 pour safaris. **$$-$$$**

Kabini River Lodge
Karapur, Nissana Beltur
Mysore District 571 114, Karnataka
Tél. (08228) 264 402
www.junglelodges.com
L'un des meilleurs lodges en Inde. Chambres confortables, bonne cuisine et conseils judicieux prodigués par les naturalistes maison. Excellent rapport qualité-prix. Conseillé **$$$$-$$$$$**

Water Woods
19 Karapur, Mysore District 571 114
Karnataka
Tél. (0821) 226 4421
Dans un cadre superbement entretenu, les confortables chambres donnent sur la rivière. Buffet correct. Accès au parc en bateau ou en 4x4. **$$$$$**

KERALA

Alappuzha (0477)

KTDC Yatri Nivas
Motel Aram Compound, A.S. Road
Tél. 224 4460
Fax 224 4463
www.ktdc.com
Cette pension dispose de chambres climatisées à prix convenables et d'autres sans AC très bon marché. **$**

Alleppey Prince Hotel
A.S. Road
Tél. 224 3752
Fax 224 3758
Chambres climatisées impeccables, restaurant et piscine. Spectacles de danse *kathakali* occasionnels et circuits dans les *backwaters*. **$$**

Emerald Isle Heritage Villa
Kanjooparambil-Manimalathara
Tél. 2703 899
Port. 94470 77555
www.emeraldislekerala.com
À 12 km au large d'Alappuzha, ce havre de paix au décor tropical idyllique dispose de 4 chambres d'hôte avec salle de bains extérieure, logées dans un édifice traditionnel. Délicieuses spécialités du Kerala et service attentionné. Téléphonez pour que le bateau vous attende à l'embarcadère et vous conduise jusqu'à l'île. **$$$$$**

Kayaloram Heritage Lake Resort
Punnamada
Tél. 223 2040
Fax 223 1871
www.kayaloram.com

Situé à 4 km d'Alappuzha (navettes gratuites à 11h et 13h), ce paisible complexe regroupe cottages en bois individuels dans le style du Kerala, restaurant et piscine. Il gère également des séjours en *kettuvallam* (bateaux traditionnels). **$$$$$**

Athirapalli (0480)

Rain Forest Resort
Kannamkuzhy
Tél. 276 9062
www.keralagreenery.org/rainforest-resort
Ce paisible hôtel offre de magnifiques vues sur les chutes d'Athirapally et la forêt environnante. Jolies chambres, piscine, Jacuzzi et restaurant. **$**

Kochi-Ernakulam (0484)

YHA
NGO Qrts Junction
Thrikkakra
Tél. 242 2808
Fax 242 4399
www.yhaindia.com
Établissement un peu isolé, derrière Ernakulam Junction, mais propre, calme et pas cher. Restauration possible. **$**

SAAS Tower Hotel
Cannon Shed Road
(près de Boat Jetty) Ernakulam
Tél. 236 5319
Fax 236 7365
Chambres correctes, bien qu'exiguës, bon marché. Le restaurant sert de savoureuses recettes indiennes. **$-$$**

Woodlands
M.G. Road, Ernakulam
Tél. 238 2051
Fax 238 2080
woodland1@vsnl.com
Chambres confortables et impeccables, d'un très bon rapport qualité-prix (moins chères sans climatisation). Délicieux restaurant végétarien. **$$**

Abad Plaza
M.G. Road, Ernakulam
Tél. 238 1122
Fax 237 0729
www.abadhotels.com
Plaisant hôtel moderne en centre-ville, proposant chambres propres, piscine et bon restaurant de poisson. **$$$$**

Casino Hotel
Willingdon Island
Tél. 266 8221
Fax 266 8001
www.cghearth.com
Hôtel de standing aux chambres

décorées avec goût, restaurant de poisson recommandé, piscine. Il se situe un peu à l'écart du centre d'Ernakulam, mais des bus vous conduiront à M.G. Road. **$$$$**

The Brunton Boatyard
Calvetty Road, Fort Cochin
Tél. 221 5461
Fax 221 5562
www.cghearth.com
Sur un site magnifique, un hôtel de luxe à l'architecture évoquant les débuts de l'ère coloniale portugaise et hollandaise. Somptueuses chambres, avec salle de bains. Excellent restaurant (plats savoureux s'inspirant de recettes historiques). **$$$$$**

Malabar House Residency
1/268-9 Parade Road, Fort Cochin
Tél. 221 6666
Fax 221 7777
malabarhouse@vsnl.com
Dans une demeure 3 fois centenaire transformée en hôtel de luxe, des chambres douillettes meublées d'antiquités. Restaurant réputé. **$$$$$**

Taj Malabar
Malabar Road, Willingdon Island
Tél. 266 6811
Fax 266 8297
www.tajhotels.com
L'un des meilleurs établissements de l'État : bons restaurants et piscine. Privilégiez les chambres de l'ancienne aile, bourrées de charme, et offrez-vous un repas en plein air, à la pointe de l'île en surplomb du port. **$$$$$**

Kollam (0474)

Government Guest House
Ashramom
Tél. 274 3620
Ancienne *British residency*, cet édifice plein de charme, sur les bords du lac Ashtamudi, propose chambres spacieuses et repas (commandez à l'avance). **$**

KTDC Yatri Nivas
Ashramom, Guest House Compound
Tél. 274 5538
www.ktdc.com
Vaste hôtel du gouvernement, près du lac en face de la jetée. Chambres spartiates à prix modiques. **$**

Hotel Sudarshan
Paramesvar Nagar
Hospital Road
Tél. 274 4322
Fax 274 0480
www.hotelsudarshan.com
Immenses chambres climatisées impeccables, avec salle de bains et eau chaude, restaurant et snack-bar. **$$**

Kottayam (0481)

Hotel Aida
Aida Junction, M.C. Road
Tél. 256 8391
Fax 256 8399
www.hotelaidakerala.com

Chambres douillettes et bon marché (salle de bains et eau chaude). Restaurant (cuisine indienne). **$$**

KTDC Aiswarya
Thirunakkara
Tél. 258 1440
Fax 256 5618
Chambres agréables (climatisation et TV/câble en option) et restaurant. **$$**

Vembanad Lake Resort
Kodimatha
Tél. 236 1633
Fax 236 0866
Confortables cottages dans un jardin, à 3 km de la ville près du lac. Restaurant sur une péniche (*tandoori*, poisson). **$$**

Kovalam (0471)

Maharaju Palace
Tél. (0031) 299 372 597
www.maharajupalace.nl
Établissement paisible et plaisant, dirigé par un Hollandais (réservations par les Pays-Bas), à 30 m seulement de la plage, non loin du phare. **$$**

Hotel Rockholm
Lighthouse Road
Tél. 248 0306
Fax 248 0607
www.rockholm.com
Hôtel agréable, à la pointe de Light House Beach, jouissant d'une vue magnifique. Bon restaurant. **$$-$$$**

Lagoona Davina
Pachalloor
Tél. 238 0049
Fax 238 2651
www.lagoonadavina.com
Tenue par une Anglaise, Davina Taylor, ce paisible établissement proche de Pozhikkara Beach propose de jolies chambres avec lits à baldaquin, cuisine délicieuse, massages ayurvédiques et cours de yoga. **$$$$**

Hotel Sea Face
N.U.P. Beach Road
Tél. 248 1835
Fax 248 1320
www.hotelseaface.com
Hôtel proche de la plage. Chambres propres, personnel sympathique, bon restaurant et piscine. **$$$$**

The Leela Kovalam
Tél. 248 0101
www.kovalamhotel.com
Ce complexe hôtelier saisissant, conçu en partie par Charles Correa, englobe le palais d'été (Halcyon Castle) des maharajas de Travancore. Du pur luxe, dans un cadre inoubliable. **$$$$$**

Surya Samudra Beach Garden
Pundikudi, Mullar
Tél. 226 7333
Fax 248 0413
www.suryasamudra.com
Établissement de prestige proposant un hébergement haut de gamme en maisons traditionnelles, à 8 km de Kovalam, dans un paisible et superbe décor en surplomb de la mer. **$$$$$**

Kozhikode (0495)

Alakapuri Hotel
Moulana Mohamed Ali Road
Tél. 272 3451
Fax 272 0219
Pension de style colonial. Vastes chambres pleines de charme (avec salle de bains). Bonne cuisine indienne. **$**

Malabar Palace
Manuelsons Junction
G.H. Road
Tél. 272 1511
Fax 272 1794
www.malabarpalacecalicut.com
Jolies chambres climatisées, service empressé et restaurant de qualité. **$$**

Kadavu
N.H. Bypass Road, Azhinjilam
Tél. 283 0570
Fax 283 0575
www.kadavuresorts.com
Chambres et suites confortables avec vue spectaculaire sur le fleuve, sur un site magnifique à 14 km de Kozhikode. Savoureuse cuisine. **$$$$$**

Periyar Wildlife Park (04869)

Bamboo Grove
Periyar Tiger Reserve
Thekkady, Idukki 685 536, Kerala
Tél. 224 571
www.periyartigerreserve.org
Installés au sein même du parc, ces simples cabanes sont une occasion unique pour observer la nature. Réservez longtemps à l'avance. **$$$**

Aranya Niwas
Thekkady, Idukki 685 536, Kerala
Tél. 222 023
www.ktdc.com
Sereinement posé sur les rives du lac, cette confortable retraite aux airs surannés conserve néanmoins son charme colonial. **$$$$-$$$$$**

Lake Palace
Thekkady, Idukki 685 536, Kerala
Tél. 222 023
www.ktdc.com
Ancienne villégiature du maharaja de Travancore, cet Heritage Hotel constitue une bonne base de safari. **$$$$$**

Thiruvananthapuram (0471)

Hazeen Tourist Home
À proximité d'Aristo Road
Tél. 232 5181
Établissement calme louant des chambres propres et correctes. **$**

Greenland Lodging
Aristo Road
Tél. 232 3485
Dans la catégorie petit budget, un hôtel satisfaisant aux chambres bien tenues, très pratique pour gagner les gares routière et ferroviaire. **$-$$**

Hotel Chaithram
Central Station Road, Thampanoor
Tél. 233 0977
Fax 233 1446
www.ktdc.com

Propre, confortable et bon marché, face à la gare ferroviaire. Chambres climatisées avec salle de bains. Bon restaurant au rez-de-chaussée. **$$**

KTDC Mascot Hotel
P.M.G. Junction
Tél. 231 8990
Fax 231 7745
www.ktdc.com
Jadis construit pour loger les officiers britanniques durant la Première Guerre mondiale, cet hôtel calme et agréable propose des chambres à bon prix et un savoureux restaurant. **$$**

Residency Tower
South Gate of Secretariat, Press Road
Tél. 233 1661
Fax 233 1311
www.residencytower.com
Hôtel moderne et confortable doté d'excellentes installations, de bons restaurants et d'une piscine sur le toit.
$$$-$$$$

The South Park
M.G. Road
Tél. 233 3333
Fax 233 1861
www.thesouthpark.com
Derrière le hall d'entrée tape-à-l'œil de cet hôtel sélect – s'adressant surtout à une clientèle d'affaires – se cachent des chambres un peu décevantes et légèrement surévaluées. **$$$$**

Thrissur (0487)

Ramanilayam Government Guest House
Palace Road
Tél. 233 2016
Réservée aux cadres officiels en visite, cette demeure coloniale pleine de charme accueille parfois des voyageurs dans ses immenses suites avec balcon, d'un excellent rapport qualité-prix. Repas sur commande. **$**

KTDC Yatri Nivas
Près de l'Indoor Stadium
Tél. 233 2333
Fax 233 2122
www.ktdc.com
Chambres propres, parfaites pour les petits budgets. Collations servies. **$**

Mannapuram Hotel
Kuruppam Road
Tél. 244 0933
Fax 242 7692
Impeccables chambres confortables, dans un agréable hôtel d'aspect moderne, bien tenu et peu onéreux, pourvu d'un bon restaurant. **$$**

Varkala

Taj Garden Retreat
Janardana Puram
(près de Government Guest House)
Tél. 260 3000
Fax 260 2296
www.tajhotels.com
Perché sur une colline près de la plage, ce luxueux complexe hôtelier bénéficie

d'un panorama superbe, de bons restaurants et d'une piscine. **$$$$$**

Waynad

Green Magic Nature Resort
Réservation auprès de :
Tour India
P.O. Box 163, M.G. Road
Thiruvananthapuram
Tél. (0471) 233 0437
Fax (0471) 233 1407
www.tourindiakerala.com
Cet établissement écologique (biogaz, énergie solaire et nourriture bio) vous hébergera dans d'étonnantes cabanes construites dans les arbres, au cœur de la forêt vierge. Une expérience onéreuse, mais unique. **$$$$$**

KOLKATA (033)

Salvation Army Red Shield Guest House
2 Sudder Street
Tél. 2245 0599
Propre, soigné et très fréquenté, idéal pour un séjour bon marché, en dortoir ou en chambres (un peu plus chères). **$**

Shilton Hotel
5a Sudder Street
Tél. 2252 1512
Fax 2246 0961
shiltoncal@hotmail.com
L'un des meilleurs hôtels pour petits budgets de Sudder Street. Chambres spacieuses à un prix modique. **$**

Railway Yatri Niwas
Howrah Station
Tél. 2248 2522 ou *2660 1742*
Chambres et dortoirs réservés aux détenteurs d'un billet de train (séjour de 3 nuits maximum), en surplomb de la Hugli. Départ à 10h. Restaurant en self-service. Réservez à l'avance. **$-$$**

Hotel Shalimar
3 S.N. Banerjee Road
(à côté du Regal Cinema)
Tél. 2228 5016
hotelshalimar@vsnl
Chambres climatisées correctes. Restaurant de spécialités indiennes et chinoises. **$$**

WBTDC Udayachal Tourist Lodge
D.G. Block, Salt Lake
Tél. 2337 8246
www.wbtourism.com
Chambres rudimentaires, propres (bon marché sans AC), un peu à l'écart de la ville. Repas et en-cas sur place. **$$**

YWCA
1 Middleton Row
Tél. 2229 7033
www.ywcaindia.org
Excellente pension paisible et agréable. Chambres impeccables et dortoir. Repas compris dans les tarifs. **$$**

The Astor
15 Shakespeare Sarani
Tél. 2282 9957
www.astorkolkota.com

Ancienne demeure victorienne avec jardin, à un emplacement central. Savoureux restaurants et bar. **$$$**

Fairlawn Hotel
13a Sudder Street
Tél. 2252 1510
Fax 2252 1835
www.fairlawnhotel.com
Hôtel bien tenu, désormais légendaire, au charme quelque peu excentrique. Chambres confortables. Jardin. Petit-déjeuner à l'anglaise. **$$$**

Middleton Inn
10 Middleton Street
Tél. 2216 0449
Fax 2246 8520
mchamber@vsnl.net
Central, mais tranquille. Les chambres, propres et climatisées, ont une salle de bains avec eau chaude. **$$$**

Tollygunge Club
120 Deshapran Sasmal Road
Tél. 2473 4539
www.tollygungeclub.com
Si vos moyens vous le permettent, n'hésitez pas à descendre dans ce vénérable club, fondé en 1895. Il jouit d'un magnifique domaine et d'excellentes installations sportives, à proximité d'une station de métro. Réservation indispensable. **$$$$**

The Kenilworth
1-2 Little Russell Street
Tél. 2282 3939
Fax 2282 5136
www.kenilworthhotels.com
Dans cet hôtel pourvu d'un paisible jardin, vous bénéficierez de chambres élégantes (privilégiez celles de la nouvelle aile), d'un restaurant de qualité et d'un bar. **$$$$$**

The Oberoi Grand
15 Jawaharlal Nehru Road
Tél. 2249 2323
Fax 2249 1217
www.oberoihotels.com
Hôtel phare de Kolkata. Chambres et suites extrêmement luxueuses – et onéreuses. Délicieux restaurants, tels que La Terrasse qui sert une cuisine française. **$$$$$**

The Park Hotel
17 Park Street
Tél. 2249 9000
Fax 2249 4000
www.theparkhotels.com
Un luxueux 5-étoiles, central et doté d'un restaurant zen, conçu par Conran. **$$$$$**

Taj Bengal
34b Belvedere Road
Alipore
Tél. 2223 3939
Fax 2223 1766
www.tajhotels.com
Un 5-étoiles très sélect. Hall impressionnant, chambres extrêmement confortables et excellents restaurants, notamment la Chinoiserie (spécialités chinoises). **$$$$$**

LADAKH
Alchi

Le village d'Alchi proprement dit
compte plusieurs hébergements,
notamment **Alchi Resort and
Restaurant**, avec 15 chambres
doubles (**$**), et **Zimskhang Holiday
Home**, avec 8 simples (**$**) et un petit
restaurant. Deux autres établissements
(**$**) méritent également d'être cités :
Choskar Guest House et **Monastery
Guest House and Garden Restaurant**
(avec terrain de camping). En direction
de Likir, dans un cadre magnifique sur
l'autre rive de l'Indus, vous découvrirez
Norboo Guest House (**$**).

Leh (01982)

En haute saison, certains
établissements haut de gamme
(catégorie A) obligent leur clientèle à
prendre la pension complète, ce qui
charge la facture. La plupart des hôtels
et pensions du Ladakh ferment en hiver
(nov.-mars). Les prix indiqués ci-
dessous concernent la haute saison
(mi-juin à août) ; réductions
avantageuses le reste de l'année.
Oriental
Changspa Lane
Tél. 253 153
En contrebas du Shanti Stupa.
Chambres ravissantes et succulente
cuisine locale. Également ouvert en
hiver. Recommandé. **$$**
Padma
Fort Road
Tél. 252 630
Chambres impeccables jouissant d'une
vue remarquable (salle de bains dans
celles de la nouvelle aile). **$$**
Hotel Tso-kar
Fort Road
Tél. 253 071
afzalmitoo@hotmail.com
Agréable hôtel de catégorie B aménagé
autour d'une jolie cour. Chambres
correctes, propres, et bon marché.
Excellent restaurant tibétain. **$$$**
Bijou
Shagaran, près de la Public Library
Tél. 252 131
Vastes chambres avec salle de bains
(eau chaude matin et soir) et personnel
accueillant. Jardin agréable. Réductions
intéressantes hors saison. **$$$**
Hotel K-sar Palace
Fort Road, à côté du Lha-ri-mo
Tél. 252 348
Fax 252 735
kesarbadam@hotmail.com
Dans un quartier calme, hôtel immense
doté de chambres spacieuses. Cadre
pittoresque avec vue sur la vallée. **$$$**
Hotel Lha-ri-mo
Fort Road
Tél. 252 101
Fax 253 345

lharimohotel@hotmail.com
Central, jouissant d'un panorama
superbe dans un décor avenant.
Chambres avec salle de bains et eau
chaude. Restaurant. **$$$**
Hotel Lingzi
Face au Dak Bungalow
Tél. 252 020
hotellingzi@vsnl.net
Établissement confortable, dans le
centre. Chambres avec salle de bains
et eau chaude. À l'instar de la plupart
des hôtels de catégorie A de Leh, les
tarifs incluent les repas (buffet). **$$$**
Hotel Ga-ldan Continental
À côté du marché de primeurs
Tél. 252 173
Fax 252 414
Grand hôtel central entouré d'une cour.
Chambres convenables, avec salle de
bains et eau chaude. **$$$$**
Hotel Shambhala
Skara
Tél. 252 607
www.hotelshambhala.com
Hôtel calme en dehors de la ville
(navette). Chambres vastes, savoureux
repas (compris) et jardin ravissant.
$$$$

Stok

Sur la route pour Stok, vous
découvrirez le plaisant **Hotel Skittsal**,
(*tél. 01982 242 051, fax 01982 252
414* ; hotelskittsal@vsnl.net) dans un cadre
plutôt insignifiant, mais jouissant d'un
panorama imprenable. Dans le village,
se dressent l'**Hotel Highland**
(*tél. 01982 242 005*, **$$$**) et la plus
traditionnelle Kalden Guest House (**$**).

LAKSHADWEEP
Bangaram

Bangaram Island Resort
Réservations auprès de :
CGH Earth
Casino Building
Willingdon Island, Kochi 682 003
Tél. (0484) 301 1711
www.cghearth.com
La navette maritime de ce luxueux
complexe hôtelier viendra vous
chercher sur l'île voisine d'Agatti. Les
tarifs incluent la pension complète,
sauf l'eau en bouteille... (prévoyez
suffisamment d'espèces pour couvrir
les suppléments jusqu'à la fin du
séjour). L'hébergement se fait dans de
simples huttes en retrait de la plage
(malgré l'odeur de soufre, l'eau des
salles de bains n'est pas nocive).
Buffet-repas à prédominance italienne
et barbecue de la plage un soir par
semaine. Vous pourrez faire de la voile
et plonger avec tuba ou avec bouteilles
sur l'un des meilleurs spots de l'océan
Indien (activités payantes). Bar sur la
plage. **$$$$$**

Gamme des prix

Les prix s'entendent pour une
chambre double en haute saison.
$ moins de 800 INR
$$ de 800 à 1 700 INR
$$$ de 1 700 à 2 700 INR
$$$$ de 2 700 à 3 700 INR
$$$$$ plus de 3 700 INR

Kadmat
Kadmat Cottages
Réservations auprès de :
*Lacadives, 563-4 New BEL Road,
Sanjaynagar, Bengalore 560 094*
Tél. (080) 4173 1896
www.lacadives.com
Établissement simple, mais ravissant,
installé en bordure d'un lagon fabuleux.
Transfert en bateau depuis Agatti.
Hébergement en petits cottages
climatisés avec salle de bains. Tarifs
comprenant les repas ; alcool interdit.
Idéal pour la plongée (formules, pour
débutants, ou sorties à la journée ;
payantes). **$$$$$**

MADHYA PRADESH
Bandhavgarh National Park

Tiger Trail Resort
Tala
Tél. 07655-265 325
www.indianadventures.com
Chalets simples mais bien entretenus
donnant sur un lac. Proche du parc.
$$$$$
Bandhavgarh Jungle Lodge
Umaria
Tél. (011) 2685 3760
www.tiger-resorts.com
Au sein d'une jolie propriété, située
tout proche de l'entrée du parc, les
cabanes modernes à toit de chaume
s'articulent autour du restaurant qui
occupe la place centrale. Excursions et
visites guidées possibles. **$$$$$**

Bhopal (0755)

Hotel Ranjit
3 Hamidia Road
Tél. 253 5211
Fax 253 2242
Chambres spartiates, mais propres,
certaines climatisées, toutes avec salle
de bains (eau chaude sur demande).
Bar en terrasse et bon restaurant. **$**
MPTDC Hotel Palash Bhopal
*Près du N°45, Bungalows
Banganga Road
T. T. Nagar*
Tél. 255 3006
Fax 255 3076
www.mptourism.com
Un établissement très couru et d'un bon
rapport qualité-prix. Vastes chambres
climatisées donnant sur une pelouse.
Bon restaurant. Mieux vaut réserver. **$$**

Hotel Sonali
Radha Talkies Road
(près de Hamidia Road)
Tél. 274 0880
Chambres propres (climatisées ou
pas), soigné. Le meilleur choix à petits
prix de la ville. **$$**

The Residency Hotel
208 Zone 1, M.P. Nagar
Tél. 255 6001
Fax 255 7637
Chambres modernes, bien tenues et
climatisées. Restaurant. **$$-$$$**

Jehan Numa Palace Hotel
157 Shamla Hill
Tél. 266 1100
Fax 266 1720
www.hoteljehanumapalace.com
Hôtel niché dans un cadre luxuriant.
Privilégiez les *heritage suites*,
ravissantes. Restaurant engageant.
$$$-$$$$

Noor-us-Sabah Palace
V.I.P. Road, Kho-e-Fiza
Tél. 422 3333
Fax 422 7777
www.noorussabahpalace.com
Heritage Hotel aménagé dans un
palais des années 1920. Chambres
confortables, certaines donnant sur
un lac, 3 restaurants. **$$$$$**

Gwalior (0751)

Hotel Sudarshan
Chappar Wala Pul.
1 Jinsi Road
Tél. 233 5693
Fax 507 9124
Bon hôtel récent avec chambres
climatisées et restaurant d'Inde
du Nord (petit-déjeuner un peu cher).
Personnel serviable. À privilégier. **$$**

MPTDC Hotel Tansen
6a M.G. Road
Tél. 234 0370
Fax 234 0371
www.mptourism.com
Bien que sombre et quelque peu
négligé, cet immense édifice ancien,
calme et pourvu d'un bon restaurant,
dégage un charme indéniable. **$$**

Hotel Shelter
Padav (face à Indian Airlines)
Tél. 232 6209
Fax 232 6212
Hôtel moderne d'un bon rapport
qualité-prix (chambres climatisées
et restaurant). Pratique pour gagner
la gare ferroviaire. **$$$**

Usha Kiran Palace
Jayendraganj, Lakshar
Tél. 244 4000
Fax 244 4018
www.tajhotels.com
L'ancienne résidence d'hôtes
du maharaja a récemment recouvré
sa splendeur d'antan grâce au Taj
Group. À la différence que ce palais
dispose à présent de tout le confort
ultra-moderne. **$$$$$**

Indore (0731)

MPTDC Tourist Bungalow
R.N.T. Marg
Tél. 252 1818
www.mptourism.com
Chambres bon marché (climatisées ou
non), dans un modeste établissement
tranquille. Petit-déjeuner inclus. **$**

Hotel Balwas International
30/2 South Toukouganj Road
(derrière la High Court)
Tél. 252 4934
Fax 251 7938
balwasindore@mantrafreenet.com
Chambres propres et calmes (moins
chères sans climatisation, **$**), dans
un hôtel accueillant. Restaurant. **$$**

Hotel Kanchan
12/2 Dr S. P. Marg, Kanchan Bagh
Tél. 251 8501
Fax 251 7054
Chambres correctes à prix avantageux
(certaines climatisées), la plupart avec
salle de bains. Restaurant. **$$**

Hotel President
163 R. N. T. Marg
Tél. 252 8866
Fax 251 2230
Plutôt luxueux dans sa catégorie.
Chambres climatisées, piscine et
centre de remise en forme. Restaurant
végétarien. **$$$**

Kanha National Park

MPTDC Lodges
Bhagira Log Huts, à Mukki ;
Tourist Hostel, à Kisli
Tél. (07649) 277 227
Kanha Safari Lodge, à Mukki
Tél. (07637) 226 029
www.mptourism.com
Tous ces petits établissements offrent
un hébergement propre et correct, du
dortoir à la chambre double, ainsi
qu'un restaurant. **$-$$**

Kipling Camp
Morcha Village, Kisli, Mandla 481 768
Tél. (07649) 277 218
www.kiplingcamp.com
Charmantes chambres dans de petites
cabanes posées dans la nature. Ce
camp, très bien tenu, dispose de
naturalistes maison qui vous aideront
à découvrir la faune du parc et plus
particulièrement les oiseaux. **$$$$$**

Shergarh
Bahmi, Balaghat
Tél. (07637) 226 086
www.shergarh.com
Les tentes, protégées par un toit en
tuile, sont espacées aménagées ainsi
un côté privatif. Elles disposent d'un
salle de bains avec eau chaude.
Guides professionnels. Pas de cartes
de crédit. Recommandé. **$$$$$**

Khajuraho (07686)

Marble Palace
Jain Temples Road
Tél. 244 353

Établissement plaisant : chambres
tout en marbre (avec salle de bains).
Recommandé. **$-$$**

MPTDC Hotel Jhankar Khajuraho
Tél. 274 063
Fax 272 330
www.mptourism.com
Hôtel-restaurant du gouvernement,
disposant de chambres climatisées
(non climatisées **$**) avec salle de bains
et eau chaude. **$$**

MPTDC Hotel Payal
Tél. 274 064
www.mptourism.com
Hôtel paisible. Chambres climatisées
(**$** sans climatisation), avec salle de
bains. Jardin et restaurant. **$$**

Jass Trident
By-Pass Road
Tél. 272 376
Fax 272 345
tjokjr@sancharnet.in
Établissement splendide. Confort et
équipements habituels dans cette
gamme de prix. Restaurant, piscine
et chambres s'ouvrant sur le jardin.
$$$-$$$$

Hotel Chandela
Airport Road
Tél. 272 355
Fax 272 365
www.tajhotels.com
Hôtel de luxe accusant son âge, mais
ravissant jardin. Mieux vaut toutefois
opter pour le Jass Trident. **$$$$**

Mandu (07292)

Hotel Rupmati
Près de la SADA Barrier
Tél. 263 270
Établissement moderne. Chambres
climatisées, restaurant. Balcons offrant
de belles vues. **$$**

MPTDC Tourist Cottages
À 2 km au sud de la place principale
Tél. 263 235
www.mptourism.com
Jolies chambres spacieuses avec salle
de bains et vue sur le Sagar Talao
Tank. Agréable restaurant de plein air.
Réservez à l'avance. **$$**

MPTDC Traveller's Lodge
Près de la SADA Barrier
Tél. 263 221
www.mptourism.com
Pension du gouvernement. Chambres
propres avec vue magnifique et un
restaurant. Hébergement prisé ;
n'oubliez pas de réserver. **$**

Sanchi (07592)

Railway Retiring Rooms
(chambres de la gare)
Deux vastes chambres avec salle de
bains. Une bonne solution, si vous
parvenez à profiter d'un creux. **$**

MPTDC Tourist Cafeteria
À proximité du musée
Tél. 266 743
www.mptourism.com

Deux chambres rudimentaires, mais très bon marché et propres, au-dessus d'un restaurant MPTDC. $
MPTDC Traveller's Lodge
Bhopal Road
Tél. 262 723
www.mptourism.com
Le meilleur hôtel de la ville : chambres simples mais impeccables, restaurant et jardin ravissant. Réservation indispensable. $

Shivpuri (07492)

MPTDC **Tourist Village**
Jhansi Road
Tél. 223 760
www.mptourism.com
Cottages climatisés modernes ($ sans climatisation), sur les berges d'un lac à 3 km de la ville. Bon restaurant et bar. Réservation conseillée. $$

MAHARASHTRA

Aurangabad (0240)

Youth Hostel
Padampura Corner, Station Road
Tél. 233 4892
www.yhaindia.com
Très prisée des petits budgets, cette auberge propose des dortoirs propres et des chambres (pension complète possible). Réservez à l'avance. $
Printravel Hotel
Station Road
Tél. 232 9707
Fax 233 6036
www.printravel.com
Chambres rudimentaires et bon marché, mais propres et dotées de salle de bains (eau chaude le matin). Restaurant (Patang) pratique en contrebas. Recommandé. $-$$
MTDC Aurangabad
Station Road
Tél. 233 1513
Fax 233 1198
www.mtdcindia.com
Vaste hôtel d'un certain âge, pourvu de chambres confortables (départ à 9h le lendemain). Jardin et restaurant. $$
Hotel President Park
R-7/2, Chikalthana, Airport Road
Tél. 248 6201
Fax 248 4823
www.presidenthotels.com
Hôtel moderne et confortable. Très jolies chambres (départ à 9h) donnant sur une superbe piscine. Restaurant végétarien (Spice Avenue). $$$
Ambassador Ajanta
Jalna Road, CIDCO
Tél. 248 5211
Fax 248 4367
www.ambassadorindia.com
Hôtel d'un bon rapport qualité-prix, dont la décoration intérieure s'inspire du style traditionnel. Restaurant et piscine. $$$$

Taj Residency
Ajanta Road
Tél. 238 1106
Fax 238 1053
www.tajhotels.com
Ce luxueux hôtel huppé, à 8 km de la ville, pratique des tarifs étonnamment raisonnables. Chambres spacieuses, jardin ravissant, piscine et restaurant alléchant. Hautement recommandé. $$$$$

Pune (020)

Railway Retiring Rooms (chambres de la gare)
La solution de prédilection des petits budgets. $
Hotel Dreamland
2/14 Connaught Road
(en face de la gare ferroviaire)
Tél. 2612 2121
Fax 2612 2424
Chambres sommaires, mais propres (certaines climatisées). Restaurant. $$
Hotel Ketan
917/19a Fergusson College Road
Shivajinagar
Tél. 2565 5081
Fax 2565 5076
www.hotelketan.com
Chambres simples, mais impeccables avec salle de bains, d'un bon rapport qualité-prix. $$
Hotel Srimaan
361/5a Bund Garden Road
(face au Bund Garden)
Tél. 2613 3535
Fax 2612 3636
www.littleitalyindia.com
Agréables chambres climatisées très propres, dans un établissement moderne. Petit-déjeuner (buffet) inclus. Délicieux restaurant italien. $$
Hotel Sunderban
19 Koregaon Park
(près de l'Osho Commune)
Tél. 2612 4949
Fax 2612 8383
www.tghotels.com
Hôtel bien tenu, dans un cadre paisible. Chambres impeccables et un café (le Barista Coffee Shop). Excellent rapport qualité-prix. $$-$$$
Hotel Ashirwad
16 Connaught Road
Tél. 2612 8585
Fax 2612 6121
hotelash@pn2.vsnl.net.in
Agréable hôtel moderne. Chambres climatisées douillettes et bon restaurant végétarien. $$$
Taj Blue Diamond
11 Koregaon Road
Tél. 2402 5555
Fax 2402 7755
www.tajhotels.com
L'un des meilleurs hôtels de Pune : chambres confortables et installations luxueuses, telles que piscine et délicieux restaurant chinois. $$$$$

MUMBAI (022)

Lawrence
33 Rope Walk Lane (3rd Floor)
Tél. 2284 3618
Face à la Jehangir Art Gallery, un petit hôtel très fréquenté. Chambres propres à un tarif très intéressant. Réservation indispensable. $
Salvation Army Red Shield Hostel
Red Shield House
30 Mereweather Road, Colaba
Tél. 2284 1824
Derrière le Taj Mahal Hotel, des doubles et des dortoirs avec casiers. Repas à la demande. Bon rapport qualité-prix, malgré l'ambiance un peu rigide et le cadre laissant à désirer. $-$$
Bentley's Hotel
17 Oliver Road, Colaba
Tél. 2284 1474
Fax 2287 1846
www.bentleyshotel.com
Excellente option pour les petits budgets. Impeccable et bien situé. Petit-déjeuner inclus. $$-$$$
YWCA International Guest House
18 Madam Cama Road, Fort
Tél. 2202 5053
Fax 2202 0445
www.ywcaic.com
Pension sûre avec chambres et dortoirs impeccables. Les tarifs incluent l'adhésion en tant que membre temporaire (50 INR), petit-déjeuner et dîner. Réservez (contre dépôt) largement à l'avance. $$-$$$
Hotel Apollo
Lansdowne Road, Colaba
Tél. 2287 3312
Fax 2287 4996
hotelapollo@vsnl.net
Chambres climatisées correctes, dans un hôtel bien situé. Personnel affable et empressé. $$$
Hotel Red Rose
16/76 Gokuldas Pasta Road
(derrière le Chitra Cinema) Dadar East
Tél. 2413 7845
Fax 5660 2008
hotelrr@vsnl.net
Hôtel accueillant et bien géré, dans le nord de la ville, proposant des chambres propres avec salle de bains commune, à des prix avantageux. $$$
Residency Hotel
26 Rustom Sidhwa Marg
Gundavali, Andheri East
Tél. 2262 5525

www.residencyhotel.com
Chambres bien équipées, à un tarif intéressant, dans un édifice récent proche de l'aéroport international. Restaurant (plats indiens). **$$$-$$$$**

Sea Green South
145a Marine Drive
Tél. 5633 6535
Fax 5633 6530
www.seagreenhotel.com
Hôtel élégant – bien qu'accusant son âge –, bénéficiant d'une vue sur la baie. Chambres pour la plupart climatisées, bien équipées et spacieuses. **$$$**

Shelley's Hotel
30 P.J. Ramchandani Marg
(face au Radio Club) Colaba Sea Face
Tél. 2284 0229
Fax 2284 0385
Aménagé dans un magnifique bâtiment des années 1930, avec mobilier d'époque. Chambres coquettes et soignées à un prix intéressant (plus onéreuses avec vue sur la mer). Service irréprochable. Possibilité de petit-déjeuner. Recommandé. **$$$**

Strand Hotel
30 P.J. Ramchandani Marg
Colaba Sea Face
Tél. 2288 2222
www.hotelstrand.com
Chambres un peu surévaluées, mais propres et confortables, certaines avec salle de bains et vue sur la mer. **$$$**

Hotel Atithi
77 a-b Nehru Road, Vile Parle East
Tél. 2611 6124
Fax 2611 1998
atithi@bom8.vsnl.net.in
Proche de l'aéroport, avec chambres simples, mais propres, personnel efficace et cuisine délicieuse. **$$$$**

West End Hotel
45 New Marine Lines
Tél. 2203 9121
Fax 2205 7506
www.westendhotelmumbai.com
Agréable hôtel-restaurant, bien placé, près de Marine Drive. Chambres un peu onéreuses, mais impeccables. **$$$$**

Hotel Godwin
41 Garden Road, Colaba
Tél. 2287 2050
www.cybersols.com/godwin
Bien situé, chambres bien tenues (certaines donnant sur la mer), avec douches dignes de ce nom et eau chaude à volonté. Délicieux plats italiens. **$$$$**

Chateau Windsor Hotel
86 Vir Nariman Road
Churchgate
Tél. 2204 4455
www.chateauwindsor.com
Dans le centre, près de Churchgate Station, des chambres rudimentaires et un peu surévaluées, mais propres (certaines sans climatisation). Pas de restaurant, mais une cuisine à disposition des clients. **$$$$-$$$$$**

Hotel Diplomat
24-6 B.K. Boman Behram Marg
Apollo Bunder
Tél. 2202 1661
Fax 2283 0000
www.hoteldiplomat-bombay.com
Chambres climatisées sommaires, mais confortables, dans un établissement accueillant et bien tenu, proche du Taj. Emplacement pratique et service correct. **$$$$$**

Oberoi Towers
Nariman Point
Tél. 2232 5757
www.oberoihotels.com
Depuis son impressionnante cour intérieure à ses restaurants, en passant par ses chambres élégantes, cet hôtel très chic, accueillant les chefs d'État en visite, vous laissera bouche bée – tout comme ses tarifs... **$$$$$**

The Taj Mahal Palace & Towers
PJ Ramchandani Marg
Tél. 5665 3366
Fax 5665 0300
www.tajhotels.com
Grandiose et hors de prix, le palace le plus réputé d'Inde, situé face à la Gateway of India. Chambres magnifiques aménagées dans 2 ailes (ancienne et récente), restaurants excellents, bar et superbe piscine de plein air. **$$$$$**

ORISSA

Bhubaneshwar (0674)

OTDC **Panthanivas**
Jaydev Marg
Tél. 243 2324
www.panthanivas.com
Chambres sobres et impeccables (avec ou sans climatisation), pourvues de salle de bains avec eau chaude, le tout complété d'un restaurant. **$-$$**

The Royale Midtown
52-3 Janpath
Tél. 253 6138
Fax 253 6142
www.royalehotels.com
Chambres climatisées, propres, avec salle de bains et eau chaude. Un excellent rapport qualité-prix. **$$**

The Garden Inn
A-112 Janpath
Tél. 251 4120
Fax 250 4254
gardeninn@hotmail.com
Hôtel moderne et cher, dans un cadre agréable, avec restaurant savoureux et jardin en terrasse sur le toit. **$$$$**

Hotel Sishmo
86a/1 Gautam Nagar
Tél. 243 3600
Fax 243 3351
www.hotelsishmo.com
Confort garanti dans cet hôtel pourvu d'installations excellentes, dont une piscine et des restaurants. Thé inclus (bed and breakfast). **$$$$**

Hotel Swosti
103 Janpath
Tél. 253 5771
Fax 253 4794
www.swosti.com
Hôtel central, un peu cher, mais confortable, avec 2 excellents restaurants servant des spécialités de l'Orissa. Réductions possibles en basse saison. **$$$$**

Cuttack (0671)

Hotel Akbari Continental
Dolmundai, Haripur Road
Tél. 242 3251
Fax 242 3254
Des tarifs élevés pour des chambres climatisées correctes (salle de bains avec eau chaude), mais vieillottes. Restaurant et jardin. **$$$**

Konark (06758)

OTDC **Panthanivas Konark**
Près du temple
Tél. 236 831
www.panthanivas.com
Chambres avec salle de bains, dont certaines climatisées. Spartiate, mais bien situé. Restaurant. **$**

Puri (06752)

Z Hotel
C.T. Road
Tél. 222 554
www.zhotelindia.com
Chambres sommaires, mais spacieuses, dont certaines s'ouvrant sur la mer, dans une vieille demeure pleine de charme et très prisée, dotée d'un joli jardin. **$**

OTDC Panthanivas Puri
Chakratirtha Road
Tél. 222 562
www.panthanivas.com
Immense hôtel du gouvernement, en bordure de plage. Large éventail d'hébergements (d'une qualité inégale), jardin et restaurant. **$-$$**

Hotel Samudra
C.T. Road, Balukhand, Sea Beach
Tél. 224 155
Fax 228 654
Accueillant hôtel-restaurant, à 1 km de la gare, avec chambres (climatisées ou non) donnant sur la mer. **$$**

Railway Hotel
Tél. 222 063
www.irctc.co.in
Un excellent choix que cet hôtel de l'Indian Railways bien tenu, dans un bel édifice. Chambres propres (certaines climatisées) et bon restaurant. **$$-$$$**

Toshali Sands
Konarak Marine Drive Road, Baliguali
Tél. 250 571
Fax 250 899
tsands@sancharnet.in
À 9 km de la ville, cet hôtel dispose de cottages nichés dans un joli jardin. Piscine et restaurant. **$$$-$$$$**

Hans Coco Palms
Swargdwar, Goubada Sahi
Tél. 230 951
Fax 230 165
www.hanshotels.com
Hôtel rénové, chambres modernes avec balcon offrant la vue sur la mer. Restaurant agréable et joli jardin. **$$$$**

PENJAB ET HARYANA
Amritsar (0183)

Sita Niwas
Près du Golden Temple
Tél. 254 3092
Large éventail de chambres, à un emplacement central. Une bonne solution pour les petits budgets. **$-$$**

Grand Hotel
Queens Road (face à la gare)
Tél. 256 2424
Fax 222 9677
grand@jla.vsnl.net.in
Hôtel accueillant doté d'un agréable jardin. Chambres aux tarifs avantageux et délicieuse cuisine indienne. **$$**

Mrs Bhandari's Guest House
10 Cantonment
Tél. 222 2390
http://bhandari_guesthouse.tripod.com
Hébergement peu conventionnel, dans une maison familiale de style colonial, avec jardin et piscine. Repas servis aux hôtes uniquement. Vivement recommandé. **$$-$$$**

M.K. Hotel
Shopping Centre District, Ranjit Avenue
Tél. 250 4610
Fax 250 7910
www.mkhotel.com
Hôtel moderne et tape-à-l'œil, tout en marbre. Chambres confortables, piscine et restaurant. **$$$$**

Hotel Ritz Plaza
45 The Mall
Tél. 256 2836
Fax 222 6657
www.ritzhotel.in
Bien situé, dans un cadre tranquille. Chambres propres et fonctionnelles s'ouvrant sur une pelouse. Piscine et restaurant. **$$$$$**

Chandigarh (0172)

CITCO Hotel Parkview
Sector 24
Tél. 270 6038
Fax 271 4061
www.citcochadigarh.com
Ancien Chandigarh Yatri Niwas, cet hôtel accueillant et très prisé loue des chambres propres et bon marché (petit-déjeuner inclus), climatisées ou non (**$**). Restaurant correct. **$$**

CITCO Hotel Shivalikview
Sector 17
Tél. 270 0001
Fax 270 1094
www.citcochadigarh.com

Établissement huppé, avec savoureux restaurant chinois sur le toit. Chambres confortables et bien tenues. **$$$-$$$$**

CITCO Hotel Mountview
Sector 10
Tél. 274 0544
Fax 274 2220
www.citcochadigarh.com
Immense hôtel de luxe dans un domaine paysager. Chambres spacieuses, installations destinées à une clientèle d'affaires et équipements de loisirs, dont une piscine. **$$$$**

Ludhiana (0161)

Hotel City Heart
G.T. Road (près de la Clock Tower)
Tél. 274 0235
Fax 274 0243
Hôtel du centre-ville avec chambres climatisées, jouxtant un appétissant restaurant de cuisine penjabi. **$$-$$$**

Patiala (0175)

Green's Hotel
The Mall
Tél. 221 3071
Fax 221 3070
Chambres bien situées, aux tarifs intéressants, dans un attrayant hôtel doté d'un restaurant correct. **$-$$**

PONDICHÉRY (0413)

International Guest House
47 Gingee Salai
Tél. 233 6699
Fax 233 4447
www.sriaurobindosociety.org.in
Pension-*ashram* bien tenue et centrale, avec cafétéria végétarienne. **$**

Seaside Guest House
14 Goubert Salai
Tél. 233 6494
Fax 233 4447
www.sriaurobindosociety.org.in
Pension impeccable doublée d'un *ashram*. Vue splendide. Cafétéria servant des plats végétariens. **$-$$**

Hotel Mass
152-4 Maraimalai Adigal Salai
Tél. 220 7001
Fax 220 7012
www.hotelmass.com
Chambres climatisées et propres, dans un cadre accueillant, près de l'arrêt de bus. Savoureux plats du Chettinad. **$$**

Anandha Inn
154 S.V. Patel Road
Tél. 233 0711
Fax 233 1241
www.anandhainn.com
Hôtel moderne et confortable avec 2 restaurants de cuisine indienne et occidentale. Recommandé. **$$$**

Hôtel de l'Orient
17, rue Romain-Rolland
Tél. 234 3067
Fax 222 7829
www.neemranahotels.com

Demeure néoclassique du XVIIIe siècle, transformée en élégant Heritage Hotel. Chambres adorables et excellent restaurant créole. **$$$$**

RAJASTHAN
Ajmer (0145)

Hotel Regency
Derrière la Delhi Gate
Tél. 262 0296
Fax 262 1750
www.bahubaligroup.com
Hôtel central et agréable, proposant des chambres sommaires (certaines climatisées). Restaurant végétarien de qualité. **$$**

Mansingh Palace
Vaishali Nagar
Tél. 242 5702
www.mansinghhotels.com
Cette reconstitution d'une forteresse du XVIIIe siècle abrite le meilleur hôtel de la ville. Vastes chambres confortables et un restaurant correct, mais onéreux. **$$$$$**

Alwar (0144)

Hotel Alwar
26 Manu Marg
Tél. 270 0012
Fax 234 8757
ukrustagi@rediffmail.com
Chambres plaisantes (avec ou sans climatisation), pourvues d'une salle de bains. Restaurant et jardin agréable. **$$**

Bharatpur (05644)

RTDC Hotel Saras
Saras Chauraha, Agra Road
Tél. 223 700
www.rajasthantourism.gov.in
Chambres simples (certaines climatisées), dans un hôtel du gouvernement près du parc. **$$**

Bikaner (0151)

RTDC Hotel Dhola Maru
Major Puran Singh Circle
Tél. 252 9621
www.rajasthantourism.gov.in
Hôtel central renfermant toute une gamme d'hébergements – du dortoir à la chambre de catégorie moyenne – et servant de délicieux repas. **$**

Hotel Shri Ram
A-228 Sadul Ganj
Tél. 252 2651

Fax 220 8071
www.hotelshriram.com
Établissement bien tenu, disposant de chambres impeccables (certaines climatisées) avec salle de bains et lits en dortoir (meilleur marché). Possibilité de prendre ses repas. **$-$$**

Maan Bilas
Lallgarh Palace Complex
Tél. 252 4711
Fax 252 2408
www.hrhindia.com
Dans un bâtiment restructuré, sur le domaine du Lallgarh Palace, des chambres confortables et pleines de charme, à un prix avantageux. **$$$**

Lallgarh Palace Hotel
Tél. 254 0201
Fax 252 3963
www.maharajagangasinghjitrust.org
Cet impressionnant palais en grès rouge, transformé en hôtel par une société encourageant les initiatives locales, abrite également un musée et une résidence privée. **$$$-$$$$**

Hotel Basant Vihar Palace
N.H. 15, Sri Ganganagar Road
Tél. 225 0675
Fax 225 0676
www.basantviharpalace.com
À la lisière de la ville, un palais converti en hôtel, avec de vastes chambres légèrement défraîchies et quelque peu surévaluées. Rien de luxueux, mais un certain charme désuet. **$$$$**

Karni Bhawan Palace
Gandhi Colony
Tél. 252 4701
Fax 252 2408
www.hrhindia.com
Cette ancienne résidence du maharaja de Bikaner abrite de magnifiques chambres dans un cadre s'inspirant de la fin de la période Art déco (années 1940). Bon restaurant. **$$$$-$$$$$**

Dungarpur (02964)

Udai Bilas Palace
Tél. 230 808
Fax 231 008
www.udaibilaspalace.com
Fascinant palais du xixe siècle converti

en hôtel, sur un site magnifique en bordure d'un lac. Chambres Art déco avec salle de bains, dans un cadre original. Recommandé. **$$$$$**

Jaipur (0141)

YHA
Janpath, près de S.M.S. Stadium
Tél. 244 0515
www.yhaindia.com
Propreté et tarifs modérés, pour des chambres et dortoirs sûrs, un peu à l'écart de la ville. Repas possibles. **$**

Jai Niwas Guest House
3 Jalupura Scheme
Gopinath Marg (près de M.I. Road)
Tél. 236 3964
Fax 236 1871
www.arya-niwas.com
Hébergement propre, sommaire et pratique, tenu par le personnel de l'Arya Niwas. Pas de restaurant. **$-$$**

Jaipur Inn
B-17 Shiv Marg, Bani Park
Tél. 220 1121
www.indiamart.com/jaipurinn
Chambres propres (certaines climatisées), dortoir et terrain de camping. Repas servis dans un agréable bar en terrasse sur le toit. Très fréquenté ; réservez à l'avance. **$-$$**

Hotel Arya Niwas
Sansar Chandra Road
(derrière les Amber Towers)
Tél. 237 2456
Fax 236 1871
www.aryaniwas.com
Le meilleur hôtel bon marché de Jaipur. Chambres propres et douillettes (climatisées ou non). Restaurant en self-service impeccable. Jolie terrasse. Recommandé. **$$**

Diggi Palace
Diggi House
S.M.S. Hospital Road
Tél. 237 3091
Fax 237 0359
www.hoteldiggipalace.com
Splendide palais ancien, avec pelouse et savoureux restaurant en terrasse. Une bonne adresse pour les voyageurs à petit budget. **$$-$$$**

Bissau Palace
Chand Pol (près du Saroj Cinema)
Tél. 230 4371
Fax 230 4628
www.bissaupalace.com
Majestueux édifice arborant un décor guerrier rajpoute. Jardin superbe et piscine. Les hauts plafonds garantissent une certaine fraîcheur aux chambres non climatisées. **$$$**

Jas Vilas
C-9 Sawai Jai Singh Highway
Tél. 220 4638
www.jasvilas.com
Chambres propres et sommaires. Délicieuse cuisine locale. Piscine. **$$$**

Narain Niwas Palace
Kanota Bagh, Narain Singh Road
Tél. 256 1291
Fax 256 1045
Établissement grandiose, renfermant les reliques de la famille royale Kanota (xixe siècle). Chambres ravissantes s'ouvrant sur le jardin et la piscine. Restaurant végétarien. **$$$**

Raj Mahal Palace Hotel
Sardar Patel Marg, C Scheme
Tél. 510 5663
Ancienne British Residency, réaménagée avec goût. Atmosphère coloniale. **$$$-$$$$**

Madhuban
237d Behari Marg, Banipark
Tél. 220 0033
Fax 220 2344
www.madhuban.net
Hôtel familial accueillant : 20 chambres, dont certaines climatisées (préférez les standards aux deluxe, un peu sombres). Jardin avec piscine, site paisible. **$$$$**

Alsisar Haveli
Sansar Chandra Road
Tél. 236 8290
Fax 236 4652
www.alsisar.com
Superbe demeure paisible. Chambres élégantes et pleines de charme. Séduisante piscine sur le toit. **$$$$$**

Jai Mahal Palace Hotel
Jacob Road
Civil Lines
Tél. 222 3636
Fax 222 0707

Les Heritage Hotels

Certains palais, forteresses ou *haveli* (maisons de commerçants) ont été transformés pour accueillir quelques-uns des hôtels les plus ravissants et les plus romantiques du pays. Ces établissements, appelés d'une manière générale *heritage hotels*, se situent majoritairement au Rajasthan et au Gujarat, mais vous trouverez également quelques superbes édifices anciens dans d'autres régions, en particulier dans les montagnes.

Lorsque Indira Gandhi supprima la liste civile de l'aristocratie indienne dans les années 1970, certains anciens maharajas, notamment du Rajasthan, se tournèrent vers le tourisme pour financer l'entretien de leurs propriétés, qu'ils transformèrent en hôtels de luxe. Faste et prix élevés caractérisent les installations, qui abritent piscines en marbre, suites somptueuses et domaines magnifiquement entretenus.

Les repas se présentent (tout au moins au Rajasthan) sous la forme d'un buffet indien comprenant 7 plats différents.

La plupart des hôtels sont représentés par l'Indian Heritage Hotels Association (*306, Anukampa Tower, Church Road, Jaipur, Rajasthan, tél. [0141] 2371194, fax [0141] 2363651*). Son site Internet www.indianheritagehotels.com est une excellente source d'informations.

www.tajhotels.com
Hôtel huppé du Taj Group, proposant des chambres élégantes et bien conçues, dans un jardin magnifique avec piscine superbe. Restaurant excellent. **$$$$$**

The Oberoi Rajvilas
Goner Road
Tél. 268 0101
Fax 268 0202
www.oberoihotels.com
Le summum du faste : un complexe hôtelier ultra-luxueux à 12 km de la ville, dans de magnifiques jardins. Parmi ses installations : une piscine de rêve. Restaurant délicieux. **$$$$$**

Rambagh Palace Hotel
Bhawani Singh Road
Tél. 221 1919
Fax 238 5098
www.tajhotels.com
Palais de style Art déco, avec chambres luxueuses et suites magnifiquement décorées, piscine intérieure, jardin ravissant et cuisine exquise. **$$$$$**

Samode Haveli
Ganga Pol
Tél. 263 2370
Fax 263 1397
www.samode.com
Cette *haveli* datant d'un siècle et demi abrite 20 chambres spacieuses et 2 suites magnifiquement décorées (la 115, ornée de peintures murales, et la 116, décorées de miroirs). Recommandée. **$$$$$**

Jaisalmer (02992)

RTDC Moomal Tourist Bungalow
Amar Sagar Road
Tél. 252 392
www.rajasthantourism.gov.in
Large éventail de chambres propres (certaines climatisées), dont quelques-unes aménagées dans des "huttes" circulaires, avec salle de bains. Personnel serviable. Restaurant. **$$**

Suraj
Angle sud-est du fort
Tél. 391 149
Magnifique *haveli* s'ouvrant sur un panorama saisissant. Restaurant végétarien. **$$-$$$**

Hotel Dhola Maru
Jethwai Road
Tél. 252 863
Fax 252 761
Tarifs élevés et emplacement à l'écart de la ville, mais cet hôtel est très agréable. **$$$-$$$$**

Gorbandh Palace
1 Tourist Complex, Sam Road
Tél. 253 801
Fax 253 811
www.hrhindia.com
Hôtel luxueux à la lisière de la ville. Chambres climatisées décorées avec goût. Savoureux plats du Rajasthan et piscine agréable. **$$$-$$$$**

Narayan Niwas Palace
Tél. 252 408
Fax 252 101
www.narayanniwas.com
Exquis bâtiment du XIXe siècle, dans un cadre plaisant. Chambres climatisées de qualité variable. Savoureuse cuisine indienne. **$$$$**

Fort Rajwada
Hotel complex, Jodhpur-Barmer Link Road
Tél. 253 533
Fax 253 733
www.fortrajwada.com
Impressionnant complexe hôtelier construit en grès de la région. Chambres fraîches, dans un décor élégant. Très belle piscine. **$$$$$**

Jawahar Niwas Palace
1 Bada Bagh Road
Tél. 252 208
Fax 252 288
Superbe *haveli* transformée en hôtel. Chambres calmes et spacieuses avec une vue splendide. Restaurant dans le jardin. **$$$$$**

Jodhpur (0291)

Cosy Guest House
Novechokiya Road
Brahm Puri
Tél. 261 2066
Chambres sobres et soignées, dans l'une des "maisons bleues" de Jodhpur, à l'écart du centre. Plats succulents, servis sur le toit en terrasse. **$**

YHA
Circuit House Road, Ratanada
Tél. 251 0160
Fax 261 9911
www.yhaindia.com
Auberge de jeunesse propre et bien située. Pension complète ou cuisine à disposition des hôtes. **$**

RTDC Hotel Ghoomer
High Court Road
Tél. 254 4010
www.rajasthantourism.gov.in
Large choix de chambres correctes, certaines climatisées, dans un hôtel central pourvu d'un restaurant. **$$**

Hotel Karni Bhawan
Defence Lab. Road, Ratanada
Tél. 251 2101
www.karnihotels.com
Charmante demeure en grès des années 1940. Chambres plaisantes, piscine agréable et huttes *dhani* pour savourer les spécialités de la région dans le jardin. Recommandé. **$$$-$$$$**

Ajit Bhawan Hotel
Face à la Circuit House
Tél. 251 0674
Fax 251 0674
www.ajitbhawan.com
Ancien palais transformé en hôtel. Jolies chambres donnant sur un jardin. Savoureux repas traditionnels. Recommandé. **$$$$$**

Gamme des prix

Les prix s'entendent pour une chambre double en haute saison.
$ moins de 800 INR
$$ de 800 à 1 700 INR
$$$ de 1 700 à 2 700 INR
$$$$ de 2 700 à 3 700 INR
$$$$$ plus de 3 700 INR

Umaid Bhawan Palace
Tél. 251 0101
Fax 251 0100
www.tjhotels.com
Splendide hôtel de luxe installé dans l'un des plus beaux palais Art déco du pays, ancienne résidence de la famille royale de Jodhpur. Vastes chambres – 347 en tout ! – au mobilier d'origine, immense jardin, superbe piscine en sous-sol, restaurants. Fermé pour rénovation (informations sur son site Internet). **$$$$$**

Keoladeao Ghana (05644)

Spoonbill
Agra Road (près du Saras)
Tél. 223 571
Chambres correctes (salles de bains communes) et lits en dortoir. Cuisine excellente. **$-$$**

ITDC Hotel Bharatpur Ashok
Keoladeo Ghana National Park
Tél. 222 760
Fax 222 864
www.theashokgroup.com
Dans le parc proprement dit, un hôtel-restaurant accueillant. Chambres avec balcon. Idéal pour observer les oiseaux à l'aube. Réservez à l'avance. **$$$**

Chandra Mahal Haveli
Peharsar, Nadbai
Tél. (05643) 223 238
Charmante *haveli* des années 1850, au cœur d'un village, sur la route reliant Jaipur à Agra (prenez la bifurcation située à 22 km à la sortie de la ville). Suites avec terrasse surplombant un jardin ravissant. Restaurant délicieux. **$$$**

Laxmi Vilas Palace
Kakaji ki Kothi
Tél. 223 523
Fax 225 259
www.laxmivilas.com
Bâti à la lisière de la ville, cet ancien palais de 1899 dispose de suites et chambres attrayantes, ainsi que d'un restaurant réputé. Service irréprochable. **$$$-$$$$$**

Kota (0744)

RTDC Hotel Chambal
Près de Chatravilas Park, Nayapura
Tél. 232 6527
www.rajasthantourism.gov.in
Hôtel du gouvernement renfermant dortoir, chambres correctes et restaurant satisfaisant. **$$**

Hotel Navrang
Civil Lines, Nayapura
Tél. 232 3294
Fax 245 0044
Hôtel confortable et bien tenu.
Quelques chambres climatisées.
Restaurant agréable. **$$**

Brijraj Bhawan Palace Hotel
Civil Lines
Tél. 245 0529
Fax 245 0057
Ancien palais en bordure du fleuve,
encore occupé par la famille royale.
Jolies chambres baignant dans une
atmosphère coloniale. Savoureux
restaurant. Recommandé. **$$$**

Umed Bhavan Palace
Station Road
Tél. 232 5262
Fax 245 1110
www.welcomheritage.com
Superbe palais indo-sarrasin de 1905,
un peu à l'écart de la ville. Ravissant
décor intérieur. **$$$**

Mount Abu (02974)

RTDC **Hotel Shikar**
Près de la station-service
Tél. 238 944
www.rajasthantourism.gov.in
Un bon rapport qualité-prix,
pour une vue magnifique, en surplomb
de la ville. Possibilité de prendre
ses repas. **$$**

Connaught House
Rajendra Marg
Tél. 238 560
www.welcomheritagehotels.com
Ancienne résidence d'été du ministre
principal du Marwar, ce bungalow
britannique loue 14 chambres
d'époque dans un jardin tranquille.
Bon rapport qualité-prix ; réservez. **$$$**

Sun Set Inn
Sun Set Road
Tél. 235 194
Fax 235 515
Chambres spacieuses (climatisées ou
non) et paisibles. Restaurant servant
une appétissante cuisine végétarienne,
sur un agréable domaine. **$$$**

Cama Rajputana Club Resort
Adhar Devi Road
Tél. 238 205
Fax 238 412
www.camahotelsindia.com
Transformé en hôtel, cet ancien club
vieux de 125 ans a conservé son
atmosphère. Chambres douillettes
et bonnes installations sportives,
sur un domaine enchanteur. **$$$$**

Jaipur House
Tél. 235 176
www.royalfamilyjaipur.com
Magnifiquement situé, en surplomb
du Nakki Lake, cette ancienne pension
de la famille régnante de Jaipur,
superbement réaménagée, abrite
d'élégantes chambres et un restaurant
jouissant d'une vue féerique. **$$$$**

Palace Hotel (Bikaner House)
Delwara Road
Tél. 238 673
www.palacehotelbikanerhouse.com
Ce pavillon de chasse restauré dans
le respect de la tradition renferme
des chambres spacieuses et soignées.
Vaste domaine avec lac privé.
Réservation recommandée. **$$$$$**

Pushkar (0145)

VK Tourist Palace
Près du Pushkar Palace
Tél. 272 174
Chambres très prisées, propres et bon
marché (salle de bains, eau chaude).
Excellent restaurant dans le jardin. **$**

Pushkar Resorts
Motisar Road
Village Ganhera
Tél. 277 2017
Fax 277 2946
www.pushkarresorts.com
À la sortie de la ville, un vaste domaine
avec cottages confortables, belle
piscine et restaurant. Personnel
serviable, organisant des circuits. **$$$$**

Hotel Pushkar Palace
Choti Basti, Pushkar Lake
Tél. 277 2001
www.pushkarpalace.com
Le meilleur hébergement de la ville
proprement dite. Ce palais de maharaja
4 fois centenaire offre un large choix de
chambres et d'un restaurant végétarien
renommé. Réservez à l'avance. **$$$$$**

Ranthambore National Park (07462)

RTDC **Castle Jhoomar Baori**
À 7 km de la gare
Tél. 220 495
Édifié en haut d'une colline, cet ancien
relais de chasse offre de superbes
vues sur la verdoyante forêt alentour.
Les chambres sont correctes, bien
qu'un peu défraîchies. Cuisine
continentale sur demande. Tarifs
réduits entre avr. et juin. **$$$$-$$$$$**

Sawai Madhopur Lodge
À 3 km de la gare
Tél. 220 541
www.tajhotels.com
Ancien relais de chasse du maharaja
de Jaipur métamorphosé en un luxueux
sanctuaire par le Taj Group. **$$$$$**

Samode (01423)

Samode Palace & Bagh
Tél. 240 014 ou 240 235
www.samode.com
Principal attrait du village, le sublime
palais du ministre des Finances
de Jai Singh II semble tout droit sorti
d'un conte de fée rajput. Jeux de
cours sur plusieurs niveaux,
somptueux décors des salles Durbar
et Sheeh Mahal, luxueuses chambres
magnifiquement meublées, jardins
manucurés, piscine superbe et, pour

couronné le tout, service
irréprochable. À 3 km de Samode,
Bagh ("jardin"), tenu par les mêmes
propriétaires, propose un
hébergement en "tentes" de luxe,
avec salle de bains, dans un beau
jardin pourvu d'une merveilleuse
piscine. Recommandé. **$$$$$**

Shekhavati

Shekhawati Restaurant
Près du Roop Niwas Palace
Tél. (01594) 224 658
Fax (01594) 224 658
www.shekhawatirestaurant.com
Petit hôtel s'efforçant de limiter son
impact sur l'environnement. Chambres
propres avec eau chaude. Restaurant
(cuisine végétarienne exquise). **$**

Apani Dhani
Nawalgarh
Tél. (01594) 222 239
Fax (01594) 224 061
www.apanidhani.com
Éco-lodge idéalement situé pour
visiter les *havelis* de la région de
Shekhawati. De construction
traditionnelle, les huttes en torchis
et toit de chaume sont néanmoins
équipées du confort moderne.
La cuisine est mitonée à base
de produits bio maison. **$$**

Dundlod Fort
Dundlod
Tél. (01594) 252 519
Fax (01594) 252 199
www.dundlod.com
Charmante forteresse du XVIIe siècle
réaménagée en hôtel jouissant d'une
vue magnifique. Personnel attentionné.
Organisation d'intéressants circuits
dans la région. **$$$**

Piramal Haveli
Bagar
Tél. (01592) 221 220
www.neemranahotels.com
Une conversion réussie pour cette
haveli du XXe siècle. Chambres
paisibles et agréables. Exquises
spécialités du Rajasthan. **$$$**

Roop Niwas Palace
Nawalgarh
Tél. (01594) 222 008
www.roopniwaskothi.com
Immense palais confortable. Chambres
simples, mais attrayantes, au milieu
d'un ravissant jardin avec restaurant
délicieux et piscine. Personnel
sympathique. **$$$-$$$$**

Hotel Castle Mandawa
Mandawa
Tél. (01592) 223 124
Fax (01592) 223 171
www.castlemandawa.com
Des chambres à chaque fois
différentes (climatisées ou pas),
avec salle de bains et meubles
d'époque, dans une charmante
forteresse du XVIIIe siècle au décor
raffiné. **$$$$$**

Udaipur (0294)

Lalghat Guest House
33 Lalghat
Tél. 252 5301
Fax 241 8508
Repaire bien connu des voyageurs.
Chambres – certaines avec salle
de bains – ou lits en dortoir. En-cas
à déguster sur la terrasse avec vue. $

Ratan Palace Guest House
21 Lalghat
Tél. 256 1153
Hôtel accueillant et sûr, bénéficiant
d'un restaurant sur le toit. Chambres
propres avec salle de bains. $-$$

RTDC Hotel Kajri
Shastri Circle
Tél. 241 0501
www.rajasthantourism.gov.in
Établissement moderne et bien placé,
dirigé par le gouvernement. Sans grand
charme mais des chambres propres
et sûres. Jardin et restaurant. $$

Kankarwa Haveli
26 Lalghat
Tél. 241 1457
www.indianheritagehotels.com
Ravissante *haveli* en surplomb du lac.
Personnel attentif. Repas servis sur
le toit en terrasse (commander à
l'avance). Vivement conseillée. $$-$$$

Jagat Niwas Palace Hotel
23-5 Lalghat
Tél. 242 0133
Fax 241 8512
Très prisée, cette *haveli* superbement
rénovée renferme des chambres
élégantes. Restaurant excellent. $$$

Hotel Hilltop Palace
5 Ambavgarh, Fatehsagar
Tél. 243 2245
Fax 243 2136
hilltop@bppl.net.in
Hôtel moderne, personnel efficace
et sympathique. Chambres
confortables, vue saisissante.
Bonne cuisine servie sur le toit
en terrasse. $$$-$$$$

Shikarbadi Hotel
Govcrdhan Vilas
Tél. 258 3201
Fax 258 4841
www.hrhindia.com
Cet ancien pavillon de chasse
du maharaja, à 4 km de la gare,
loue de jolies chambres spacieuses
et climatisées. Restaurant, piscine,
jardin et parc peuplé de cerfs. $$$-
$$$$

Devi Garh
Delvara, Nathdvara
Tél. (02953) 289 211
Fax (02953) 289 357
www.deviresorts.com
Cette impressionnante forteresse,
à 26 km d'Udaipur, abrite l'un
des meilleurs hôtels d'Inde. Luxe
et élégance extrême à des tarifs
honteusement élevés. Merveilleuse
piscine et cuisine raffinée. $$$$$

Shiv Niwas
City Palace
Tél. 252 8016
Fax 252 8006
www.hrhindia.com
Les somptueux appartements d'hôte
du City Palace ont été transformés en
un hôtel très chic. Certaines chambres
jouissent d'une vue superbe sur le lac.
Piscine ravissante. Le domaine
comprend également le Fateh Prakash,
pourvu de chambres charmantes et
suites très sélectes. Agréable
restaurant au bord de l'eau. $$$$$

Taj Lake Palace Hotel
Pichola Lake
Tél. 252 8800
Fax 252 8700
www.tajhotels.com
Des suites magnifiquement meublées
dans cet hôtel de luxe, réputé le plus
romantique du monde. Vue imprenable
sur le lac depuis le restaurant. $$$$$

Udaivilas
Haridasji ki Magri
Tél. 243 3300
Fax 289 357
www.oberoihotels.com
Luxueux et cher, cet hôtel est l'un
des tout derniers de la chaîne Oberoi.
Prestations variées, de la piscine privée
au maître d'hôtel personnel. $$$$$

SIKKIM

Gangtok (03592)

Denzong Inn
Denzong Cinema Chowk
Lall Bazaar Road
Tél. 222 692
Fax 202 362
www.hoteltashidelek.com
Excellent rapport qualité-prix. Chambres
avec salle de bains (eau chaude),
restaurant et jolie terrasse. $-$$

Siniolchu Lodge
Enchay, près de l'Enchay Gompa
Tél. 222 074
Prisé des petits budgets, cet hôtel-
restaurant dirigé par le gouvernement
du Sikkim se situe un peu à l'écart de
la ville. Vue saisissante. Réservez pour
participer à des circuits. $-$$

Hotel Sonam Delek
Tibet Road
Tél. 222 566
Fax 223 197
www.sikkiminfo.net/sonamdelek
Bien situé, à un prix avantageux. Jardin
plaisant et restaurant correct. $$

Hotel Tibet
Paljor Stadium Road
Tél. 222 523
Fax 226 233
www.sikkiminfo.net/hoteltibet
Cet hôtel confortable et accueillant
propose des chambres satisfaisantes,
ainsi que d'exquises spécialités locales
et tibétaines. $$$

Gamme des prix

Les prix s'entendent pour une
chambre double en haute saison.
$ moins de 800 INR
$$ de 800 à 1 700 INR
$$$ de 1 700 à 2 700 INR
$$$$ de 2 700 à 3 700 INR
$$$$$ plus de 3 700 INR

Netuk House
Tibet Road
Tél. 222 374
Fax 224 802
netuk@sikkim.org
Hôtel familial doté de chambres
traditionnelles. Succulente cuisine
du Sikkim. $$$$

Hotel Tashi Delek
Mahatma Gandhi Marg
Tél. 222 991
Fax 222 362
www.hoteltashidelek.com
Luxueux complexe hôtelier de renom,
central et accueillant. Chambres
avenantes, bon restaurant et café sur
le toit jouissant d'une belle vue. $$$$

Nor-Khill
Paljor Stadium Road
Tél. 205 637
Fax 205 639
www.elginhotels.com
Ancienne pension des *chogyal*, bâtie
en 1932, bien tenue. Chambres
luxueuses et installations
satisfaisantes. Bon restaurant. $$$$$

TAMIL NADU

Chidambaram (04144)

Hotel Saradharam
19 V.G.P. Street
Tél. 21336
Fax 22656
Chambres rudimentaires, climatisées
ou non, dans un hôtel un peu vieillot.
Bon restaurant. $$

Coimbatore (0422)

TTDC Hotel Tamilnadu
Dr Nanjappa Road
Tél. 230 2176
Fax 230 3511
www.tamilnadutourism.org
Cadre tranquille, non loin de l'arrêt
de bus. Chambres propres, climatisées
ou non, avec salle de bains. $-$$

Sree Annapoorna Lodging
47 East Arokiasamy Road, R.S. Puram
Tél. 254 7722
Fax 254 7322
www.sreeannapoorna.com
Hôtel bien établi. Chambres correctes
(certaines climatisées). Savoureux
mets végétariens. $$

Nilgiri's Nest
739a Avinashi Road
Tél. 221 4309

Fax 221 7131
nilgiris@md3.vsnl.net.in
Chambres climatisées et confortables, complétées d'un restaurant remarquable et d'une agréable boutique. Emplacement pratique pour gagner la gare routière. **$$-$$$**

Heritage Inn
38 Sivasamy Road, Ramnagar
Tél. 233 1451
Fax 233 3233
www.hotelheritageinn.com
Chambres soignées, alliant modernité, confort et propreté. Savoureux restaurants. **$$$**

Coonoor (0423)

Taj Garden Retreat
Church Road, Upper Coonoor
Tél. 223 0021
Fax 223 2775
www.tajhotels.com
Somptueux cottages nichés sur un magnifique domaine et cuisine exquise (privilégiez le buffet). Prix étonnamment raisonnables hors saison. **$$$$**

Kanchipuram (04112)

Baboo Soorya Hotel
85 East Raja Veethi Street
Tél. 222 555
Fax 222 556
Chambres impeccables, climatisées ou non, dans un hôtel accueillant. Savoureux restaurant végétarien. **$-$$**

Kanniyakumari (04652)

TTDC Hotel Tamilnadu
Beach Road
Tél. 246 257
Fax 246 030
www.tamilnadutourism.org
Hôtel bien situé, proposant un grand choix d'hébergements (certains climatisés) en cottages, chambres et dortoirs. Cuisine satisfaisante. **$-$$**

Hotel Singaar International
5/22 Main Road
Tél. 347 992
Fax 347 991
singaar@sancharnet.in
Hôtel propre et moderne, chambres climatisées un peu onéreuses (moins chères sans climatisation). Piscine et restaurant. **$$$**

Kodaikanal (04542)

Greenland's Youth Hostel
St Mary's Road, près de Coaker's Walk
Tél. 241 336
Fax 241 340
La meilleure adresse pour les petits budgets : des chambres et dortoirs propres – mais spartiates et parfois bondés. Vue superbe et joli jardin. **$**

Hilltop Towers
Club Road
Tél. 240 413
Fax 240 415
www.indiamart.com/hilltoptowers

Chambres joliment meublées. Restaurant et boulangerie. **$$**

Hotel Jewel
7 Road Junction
Tél. 241 029
Fax 240 518
glentravels@vsnl.com
Agréables chambres non climatisées, pourvues de salle de bains avec eau chaude. Restaurant. **$$**

The Carlton
Lake Road
Tél. 240 056
Fax 241 170
www.krahejahospitality.com
Demeure coloniale en bordure de lac, transformée en hôtel de luxe. Bonnes installations sportives et restaurant excellent. **$$$$$**

Madurai (0452)

Hotel International
46 West Perumal Maistry Street
Tél. 234 1552
Fax 274 0372
Propre et accueillant. Chambres non climatisées (certaines avec vue). **$**

TTDC Hotel Tamilnadu
Alagarkoil Road
Tél. 253 7461
Fax 253 3203
www.tamilnadutourism.org
Chambres tranquilles (certaines climatisées), dans un hôtel dirigé par le gouvernement. Bon restaurant. **$**

Railway Retiring Rooms (chambres de la gare)
Le premier niveau de la gare renferme des chambres correctes à petits prix. **$**

Hotel Sree Devi
20 W. Avani Moola Street
Tél. 274 7431
Chambres propres (climatisées ou non) avec salle de bains. Du toit, belle vue sur les *gopuram* du temple. **$-$$**

Hotel Chentoor
106 West Perumal Maistry Street
Tél. 235 0490
Fax 235 0499
Hôtel accueillant. Chambres récentes, dont certaines climatisées. Restaurant végétarien appétissant. **$$**

Hotel Supreme
110 West Perumal Maistry Street
Tél. 234 3151
Fax 234 2637
www.supremehotels.com
Chambres modernes et bien tenues. Bon restaurant sur le toit offrant une vue plongeante sur le temple. **$$**

Taj Garden Retreat
40 T.P.K. Road, Pasumalai
Tél. 237 1601
Fax 237 1636
www.tajhotels.com
Summum de l'hôtellerie à Madurai, cette ancienne pension remontant à l'époque du Raj propose aujourd'hui des chambres avec vue, jardins ravissants et piscine. **$$$$$**

Mamallapuram (04114)

Mamalla Bhavan Annexe
104 East Raja Street
Tél. 242 060
Fax 242 160
Chambres agréables, certaines climatisées, dans un hôtel propre et moderne. Excellent restaurant végétarien. Recommandé. **$$**

TTDC Hotel Tamilnadu Beach Resort
Tél. 242 361
Fax 242 268
www.tamilnadutourism.org
Cottages climatisés ou non, un peu défraîchis, mais nichés dans un cadre ravissant. Piscine et restaurant. **$$**

Fisherman's Cove
Covelong Beach, Kanchipuram District
Tél. 272 304
Fax 272 303
www.tajhotels.com
Ravissant hôtel, à 8 km de Mamallapuram. Chambres avec vue sur l'eau et cottages en bordure de plage. Piscine magnifique. Succulent restaurant de poisson. **$$$$$**

Udagamandalam (0423)

TTDC Hotel Tamilnadu
Charing Cross
Tél. 244 4370
Fax 244 4369
www.tamilnadutourism.org
Chambres et dortoirs dans un établissement accueillant doté d'un bon restaurant. Vue ravissante. **$-$$**

Hotel Nahar Nilgiris
52a Charing Cross
Tél. 244 2173
Fax 244 5173
Chambres douillettes dans un hôtel avenant et bien placé. Restaurant tout à fait correct. **$$**

YWCA Anandagiri
Ettines Road
Tél. 244 2218
Hôtel-restaurant souvent bondé. Chambres et dortoirs à petits prix. Réservation indispensable. **$$**

Savoy Hotel
77 Sylks Road
Tél. 244 4142
Fax 244 3318
www.tajhotels.com
Un choix de quarante chambres, dont certaines en cottages évoquant l'époque du Raj, avec cheminées. Jardin splendide, restaurant et café. **$$$$$**

Ramesvaram (04573)

Railway Retiring Rooms (chambres de la gare)
Tél. 221 226
Hébergement propre et bon marché. **$**

TTDC Hotel Tamilnadu
14 Sannathi Street
Tél. 221 277
Fax 221 070
www.tamilnadutourism.org

Chambres bien tenues, climatisées ou non (**$**), s'ouvrant sur la mer, complétées d'un dortoir et d'un bon restaurant. **$-$$**

Thanjavur (04362)

Hotel Ganesh
2905/3-4 Srinivasan Pillai Road
Tél. 231 113
Fax 272 517
hotelganesh-97@hotmail.com
Chambres rudimentaires, mais propres et bon marché, près de la gare. Restaurant végétarien. **$**

Railway Retiring Rooms (chambres de la gare)
Six doubles, au premier niveau de la gare. Essayez de réserver. **$**

TTDC Hotel Tamilnadu
Gandhiji Road
Tél. 231 421
Fax 231 970
www.tamilnadutourism.org
Vastes chambres confortables dans un hôtel-restaurant avec jardin. **$-$$**

Hotel Gnanam
Anna Salai
Tél. 278 501
Fax 235 536
www.hotelgnanam.com
Chambres impeccables. Cadre central et plaisant. Bon restaurant végétarien. **$$**

Hotel Parisutham
55 Grand Anicut Canal Road
Tél. 231 601
Fax 230 318
www.hotelparisutham.com
Établissement moderne et confortable. Chambres agréables en surplomb du canal, restaurant correct et piscine engageante. **$$$$$**

Hotel Sangam
Trichy Road
Tél. 239 451
Fax 236 695
www.hotelsangam.com
Hôtel récent aux chambres confortables. Savoureux restaurants et piscine dans un jardin ravissant. **$$$$$**

Tiruchirapalli (0431)

Railway Retiring Rooms (chambres de la gare)
Bonne adresse pour petits budgets. **$**

Ashby Hotel
17a Rockins Road
Tél. 246 0652
chinoor@yahoo.com
Vastes chambres pittoresques (climatisées ou pas), avec vérandas. Bon restaurant. **$-$$**

TTDC Hotel Tamilnadu
Macdonalds Road, Cantonment
Tél. 241 4246
Fax 241 5725
www.tamilnadutourism.org
Large choix de chambres quelque peu défraîchies, mais bon marché (climatisées ou non), et restaurant adjacent. **$-$$**

Femina Hotel
109 Williams Road, Cantonment
Tél. 241 4501
Fax 241 0615
try_femina@sancharnet.com
Confortables chambres climatisées, certaines avec balcon, dans un hôtel d'un bon rapport qualité-prix. Piscine et restaurants végétariens. **$$-$$$**

Jenney's Residency
3/14 Macdonalds Road
Tél. 241 4414
Fax 246 1451
jennys@satyam.net.in
Hôtel haut de gamme avec spacieuses chambres climatisées, piscine et 2 excellents restaurants. **$$$**

Hotel Sangam
Collector's Office Road
Tél. 241 4700
Fax 241 5779
www.hotelsangam.com
Superbes chambres climatisées, confortables mais extrêmement chères. Piscine et restaurant (cuisine indienne savoureuse). **$$$$$**

Vellore (0416)

Hotel Prince Manor
83 Katpadi Road
Tél. 222 7106
Fax 225 3016
hotelprincemanor@vsnl.net
Chambres avec ou sans climatisation, dans un hôtel accueillant et soigné pourvu d'un excellent restaurant. **$$**

Hotel River View
New Katpadi Road
Tél. 222 5251
Fax 222 5672
Établissement récent louant quelques chambres climatisées. Restaurants de qualité et domaine agréable. **$$**

UTTARANCHAL

Dehra Dun (0135)

GMVN **Drona**
45 Gandhi Road
Tél. 265 4371
Fax 265 4408
Rudimentaire, mais central. Vastes chambres, dont quelques-unes climatisées, et un dortoir réservé aux hommes. Bon restaurant indien. **$$**

Motel Kwality
19 Rajpur Road
Tél. 265 7001
Fax 265 3994
Chambres propres et confortables, certaines climatisées, dans un hôtel des années 1960 accusant un peu son âge. Restaurant satisfaisant. **$$**

Hotel President
6 Astley Hall, Rajpur Road
Tél. 265 7082
Fax 265 8883
prestrav@sancharnet.in
Chambres climatisées dans un

établissement bien tenu, avec restaurant de qualité. Personnel sympathique et efficace, gérant une petite agence de voyage. **$$-$$$**

Hotel Great Value
74c Rajpur Road
Tél. 274 4086
Fax 274 6058
www.greatvaluehotel.com
Moderne, propre et confortable. Restaurant (spécialités indiennes). Recommandé. **$$$**

Haridwar (0133)

Hotel Midtown
Railway Road
Tél. 222 7507
Fax 222 6049
Hébergement sommaire, dans un bâtiment moderne et calme. **$$**

Sagar Ganga Resorts
Niranjani Akhada Road, Mayapur
Tél. 242 2115
Fax 242 8478
Hôtel plein de charme, en bordure du fleuve, renfermant de vastes chambres agréables. Restauration possible. **$$**

Uttaranchal Tourism Rahi
Station Road
Tél. 242 6430
Large éventail de chambres et dortoirs dans un jardin ravissant, à un emplacement central près de l'arrêt de bus. Bonne solution pour les petits budgets ; réservez à l'avance. **$$**

Haveli Hari Ganga
Pilibhit House, 21 Ramghat
Tél. 222 6443
Fax 226 5207
hariganga@sancharnet.in
Haveli rénovée avec 20 chambres plaisantes en surplomb du Gange. Restaurant végétarien. **$$$-$$$$**

Mussoorie (0135)

Hotel Peak View
Camel's Back Road
Tél. 263 2052
peakview@mailcity.com
Bonne adresse pour petits budgets. Plusieurs chambres et quelques "appartements" avec cuisine. **$$**

Valley-View Hotel
The Mall, Kulri
Tél. 263 2324
Chambres de catégorie moyenne, propres et confortables, complétées d'un restaurant savoureux et d'une boulangerie. **$$**

Carlton's Plaisance
Près de Charleville Road
Tél. 263 2800
Hôtel paisible avec mobilier d'époque.
Jardin agréable, bon restaurant. **$$-$$$**

Filigree
Camel's Back Road, Kulri
Tél. 263 2380
Fax 263 2360
Bel hôtel accueillant, avec chambres
douillettes, dont certaines jouissant
d'une vue splendide. Restaurant
savoureux et terrasse. **$$-$$$**

Kasmanda Palace
The Mall
Tél. 263 2424
Fax 263 0007
www.welcomheritage.com
Bâti en 1836 dans un charmant
domaine tranquille, cet édifice
historique abrite aujourd'hui un hôtel
pittoresque et confortable. **$$$**

The Claridges Nabha
Air Field, Barlowganj Road
Tél. 263 1426
Fax 263 1425
Ancienne demeure privée transformée
en hôtel confortable et bien tenu dans
un joli jardin. Vue superbe. **$$$$-$$$$$**

Jaypee Residency Manor
Barlowganj
Tél. 263 1800
Fax 263 1022
www.jaypeehotels.com
À 5 km de la ville, cet hôtel de luxe
allie élégance et confort, dans un
ravissant cadre paisible. **$$$$$**

Nainital (05942)

YHA
Ardwell, Mallital
Tél. 236 353
www.yhaindia.com
Dortoirs et chambres à petits prix, dans
un cadre paisible. Possibilité de se
restaurer. Réservez à l'avance. **$**

Belvedere Palace
Awagarh Estate, Mallital
Tél. 237 434
Fax 235 082
www.welcomheritage.com
Cet ancien palais abrite des chambres
spacieuses en surplomb du lac. Joli
jardin et restaurant agréable. Bon
rapport qualité-prix. **$$-$$$**

Alka Hotel
The Mall
Tél. 235 220
Fax 236 629
www.alkahotel.com
Établissement recommandé. Chambres
ravissantes donnant sur un lac. Bon
restaurant. Réductions hors saison. **$$$**

Vikram Vintage Inn
Près d'ATI, Mallital
Tél. 236 177
Fax 236 179
Chambres élégantes, au cœur d'un
bois paisible. Pas de piscine, mais
plusieurs autres équipements. **$$$$**

The Manu Maharani
Grassmere Estate
Tél. 237 341
Fax 237 350
manumaharani@vsnl.com
Chambres alliant confort extrême et
modernité. Vue splendide. Bar agréable
et délicieux restaurant chinois. **$$$$$**

Rishikesh (0135)

GMVN **Rishilok**
Badrinath Road, Muni ki Reti
Tél. 243 0373
Fax 243 0372
Cottages et chambres de catégorie
moyenne, dans un joli cadre paisible.
Bon restaurant. **$-$$**

Inderlok Hotel
Railway Road
Tél. 243 0555
Fax 243 2855
Hôtel central et bien établi. Chambres
agréables, restaurant et joli jardin en
terrasse offrant un beau panorama. **$$**

Hotel Ganga Kinare
16 Veerbhadra Road
Tél. 243 1658
Fax 243 5243
hotelgangakinare@hotmail.com
Un peu à la sortie de la ville,
un confortable hôtel sur un site
pittoresque en bordure de fleuve,
complété d'un bon restaurant. **$$$**

Ananda in the Himalayas
Palace Estate, Narendra Nagar
Tél. (01378) 227 500
Fax (01378) 227 550
www.anandaspa.com
Fabuleuse station thermale, installée
dans un ancien palais à 18 km de
Rishikesh. Chambres exquises, vue
admirable et piscine féerique. **$$$$$**

UTTAR PRADESH

Agra (0562)

Tourist Rest House
Kachahari Road, Baluganj
Tél. 246 3961
www.dontworrychickencurry.com
Meilleur établissement bon marché
d'Agra. Chambres propres avec salle
de bains aménagées autour d'une
cour. Savoureuse cuisine
végétarienne. **$**

Joshi Tourist Complex
21 km de Stone, N.H. 11
Agra-Jaipur Highway
Tél. (05613) 244 238
Fax (05613) 213 109
www.joshiresort.com
Ravissant village de vacances avec
huttes traditionnelles (certaines
climatisées), près de Fatehpur Sikri.
Piscine. Restaurant (spécialités
végétariennes locales). **$$**

Lauries Hotel
M.G. Road
Tél. 222 7511

Fax 222 7510
laurieshotel@hotmail.com
Encore réputé malgré son aspect
vieillot, cet établissement propose
terrain de camping, restaurant et bar
sur un joli domaine. **$$**

Mayur Tourist Complex
Tourist Complex, Fatehbad Road
Tél. 233 2302
Fax 233 2907
bibhab@nde.vsnl.net.in
Cottages climatisés, quelque peu
défraîchis. Jardin paisible et bien
entretenu avec piscine et fontaines. **$$**

UP Tourism Hotel Tajkhema
Taj Ganj
Tél. 233 0140
Fax 223 0001
www.up-tourism.com
Autre hôtel du gouvernement, près du
Taj. Chambres sûres et bien tenues.
Vues agréables. Restaurant. **$$**

UP Tourism Rahi Tourist Bungalow
Delhi Gate (près de Raja ki Mandi)
Railway Station
Tél. 285 0120
Fax 215 3472
www.up-tourism.com
Hôtel du gouvernement un peu isolé,
mais calme. Bon rapport qualité-prix. **$$**

Hotel Amar
Tourist Complex, Fatehbad Road
Tél. 233 1884
Fax 233 0299
amaragra@sancharnet.in
Hôtel récent plutôt impersonnel avec
chambres climatisées confortables,
restaurant et piscine. **$$$**

Grand Hotel
137 Station Road, Cantonment
Tél. 222 7511
Fax 222 7510
grand@nde.vsnl.net.in
Hôtel-restaurant quelque peu défraîchi.
Vaste domaine équipé pour le camping,
jardin agréable. Bar. **$$$**

Taj View Hotel
Fatehbad Road, Taj Ganj
Tél. 223 2400
Fax 223 2420
www.tajhotels.com
Hôtel moderne, peu attrayant, mais
fonctionnel, avec vue au lointain sur
le Taj Mahal. Chambres confortables.
Deux piscines agréables. **$$$$-$$$$$**

Amarvilas
Taj East Gate Road
Tél. 223 1515
Fax 223 1516
www.amarvilas.com
De loin le plus prestigieux des 5-étoiles
de la ville. Prestations – et prix –
conformes aux autres établissements
de la chaîne Oberoi. Spa et piscine
magnifiques. Suites somptueuses,
et vue admirable sur le Taj. **$$$$$**

Clarks Shiraz
54 Taj Road, Cantonment
Tél. 222 6121
Fax 222 6128

www.hotelclarksshiraz.com
Hôtel confortable, sur un immense domaine équipé d'excellentes installations, qui commencent toutefois à accuser leur âge. Savoureux restaurants – notamment celui sur le toit –, et joli jardin avec piscine. **$$$$$**

Mughgal Sheraton
Taj Ganj
Tél. 233 1701
Fax 233 1731
www.welcomgroup.com
Dans un décor ravissant, un hôtel arborant une architecture et un mobilier de style moghol. Les chambres les plus chères donnent sur le Taj. Restaurants exquis – mais hors de prix –, jardins superbes et belle piscine. **$$$$$**

Allahabad (0532)

Railway Retiring Rooms (chambres de la gare)
Chambres à petits prix et dortoir. **$**

Presidency
19d Sarojini Naidu Marg
Civil Lines
Tél. 262 3308
Fax 262 3897
starhotels@vsnl.net
Charmante pension pratiquant des prix modérés. Piscine et service de change. Réservez à l'avance. **$$**

UP Tourism Rahi Illawart Tourist Bungalow
35 M.G. Marg, Civil Lines
Tél. 260 1440
Fax 261 1374
www.up-tourism.com
Près de la gare routière, des chambres spacieuses, dont certaines climatisées, avec salle de bains et eau chaude. Joli jardin et restaurant. **$$**

Hotel Yatrik
33 Sardar Patel Marg, Civil Lines
Tél. 260 1713
Fax 260 1434
yatrik@vsnl.com
Hôtel bien tenu, avec chambres climatisées, dans un ravissant jardin tropical. Restaurant. **$$**

Hotel Allahabad Regency
16 Tashkent Marg, Civil Lines
Tél. 260 1519
hotel_regency@rediffmail.com
Hôtel impeccable, au mobilier élégant. Tarifs avantageux. Restaurant et piscine. **$$-$$$**

Faizabad (05278)

Hotel Shan-e-Avadh
Près de l'arrêt de bus Civil Lines
Tél. 223 586
Fax 226 545
Chambres confortables (eau chaude). Restaurant. **$-$$**

Hotel Tirupati
Près de l'arrêt de bus Civil Lines
Tél. 223 231
Hôtel moderne. Quelques chambres climatisées et un bon restaurant. **$-$$**

Jhansi (0514)

Samrat
Chitra Chauraha
Tél. 244 4943
Hôtel-restaurant accueillant, non loin de la gare. Chambres satisfaisantes. **$**

UP Tourism Rahi Veerangana Tourist Bungalow
Près de la Circuit House
Tél. 244 2402
www.up-tourism.com
Hôtel du gouvernement. Bon restaurant et jardin ravissant. **$-$$**

Raj Palace
Shastri Marg
(près de l'arrêt de bus)
Tél. 247 0554
Chambres propres (certaines climatisées), avec salle de bains. **$-$$**

Jhansi Hotel
Shastri Marg (face à la poste principale)
Tél. 247 0360
Fax 247 0470
Bien qu'un peu fané, ce bungalow de l'époque coloniale dégage encore un certain charme. Quelques chambres climatisées plutôt surévaluées. Domaine agréable. Restaurant. **$$**

Hotel Sita
84 Shivpuri Road
Tél./Fax 244 4691
L'un des meilleurs hôtels de la ville. Chambres ravissantes, certaines climatisées. Bon restaurant. **$$-$$$**

Kanpur (0512)

Hotel Meera Inn
37/19 The Mall
(face à la Reserve Bank of India)
Tél. 231 9972
Chambres fraîches, propres (certaines climatisées, **$$**). Restaurant. **$-$$**

Hotel Gaurav
18/54 The Mall
Tél. 231 8531
Fax 231 4776
hotel_gaurav@rediffmail.com
Hébergement confortable à petits prix, avec restaurant et jardin agréable. **$$**

Hotel Swagat
109/423 80 Feet Road, Brahmnagar
Tél. 254 1923
Fax 254 2100
Hôtel-restaurant correct à des prix raisonnables (chambres non climatisées très bon marché). **$$**

The Landmark
10 Somdatt Plaza, The Mall
Tél. 230 5305
Fax 230 6291
www.thehotellandmark.com
Le meilleur hôtel de Kanpur. Chambres modernes, bons restaurants et café. **$$$$$**

Lucknow (0522)

Chowdhuri Lodge
3 Vidhan Sabha Marg
(près de la poste centrale)
Tél. 222 1911

Gamme des prix

Les prix s'entendent pour une chambre double en haute saison.
$ moins de 800 INR
$$ de 800 à 1 700 INR
$$$ de 1 700 à 2 700 INR
$$$$ de 2 700 à 3 700 INR
$$$$$ plus de 3 700 INR

Établissement fané et pas toujours très propre, mais sûr et bon marché. **$**

Mrs Sharma's Guest House
Mall Avenue, Sudharshan Seth
Tél. 223 9314
Pension modeste mais impeccable, tenue par la veuve d'un ancien général. Savoureuse cuisine maison à la demande. Vivement recommandée. **$**

Capoor's Hotel
52 Hazratganj
Vieillot, mais toujours renommé et doté d'un certain charme. Chambres climatisées et restaurant de qualité. **$$**

Carlton Hotel
Ranapratap Marg, Hazratganj
Tél. 222 2413
Fax 223 1886
Hôtel légendaire, même si d'aspect quelque peu fatigué. Chambres surannées avec salle de bains (moins chères sans climatisation), dans un édifice colonial, au milieu d'un jardin ravissant. Bar et restaurant. **$$**

UP Tourism Hotel Gomti
6 Sapru Marg
Tél. 221 4708
Fax 221 2659
www.up-tourism.com
Hôtel impeccable, dirigé par l'UP Tourism. Quelques chambres climatisées bon marché, un bar et un restaurant. Un excellent choix. **$$**

Taj Residency Hotel
Vipin Khand, Gomti Nagar
Tél. 239 3939
Fax 239 2282
www.tajhotels.com
Le meilleur hôtel de Lucknow, paisible et luxueux, aménagé dans un jardin splendide. Excellent restaurant de spécialités avadhi. **$$$$$**

Hotel Clarks Avadh
8 Mahatma Gandhi Marg
Tél. 262 0131
Fax 261 6507
www.hotelclarks.com
Hôtel haut de gamme, un peu défraîchi, mais en plein centre-ville. Personnel sympathique. Bons restaurants, dont celui sur le toit (Falaknuma). **$$$$$**

Mathura (0565)

Hotel Madhuvan
Krishna Nagar
Tél. 242 0064
Fax 242 0684
bhtul@nde.vsnl.net.in

Chambres climatisées propres (salle de bains). Piscine et restaurant. **$$**

Hotel Mansarovar Palace
Mansarovar Crossing, Chowki Bagh Bahadur
Tél. 240 8686
Fax 240 1611
mansarovar@vsnl.com
Hôtel agréable et bon marché. Restaurant correct. **$$**

Best Western Radha Ashok
Masani By-Pass Road, Chatikara
Tél. 253 0395
Fax 253 0396
www.mathura-vrindavan.com/radhaashok
Hôtel récent, très bien tenu. Chambres confortables. Beau domaine, piscine et restaurant de qualité. **$$$-$$$$**

Sarnath (0542)

Jain Paying Guest House
Tél. 259 5621
www.visitsarnath.com
Pension modeste mais bien tenue et accueillante. Chambres doubles ou simples, avec salle de bains (toilettes communes pour les simples). Cuisine végétarienne maison. **$**

Namo Buddha
S10/81 C-2 Mohalla Baraipur,
3e maison derrière le Mishra General Store
chrisnehrulal@yahoo.com
Accueillante petite pension. Chambres sommaires, mais confortables. **$**

Varanasi (0542)

Hotel Surya
S20/51 5a Nepali Kothi, Varuna Bridge, Cantonment
Tél. 234 3014
Fax 234 8330
Établissement propre et sans histoire. Chambres sûres et agréables (certaines climatisées). Bon restaurant et jardin plaisant. Recommandé. **$-$$**

Diamond Hotel
Bhelpur
Tél. 227 6696
Fax 227 6703
www.hotel-diamond.com
Chambres climatisées ou non, dans un hôtel agréable. Restaurant et jardin. **$$**

Hotel Malti
C-31/3 Kashi Vidyapith Road
Tél. 222 3878
Fax 222 4857
Établissement bien tenu, louant des chambres nettes, climatisées ou non (**$**), avec balcon. **$$**

Hotel Pradeep
C-27/153 Jagatganj
Tél. 220 4963
www.hotelpradeep.com
Hôtel accueillant et bien tenu. Chambres propres (climatisées). Très bon rapport qualité-prix. Excellent restaurant (Poonam). Recommandé. **$$-$$$**

UP Tourism Rahi Tourist Bungalow
Parade Kothi, Cantonment
Tél. 234 3413
www.up-tourism.com
Chambres à prix avantageux (non climatisées **$**) dans un hôtel propre et paisible. Personnel efficace. Joli jardin et restaurant correct. Recommandé. **$$**

Hotel Ganges View
Assi Ghat
Tél. 231 3128
www.hotelgangesview.com
Ancienne demeure transformée en un confortable hôtel de charme. Chambres (climatisées, salle de bains). Vue splendide depuis la terrasse. Dîner servi à 20h (sur commande). Chaudement recommandé. **$$$**

Hotel India
59 Patel Nagar
Cantonment
Tél. 250 7593
Fax 250 7598
www.hotelindiavns.com
Vaste hôtel doté de grandes chambres climatisées, impeccables, avec salle de bains correctes. Agréable jardin et bon choix de restaurants. **$$$**

Taj Ganges
Nadesar Palace Grounds
Nadesar
Tél. 250 3001
www.tajhotels.com
Le summum du haut de gamme à Varanasi : des chambres confortables, 2 savoureux restaurants et une superbe piscine. **$$$$$**

Hotel Clarks Varanasi
The Mall
Tél. 250 1011
www.hotelclarks.com
Pittoresque établissement à la réputation solide. Excellentes installations, dont une piscine et un bon restaurant. **$$$$$**

BENGALE-OCCIDENTAL

Darjeeling (0354)

Andy's Guest House
102 Dr Zakir Hussain Road
Tél. 253 125
Chambres propres (eau chaude), dans une petite pension accueillante. Vue splendide depuis le toit. **$**

Youth Hostel
Dr Zakir Hussain Road
Tél. 252 290
www.wbtourism.com
Établissement très bon marché. Quelques chambres et des dortoirs rénovés. Vue magnifique. **$**

Main Old Bellevue Hotel
Chowrasta, The Mall, 1-5 Nehru Road, au-dessus du Bellevue
Tél. 541 78 ou 539 77
Fax 543 30
www.darjeelinghotels.com

Ancienne villa en bois de l'époque du Raj. Vastes chambres d'un bon rapport qualité-prix. Personnel accueillant et jardin ravissant. Recommandée. **$-$$**

Bellevue Hotel
The Mall
Tél. 225 4075
Fax 225 4330
www.darjeeling-bellevuehotel.com
Cet hôtel accueillant loue de belles et vastes chambres (salle de bains, eau chaude). **$$**

Dekeling Hotel
51 Gandhi Road
Tél. 225 4159
Fax 225 3298
www.dekeling.com
Jolies chambres avec salle de bains et eau chaude (privilégiez celles mansardées), dont certaines jouissant d'une belle vue. Personnel sympathique et restaurant excellent (Deveka). **$$**

WBTDC Maple Tourist Lodge
Old Kutchery Road
Tél. 254 413
www.wbtourism.com
Un peu à l'écart de la ville, mais tranquille et d'un bon rapport qualité-prix (eau chaude dans les chambres). **$$**

WBTDC Tourist Lodge
Bhanu Sarani
Tél. 254 411
www.wbtourism.com
Chambres standards avec eau chaude, moins avantageuses que le Maple Tourist Lodge, mais mieux placées. **$$**

Dekeling Resort, Hawk's Nest
2 A.J.C. Bose Road
Tél. 225 3092
Fax 225 3298
www.dekeling.com
Installé sur un site fabuleux, cet édifice de la fin du XIXe siècle abrite de ravissantes chambres ornées de boiseries. Vue magnifique, personnel affable et cuisine délicieuse. Recommandé. **$$$**

Elgin Hotel
Robertson Road
Tél. 541 14
Fax 542 67
www.elginhotels.com
Élégant cadre colonial. Chambres douillettes et restaurant renommé, le tout à des tarifs plutôt élevés. **$$$$$**

Windamere Hotel
Observatory Hill
Tél. 225 4041
Fax 225 4043
www.windamerehotel.com
Désormais légendaire, cet hôtel grandiose, prisé des célébrités, baigne dans une atmosphère surannée. À ne pas manquer, même si le confort laisse un peu à désirer. **$$$$$**

Kalimpong (03552)

WBTDC Hill Top Tourist Lodge
Tél. 255 654
www.wbtourism.com

Pension du gouvernement simple et propre. Restauration possible. **$-$$**

Kalimpong Park Hotel
Rinkingpong Road
Tél. 255 304
Fax 255 982
www.kalimpong.org/park
Hôtel paisible et accueillant, pourvu de vastes chambres et d'un bon restaurant, dans un joli jardin. **$$-$$$**

Himalayan Hotel
Upper Cart Road
Tél. 255 248
Fax 255 122
www.himalayanhotel.biz
Reconversion réussie pour cette ancienne résidence de la famille Macdonald. Chambres et suites confortables, restaurant délicieux et domaine splendide. **$$$**

Silver Oaks
Upper Cast Road
Tél. 255 296
Fax 255 368
www.elginhotels.com
Ancienne propriété d'un planteur de jute britannique, cette demeure des années 1930 abrite aujourd'hui un hôtel ravissant, au milieu d'un jardin magnifique. Chambres pleines de charme et savoureux restaurant. **$$$$$**

Murshidabad (03482)

Hotel Manjusha
Lalbagh
Tél. 270 321
Hôtel-restaurant bien tenu, jouissant d'un emplacement agréable. **$**

Youth Hostel
Lalbagh
Réservations à Kolkata
Tél. (033) 2210 9206
Très bon marché, mais propre et sûre. **$**

Santiniketan (03463)

Chhuti Holiday Resort
241 Charupally, Jamboni
Tél. 252 692
Port. 0943 401 2872
www.chhutiresort.com
Ravissant domaine avec cottages aux toits de chaume (dont certains climatisés). Restaurant satisfaisant. **$$**

WBTDC Santiniketan Tourist Lodge
Tél. 252 699
Fax 252 398
www.westbengaltourism.com
Dortoir et chambres (non climatisées **$**) – gérés par le gouvernement. Ravissant jardin. Restaurant. **$$**

Vishnupur (03244)

WBTDC Tourist Lodge
Près du réservoir
Tél. 252 013
www.wbtourism.com
Meilleure adresse de Vishnupur, cet hôtel du gouvernement propose de petites chambres propres (climatisées ou pas). Restaurant agréable. **$**

Se restaurer

Choisir un restaurant

Vous dégusterez les meilleures spécialités indiennes dans les hôtels-restaurants ; les hôtels disposant de restaurants dignes d'intérêt sont mentionnés sous la rubrique "Se loger" (*voir p. 363*). Ne soyez pas surpris de voir un restaurant qualifié d'"hôtel" : cette désignation est fréquente en Inde. La plupart des établissements ouvrent pour le déjeuner et le dîner, de 12h à 15h, puis de 18h à 22h30 ; les moins chers assurent parfois un service continu. Les réservations sont généralement inutiles, sauf pour les restaurants des hôtels de luxe.

Dénicher des spécialités locales authentiques et savoureuses reste l'une des plus grandes difficultés, notamment dans le nord de l'Inde. Dans nombre de restaurants, le menu répertorie les grands classiques du Nord, tels que *sag panir*, pains et plats de poulet *tandoori*, ainsi que *korma* divers, qui finissent par devenir lassants. Pour des plats plus originaux, choisissez les établissements fréquentés par la population.

Dans le Sud, les restaurants proposant des *meals* (repas) se révèlent généralement corrects et bon marché. Là encore, pour déguster la meilleure cuisine, privilégiez les lieux très fréquentés au déjeuner (traditionnellement le principal repas de la journée). Les *meals* revêtent la forme d'un *thali* (littéralement "plateau"), avec du riz au centre, entouré de petits pots contenant légumes, *dal* variés et *curd* (lait caillé).

La nourriture des étals de rue – si elle est fraîche et préparée devant vous – peut être savoureuse. Les en-cas vont des *chana dal* et *puri* aux omelettes regorgeant de piments verts, en passant par les *paratha* tout juste cuisinées. Faites confiance à votre bon sens et n'achetez qu'aux étals qui vous semblent propres.

Restauration rapide à l'occidentale, pains et gâteaux sont désormais très répandus. Pour plus d'informations sur la cuisine indienne, reportez-vous *p. 137*.

ÎLES ANDAMAN
Port Blair

Annapurna Cafe
Aberdeen Village
Bonne cuisine d'Inde du Sud (plats non végétariens) et savoureux petits-déjeuners.

China Room
Aberdeen Village
Excellents poissons, fruits de mer et légumes, à des prix très modiques.

ANDHRA PRADESH
Hyderabad-Secunderabad

Kamat's
Spécialisée dans la cuisine végétarienne d'Udupi, cette chaîne propre et bon marché possède plusieurs branches dans la ville : dans les centres Ramalaya et Alladin de Sarojini Devi Road (Secunderabad), ainsi que sur Secretariat Road et Station Road (Nampally).

Laxmi
Nampally, près de la gare ferroviaire
Cuisine d'Inde du Nord et du Sud, délicieuse et bon marché.

Paradise Cafe and Stores/ Annexe Persis
M.G. Road, Secunderabad
Étals vendant de bons plats indiens et chinois, à déguster sur place ou à emporter. Savoureux *biryani*.

Utsav
221 Tivoli Road, Secunderabad
Exquis mets végétariens d'Inde du Nord, servis dans un cadre agréable.

Vishakhapatnam

Dakshin
Hotel Daspalla, Suryabagh
Spécialités régionales non végétariennes, plutôt relevées.

ASSAM
Guwahati

Paradise
G.N.B. Road, Chandmari
Bonne cuisine de l'Assam : *thali* savoureux. Plats du jour au déjeuner.

Utsav
Hotel Nandan Building, H.P. Brahmachari Road
Spécialités indiennes et chinoises, ordinaires mais correctes.

Woodlands
G.S. Road, Ulubari (également A.T. Road)
Restaurants végétariens propres, mitonnant des recettes du Sud, dont de bons *thali*.

BIHAR

Patna

Abhiruchi
Marwari Awas Griha Compound
Fraser Road
Spécialités du Marwar et recettes
végétariennes courantes du Nord.

Amrali
Hotel Kautilya Vihara building
B.C. Patel Path
Restaurant recommandé. Excellents
mets végétariens et décor plaisant.

CHENNAI

Annalakshmi
804 Anna Salai
Succulente cuisine végétarienne d'Asie
du Sud-Est, mitonnée par des bénévoles
(au profit d'œuvres de charité).

Buhari's
83 Anna Salai
Plats *tandoori* délicieusement préparés.

The Cascade
15 Khader Nawaz Khan Road
Nungambakkam
Mets chinois et thaïlandais, onéreux
mais exquis.

Chungking
67 Anna Salai
Spécialités chinoises dans un cadre
un peu sombre.

Dakshin
ITC Park Sheraton, 132 T.T.K. Road
L'un des restaurants les plus réputés
du pays. Recettes originales provenant
des 4 États méridionaux et du
Chettinad. À essayer.

Dasaprakash
806 Anna Salai, près de Higginbotham's
Fast-food servant des plats d'Udupi.
Décor luxueux, mais prix raisonnables.

Kaaraikudi
10 Sivasvamy Street, Mylapore
Délicieuse cuisine tamoule, avec plats
non végétariens du Chettinad.

Kabul's
35 T.T.K. Road, Alwarpet
Cuisine mughlai et de la région
frontalière du Nord-Ouest, chère
mais succulente.

Saravana Bhavan
Plusieurs établissements : au *Shanti
Theatre Complex, 44 Anna Salai*, à
la *Central Railway Station*, au *77-9
Usman Road, T. Nagar*, et au *209
N.S.C. Bose Road, George Town*.
Chaîne servant des repas végétariens
d'Inde du Sud, savoureux, hygiéniques
et bon marché. Ouv. toute la journée.

Woodlands Drive-in
Agri Horticultural Gardens
30 Cathedral Road
Établissement aménagé dans un jardin
horticole. Optez pour la *channa-bhatura*
(cuisine du Nord) plutôt que pour
les spécialités d'Udupi. Ouv. toute
la journée.

DAMAN ET DIU

Daman

Samrat
Seaface Road
Succulents *thali* végétariens du Gujarat.

DELHI

Basil & Thyme
Santushi Shopping Complex
Chanakyapuri
Lieu agréable et tranquille pour
déjeuner, servant une bonne cuisine
occidentale à prix raisonnables, dont
un gâteau au fromage inoubliable.

Bukhara
Maurya Sheraton, Sardar Patel Marg
Diplomatic Enclave
Mets de la frontière du Nord-Ouest,
magnifiquement préparés, dans un
restaurant cher mais très agréable.

Cafe 100
20-B Connaught Place, New Delhi
Bon fast-food très populaire, vendant
pâtes, jus et glaces.

Dilli Haat
*Près d'Aurobindo Marg, entre Kidwai
Nagar West et Lakshmibai Nagar*
Le complexe "Foods of India" regroupe
des étals propres et bon marché, tenus
par des sociétés œuvrant pour le
développement du tourisme dans
les divers États. Entrée 10 INR
(ouv. 10h30-22h).

Dum Phukt
Maurya Sheraton, Sardar Patel Marg
Diplomatic Enclave
Spécialités avadhi mijotées dans
des marmites. Cher mais délicieux.

Karim's
Gali Kababiyan, Matia Mahal
près de la Jama Masjid, Delhi
La meilleure cuisine musulmane de
la ville. Formules *tandoori* pour non-
végétariens et pains savoureux. Vous
trouverez une annexe de cet
établissement, plus chère et moins
bonne, à Nizamuddin (sud de Delhi).

Nirula's Pot Pourri
L-Block, Connaught Place, New Delhi
Bien qu'un peu défraîchi, ce restaurant
reste très prisé, en particulier pour
le petit-déjeuner.

Orient Express
Taj Palace Hotel, 2 Sardar Patel Marg
Diplomatic Enclave
Succulente cuisine occidentale. Menu
et décor retraçant l'itinéraire du célèbre
train du même nom à travers l'Europe.

Parikrama
Antriksh Bhavan, 22 K.G. Marg
New Delhi
Restaurant tournant offrant une très
belle vue. Cuisine savoureuse (chinoise,
occidentale et d'Inde du Nord).

Park Balluchi Restaurant
Dans le Deer Park
Hauz Khas Village, New Delhi
Restaurant primé. Succulents plats
mughlai et afghans dans un cadre
ravissant, à la lisière du parc.

La Piazza
Hyatt Regency, Bhikaji Cama Place
Ring Road, New Delhi
Dans un hôtel tape-à-l'œil, un
restaurant italien au décor suranné,
servant pizzas délicieuses et desserts
originaux (mieux vaut éviter le sorbet).
Service impeccable, mais vins
importés à des prix excessifs.

Rodeo
12-A Connaught Place, New Delhi
Spécialités tex-mex apportées par
des serveurs en costumes de cow-boy.
Agréable pour siroter un cocktail ; repas
obligatoire après 19h.

Sagar
Shahid Bhagat Singh Marg, New Delhi ;
24 Defence Colony Market
Intégrés à une chaîne de restauration,
ces 2 établissements du Sud,
impeccables et très fréquentés,
proposent bons *thali*, *dosa* et café.

Sakura
Metropolitan Hotel Nikko
Bangla Sahib Marg, New Delhi
Excellentes spécialités japonaises et
vins de qualité servis au verre. Carte
exhaustive en japonais. Menu d'un bon
rapport qualité-prix.

Saravana Bhavan
46 Janpath, New Delhi
Délicieuses recettes végétariennes
du Sud. Impeccable, bon marché
et efficace. Ouv. toute la journée.

Spice Route
Hotel Imperial, 1 Janpath, New Delhi
Splendide restaurant arborant un décor
superbe, avec piliers en bois
et sculptures. Peintures murales
exécutées par des peintres du temple
de Guruvayur (Kerala). Spécialités
du Kerala et d'Asie du Sud-Est.
Cher mais exquis.

Ten
10 Sansad Marg, dans la YWCA
International Guest House
Bon éventail de plats indiens et
occidentaux (notamment des pâtes).

The Village Bistro Restaurant
Complex
12 Hauz Khas Village, New Delhi
Ensemble de restaurants servant
des plats chinois (The Village Kowloon),
occidentaux (Le Café), et indiens
(Village Mohalla, Khas Bagh et Top of
the Village ; ce dernier, aménagé sur
le toit, bénéficie d'une vue splendide).

Wenger's
A-16 Connaught Place, New Delhi
Pâtisseries, pains et gâteaux à
emporter, savoureux et bon marché.

Zen
B-25 Connaught Place, New Delhi
Restaurant chinois, servant également
des mets japonais. Très fréquenté par
la classe moyenne de Delhi. L'adresse
idéale pour voir et être vu.

GOA

Baga

Britto's
Près de la plage
Établissement très prisé : cuisine indienne délicieuse et prix corrects.
Fiesta
Tito's Road, au-dessus de la plage
Cuisine méditerranéenne et italienne de qualité, dans un cadre magnifique.
J&A Little Italy
Little Baga, sur l'autre rive
Restaurant plein de charme, mais onéreux (mets italiens raffinés).

Betalbatim

Martins Corner
Près de la plage de Betalbatim
Établissement familial, réputé pour son appétissante cuisine goanaise. Service impeccable. Parfois bondé le week-end.

Calangute

Oceanic
Calangute Market Place
Restaurant à la réputation solide proposant un large éventail de recettes à savourer dans un décor agréable.
Plantain Leaf
Calangute Market Place
Plats du sud de l'Inde bon marché ; *dosa* et *thali* excellents.
Souza Lobo
Calangute Beach
Restaurant établi de longue date, préparant de bons poissons et fruits de mer. Personnel sympathique.

Candolim

Palms 'n' Sands
Sur la plage
Poissons succulents, à déguster en admirant la vue magnifique sur la mer.

Colva

Kentuckee
Colva Beach
Poissons et fruits de mer frais délicieux. Cadre agréable en bordure de mer.

Margao

Banjara
Restaurant confortable, mitonnant une cuisine d'Inde du Nord très correcte.
Longuinho's
Près des Municipal Buildings
Excellents plats goanais, notamment un porc *vindaloo* délicieux.

Panaji

Delhi Darbar
M.G. Road, face au Magnum Centre
Restaurant prisé. Bons plats *tandoori* et d'Inde du Nord. Décor ravissant.
Kamat Hotel
5 Church Square
Établissement très fréquenté. Excellente cuisine du Sud dans le style d'Udupi.

Sher-e-Punjab
18th June Road
Restaurant d'Inde du Nord couru. *Tandoori* délicieux et recettes penjabi.

GUJARAT

Ahmadabad

Gopi Dining Hall
Face au Town Hall, Ellis Bridge Ashram Road
Restaurant végétarien très apprécié. Spécialités du Gujarat et du Kathiawar.
Mirch Masala
7-10 Chadan Complex Swastik Char Rasta Navrang Pura
Savoureux plats *dhaba* du Penjab et *chat* du Gujarat.
Sheeba
C.G. Road, Navragpura
Vaste restaurant servant des recettes penjabi d'un bon rapport qualité-prix.
South Land
C.G. Bungalow, Lal Darwaja
Plats d'Inde du Sud corrects, frais et bon marché.

Vadodara

Khichdi (Havmor)
Yash Kamal Building, Sayajigunj
Savoureux plats indiens pas chers.

HIMACHAL PRADESH

Dalhousie

Kwality's
Gandhi Chowk
Mets indiens et chinois. Décor plaisant.
Milan
Gandhi Chowk
Agréable établissement accueillant. Délicieux plats indiens et chinois.

Dharamsala

Chocolate Log
Jogibara Road, McLeod Ganj
Restaurant avec café en terrasse sur le toit (quiches, gâteaux, tartes, etc.).
McLlo
Central Square, McLeod Ganj
Choix appétissant de plats occidentaux.
Nick's Italian Kitchen
Bhagsu Road, McLeod Ganj
Gastronomie italienne et bons desserts.
Shambala
Jogibara Road, McLeod Ganj
Cuisine indienne végétarienne, petits-déjeuners et gâteaux délicieux.

Manali

Chopsticks
The Mall
Mets chinois et tibétains (dont d'étonnants *momo*). Également idéale pour le petit-déjeuner.
German Bakery
The Mall et Old Manali
Établissement occidental, vendant

pâtisseries, tartes, pains et plats bio délicieux.
Johnson's Cafe
The Mall
Dans un jardin, en direction d'Old Manali (avant Johnson's Lodge). Excellente cuisine occidentale.
Mount View
The Mall
Établissement très fréquenté. Recettes chinoises, japonaises et tibétaines.
Shiva Garden Cafe
Old Manali
Restaurant bon marché, très apprécié et plein de charme. Cuisine correcte.

Simla

Baljees
26 The Mall
Snack-bar connu, avec un excellent restaurant à l'étage. Ouv. toute la journée.
Choice
Middle Bazaar
Large éventail de spécialités chinoises, délicieuses et bon marché.
Devico's
5 The Mall
Fast-food et bar très prisé. Plats indiens, chinois et occidentaux, ainsi que milk-shakes. Ouv. toute la journée.

KARNATAKA

Bangalore

Casa Piccola
Devatha Plaza, 131 Residency Road
Nourriture de style fast-food et bon café à prix corrects, dans un décor imaginatif et informel. Recommandé.
Chalukya
44 Race Course Road
Savoureuses spécialités d'Udupi.
Chinese Hut
1st Floor, High Point 4 45 Palace Road
Excellents plats, essentiellement de Canton et du Sichuan.
Coconut Grove
Spencer's Building 86 Church Street
Agréable restaurant avec sièges en plein air. Excellents plats d'origines diverses (Andhra Pradesh, Malabar, Konkan, Kodagu et Chettinad).
Crescent Avenue
2a-b Crescent Road, High Ground
Délicieuses spécialités thaïlandaises à prix corrects. Décor ravissant.
Gangotree
45 Palace Road
Excellents en-cas végétariens épicés et sucreries plus appétissantes encore.
Kamat Yatrinivas
4 1st Cross, Gandhi Nagar
Exquises recettes végétariennes et en-cas d'Inde du Sud.
Koshy's
39 St Mark's Road

Véritable institution, ce lieu de rencontre propose un menu exhaustif de plats savoureux, dans un cadre décontracté. Ouv. toute la journée.

Mavalli Tiffin Rooms
Lalbagh Road
Succulents mets dans le style d'Udupi. Idéal pour le petit-déjeuner.

Megh Malar
80 Hospital Road
Bonne cuisine d'Inde du Sud (*dosa* excellentes).

Nagarjuna Residency
44/1 Residency Road
Spécialités non végétariennes de l'Andhra Pradesh – épicées à souhait – et délicieux *biryani*.

The Only Place
Mota Royal Arcade
158 Brigade Road
Restaurant légendaire servant d'excellents plats occidentaux (steaks succulents) à prix raisonnables.

Orange Country
The Central Park
47 Dickenson Road
Plats cajun et créoles corrects, sur fond de musique jazz (en direct). Service impeccable et cocktails amusants.

Prince's
9 First Floor, Curzon Complex, Brigade Road
Cuisine satisfaisante et bon marché, cadre agréable et personnel empressé.

Hospet

Manasa
Hotel Priyadarshini
V-45 Station Road
Restaurant en jardin, surplombant des plantations de cannes à sucre et de bananiers. Bons plats (végétariens ou non) et bières.

The Waves
Hotel Malligi
10-90 Jambunath Road
Agréable restaurant sur un toit en terrasse. Plats indiens et chinois.

Hassan

Hotel Suvarana Regency
B.M. Road
Délicieux repas végétariens et en-cas d'Inde du Sud.

Mysore

Hotel Dasaprakash
Gandhi Square
Restaurant végétarien de qualité. Spécialisé dans les *dosa*.

Ilapur
2721/1 Sri Harsha Road
Savoureux repas végétariens (quelques plats non végétariens et chinois).

Lalitha Mahal Palace Hotel
Siddhartha Nagar
Cuisine parfaite (essayez les *biryani*), cadre fastueux sur fond de musique hindoustani (en direct). Recommandé.

Shilpastri
Gandhi Square
Établissement central et couru, avec terrasse sur le toit. Spécialités de l'Inde du Nord.

KERALA

Kochi-Ernakulam

Bimby's/Southern Star
Shanmugham Road, Ernakulam
Un fast-food idéal pour goûter des plats indiens bon marché ; à l'étage, dans le Southern Star, vous dégusterez, assis, d'excellents repas à prix raisonnables.

Canopy Coffee Shop
Abad Plaza Complex,
M.G. Road, Ernakulam
Bonne cuisine occidentale, plats de fast-food et petit-déjeuner. Ouv. toute la journée.

Indian Coffee House
Cannon Shed Road, Ernakulam
Café et en-cas excellents, servis dans un bâtiment quelque peu défraîchi.

Pandhal
M.G. Road, Ernakulam
Restaurant impeccable. Appétissants plats d'Inde du Nord et du Kerala.

Kovalam

Hormis les grands hôtels, la meilleure solution pour se restaurer consiste à opter pour l'un des nombreux établissements et cafés du front de mer (poissons frais grillés ou frits). Achevez votre repas par un fruit (mangue, ananas, papaye) acheté auprès des vendeuses ambulantes sur la plage.

Thiruvananthapuram

Outre les restaurants des hôtels, essayez les établissements servant des *meals* traditionnels en face du Secrétariat, sur M.G. Road.

Indian Coffee House
Central Station Road
Établissement phare de la ville, à côté de l'arrêt de bus. Excellents cafés et en-cas (parfaits pour le petit-déjeuner). Annexe près de Spencer Junction, sur M.G. Road.

KOLKATA

Aheli's
Peerless Inn, 12 J. Nehru Road
Authentique cuisine bengalie, onéreuse mais exquise. À essayer.

Amber Bar & Restaurant
11 Waterloo Street
Délicieux mets d'Inde du Nord et quelques plats occidentaux.

Blue Fox
55 Park Street
Plats occidentaux, thaïlandais et indiens savoureux, en particulier les poissons, dans un établissement accueillant doté d'un bon bar.

Flury's
18 Park Street
Café fréquenté servant pâtisseries et glaces. Ouv. toute la journée.

Kewpie's
2 Elgin Lane
Établissement familial très plaisant, au service irréprochable. Cuisine bengalie savoureuse (poisson exquis). À essayer.

Kwality
17 Park Street
Plats occidentaux et spécialités d'Inde du Nord, classiques mais corrects. Lieu très fréquenté.

The Indian Coffee House
15 Bankim Chatterjee Street
Café renommé, près de l'université, lieu de rencontre des intellectuels bengalis. Possibilité de commander des en-cas. Ouv. toute la journée.

Mocambo
25b Park Street
Bon restaurant. Large éventail de plats variés ; privilégiez la cuisine bengalie.

Peter Cat
18a Park Street
Savoureuses spécialités mughlai, quelques plats rajasthani et gujarati. Bar agréable. Service plutôt lent.

Suruchi
89 Elliot Road, près d'A.G. School
Restaurant dirigé par un groupe de femmes locales, servant d'excellents plats bengalis. Ouv. toute la journée, fermé une demi-journée (dim.).

Zaranj
26 Jawaharlal Road
Succulente cuisine d'Inde du Nord (excellents kebabs). À essayer.

Zurich
3 Sudder Street
Repaire prisé des voyageurs, servant les grands classiques occidentaux, tels que pancakes à la banane.

LADAKH

Hemis

Café en plein air (toilettes rustiques !), en contrebas du monastère, dans un agréable cadre arboré. Assiettes de pâtes accompagnées de thé.

Leh

Dreamland
Fort Road
Restaurant très fréquenté. Plats occidentaux et chinois (particulièrement axés sur la viande). Cadre charmant, mais service quelconque.

Norlakh Tibetan Restaurant
Main Street
Établissement accueillant, vivement recommandé, installé au premier étage du bâtiment près d'Explore Himalayas. Cuisine tibétaine savoureuse, fraîche et bon marché.

Tibetan Kitchen
Hotel Tso-Kar, Fort Road

Restaurant agréable avec sièges dans une cour ravissante. Plats tibétains simples, mais savoureux ; goûtez au délicieux jus de pomme Gul Badan.

Cafe World Peace and Pumpernickel German Bakery
Main Street, tout près de la place, du côté de l'allée
Établissement bien connu des voyageurs. Large éventail de produits frais : pains, pâtes, céréales, gâteaux (tarte aux pommes succulente) et thés. Recommandé.

MADHYA PRADESH
Bhopal

Bagicha Restaurant
3 Hamidia Road
Restaurant en jardin. Bonne cuisine du Nord. Ouv. toute la journée.
India Coffee House
Hamidia Road ; New Market
Deux restaurants d'Inde du Sud. Plats végétariens convenables.
Jyoti
53 Hamidia Road
Délicieux *thali* végétariens bon marché.
Kwality
Hamidia Road ; New Market
Spécialités savoureuses d'Inde du Nord, végétariennes ou non, à prix corrects.

Gwalior

Indian Coffee House
Station Road
Repas et en-cas d'Inde du Sud. Petits-déjeuners corrects (ouv. tôt le matin).
Kwality
Din Dayal Market, M.L.B. Road
Riche cuisine d'Inde du Nord. Service quelconque, mais établissement climatisé et lumineux.

Indore

Gypsy
17 M.G. Road
Bon fast-food. Collations, glaces.
Status
565 M.G. Road, en bas de l'Hotel Purva
Cuisine végétarienne et *thali* délicieux pour le déjeuner. Petits prix.
Woodlands
Hotel President, 163 R.N.T. Marg
Excellente cuisine végétarienne du Sud, dans un cadre propre et agréable.

Khajuraho

Mediterraneo Ristorante Italiano
Jain Temple Road
Agréable café sur le toit en terrasse, tenu par un couple italo-indien. Pâtes savoureuses et autres spécialités.
Raja Cafe
Main Square
Établissement bondé et peu accueillant. Plats occidentaux et indiens. Boutique de livres et de souvenirs.

Safari
Jain Temple Road
Plats et en-cas occidentaux excellents. Également parfait pour le petit-déjeuner.
La Terazza
Près de Main Square
Mets occidentaux et indiens, à savourer dans un décor propre et plaisant.

MAHARASHTRA
Ajanta

MTDC Ajanta Restaurant
Bonne sélection de plats indiens et chinois, dans un immeuble légèrement défraîchi.

Aurangabad

Angeethi
6 Meher Chambers, Jalna Road Vidya Nagar
Établissement climatisé servant une succulente cuisine d'Inde du Nord.
Bhoj
Central Bus Stand Road
Savoureux plats indiens végétariens bon marché. Cadre impeccable.
Dwarka Executive
Près de la gare ferroviaire
Établissement rutilant et bien éclairé. Bons plats indiens, végétariens ou non.

Ellora

MTDC Ellora Restaurant
Propre et bien tenu. Plats d'Inde du Nord (végétariens ou non) à petits prix.

Pune

Coffee House
2a Moledina Road
Excellents mets végétariens d'Inde du Sud et café.
Darshan Snacks
759-60 Prabhat Road
Cuisine végétarienne occidentale et bons jus de fruits. Cadre impeccable.
Kwality
6 East Street
Spécialités d'Inde du Nord, classiques mais délicieuses.
Mayur
Mumbai-Pune Highway, Chinchwad
Restaurant exclusivement végétarien (*thali* gujarati exquis). Fermé jeu.
Poona Coffee House
1256 Deccan Gymkhana
Gamme diversifiée de recettes non végétariennes.
Sher-e-Punjab
Alankar Theatre Building 16 Connaught Road
Cuisine penjabi réputée (non végétarienne) ; essayez le poulet au beurre.
Shravan
1145 F.C. Road, Shivaji Nagar
Savoureux plats végétariens, en particulier ceux d'Inde du Nord.

Vaishali
Fergusson College Road 1218 Shivajinagar
Véritable institution, impeccable et très fréquentée (bons en-cas végétariens).

MUMBAI
American Express Bakery
Clare Road, Byculla
Bon fast-food. Pâtisseries succulentes.
Bade Miya
Tullock Road, derrière le Taj Mahal Hotel, Colaba
Établissement légendaire, renommé pour ses kebabs. Grill sur la terrasse en plein air. Ouv. le soir uniquement.
Bagdadi
Tullock Road, dans l'angle sud, Colaba
Plats musulmans du Nord, sains et bon marché (*masala* de mouton, *biryani* aux œufs et légumes). Adresse très courue.
Barista
Chaîne de cafés présente dans toute la ville. Excellents en-cas et cafés.
Café Basilico
Arthur Bunder Road, Colaba
Luxe et modernité caractérisent ce bistrot-salon de thé (gâteaux et en-cas de la Méditerranée, café succulent).
Brittania Café
Face à la GPO (poste) Sprott Road, Ballard Estate
Spécialités iraniennes et parsi.
Copper Chimney
sahid Bhagat Singh Marg (Coloba Causeway)
Tandoori et plats du Nord. Bon et cher.
Kamat
Navroz Mansion, Tardeo Road
Savoureux repas d'Inde du Sud, très bon marché, et *dosa* excellentes.
Khyber
145 M.G. Road, Kala Ghoda Fort
Spécialités du Nord, dont pains et plats de légumes originaux et succulents, quoique chers. Personnel distant, mais intérieur frais et agréable.
Leopold Café
Sahid Bhagat Singh Marg, Colaba
Repaire de voyageurs devenu légendaire et immortalisé dans le roman *Shantaram*. Un peu cher. Bonne cuisine occidentale et bar.
Ling's Pavilion
19-21 Mahakavi Bhushan Marg Colaba, en bas du Regal Cinema
Restaurant chinois : soupes, poisson et recettes végétariennes variées.
Mahesh
8D Kawaji Patel Street, Fort
Succulents poissons frais à prix corrects, cuisinés selon les recettes du Sud et de Goa. Lieu très prisé.
Olympia Coffee House and Stores
Rahim Mansion 1, Sahid Bhagat Singh Marg, Colaba
Appétissante cuisine musulmane (plats de mouton et *biryani*). Joli intérieur des années 1920 orné de miroirs.

Café Samovar
Jehangir Art Gallery
161 B.M.G. Road, Kalaghoda Fort
Large éventail de collations et
rafraîchissements. Cadre charmant, en
surplomb des jardins. Formule du jour
pour le déjeuner (13h-15h).

Shamiana
Taj Mahal Hotel, Colaba
Délicieux buffet à volonté au déjeuner
(12h30-15h). Excellent rapport qualité-
prix. Desserts exquis.

Sidewok
NCPA, Nariman Point
Aménagé dans le National Centre for
Performing Arts complex, un restaurant
attrayant mais cher. Bonne cuisine
d'Asie de l'Est et du Sud-Est, jus de
fruits et recettes végétariennes.

Trishna's
7 Rope Walk Lane, Kalaghoda Fort
Très fréquenté. Excellents plats indiens
à base de poisson, un peu chers.

ORISSA

Bhubaneshwar

Les hôtels-restaurants préparent la
meilleure cuisine de la ville. Essayez
également le **Banjara,** *Station Road*
(*tandoori* et plats mughlai succulents).

PONDICHÉRY

Le Club
33 rue Dumas
Le meilleur restaurant français
du pays. Service irréprochable.
Prix élevés. Également conseillé
pour le petit-déjeuner. Fermé lun.

Rendez-Vous
30 rue Suffren
Établissement occidental très
fréquenté. Agréable terrasse sur le toit.
Idéal pour le petit-déjeuner.

Satsanga
13 Lal Bahadur Shastri Street
Excellent restaurant servant des plats
européens à prix raisonnables, dans
un cadre ravissant. Fermé jeu.

La Terrasse
5 Subbaiyah Salai
Délicieuse gastronomie occidentale.
Bon rapport qualité-prix. Fermé mer.

PENJAB ET HARYANA

Amritsar

Bhiranwan-da-dhaba
Près de Town Hall
Carte limitée mais appétissante. Plats
végétariens et *thali* savoureux.

Kesar-ka-Dhaba
Passian Chowk
Riche cuisine végétarienne du Penjab.
Une expérience inoubliable.

Kwality
Novelty Building, Lawrence Road

Snack-bar et glacier, jouxtant un
restaurant (climatisé) de spécialités
indiennes très correctes.

Odeon
The Mall
Savoureuses recettes d'Inde du Nord.

Chandigarh

Bhoj
1090-1, Sector 22B
Délicieux *thali* pour végétariens.

Hot Millions
S.C.O. 73-9, Sector 17D
Annexe d'une chaîne de fast-food. Plats
occidentaux et indiens, bar à salades.

Mehfil Hotel & Restaurant
S.C.O. 183-5, Sector 17C
Restaurant très apprécié, mitonnant
notamment des spécialités du Nord.

RAJASTHAN

Jaipur

Chanakya Restaurant
M.I. Road
Réputé concocter la meilleure cuisine
traditionnelle rajasthani de Jaipur.
Les mets, magnifiquement présentés,
se dégustent dans un décor splendide.
Toutefois, ses recettes préparées
à grand renfort de *ghi* peuvent
surprendre et ne conviennent pas à
tous les estomacs.

Copper Chimney
Maya Mansions, M.I. Road
Délicieux plats occidentaux et indiens,
servis dans un cadre confortable.

Lassiwala
M.I. Road
Succession d'étals de rue renommés :
une clientèle d'habitués y consomme
en-cas et *lassi* dans des tasses en
argile. Tôt le matin jusque tard le soir.

LMB
*Johari Bazaar (en bas de l'hôtel portant
les mêmes initiales)*
Boutique de sucreries la plus
renommée de Jaipur et restaurant
concoctant une cuisine du Rajasthan
traditionnellement réservée aux
membres des hautes castes, mitonnée
dans du *ghi*, sans ail ni oignon).

Niros
M.I. Road
Restaurant climatisé, impeccable et
central. Personnel empressé. Carte
exhaustive (plats indiens, chinois et
occidentaux). Prix toutefois supérieurs
aux autres établissements de la ville.

Jaisalmer

Natraj
En face de Salim Singh ki Haveli
Agréable restaurant en terrasse sur le
toit. Plats indiens et chinois corrects.

Trio
Gandhi Chowk
Restaurant avenant et très prisé,
en partie installé sous des tentes.

Au menu : bonne cuisine,
rafraîchissements et musique
traditionnelle en direct.

Jodhpur

Kalinga
Près de la gare ferroviaire
Bonnes spécialités indiennes
(végétariennes ou non) pas très chères,
dans un cadre sympathique.

Udaipur

Berry's Restaurant
Chetak Circle
Recettes indiennes délicieuses et bons
en-cas occidentaux, dans un décor
impeccable. Ouv. toute la journée.

Natural
55 Rang Sagar
Excellent restaurant décontracté. Plats
occidentaux et tibétains. Également
parfait pour le petit-déjeuner.

Purohit Cafe
Anand Plaza, près d'Ayad Bridge
Savoureuse cuisine bon marché du
Sud, notamment délicieuses *dosa*.

SIKKIM

Gangtok

Porky's Restaurant
Deorali Bazaar
Bon éventail d'en-cas non végétariens,
plats à emporter et glaces. Ouv. toute
la journée.

Shaepi Restaurant
Hotel Mayur, Paljor Stadium Road
Exquises recettes *tandoori*, chinoises
et du Sikkim.

Wild Orchid Restaurant
Central Hotel, 31a N.H.
Délicieux mets chinois et tibétains.
Ouv. toute la journée.

TAMIL NADU

Kanchipuram

Saravana Bhavan
504 Gandhi Road ;
66 Anna Indira Gandhi Road
(près de la gare routière)
Ces 2 établissements impeccables
et bon marché font partie d'une
excellente chaîne de restaurants
végétariens d'Inde du Sud.

Madurai

Meenakshi Bhawan
West Perumal Maistry Street
(près de l'arrêt de bus Anna)
Exquises recettes d'Inde du Sud,
notamment du Chettinad. Très
apprécié.

New Arya Bhavan
268 West Masi Street
Succulente cuisine végétarienne
du Sud et du Nord, à prix corrects.
Ouv. toute la journée.

UTTARANCHAL

Dehra Dun

Atithi
101 Rajpur Road
Délicieuses spécialités indiennes ; privilégiez les plats végétariens.

Daddy's
3 Astley Plaza, Rajpur Road
Repas et en-cas indiens, occidentaux et chinois très appréciés.

Kumar
15a Rajpur Road
Excellents mets végétariens d'Inde du Nord, servis dans un restaurant populaire et bon marché.

Haridwar

Aahar
Railway Road
Thali, spécialités penjabi et cuisine chinoise de qualité.

Chotiwala
Lalta Rao Bridge, Upper Road
Établissement renommé depuis 1937 pour sa cuisine – notamment ses *thali* – exclusivement végétarienne.

Mussoorie

The Tavern
The Mall, Kulri
Bar-restaurant recommandé, mais plutôt bruyant en haute saison.

Windsor's Whispering Windows
Library Bazaar, Gandhi Chowk
Succulents mets indiens ou chinois, et bar correct. Ouv. toute la journée.

Nainital

Kumaon Restaurant
Grassmere Estate, Mallital
Excellent établissement, qui concocte une succulente cuisine pahari.

Sakley's
The Mall
Restaurant occidental apprécié, avec boulangerie préparant de savoureuses douceurs.

UTTAR PRADESH

Agra

Capri
Hari Parbat
Délicieuses recettes d'Inde du Nord, notamment *tandoori*. Cadre plaisant.

Dasaprakash
Meher Theatre Complex, 1 Gwalior Road, Cantonment
Excellente gastronomie d'Inde du Sud – *dosa*, en particulier – et desserts à se pâmer. Impeccable et bien tenu.

Kwality
Sadar Bazaar
À l'instar de toutes les annexes de la chaîne, cet agréable établissement sert de bonnes spécialités (végétariennes et non végétariennes) d'Inde du Nord.

Zorba the Buddha
E13 Shopping Arcade, Gopi Chand Shivhare Road, Sadar Bazaar
Restaurant végétarien impeccable et très fréquenté, tenu par des adeptes d'Osho. Mets savoureux et inventifs. Fermé en été. Recommandé.

Allahabad

El Chico
24 M.G. Marg, Civil Lines
Bon restaurant confortable offrant un large éventail de mets indiens, occidentaux et chinois, couplé à une boulangerie (l'**Espresso Snack Bar**) et une boutique d'en-cas. Ouv. toute la journée.

Coffee House
M.G. Marg, Civil Lines
Restaurant très prisé, permettant de commander délicieux en-cas végétariens du Sud et café excellent.

Hot Stuff
21c Lal Bahadur Shastri Marg Civil Lines
Fast-food très apprécié pour son choix de plats occidentaux. Ouv. toute la journée.

Jade Garden
Hotel Tepso, M.G. Marg, Civil Lines
Bonne cuisine chinoise.

Kwality
M.G. Marg, Civil Lines
Recettes d'Inde du Nord très correctes et service conforme à la réputation de la chaîne.

Jhansi

Holiday
Shastri Marg
Restaurant climatisé impeccable, servant de savoureuses spécialités indiennes et quelques plats occidentaux.

Kanpur

Chung Fa
94b Canal Road, The Mall
Ce restaurant établi de longue date propose une cuisine chinoise satisfaisante.

Kwality Restaurant
16/97 The Mall
Bonnes recettes (végétariennes ou non) d'Inde du Nord. Ouv. toute la journée.

Pandit
Face au Green Park, Civil Lines ; Katahari Bagh, Cantonment
Succulents plats végétariens (goûtez en particulier les *pakora*).

Sarovar Restaurant
3a Saroday Nagar
Bons mets d'Inde du Nord, complétés de quelques préparations du Sud. Ouv. toute la journée.

Lucknow

Les établissements sommaires des environs du rond-point M.G. Marg/ University Road, près de Clark's Avadh, servent des *meals* sains et corrects (cuisine d'Inde du Nord, notamment recettes *tandoori*).

Indian Coffee House
Ashok Marg, près de la poste
Savoureux café et en-cas du Sud.

Mu Man's Royal Cafe
51 Hazratganj
Succulentes recettes chinoises, à savourer dans un agréable établissement avenant.

Parag
Hazratganj, en face du Kwality
Boutique du gouvernement vendant de délicieux yaourts frais dans de petits pots en terre cuite.

Tunde Kabab
Dans le Chowk
Une institution à Lucknow, renommée pour ses kebabs préparés selon une recette locale et servis avec des pains savoureux.

Varanasi

Bread of Life
B3-322 Shivala près de Sonarpur Road
Boulangerie vendant pains et gâteaux succulents. Restaurant adjacent servant une cuisine occidentale savoureuse et hygiénique. Parfait pour le petit-déjeuner. Ouv. toute la journée.

Kerala Cafe
Bhelupura Crossing
L'une des meilleures adresses de Varanasi pour goûter des recettes végétariennes d'Inde du Sud ; privilégiez *dosa* et *idli*.

Keshari
Près de Dasasvamedha Ghat Road
Excellente cuisine indienne végétarienne ; essayez les *thali*.

Sindhi
Bhelupura, près du Lalita Theatre
Plats exclusivement végétariens dans la plus pure tradition de Varanasi. Savoureux et bon marché.

BENGALE-OCCIDENTAL

Darjeeling

Deveka's
52 Gandhi Road
Restaurant populaire proposant de bons plats occidentaux et indiens.

Glenary's
Nehru Road
Bar-restaurant bien établi, complété d'un café et d'une délicieuse boulangerie-confiserie. Parfait pour un petit-déjeuner ou un thé dans le style du Raj.

New Dish
J. P. Sharma Road
Restaurant réputé dans la région pour son excellente cuisine chinoise et son service empressé.

Sortir

Vie nocturne

Hormis Goa (et ses plaisirs parfois douteux), l'Inde n'est pas renommée pour sa vie nocturne, même si la situation évolue dans les grandes villes. La plupart des établissements se situent dans les hôtels de luxe. Liste à jour sur www.explocity.com.

Bangalore

180 Proof
St Marks Road
Bar très prisé. Pour écouter de la musique et danser.

Pub World
65 Residency Road
Pour une bière ou un cocktail.

NASA
1-4 Church Street
Pub sur le thème des navettes spatiales. Musique assourdissante.

Peco's
Rest House Road
Bar légèrement "alternatif", moins tape-à-l'œil que d'autres.

Underground
65 M.G. Road
Bar très fréquenté, transformé en station de métro londonienne.

Chennai

EC41
Sur la plage
Ouv. de 22h30 à l'aube.
Hell Freezes Over Quality Inn Aruna
144 Sterling Road
L'un des meilleurs clubs de Chennai.

Delhi

Les plus prisés : **Elevate** (*au dernier étage du Centre Stage Mall*) et **Fabric** (*Mehrauli Gurgaon Road*).

Mumbai

Fire and Ice
Phoenix Mills Complex
462 Senapati Bapat Marg
L'une des plus vastes discothèques du pays, très fréquentée.

Not Just Jazz by the Bay
143 Marine Drive
Ce bar-restaurant accueille groupes de musique et DJ. Soirées karaoké.

Café Mondegar
S.B. Road
Assez animé, avec bar. Plats corrects.
Enigma (*J.P. Road*) et **Insomnia** (*Taj Mahal Hotel*) méritent une visite.

Shopping

À rapporter

L'Inde propose un choix considérable d'articles ; avant d'acheter, comparez çà et là les prix et la qualité des marchandises.

Vous pouvez commencer votre shopping par les boutiques d'artisanat. Le pays produit des tapis présentant tailles et nombres de nœuds variés ; à moins d'être un expert, mieux vaut se fier aux "emporia" du gouvernement. Vous trouverez couvertures et *dhurrie*, moins onéreuses, dans toute l'Inde, ainsi qu'un immense choix de pierres précieuses ou semi-précieuses et de bijoux en or et en argent, de style traditionnel aussi bien que moderne, souvent meilleur marché qu'en Europe.

L'Inde reste renommée pour ses textiles aux imprimés, motifs, textures et couleurs variés.

Figurines sculptées dans du santal et panneaux en bois ouvragés sont répandus dans le Sud. Vous dénicherez également quantité d'objets en laiton, cuivre et bronze à canon incrustés, émaillés, ouvragés ou martelés.

Incrustations sur marbre et objets en papier mâché aux motifs raffinés, reproductions de miniatures sur papier ou tissu, ainsi que portefeuilles en cuir, chaussures et sacs constituent des achats judicieux. Sans oublier poteries et objets en rotin – des dessous-de-plat aux meubles –, de même que les vêtements.

Sachez qu'une législation sévère réglemente l'exportation d'antiquités et objets anciens ; d'autre part, méfiez-vous des faux. L'exportation de peaux, fourrures et objets en ivoire reste rigoureusement interdite.

Les boutiques acceptent désormais les principales cartes de crédit, telles que Visa et Mastercard. Ne quittez jamais votre carte des yeux : des cas de fraude ont été signalés (émission de plusieurs reçus, avec facturation ultérieure, par exemple). Pour retirer des espèces, utilisez les DAB présents dans la plupart des villes. Certaines banques locales n'acceptent pas les cartes internationales ; privilégiez les établissements internationaux et les principales banques nationales.

Où acheter

AGRA

Tapis et incrustations sur marbre font la renommée d'Agra. Soyez vigilants quant à la qualité et comparez avant d'acheter : nombre d'articles prétendument en marbre sont en fait en pierre à savon ou en calcaire ; assurez-vous que la pierre est bien translucide et qu'elle ne laisse aucune marque lorsque vous la frottez sur une surface dure. Quant aux tapis en soie véritable, ils doivent présenter couleurs et reflets changeants.

La **Harish Carpet Company**, sur Vibhav Nagar Road, permet d'assister à des démonstrations de tissage et d'examiner les matières premières utilisées. La plupart des motifs sont d'inspiration indo-persane. Pour 30 cm², comptez environ 600 INR pour un tapis en laine, 800 INR pour un mélange laine/soie, et 1 200 INR pour de la soie pure.

Pour les incrustations sur marbre, privilégiez l'**U.P. Handicrafts Development Centre** du gouvernement (Handicraft Nagar, Fatehbad Road), qui possède sa propre usine employant quelque 500 ouvriers. Certains articles constituent de véritables œuvres d'art. Une petite boîte vaut environ 600 INR. Vous trouverez également tissus, saris, châles et autres vêtements à prix fixes.

BANGALORE

Les habituelles boutiques vendant articles de marques occidentales jalonnent M.G. Road et Brigade Road, les principales artères commerçantes de Bangalore. Pour plus de choix, rendez-vous à l'emporium du gouvernement, **Cauvery** (*Brigade Road*). Sur Brigade Road vous trouverez un poste et un DAB **Citibank** (un autre sur *Infantry Road*). Dans la librairie **Premier**, près de Brigade Road, bon choix de titres. Parmi les autres librairies notables : **Select** (*St Mark's Road*) et **Strand** (*dans le Manipal Centre*).

Thomas Cook siège sur *M.G. Road*. Au n° 86, une succursale de **Foodworld** dispose d'un bon stand de fruits à l'extérieur (vous en dénicherez un autre au bout de Brigade Road).

BHOPAL

Le **New Market** propose un grand choix d'objets artisanaux, tissages et vêtements (fermé dim.-lun.). Le **Chowk** est réputé pour ses bijoux en argent, son artisanat et sa soie (fermé lun.-ven.), et le **MP State Emporium** (*T.T. Nagar*) vend des textiles traditionnels.

CHANDIGARH

Pour les soieries, objets en bois et chaussures penjabi : **Sector 17 Shopping Complex**, *Haryana State Emporium Phulkari*.

Pour les tissages artisanaux et les vêtements imprimés à l'aide de tampons en bois, essayez plutôt **Khadi Gramodyog**, l'**Uttar Pradesh State Emporium** et l'**Hotel Shivalik View**.

CHENNAI

La meilleure ville pour l'achat de livres. Rendez-vous chez **Landmark Books** (*Spencer Plaza*), réputée la plus grande librairie d'Asie, **Bookpoint** (*160 Anna Salai*), **Higginbothams** (*814 Anna Salai*), l'une des plus grandes du pays, et **Giggles** (*Taj Connemara Hotel*).

Près de Connemara, le rez-de-chaussée du vaste centre commercial Spencer Plaza abrite 2 bureaux de change, dont un American Express – mais moins avantageux –, quelques boutiques Internet et un supermarché **Foodworld** (alimentation et articles de toilette).

Chennai est également réputée pour ses vêtements et tissus, en particulier ses soieries de Kanchi. Essayez, entre autres, les magasins du gouvernement en haut d'Anna Salai, tels que le **Central Cottage Industries Emporium** au n° 476, ou **Poompuhar** au n° 818. Pour le prêt-à-porter, **Naidu Hall** (*Pondi Bazaar, T. Nagar*) est recommandé.

DELHI

Central Delhi

Jadis conçu comme le centre commercial de la nouvelle ville de Lutyens, **Connaught Place** regorge aujourd'hui de restaurants, boutiques et autres établissements rivalisant pour appâter le chaland. Évitez toutefois ce quartier (aux prix extrêmement élevés), à l'exception des librairies, qui méritent le coup d'œil, telle **The Bookworm**, au 29b. Fuyez également les pièges à touristes du Palika Bazaar en souterrain. Quoi qu'il en soit, les DAB de Connaught Place vous rendront service 24h/24.

Le **marché tibétain**, en haut du Janpath, regroupe des étals de souvenirs tibétains. En face, à Jawahar Vyapur Bhavan (*sur Janpath*), le **Central Cottage Industries Emporium** du gouvernement (10h-19h, lun.-sam.) : sur 6 niveaux – idéal pour comparer prix et qualité, en particulier pour les tissus. Toujours sur Janpath, vous trouverez des cartes à grande échelle au **Survey of India Map Sales Office** (*2a Janpath Barracks*) ; il est interdit d'exporter les cartes d'une échelle

supérieure à 1/250 000, mais celles-ci vous seront utiles lors de vos déplacements. **International Publications** (*40 Hanuman Lane, Connaught Place*) est également conseillé pour les cartes.

Tous les emporia d'État, ainsi que le **Khadi Emporium** et le très populaire **Coffee Home** du gouvernement, se dressent sur **Baba Kharak Singh Marg**, près de Connaught Place. Parmi les meilleurs magasins figurent **Cauvery** (soieries du Karnataka), **Poompuhar** (bronzes du Tamil Nadu, raffinés mais chers), **Handicrafts Development Corporation** (nombreux articles en soie), **Lepakshi** (superbes bijoux en or et perles de l'Andhra Pradesh), **Rajasthali** (très large éventail de tissus, bijoux et autres marchandises du Rajasthan) et **Gurjari** (textiles en coton du Gujarat).

Old Delhi

Les bazars d'Old Delhi s'étendent entre **Chandni Chowk** et **Chawri Bazaar**. **Ghantewale**, sur Chandni Chowk, est l'une des plus anciennes et des meilleures boutiques de sucreries de Delhi. Débutant au sud de Chandni Chowk, au-delà de Jain Mandir, Dariba Kalan – la rue des orfèvres, jadis renommée pour son or – vend désormais essentiellement de l'argent. **Katra Neel**, à l'ouest de la mairie sur Chandni Chowk, consiste en un labyrinthe de petites boutiques de tissus, en particulier de soie, vendus au mètre. **Nai Sarak**, entre Chandni Chowk et Chawri Bazaar, dispose de librairies proposant essentiellement des publications pédagogiques. Près de la Jama Masjid s'étend un extraordinaire bazar de pièces détachées pour voitures.

South Delhi

Le luxueux **Ansal Plaza**, sur Khel Gaon Marg, vous initiera au mode de vie de la classe supérieure indienne ; il abrite le grand magasin Shoppers Stop, ainsi qu'une succursale de Music World, pourvue d'un bon choix de CD indiens.

Pour les livres, rendez-vous à l'**Om Book Shop**, *E77 South Extension Part 1* (autre annexe au *45 Basant Lok, Vasant Vihar*).

Le **Hauz Khas Village Complex** rassemble plusieurs boutiques de créateurs vendant *shalwar* et *lehenga*. Essayez **Nasreen Qureshi** (*26 Hauz Khas Village*), un designer pakistanais de Lahore aujourd'hui établi à Delhi. **Expressionist Designs** (*Hauz Khas Village, tél. 651 8913*) vend les vêtements de Jaspreet, originaire de la ville. **Marwari's** (*15 Hauz Khas Village*) vous permettra de découvrir plusieurs autres créateurs locaux.

À côté du Marwari's, au n° 14, se trouve l'excellente **Village Gallery**, qui présente les œuvres d'artistes indiens. **Sunder Nagar Market**, près du zoo, regroupe plusieurs boutiques d'art et d'antiquités. Excellente boutique au **Crafts Museum** (*Pragati Maidan*).

Quartier des ambassades

Ce quartier comporte un centre commercial de luxe, **Santushti**, ainsi que plusieurs annexes d'**Anokhi** (boutique de créateurs basée à Jaipur) et de **Padakkam** (tissus et accessoires du Sud, essentiellement du Kerala). Au sud, près du Chanakya Cinema, **Yashwant Singh Place** regroupe plusieurs maroquiniers. Autre *colony market*, **Sarojini Nagar Market**, tout proche, propose un large choix de marchandises, notamment légumes, équipement ménager, surplus de vêtements d'exportation et chaussures. **Khan Market** (produits d'épicerie) rassemble également des librairies dont la **Times Book Gallery** ainsi qu'une succursale d'**Anokhi**, un magasin de la chaîne **Biotique** (cosmétiques ayurvédiques) et une boutique **Padakkam** (balcon fort agréable pour boire un café).

Parmi les autres *colony markets* méritant le détour figurent **South Extension**, **Defence Colony**, **Greater Kailash** (blocs N et M) et **Lajput Nagar Central Market**.

GANGTOK

New Market (*M.G. Road*) regroupe des boutiques de souvenirs tibétains. Au marché local, **Lall Market** (*Paljor Stadium Road*), vous trouverez d'autres objets du Tibet, ainsi que du Sikkim. Le **Directorate of Handicrafts and Handloom** (*National Highway*) possède un hall d'exposition vendant notamment tapis et *thanka* peints.

GOA

Les boutiques de Goa, situées près de la mer, proposent bibelots et bijoux provenant de plusieurs régions de l'Inde.

Vous trouverez également maillots et draps de bain, ainsi que des maroquiniers (large choix de sacs).

Les vendeurs de plage colportant vêtements du Rajasthan, châles et bijoux acceptent de marchander.

Si vous êtes pris d'une fièvre acheteuse, rendez-vous au marché aux puces du mercredi, sur **Anjuna Beach**. Vous y trouverez bijoux artisanaux, ceintures anciennes avec boucle en argent, vêtements et maillots de Bali, gâteaux maison et autres biscuits. Surveillez votre portefeuille et ne vous laissez pas tenter par les drogues qui peuvent vous être proposées.

JAIPUR

Parmi les textiles vous remarquerez ceux ligaturés et teints (*bandhani*), les tissus de Sanganer imprimés avec des blocs de bois (dont beaucoup ornés de *khari*, ou surimpression en or), les *ajrah* de Barmer, les *jajam* de Chittor et les étoffes à motifs floraux de Bagru. Seule boutique du gouvernement, le **Rajasthali Government Emporium** (*près de M. I. Road*) propose tissus au mètre, vêtements, tentures murales, pierres précieuses et bijoux divers. L'emporium de l'artisanat **Gramya** (*Panch Batti, M.I. Road*) est recommandé pour les achats de tissus et vêtements khadi. Vous trouverez en outre une boutique **Anokhi** (*2 Tilak Marg, C Scheme*), avec élégants *shalwar* (aux couleurs adaptées aux goûts occidentaux), T-shirts, jupes, draps et couvre-lits confectionnés à partir d'étoffes de qualité dans des conditions éthiques.

Lors de l'achat de pierres semi-précieuses – qui font la renommée de Jaipur –, soyez particulièrement vigilant. Nous vous recommandons le Rajasthali (voir ci-dessus), de même que **The Gem Palace** (*M.I. Road*), orfèvre établi de longue date qui propose de magnifiques articles très chers. Si vous achetez des pierres précieuses ailleurs, faites-les examiner par le **Gem Testing Laboratory** du gouvernement (*Chamber 1, 3rd Floor, M.I. Road*); comptez 2 heures pour les vérifications et 200 INR par pierre.

Jaipur et Sanganer sont célèbres pour leurs «poteries bleues», des récipients décorés de motifs floraux et géométriques dans des combinaisons de bleus et de blancs, auxquels se mêlent parfois d'autres couleurs.

À partir de peaux variées, notamment de chameaux, les maroquiniers fabriquent des chaussures traditionnelles, comme les *jhuti*, à bout pointu. Les cordonniers de Jaipur confectionnent aussi des *mojadi* (mules brodées de couleurs vives).

Tapis et *dhurrie* sont produits à la fois pour le marché local et l'exportation. Le **Johari Bazaar** est réputé pour ses bijoux en argent; toutefois, ses articles en or présentent une plus grande délicatesse. N'hésitez pas à marchander. Jaipur propose le meilleur choix de *pichwai* (peintures sur tissu). Vous pourrez admirer des artistes à l'œuvre dans la salle d'exposition du **Friends of the Museum Master Craftsmen and Artists**, dans la cour principale du City Palace. À Jaipur, vous trouverez également gravures sur laiton, magnifiques objets émaillés et incrustations; **Kudrat Singh** (*1565 Rasta Jarion, Chaura Rasta*) produit les plus beaux émaux.

KOCHI-ERNAKULAM

Partha's, sur M.G. Road, dispose d'un immense choix de tissus et prêt-à-porter. Les emporia du gouvernement se dressent sur cette même artère.

KOLKATA

Le **Government Emporium** (*7 Jawaharlal Nehru Road*) vend de l'artisanat local. À proximité, des boutiques d'antiquités renferment bijoux du Rajasthan, imprimés anciens et cartes postales.

Good Companions (*13c Russell Street*) propose de l'artisanat, et **Sacha Ritu's** (*46a Rafi Ahmad Kidvai Road*) d'élégants vêtements indiens.

L'immense **New Market**, près de Lindsay Street, regorge de marchandises variées. Dans le quartier du bazar (North Calcutta), qui couvre un tiers de la ville, chaque rue possède sa spécialité; assis sur les sols surélevés des boutiques, les marchands proposent sacs, livres et enregistrements d'occasion, animaux variés (**Natibagan**), meubles (**Mullick Bazaar**), appareils électriques (**Paddar Court**), chaussures (**Bentinck Street**) et bijoux (**P.B. Sakar, P.C. Chandra**, Dharamtola Street et **Bow Bazaar**).

Indian Silk House (*Gangadeen Gupta, 1 Shakespeare Saranì*), dans le marché climatisé, vend des soieries.

Si l'art contemporain indien vous intéresse, rendez-vous à **Gallerie 88** (*28b Shakespeare Sarani*) et **Centre Art Gallery** (*87c Park Street*).

Chaque année, fin janvier, la **Calcutta Book Fair** (*Cathedral Road, sur le Maidan*) attire plus d'un million de visiteurs.

Pour les livres, essayez également **Oxford Book and Stationery** (*17 Park Street*) et **Modern Book Depot** (*15a Jawaharlal Nehru Road*).

LUCKNOW

Chikan Corner, près de Chota Imambara, est tout indiqué pour les vêtements et foulards. Avant d'acheter un tissu, rendez-vous à **Gangotri**, l'**emporium du gouvernement de l'Uttar Pradesh** (*Hazratganj*), qui propose des étoffes de qualité, artisanales ou réalisées au métier à tisser, notamment de délicates broderies *chikan*: les *prix* (fixes) vous permettront de vous faire une idée, avant de comparer les articles çà et là.

Ne manquez pas l'excellente librairie **Ram Advani** (*Hazratganj*). **Asghar Ali Mohammed Ali** (*Aminabad*) est le lieu par excellence pour se procurer – ou tester – les célèbres huiles parfumées de Lucknow (*ittar/attar*), telles qu'ambre, *khus* et *gulab* (rose).

MUMBAI

La plupart des boutiques ouvrent du lundi au samedi de 10h à 19h et ferment le dimanche. Certains bazars ouvrent jusqu'à 21h. **Jyotiba Phule Market** propose un large éventail d'aliments et articles ménagers. L'immense **Mangaldas Market**, tout proche, regorge de textiles. Pour les articles en cuir et les vêtements, rendez-vous à **Shahid Bhagat Singh Marg**. "Fashion Street" ("rue de la mode"), plus connue sous le nom de M.G. Road, est jalonnée d'étals écoulant des surplus des vêtements d'exportation occidentaux.

Pour l'artisanat, privilégiez le **State Emporia** du World Trade Centre (*Cuffe Parade*), ainsi que Sir P.M. Road (*Fort*). Le **Central Cottage Industries Emporium** (*34 Shivaji Marg, près de la Gateway of India*) présente le plus grand choix. Chez **Natesan's** (*Jehangir Gallery Basement*), antiquités et œuvres d'art magnifiques – mais onéreuses.

Bon choix de livres chez **Crossword** (*22b Bhulubhai Desai Road*) ou **Strand** (*près de P.M. Road, Fort*). **Planet M** (*Times of India Building, D.N. Road*) regorge de CD. Enfin, des étals de livres jalonnent M.G. Road, depuis le musée jusqu'à Hutatma Chowk.

MYSORE

Soieries et bois de santal font la renommée de Mysore. Le **Mysore Silk Emporium** (*3 Nethra Nivas, Hotel Sandesh Complex, Nazarbad Main Road*) est un excellent établissement. Pour vérifier la pureté de la soie, faites brûler 1 ou 2 fils: si les fibres se consument en une cendre se désintégrant sous vos doigts, il s'agit de soie pure; s'il se forme un résidu, le tissu contient de la laine ou des matières synthétiques.

Vous trouverez du bois de santal partout; pour l'huile de santal, achetez celle en bouteille métallique provenant de l'usine titulaire d'une autorisation à la sortie de la ville. Le **Handicrafts Sales Emporium** (*Ramson's House, face au zoo*) propose un bon choix de sculptures sur bois de santal, bijoux, bronzes et tissus à prix fixes.

THIRUVANANTHAPURAM

Natesans (*M.G. Road*) propose de superbes spécimens d'art indien très onéreux. Le **Modern Book Centre**, tout proche, dispose d'un large éventail de titres. En remontant M.G. Road, face au South Park Hotel, vous déboucherez sur le **Spencer's Supermarket**, pratique pour les articles de toilette.

Parcs et réserves

L'Inde compte quelque 70 parcs nationaux et plus de 330 réserves naturelles abritant des centaines d'espèces (*voir également p. 143*). La **Gir Forest** (Gujarat) est renommée pour sa population de lions d'Asie, **Periyar** (Kerala) pour ses éléphants, **Manas** et **Kaziranga** pour leurs rhinocéros unicornes, le **Keibul Lamjao Park** (Manipur) pour ses cerfs d'Eld, et **Corbett** ainsi que **Kanha** pour leurs tigres. Ci-dessous, une liste des principales réserves animalières.

Bhandhavgarh (Madhya Pradesh)

Sals et forêt mixte, avec bosquets de bambous. Environnement idéal pour observer gibier et oiseaux. Tigres, léopards, gaurs, chitals, sambars, dholes, nilgauts, sangliers, ours jongleurs et chinkaras. Sorties à dos d'éléphant.

Faune aviaire

Chilika (Orissa)

Les lacs et rives du golfe du Bengale, de même que l'intérieur des terres, accueillent chitals blancs et antilopes indiennes, ainsi qu'une importante faune aviaire incluant échassiers et flamants roses. Les dauphins font quelques apparitions. **Meilleure période :** déc.-mars. **Contactez :** DFO, Ghunar South, Khurda P.O., Puri District, Orissa.

Keoladeo Ghana (Rajasthan)

Cette région, qui accueille l'une des principales réserves de hérons du monde, est également connue pour ses espèces aquatiques, notamment grues et oiseaux migrateurs. Parmi les mammifères figurent sambars, antilopes indiennes, chitals, nilgauts, chats viverrins, chats de la jungle, loutres et mangoustes. **Meilleures époques :** août-oct. (reproduction) et oct.-fév. (oiseaux migrateurs). **Contactez :** Chief Wildlife Warden, Keoladeo National Park, Bharatpur, Rajasthan.

Meilleure époque : nov.-juin. **Contactez :** Director, Bandhavgarh National Park, Umaria P.O., Shadol District, Madhya Pradesh.

Corbett (Uttaranchal)

Tigres, crocodiles des marais, gavials, cerfs. Poissons dans la Ramganga, notamment mahseer. **Meilleure époque :** fév.-mai. **Contactez :** Field Director, Project Tiger, Corbett National Park, Ramnagar P.O., Nainital District, Uttar Pradesh.

Dhangadhra Sanctuary (Gujarat)

Cette réserve particulière, dans le Little Rann de Kutch (étendue de terres salines, parsemées d'une rare végétation), a été instaurée pour la préservation de l'âne sauvage d'Inde. Parmi les autres animaux : chinkaras, antilopes indiennes, loups et chats sauvages. **Meilleure époque :** janv.-juin. **Contactez :** Field Director, Dhangadhra Sanctuary, Little Rann of Kutch, Gujarat.

Dudhwa (Uttar Pradesh)

Tigres, léopards, ours lippus, rhinocéros, barasingas, cerfs cochons, chitals et une large gamme d'oiseaux. **Meilleure époque :** déc.-juin. **Contactez :** Director, Dudhwa National Park, Lakhimpur Kheri, Uttar Pradesh.

Indravati National Park et Tiger Reserve (Chattisgarh)

Ce parc, qui possède la seule population viable de buffles sauvages dans le centre de l'Inde, constitue un habitat potentiel pour les barasingas du Kanha. Vous y apercevrez, entre autres, sambars, nilgauts, antilopes à 4 cornes, chinkaras, gaurs, ours lippus, léopards, loups, hyènes et chacals. **Meilleure époque :** fin janv.-avr. **Contactez :** Field Director, Indravati National Park, Chattisgarh.

Jawahar National Park (Bandipur Tiger Reserve, Karnataka)

Ce parc s'enorgueillit d'un excellent réseau routier, permettant d'observer facilement le gros gibier, tel qu'éléphants, léopards et gaurs. **Meilleure époque :** nov.-fév. **Contactez :** Field Director, Project Tiger, Bandipur Tiger Reserve, Mysore.

Kangchendzonga National Park (Sikkim)

Il couvre une forêt humide tempérée, qui s'étend jusqu'aux hauteurs de l'Himalaya, à la frontière népalaise. Vous y verrez léopards, panthères longibandes, tahrs, porte-musc, moutons bleus (*Pseudois nayaur*), serows, léopards des neiges, petits pandas et binturongs.

Meilleures époques : avr.-mai, août-oct. **Contactez :** Field Director, Kangchendzonga National Park, Sikkim.

Kanha (Madhya Pradesh)

Cette région – que d'aucuns considèrent comme l'un des meilleurs parcs d'Inde – est l'endroit rêvé pour observer barasingas et tigres. **Meilleure époque :** fév.-juin (fermé juil.-nov.). **Contactez :** Field Director, Project Tiger, Mandla P.O., Madhya Pradesh.

Kaziranga (Assam)

Cette réserve est réputée pour ses rhinocéros, buffles sauvages, barasingas et cerfs cochons. Vous y admirerez également tigres, sangliers, gibbon *Hylobates hoolock*, semnopithèques à bonnet et ratels. Possibilité de louer des éléphants. **Meilleure époque :** nov.-mars. **Contactez :** Director, Kaziranga National Park, Bokakhat P.O., Jorhat District, Assam.

Kumbalgarh (Rajasthan)

Cette vaste réserve des monts Aravalli constitue sans doute la seule région du pays où se reproduit encore le loup. Parmi les autres animaux : léopards, ours lippus, chinkaras, antilopes à 4 cornes et écureuils volants. **Meilleure époque :** sept.-nov. **Contactez :** Wildlife Warden, Kumbalgarh Sanctuary, Udaipur District, Rajasthan.

Mudumalai Sanctuary (Tamil Nadu)

Couvrant une forêt mixte avec arbres à feuilles caduques, cette réserve permet d'observer de nombreux animaux et dispose de bonnes installations. **Meilleures époques :** mars-juin, sept.-oct. **Contactez :** Field Director, Mudumalai Sanctuary, Tamil Nadu.

Nagarahole National Park (Karnataka)

Ce parc regroupe d'importants troupeaux de gaurs et d'éléphants, ainsi que quelques tigres, léopards, chitals et sambars. Plus de 250 espèces aviaires y ont été répertoriées. **Meilleure époque :** oct.-avr. **Contactez :** Field Director, Nagarahole National Park, Karnataka.

Namdapha (Arunachal Pradesh)

Ce lieu consiste en un fascinant mélange de faune indo-birmane, indochinoise et himalayenne, avec tigres, léopards (panthères longibandes, léopards des neiges), gaurs, gorals, takins, porte-musc, gibbon *Hylobates hoolock*, loris, binturongs et petits pandas.

Parmi les oiseaux figurent calaos et faisans.
Meilleure époque : oct.-mars.
Contactez : Field Director, Project Tiger, Miao P.O., Tirap District, Arunachal Pradesh.

Nanda Devi (Uttar Pradesh)

Dans cette réserve de biosphère mondiale à accès restreint, qui englobe le deuxième sommet d'Inde (le Nanda Devi, à 7 816 m), vous rencontrez chèvres des montagnes, léopards des neiges et porte-musc.
Meilleure époque : avr.-oct.
Contactez : DCF, Nanda Devi National Park, Joshimath, Chamoli District, Uttar Pradesh.

Periyar (Kerala)

Réserve de tigres, Periyar permet en outre d'observer éléphants et singes, ainsi que pléthore d'oiseaux des bois. Circuits en bateaux et pirogues.
Meilleure époque : sept.-mai.
Contactez : The Field Director, Project Tiger, Kanjikuzhi, Kottayam, Kerala.

Ranthambore (Rajasthan)

Le parc compte un nombre impressionnant d'espèces, dont sambars, chitals, nilgauts, chinkaras, singes, sangliers, ours lippus, hyènes, chacals, léopards et tigres, ainsi qu'une magnifique faune aviaire.
Meilleure époque : oct.-avr.
Contactez : The Field Director, Ranthambore National Park, Sawai Madhopur, Rajasthan.

Sunderbans (Bengale-Occidental)

Dans cette vaste zone de marais et mangroves, peuplée de crocodiles et de tortues, vous apercevrez également des dauphins du Gange. Ce parc compte la plus importante concentration de tigres d'Inde.
Meilleure époque : déc.-fév.
Contactez : Field Director, Sunderbans Tiger Reserve, Canning P.O., 24 Parganas District, West Bengal.

Silent Valley National Park (Kerala)

Institué pour protéger la dernière grande zone de forêt tropicale humide de la péninsule, ce parc abrite éléphants, macaques ouandérous et tigres.
Meilleure époque : sept.-mars.
Contactez : Field Director, Silent Valley National Park, Kerala.

Sasan Gir (Gujarat)

Ultime repaire du lion d'Asie – et l'un des derniers pour l'âne sauvage –, ce parc regroupe au moins quarante types d'animaux et plus de 450 oiseaux.
Meilleure époque : déc.-avr.
Contactez : Conservator of Forests, Sardar Baug, Junagadh, Gujarat.

Langues

Généralités

En Inde, il existe plusieurs centaines de langues (dont 18 officielles) et d'innombrables dialectes. Si nombre d'habitants comprennent l'anglais, les efforts que vous ferez pour vous exprimer dans les langues locales seront appréciés. Les langues les plus répandues sont l'hindi dans le Nord et le tamoul dans le Sud.

Les langues de l'Inde présentent une certaine homogénéité phonétique, reposant sur les syllabes plutôt que sur un alphabet.

Il existe une différence marquée entre les voyelles longues et courtes, ainsi qu'entre les consonnes rétroflexes, palatales et labiales (écoutez attentivement les conversations pour vous faire une idée de la prononciation du vocabulaire présenté plus loin).

Vous trouverez plusieurs systèmes de translittération et verrez nombre des mots ci-dessous orthographiés de différentes manières.

Une consonne suivie d'un "h" doit être aspirée. Le "c" se prononce généralement "ch" (et "chh" lorsqu'il est suivi d'un "h"). Enfin, en tamoul, "zh" correspond à un son situé entre un "l" rétroflexe et un "r".

L'hindi du voyageur

Expressions usuelles

Bonjour/au revoir	Namaste
Oui	Ji ha
Non	Ji nehi
Peut-être	Shayad
Merci	Dhanyavad/shukriya
Comment allez-vous ?	Ap kaise hai ?/ap thik hai ?
Je vais bien	Me thik hu/thik hai
Comment vous appelez-vous ?	Apka nam kya hai ?
Je m'appelle (Jean/Jeanne)	Mera nam (Jean/Jeanne) hai
D'où venez-vous ?	Ap kahan se aye ?
De (France)	(France) se
Quel est le prix ?	Kitna paise hai ?
C'est cher	Bahut mahenga hai

Nombres en hindi

1	ek	30	tis
2	do	40	chalis
3	tin	50	pachas
4	char	60	sath
5	panch	70	setur
6	che	80	assi
7	sat	90	nabbe
8	arth	100	sau
9	nau	1 000	hazar
10	das	100 000	lakh
20	bis	10 000 000	kror

Bon marché	Sasta
J'aime (le thé)	Mujhe (chai) pasand hai
C'est possible ?	Kya ye sambhav hai ?
Je ne comprends pas	Mujhe samajh nehi
Je ne sais pas	Mujhe malum nehi
Argent	Paisa
Journal	Akhbar
Drap	Chadar
Couverture	Kambal
Lit	Kot/palang
Chambre	Kamra
Merci de nettoyer ma chambre	Mera kamra saf kijie
Vêtements	Kapre
Tissu	Kapra
Marché	Bajar

Pronoms

Je suis	Mai hun
Tu es	Ap hain
Il/elle/c'est	Voh hai
Ils sont	Ve hain

Verbes

Boire	Pina
Manger	Khanna
Faire	Karna
Acheter	Kharidna
Dormir	Sona
Voir	Dekhna
Écouter/entendre	Sunna
Laver (des vêtements)	Dona
Se laver	Nahana
Avoir	Milna

Prépositions, adverbes et adjectifs

Maintenant	Ab
Tout de suite	Abhi
Vite	Jaldi
Lentement	Dirhe se
Un peu	Bahut/tora
Ici	Yaha/idhar
Là-bas	Vaha/udhar
Ouvert	Khola
Fermé	Bund
Fini	Khatm hai
Grand/plus âgé	Bara
Petit/plus jeune	Chota
Magnifique	Sundar
Ancien	Purana
Nouveau	Naya

Questions

Qu'est-ce que c'est ?	*Kya hai*
Où est-ce ?	*Kahan hai ?*
Pourquoi ?	*Kyun ?*
Qui est… ?	*Kaun hai ?*
Où est… ?	*Kab hai ?*
Comment ?	*Kaisa ?*

Il est possible de transformer en question la plupart des phrases simples en les faisant précéder de "*kya*" et en élevant la voix à la fin. Par exemple : "*Dhobi hai.*" ("*Il y a un laveur.*") deviendra "*Kya dhobi hai ?*" ("*Y a-t-il un laveur ?*").

Jours de la semaine

Lundi	*Somvar*
Mardi	*Mangalvar*
Mercredi	*Budhvar*
Jeudi	*Guruvar*
Vendredi	*Shukravar*
Samedi	*Shanivar*
Dimanche	*Itvar*
Aujourd'hui	*Aj*
Hier/demain	*Kal*
Semaine	*Hafta*

Mois

Janvier	*Janvari*
Février	*Farvari*
Mars	*March*
Avril	*Aprail*
Mai	*Mai*
Juin	*Jun*
Juillet	*Julai*
Août	*Agast*
Septembre	*Sitambar*
Octobre	*Aktubar*
Novembre	*Navambar*
Décembre	*Disambar*
Mois	*Mahina*
Année	*Sal*

Liens de parenté

Mère	*Mata-ji*
Père	*Pita-ji*
Sœur	*Behen*
Frère	*Bhai*
Époux	*Pati*
Épouse	*Patni*
Grand-mère maternelle	*Nani*
Grand-père maternel	*Nana*
Grand-mère paternelle	*Dadi*
Grand-père paternel	*Dada*
Grande sœur (terme de respect)	*Didi*
Fille	*Beti*
Fils	*Beta*
Fille	*Larki*
Garçon	*Larka*
Vous êtes marié ?	*Kya ap shadishuda hai ?*
Vous êtes seul(e) ?	*Kya ap akela/akeli ?*
Combien avez-vous d'enfants ?	*Apke kitne bache hai ?*
Combien avez-vous de frères et sœurs ?	*Apke kitne bhai behen hai ?*

Santé

Docteur	*Daktar*
Hôpital	*Aspatal*
Dentiste	*Dentist*
Douleur	*Dard*
Je suis malade	*Main bimar hun*
J'ai vomi	*Ulti ho rahi thi*
J'ai de la température	*Mujhe bukhar hai*
J'ai mal à la tête	*Mere sir men dard hai*
J'ai mal au ventre	*Mere pat men dard hai*
J'ai de la diarrhée	*Mujhe dast ar raha hai*

Le terme anglais "*motions*" est souvent utilisé pour parler de diarrhée.

Voyages

Où se trouve (Delhi) ?	*(Dilli) kahan hai ?*
Gare routière	*Bus adda*
Gare ferroviaire	*Tren stashan/railgari*
Aéroport	*Hawai adda*
Voiture	*Gari*
À quelle distance ?	*Kitna dur hai ?*
Devant/en face (du Taj Mahal)	*(Taj Mahal) ke samne*
Près	*Ke nazdik/ke pas*
Loin	*Dur*
Billet	*Tikat*
Arrêt	*Rukh jaiye*
Allons	*Chele jao*
Je dois aller à	*Mujhe jana hai*
Venir	*Ayie*
Aller	*Jayie*

Alimentation

Je voudrais (un *thali*)	*Mujhe (thali) chahiye*
Sans piment	*Mirch ke bina*
Un peu de piment	*Kam mirch*
Chaud	*Garam*
Froid	*Tanda*
Mûr/cuit	*Pukka*
Vert/cru	*Kucha*

Nourriture de base	
Piment	*Mirch*
Sel	*Namak*
Beurre clarifié	*Ghi*
Yaourt	*Dahi*
Yaourt avec concombre	*Raita*
Riz	*Chaval*
Fromage	*Panir*
Eau	*Pani*
Lait	*Dudh*
Boisson lactée	*Lassi*
Eau citronnée	*Nimbu pani*
Four	*Tandur*
Riz cuit avec du *ghi* et des épices	*Pilao*
Riz cuit avec des légumes ou de la viande	*Biryani*
Bonbons	*Mithai*
Pains	*Roti*
Pain à la farine de blé, qui gonfle une fois plongé dans l'huile	*Puri*
Pain plat sans levain	*Chapati*

Pain plat avec levain	*Nan*
Semblable au *nan*	*Tanduri roti*
Chapati cuit avec du *ghi*	*Paratha*

Légumes	*Sabzi*
Épinard	*Palak*
Pomme de terre	*Allu*
Chou-fleur	*Gobi*
Okra	*Bindi*
Oignon	*Pyaz*
Feuilles de moutarde	*Sarsun*
Pois	*Mattar*
Tomate	*Tamata*
Aubergine	*Baingain/brinjal*
Pois secs	*Dal*

Viande	
Agneau	*Ghost*
Poulet	*Murg*
Poisson	*Machli*

Fruits	
Banane	*Kela*
Orange	*Santra*
Mangue	*Aum*

Tamoul de base

Expressions usuelles

Bonjour	*Vanakkam*
Au revoir	*Poyvituvarukiren* (Réponse : *Poyvituvarungal*)
Oui	*Amam*
Non	*Illai*
Peut-être	*Oruvelai*
Merci	*Nandri*
Comment allez-vous ?	*Celakkiyama ?*
Comment vous appelez-vous ?	*Ungal peyar yenna ?*
Je m'appelle (Jean/Jeanne)	*Yen peyar (Jean/Jeanne)*
Où est (l'hôtel) ?	*(Hotel) yenge ?*
Qu'est ce que c'est (ceci)/(cela) ?	*Idu/adu yenna ?*
Quel est le prix ?	*Yenna vilai ?*
C'est très cher	*Anda vilai mikavum adikum*
Je voudrais (du café)	*(Kapi) venduma*
J'aime (les *dosa*)	*(Dosai) pudikkum*
Est-ce possible ?	*Mudiyuma ?*
Je ne comprends pas	*Puriyadu*
Assez	*Podum*
Toilettes	*Tailet*
Lit	*Kattil*

Nombres en tamoul

1	*onru*	20	*irupadu*
2	*irandu*	30	*muppadu*
3	*munru*	40	*rarpadu*
4	*nanku*	50	*aimpadu*
5	*aindu*	60	*arupadu*
6	*aru*	70	*alupadu*
7	*yezhu*	80	*yenpadu*
8	*yettu*	90	*tonnuru*
9	*onpadu*	100	*nuru*
10	*pattu*	100 000	*latcam*
11	*patinonru*	10 000 000	*kodi*

Chambre	Arai
Train	Rayil
Sari	Pudavai
Dhoti	Vesti
Serviette	Tundu
Sandales	Ceruppu
Argent	Punam
Temple	Kovil

Verbes

Venez	Varungal
Allez	Pongal
Arrêtez	Nillungal
Dormir	Tungu
Manger	Sappidu
Boire	Kudi
Acheter	Vangu
Payer	Punam kodu
	(littéralement
	"donner l'argent")
Voir	Par
Laver (les vêtements)	Tuvai
Se laver	Kazhavu

Prépositions, adverbes et adjectifs

Vite	Sikkirum
Lentement	Meduvaka
Beaucoup	Mikavum
Un peu	Koncam
Ici	Inge
Là	Ange
Ceci	Idu
Cela	Adu
Maintenant	Ippodu
Même	Ade
Bien	Nalla
Mal	Ketta
Chaud	Karam
Froid	Kulirana
Sale	Acattam
Propre	Cattam
Beau	Azhakana
Sucré	Inippu
Gros	Periya
Petit	Cinna
Ancien	Pazhaiya
Nouveau	Pudiya

Jours de la semaine

Lundi	Tingal
Mardi	Cevvay
Mercredi	Putam
Jeudi	Viyazhan
Vendredi	Velli
Samedi	Ceni
Dimanche	Nayiri
Aujourd'hui	Inraikku
Semaine	Varam
Mois	Matam
Année	Varutam

Questions/"et"

Comment ?	Yeppadi ?
Quoi ?	Yenna ?
Qui ?	Yar ?
Pourquoi ?	Yen ?
Où ?	Yenge ?
Quand ?	Yeppodu ?
Combien ?	Yettanai/yewvalavu ?

Les Tamouls formulent généralement les questions en ajoutant un "a" long au dernier mot d'une phrase (habituellement le verbe), par exemple : "*Ningal venduma ?*" ("*Que voulez-vous ?*"). "*Et*" s'exprime par l'ajout de "*um*" à la fin des noms (avec un "y" intercalé si le nom se termine par une voyelle), par exemple "*Kapiyum, dosaiyum*" ("*café et dosa*").

Pronoms et liens de parenté

Je	Nan
Tu	Ningal
Il	Avan
Elle	Aval
Ceci	Avar
Nous (locuteur inclus)	Nam
Nous (locuteur exclu)	Nangal
Ils	Avakal
Homme	Manidan
Femme/jeune fille/fille	Pen
Garçon/fils	Paiyan
Enfants	Pillaikal
Bébé	Pappu
Mère	Amma
Père	Appa
Époux	Kanavan
Épouse	Manaivi

Santé

Je suis malade (je vomis)	Utampu cariyillai irukkiradu
J'ai mal	Vali irukkiradu
J'ai la diarrhée	"Motions" irrukkiradu
Médecin	Taktar
À l'aide !	Utavi cey !

Alimentation (Sappadu)

Tunnir	Eau
Sadum	Riz
Puzham	Fruit
Kaykuri	Légume
Pal	Lait
Mor	Babeurre
Minakay (iilamal)	(Sans) piment
Tengay	Noix de coco
Mampazham	Mangue
Valaippazham	Banane
Kapi	Café
Ti	Thé
Iddli	Gâteaux de riz à la vapeur
Dosai	Crêpe à base de pâte fermentée
Vadai	En-cas frit, à base de *dal*
Rasam	Soupe claire et épicée, généralement à base de tamarin
Sampar	Soupe épaisse à base de *dal*
Poriyal	Curry de légumes (sans sauce)
Kolikarri	Curry de poulet
Attukkari	Curry d'agneau
Mils	*Meals*, semblables aux *thali* du nord de l'Inde, traditionnellement servis sur une feuille de bananier
Payasam	Plat lacté sucré, servi lors des fêtes

attributs de Vishnu*, dont il peut se servir comme d'une arme.

Chorten Terme tibétain désignant le stupa*.

Chowk Cour d'un palais, place publique.

Cipaye Soldat indien au service d'une armée européenne.

Dal Désigne les nombreuses variétés de lentilles consommées quotidiennement dans tout le pays.

Dargah Sanctuaire dédié à un saint musulman.

Deva Divinité.

Devi "Déesse", plus particulièrement la Déesse-Mère.

Dharma Notion centrale dans l'hindouisme, le bouddhisme et le jaïnisme. Désigne la loi universelle de la nature. Cette loi se manifeste par le mouvement cyclique et régulier, et son symbole en est la roue qui tourne sur elle-même. Une seconde acception, morale, en fait la loi assignée à chaque être selon sa naissance dans un lieu particulier du *dharma* cosmique où il remplit un rôle défini.

Dhoti Vêtement masculin constitué d'une pièce d'étoffe drapée autour des hanches et entre les jambes.

Durbar/darbar Audience publique tenue dans le passé par les souverains indiens.

Ganesh Dieu hindou à tête d'éléphant. Ce "seigneur des obstacles" symbolise la prospérité.

Ganga Déesse du Gange.

Ghat Ensemble de marches construit en bordure d'un cours d'eau, d'un bassin pour en faciliter l'accès. À ne pas confondre avec les Ghats, chaîne montagneuse de l'Inde péninsulaire.

Gond tribus du centre de l'Inde, vivant au Gondwana et en Orissa.

Gompa "Monastère", en tibétain.

Gopi Vachères en adoration devant Krishna et souvent représentées notamment dans les peintures et les miniatures rajpoutes et bengalies.

Gopura/gopuram Porte d'enceinte, monumentale et de forme pyramidale, d'un temple hindou dans l'Inde du Sud.

Granth Nom des livres sacrés des Sikhs.

Gurdwara Temple sikh.

Hanuman Général de l'armée des singes et allié de Rama*.

Haveli Demeure fortifiée des marchands du Rajasthan.

Hindustani *Voir* "Carnatique".

Imambara Bâtiment dans lequel se déroulent les cérémonies du Muharram*.

Jaïnisme L'une des 3 grandes religions de l'Inde, qui, comme le bouddhisme, mouvement contemporain, fut une réforme dirigée contre le brahmanisme.

Jina "Le Victorieux". Désigne Mahavira, le fondateur du jaïnisme*.

Kali "La Noire". Déesse de la

Destruction, l'une des forme de la *shakti**.

Karma "Acte". Dans la religion brahmanique, les transmigrations de l'âme individuelle sont conditionnées par les actes accomplis dans les vies antérieures et présente.

Khadi Tissu de coton filé à la main et tissé sur un métier manuel.

Kothi Demeure.

Lakshmi L'épouse de Vishnu* et la déesse de la Beauté et de la Fortune.

Lassi Yaourt liquide battu, servi salé ou sucré.

Lingam Pierre dressée, symbole phallique de Shiva*.

Lotus Cette fleur poussant dans la vase et s'épanouissant au soleil devient symbole de la naissance divine (Brahma* naît d'un lotus), de la connaissance (Rama* a un œil en forme de bouton de lotus ; le lotus est aussi le trône du Bouddha) et de la beauté (c'est le trône de Lakshmi*).

Maharaja "Grand roi". Titre porté par les rois et les empereurs dès l'époque de la dynastie des Kushan et surtout à partir de celle des Gupta.

Mandala "Cercle". Diagramme symbolisant l'évolution et l'involution de l'univers à partir d'un point central, et servant de support à la méditation dans le tantrisme hindou.

Mantra Formule sacrée et douée d'une énergie quand elle est prononcée. "*Om*" est le mantra primordial.

Maya Apparence illusoire du monde.

Moghols (Grands) Dynastie musulmane fondée en 1526 par Babur*. L'empire moghol disparaît en 1858, avec la déposition de Bahadur Chah II par les Anglais.

Muharram Premier mois du calendrier musulman.

Muni Ermite, sage, saint.

Nabab Titre donné, dans l'Inde musulmane, aux grands officiers des sultans, aux gouverneurs de provinces.

Nirvana Dans le bouddhisme, "extinction" des 3 racines du mal (désir, haine, erreur) qui délivre du cycle des réincarnations.

Odissi Danse originaire des temples d'Orissa.

Pan Chique faite à partir d'une feuille de bétel* et aromatisée.

Paria Intouchable.

Parvati Épouse et *shakti** de Shiva*.

Pipal Sorte de peuplier (*Ficus religiosa*) vénéré comme arbre sacré pour être celui sous lequel le Bouddha connut l'Éveil.

Prâna Souffle vital.

Puja Adoration de l'image sacrée dans le culte brahmanique, célébrée par le *pujari*.

Qawali Chant de dévotion musulman.

Raga Mode musical correspondant à un climat émotionnel.

Rajah Souverain brahmanique d'une principauté indépendante.

Rama Septième avatar de Vishnu* et héros du *Ramayana*, l'une des 2 grandes épopées de l'Inde, avec le *Mahabharata*.

Rath Char de procession religieuse.

Sadhu "Bienveillant". Ascète brahmanique.

Sari Vêtement féminin traditionnel composé d'une seule pièce d'étoffe drapée autour du corps.

Shakti "Énergie". Désigne les multiples incarnations de la Déesse-Mère et, par extension, l'énergie cosmique sous forme féminine par laquelle Shiva* agit dans le monde.

Shiva "Propice". C'est son nom le plus connu, mais le "Grand Dieu" en possède un millier en tout. C'est "le grand yogi", représenté en ascète, et aussi le "roi de la danse", apparaissant dans un cercle de flammes figurant le cycle perpétuel de la création et de la destruction. Ce dieu est terrible, car, voyant la réalité par son troisième œil, il peut détruire ce qui n'est qu'illusion.

Shiv Sena Parti hindou intégriste de Mumbai.

Stupa Monument commémoratif ou reliquaire (contient des reliques du Bouddha ou de saints du bouddhisme).

Thanka/tanka Image religieuse bouddhique portative, le plus souvent peinte sur une pièce en tissu.

Tilak/tika/puttu Point de couleur que portent les jeunes filles et les femmes sur le front.

Torana Arche, portique décoré à l'entrée de l'enclos d'un temple, d'un stupa*.

Trimurti "Les 3 formes", c'est-à-dire les 3 manifestations de l'Être : Brahma*, Vishnu* et Shiva*. Chacune de ses divinités a une fonction cosmique spécifique : Vishnu préserve, Shiva désintègre et Brahma maintient l'équilibre entre ces 2 principes opposés.

Veda "Connaissance". Ce sont les textes les plus fondamentaux et les plus saints de l'hindouisme. Ils embrassent les 4 recueils apportés par les Aryens* – *Rigveda*, *Yajurveda*, *Samaveda*, *Atharvaveda* – ainsi que l'ensemble de la littérature brahmanique – *Brahmana*, *Aranyaka* et *Upanisad*.

Vihara Monastère bouddhique.

Vishnu L'une des divinités de la triade hindoue (Trimurti*), avec Brahma* et Shiva*. Personnification de la bonté et de la compassion, Vishnu est le protecteur. Sa monture est l'aigle blanc à tête humaine, et ses attributs sont la roue du destin, une massue, une fleur de lotus* et une conque marine. On le représente aussi couché sur le serpent lové de l'Éternité.

À lire

Pluralisme politique, émancipation progressive des basses castes… autant de signes qui témoignent de la lente métamorphose d'un pays en voie de modernisation et toujours attaché à ses riches traditions.

Kakar, Sudhir, *Mira et le Mahatma,* Éditions du Seuil, 2006.

Khilnani, Sunil, *L'Idée de l'Inde,* Éditions Fayard, 2005. L'histoire de l'Union indienne depuis sa création, en 1947.

Photos

Held, Suzanne et Bazin, Nathalie, *Himalaya/Monastères et fêtes bouddhiques,* Gallimard-Loisirs et Prisma Presse, 2003. Le résultat de trente années de reportages, où les photos de pèlerinages ou de moines en prière s'intercalent avec des vues et des détails d'architecture.

Rai, Raghu, *Taj Mahal,* Robert Laffont, 1987. Un portrait photographique de ce monument dédié à l'amour, connu dans le monde entier.

Histoire, société

Boivin, Michel, *Histoire de l'Inde,* Presses universitaires de France, coll. "Que sais-je ?", 2001. Un petit livre pour savoir l'essentiel.

Clément, Catherine, *Gandhi, athlète de la liberté,* Éditions Gallimard, coll. "Découvertes Gallimard", 1989. Guider son peuple vers l'autodétermination, telle fut la mission politique de Gandhi, mort assassiné en 1948 dans une Inde devenue indépendante.

Collectif, *Histoire de l'Inde moderne (1480-1950),* Librairie Arthème Fayard, 1994. L'Inde moderne… ou l'Inde occupée puis libérée ! De la colonisation portugaise à l'Union indienne en passant par le British Raj : l'histoire d'une naissance plutôt douloureuse.

Daniélou, Alain, *Histoire de l'Inde,* Librairie Arthème Fayard, 1983. Loin de la chronologie scolaire, ce livre propose un exposé et une analyse des événements les plus significatifs de l'histoire indienne.

Gandhi, M. K., *Autobiographie, ou Mes expériences de vérité,* PUF, 1982. Traduction d'une œuvre gujarati dépeignant la nature complexe – voire imparfaite – de l'un des plus populaires dirigeants d'Inde.

Jaffrelot, Christophe, *La Démocratie en Inde/Religion, caste et politique,* Librairie Arthème Fayard, 1998. Pour comprendre un modèle démocratique unique. Pour lecteurs exigeants.

Jaffrelot, Christophe, *L'Inde contemporaine/De 1950 à nos jours,* Librairie Arthème Fayard, 1997.

Philosophie, spiritualité

Anonymes, *Au cabaret de l'amour,* Éditions Gallimard, coll. "Connaissance de l'Orient", 1986. Paroles de Kâbir, musulman d'ascendance nourri d'hindouisme, aspirant à l'union directe avec Râm, l'Absolu.

Anonymes, *Hymnes spéculatifs du Véda,* Éditions Gallimard, coll. "Connaissance de l'Orient", 1985. Ces hymnes évoquant le souffle et la parole, le temps et la mort… accompagnaient les sacrifices et soutenaient la prière.

Anonymes, *La Légende immémoriale du dieu Shiva,* Éditions Gallimard, coll. "Connaissance de l'Orient", 1991. Pittoresques, les mythes célébrant Shiva content sa geste divine, ses attributs, ses noms, ses formes, ses emblèmes et les rites qui véhiculent son culte.

Anonymes, *Mythes et légendes extraits des Brâhmanas,* Éditions Gallimard, coll. "Connaissance de l'Orient", 1997. Cosmologie, mythes, légendes : ces récits établissent des analogies entre les éléments du sacrifice qu'ils analysent et les mythes de la religion védique.

Anonymes, *Upanishads du yoga,* Éditions Gallimard, coll. "Connaissance de l'Orient", 1990. Ces poèmes spéculatifs et didactiques apportent avant tout les idées et la méthode permettant de trancher les liens qui retiennent l'âme captive.

Anonymes, *Yogayajnavalkyam,* Éditions Gallimard, coll. "Connaissance de l'Orient", 2000. Traité rassemblant tous les thèmes traditionnels de la mystique yogique.

Barazer-Billoret, Marie-Luce et Dagens, Bruno, *Shiva, libérateur des âmes et maître des dieux,* Éditions Gallimard, coll. "Découvertes Gallimard", 2004. Shiva est l'une des 3 principales divinités du panthéon hindou, sa popularité rivalisant avec celle de Vishnu. Il est à la fois le Créateur – sa danse cosmique crée le monde – et le Destructeur.

Clément, Catherine, *Promenade avec les dieux de l'Inde,* Éditions du Panama, 2005.

Collectif, *Catégories de langue et catégories de pensée en Inde et en Occident,* Éditions de l'Harmattan, 2006.

Daniélou, Alain, *Mythes et dieux de l'Inde/Le polythéisme hindou,* Éditions Flammarion, coll. "Champs", 1994. Un ouvrage de référence.

Milinda et Nagasena, *Entretiens,* Éditions Gallimard, coll. "Connaissance de l'Orient", 1995. Dialogue sur le savoir et la sagesse entre le roi Milinda et le moine bouddhiste Nagasena.

Nagarjuna, *Stances du milieu par excellence,* Éditions Gallimard, coll. "Connaissance de l'Orient", 2002. Écrit par le moine indien Nagarjuna (IIe-IIIe siècle), ce texte fondamental est un dialogue critique avec les défenseurs d'un bouddhisme scolastique.

Nâmdev, *Psaumes du tailleur,* Éditions Gallimard, coll. "Connaissance de l'Orient", 2003. Nâmdev, poète né en 1275 et mort en 1350, n'avait qu'un seul dieu : celui des exclus et des pauvres.

Soûr-Dâs, *Pastorales,* Éditions Gallimard, coll. "Connaissance de l'Orient", 1992. Soûr-Dâs, héritier d'une longue tradition de pauvres "rhapsodes" hindous, puise son inspiration dans la chanson villageoise ainsi que dans la tradition du vishnouisme mystique.

Tiruvalluvar, *Le Livre de l'amour,* Éditions Gallimard, coll. "Connaissance de l'Orient", 1992. À la fois lyriques, brefs et denses, ces poèmes expriment l'art d'aimer tamoul.

Littérature

Ali, Samina, *Jours de pluie à Madras,* Éditions Mercure de France, 2005.

Anonymes, *Contes du vampire,* Éditions Gallimard, coll. "Connaissance de l'Orient", 1985. L'initiation d'un roi qui doit répondre aux énigmes que lui pose un vampire. Ces *Contes* font partie du patrimoine transmis oralement dans l'Inde ancienne, dans la version du brahmane Somadeva (XIe siècle).

Anonymes, *Kathakali/Théâtre traditionnel vivant du Kerala,* Éditions Gallimard, coll. "Connaissance de l'Orient", 1994. Théâtre dansé narrant le plus souvent les grandes épopées indiennes, le Kathakali fait appel à la musique, au chant, au mime, aux arts martiaux et à des costumes très recherchés.

Anonymes, *Pancatantra,* Éditions Gallimard, coll. "Connaissance de l'Orient", 1992. Recueil d'apologues et de contes, l'un des livres les plus illustres de toute la littérature indienne.

Aslam, Nadeem, *La Cité des amants perdus,* Éditions du Seuil, 2006.

Banaphul, *Nandi le fou et autres nouvelles,* Éditions Gallimard, coll. "Connaissance de l'Orient", 1994. Banerji est le nom de plume de Balaichand Mukhopadhyaya (1899-1979).

Banerji, Bibhouti Bhoustan, *La Complainte du sentier*, Éditions Gallimard, coll. "Connaissance de l'Orient", 1985. On y suit pas à pas un petit garçon et sa quête du bonheur dans les conditions de vie particulièrement difficiles, celles des pauvres en pays bengali.

Banerji, Tara Shankar, *Râdhâ au lotus et autres nouvelles*, Éditions Gallimard, coll. "Connaissance de l'Orient", 1988. *Râdhâ au lotus* est l'une des œuvres les plus admirées de cet auteur qui se jouait des conventions sociales et qui connut la prison sous les Britanniques.

Bouvier, Nicolas, *La Descente de l'Inde*, in *Œuvres*, Éditions Gallimard, 2004. De décembre 1954 à mars 1955, Bouvier effectua une "descente de l'Inde" à bord de sa Fiat Topolino : de Lahore à Madurai, en passant par Delhi, Agra, Bombay, Madras… Plutôt que de faire un récit, il livre au fil des étapes ses impressions d'écrivain. Belles photos en noir et blanc.

Charpentier, Yves, *Bombay Parade*, Éditions Fayard, 2006.

Chatterji, Bankim Chandra, *Celle qui portait des crânes en boucles d'oreilles*, Éditions Gallimard, coll. "Connaissance de l'Orient", 2005). Les tribulations d'un jeune brahmane dans l'Inde du début du XVIIᵉ siècle, par l'un des plus grands auteurs bengalis modernes (1838-1894).

Chatterji, Bankim Chandra, *Le Testament de Krishnokanto*, Éditions Gallimard, coll. "Connaissance de l'Orient", 1988. Le meilleur roman de celui que Tagore considérait comme son maître.

Clément, Catherine, *Les Derniers Jours de la déesse*, Éditions Stock, 2006.

Dandin, *Histoire des dix princes*, Éditions Gallimard, coll. "Connaissance de l'Orient", 1995. Roman sanscrit du VIIᵉ siècle, narrant l'histoire de 10 princes partis à la conquête du monde.

Démétrian, Serge, *Le Mahâbhârata conté selon la tradition orale*, Éditions Albin Michel, 2006.

Démétrian, Serge, *Le Râmâyana conté selon la tradition orale*, Éditions Albin Michel, 2006.

Kalidasa, *Théâtre*, Éditions Gallimard, coll. "Connaissance de l'Orient", 1996. Trois pièces portant le nom d'héroïnes : *Sakuntala*, *Urvasi*, *Malavika* et *Agnimitra*. Ces femmes symbolisent l'amour absolu et tout, autour d'elles – dieux, hommes, bêtes, plantes, montagnes, rivières –, s'y abandonne comme à un principe universel.

Kipling, Rudyard, *Kim*, Gallimard, coll. "Folio Classique", 2005. Les merveilleuses aventures d'un garçon errant à travers l'Inde du Nord en quête du "Grand Jeu".

Kumar, Jainendra, *Un amour sans mesure*, Éditions Gallimard, coll. "Connaissance de l'Orient", 2004. Un vieux magistral qui décide de renoncer au monde repasse l'histoire de sa vie.

Lahiri, Jhumpa, *Un nom pour un autre*, Éditions Robert Laffont, 2006.

Malgonkar, Manohar, *Le Vent du diable*, Éditions du Rocher, 2006.

Narendra, Jadhav, *Intouchable*, Librairie Arthème Fayard, 2002. Le récit, inspiré de faits réels, d'une famille d'intouchables vivant dans l'Inde de l'Ouest au XXᵉ siècle.

Prince Ilangô Adigal, *Le Roman de l'anneau*, Éditions Gallimard, coll. "Connaissance de l'Orient", 1990. Aventures, catastrophes, tableaux de mœurs.

Rushdie, Salman, *Les Enfants de minuit*, 10-18, 1999. Un roman éblouissant qui traite de l'Inde après l'Indépendance. *Le Dernier Soupir du Maure*, sur Mumbai, est tout aussi saisissant (10-18, 1998).

Tagore, Rabindranath, *Le Jardinier d'amour*, Éditions Gallimard, coll. "Poésie/Gallimard", 1980 ; *Le Naufrage*, Éditions Gallimard, coll. "L'Imaginaire", 2002 ; *L'Offrande lyrique*, Éditions Gallimard, coll. "Poésie/Gallimard", 1971 ; *Souvenirs d'enfance*, Éditions Gallimard, coll. "L'Imaginaire", 1985 ; *Le Vagabond et autres histoires*, Éditions Gallimard, coll. "L'Imaginaire", 2002.

Tejpal, Tarun J., *L'Amant indien*, Éditions Buchet-Chastel, 2005. Un journaliste vit un amour passionné et charnel avec sa compagne jusqu'au jour où, lancé dans l'écriture d'un premier roman, il découvre les carnets intimes d'une certaine Catherine…

Valmiki, *Le Ramayana*, Éditions Gallimard, coll. "la Pléiade", 1999. L'une des 2 grandes épopées indiennes, avec le *Mahabharata* – le *Ramayana* narre les aventures héroïques du prince Rama à la recherche de son épouse Sita, ravie par le démon Ravana.

Vyasa, *Le Mahâbhârata*, Éditions du Seuil, coll. "Philosophie générale", 2002. Cette épopée sanskrite attribuée à Vyasa a pour héros principal Krishna, huitième et totale incarnation de Visnu. L'épisode le plus célèbre et le plus vénéré des hindous en est la *Bhagavad-Gita*, "chant du divin seigneur".

Beaux-arts

Daniélou, Alain et Burnier Raymond, *Visages de l'Inde médiévale*, Éditions Hermann, 1985. La sculpture des grands temples médiévaux – Bhubaneshvar, Khajuraho, Konarak – photographiée par Burnier et présentée par Daniélou.

À voir

Aditya Chopra, *Dilwale Dulhania Le Jayenge*, 1995 ; *Mohabbatein*, 2000.

Amir-Khan, *Rang De Basanti (Envoie la couleur)*, 2006.

Ashutosh Gowariker, *Lagaan (L'Impôt, il était une fois en Inde)*, 2001 ; *Swades (Nous, le Peuple)*, 2004.

Bimal Roy, *Devdas*, 1955 ; *Sujata*, 1959 ; *Bandini (La Prisonnière)*, 1963.

Farhan Akhtar, *Dil Chahta Hai (Ce que le cœur veut)*, 2001.

Gurinder Chadha, *Joue-la comme Beckham*, 2002.

Guru Dutt, *Mr & Mrs '55*, 1955 ; *Pyaasa (L'Assoiffé)*, 1957 ; *Kaagaz Ke Phool (Fleurs de papier)*, 1959.

J. P. Dutta, *Border (La Frontière)*, 1997.

Kamal Amrohi, *Pakeezah*, 1971.

Karan Johar, *Kuch Kuch Hota Hai (Un petit quelque chose s'est passé)*, 1998 ; *Kabhi Khushi Kabhie Gham (La Famille indienne)*, 2001.

Ketan Mehta, *Bhavni Bhavai (Un conte populaire)*, 1980.

M. Bhandarkar, *Chandni Bar*, 2001.

Mani Ratnam, *Nayakan (Le Héros)*, 1987 ; *Bombay*, 1995 ; *Dil Se (Du fond du cœur)*, 1998.

Mehboob Khan, *Humayun*, 1945 ; *Andaz*, 1949 ; *Aan (Mangala, fille des Indes)*, 1952 ; *Mother India*, 1957.

Mira Nair, *Salaam Bombay*, 1989 ; *Le Mariage des moussons*, 2001.

P. C. Barua, *Devdas*, 1935.

Phani Majumdar, *Street Singer*, 1938.

Raj Kapoor, *Aag (Le Feu)*, 1948 ; *Barsaat (La Mousson)*, 1949 ; *Awaara (Le Vagabond)*, 1951 ; *Shree 420 (Monsieur 420)*, 1955.

Ram Gopal Varma, *Company*, 2002.

Ramesh Sippy, *Sholay (Les Flammes du soleil)*, 1975.

Ravi Chopra, *Baghban*, 2003.

Sanjay Leela Bhansali, *Devdas*, 2002.

Shaad Ali, *Bunty Aur Babli*, 2005.

Shekar Kapur, *Bandit Queen (La Reine des bandits)*, 1994.

Sooraj R. Barjatya, *Hum Aapke Hain Koun (Que suis-je pour vous !)*, 1994.

V. Shantaram, *Admi*, 1939 ; *Dr Kotnis Ki Amar Kahani (Le Voyage du Dr Kotnis)*, 1946 ; *Amar Bhoopali*, 1951 ; *Do Aankhen Barah Haath (Deux yeux, douze mains)*, 1957.

Yash Chopra, *Deewaar (Le Mur)*, 1975 ; *Veer & Zaara*, 2004.

CRÉDITS PHOTOGRAPHIQUES

Couverture
© Patrick Frilet/Hemis.fr
Ganesh, Kerala, Inde.

Intérieur
David Abrams/APA 6-7, 10(b)
Agrawahl/DPA 151
Alami 22
M. Amirtham/DPA 5(b)
M. Amirtham/DPA/Link India
251
AKG-Images London 36
Apa Publications 29, 122, 173, 271,
315, 336, 338
Clair Arni 21
D. R. Bhaskar 23, 24(g), 24(d), 25
Piers Benatari/Panos 88
**Bruce Bernstein, avec la permission
de la Princeton Library, NJ** 44, 45,
340
Marcello Bertinetti 124, 181, 205
Birla Art Academy 225
John Borthwick 194, 235
Anthony Cassidy 188
A. Cassio 171, 212
Corbis 277
Dhiraj Chawda 148
Gerald Cubitt 142, 143, 162, 166,
175, 180(h), 200, 201(h), 212(h),
218, 231, 234(h), 242, 244, 244(h),
257, 258(h), 280, 287, 289, 296,
330
Fotolibra 9(hg), 10(h)
Gertrud & Helmut Denzau 140-141,
145, 226(h), 241
Jerry Dennis 93, 178(h), 180, 188(h),
202, 208(h), 208, 223, 224(h), 226,
233, 250, 252(h), 254
Dinodia Picture Agency 4(b), 281,
320(h)
DPA/Link India 295
Jan-Léo Dugast/Panos 227, 333(h),
334
Ashvin Gatha 134, 283
Getty Images 61
R.K. Goyal 84, 108, 172
Ronald Grant Archive 115
Blaine Harrington 172(h), 189, 203,
209, 214, 216-217, 234, 236, 274,
298(h), 300, 322, 333, 337

Hans Höfer 240
Jeremy Horner/Panos 204
M.F. Husain/Christie's Images 128
Link India 119, 316
Walter Imber/Apa Publications 30,
82, 121, 259, 260, 261, 331
Luca Invernizzi Tettoni 83, 133, 288,
291, 304-305, 317, 337(h)
Istockphoto 6(cd), 7(bd), 7(cg), 7(cd),
7(hd), 8(b), 11(h)
Britta Jaschinski/APA 6(cg), 24(b)
Catherine Karnow 4-5, 12-13, 68,
72, 79, 96, 100, 111, 112, 156-157,
264-265, 266, 268, 269, 273, 274(h),
275
Wilhelm Klein 46, 47, 91, 95, 99
Rupinder Khulla 342(g)
Bob Krist 137, 318
Philip Little 297, 302, 303
Max Lawrence 298
Lyle Lawson 14, 18, 20, 32, 55, 62-
63, 92, 105, 109, 135, 146, 149,
150, 152-153, 198, 228, 238, 239,
249, 272, 290(h), 308, 319(h), 325,
334(h), 339, 342(d)
Tom Le Bas 213
Richard Lewisohn/Link India 101,
195
Maria Lord 89, 328, 329
Julian Love 2-3, 6(b), 7(ch), 9(bg)
Craig Lovell 37, 41
Jan McGirk 312(h), 342(h)
BP Maiti/DPA/Link India 262(d)
Gilles Massot 220
Ashvin Mehta 78, 80(d), 301, 341
D. Messent 210, 211, 224, 221,
237(h), 321
Roland & Sabrina Michand 76
Fayaz Mir 19
Pramod R. Mistry 286
S. Nagaraj/DPA/Link India 255

Cartographie Berndtson
& Berndtson Productions
© 2004 Apa Publications GmbH
& Co. Verlag KG (Singapour)
Édition : Zoë Goodwin
Iconographie Hilary Genin
Conception artistique Carlotta
Junger, Graham Mitchener

**Nehru Memorial Museum,
New Delhi** 42, 48, 50, 51, 52, 53,
54
J. L. Nou 27, 77, 98, 102-103, 104,
107, 324(h)
Abe Nowitz/APA 7(bg), 16-17
Christine Osborne 64-65, 184
Panos 258
Avinash Pasricha 116, 247, 246,
282
Aditya Patankar 31, 40, 118, 132,
344
Gunter Pfannmuller 319
Ronnie Pinsler 81
Andrea Pistolesi 90, 110, 199, 206,
207, 309, 311, 313, 314
Henriet Podger/Link India 191
Gar Powell-Evans/Panos 179
Claire Pullinger 94, 168, 253
Nick Reese 196
S.H Raza/Christies Images 129
Dave Sanger 66, 85, 97, 95, 120,
130, 136, 138, 158, 167, 174, 177,
293, 320, 323, 324, 343
Peter Sayle 256, 315, 327
Dr Geethi Sen 26, 33, 34, 35, 39,
125, 131
Pankaj Shah 3(bg), 74-75, 77, 114,
123, 170, 187, 192, 230, 237, 248,
285, 286(h), 302(h), 306, 312, 326,
340(h)
G. Sharma/DPA 80(g)
Toby Neil Sinclair 144, 190
Jeanine Siniscal 58, 169, 243,
245
Paul Smith/Panos 70, 71, 229
Clark Stede 263
Chris Stowers/Panos 67, 69
V I Thayil/DPA 73
V I Thayil/DPA/Link India 294
Topham Picturepoint 43, 49, 56, 57,
59, 60
Tips 9(bd), 11(b)
Trip/Dinodia 106, 113, 276, 292,
335
Trip/F. Good 182, 183
Trip/S. Reddy 154-155
Hashim Tyabji/Fotomedia 147
Paul Van Reil 139
Bill Wassman 193, 279, 299